Enseignements de la Lumière

George Anderson
et
Andrew Barone

*Traduit de l'américain
par Nathalie Guillet*

Afin de protéger leur vie privée, les personnes auxquelles George Anderson fait référence apparaissent sous un nom fictif.

Révision : Nancy Coulombe
Traduction : Nathalie Guillet
Typographie et mise en page : François Doucet
Graphisme de la page couverture : Carl Lemyre
ISBN 2-921892-85-5
Première impression : 2000
Dépôt légal : troisième trimestre 2000
Bibliothèque Nationale du Québec
Bibliothèque Nationale du Canada

Éditions AdA Inc.
172, des Censitaires
Varennes, Québec, Canada, J3X 2C5
Téléphone: 450-929-0296
Télécopieur: 450-929-0220
www.ADA-INC.com
INFO@ADA-INC.COM

Diffusion
Canada : Éditions AdA Inc.
Téléphone: 450-929-0296
Télécopieur: 450-929-0220
www.ADA-INC.com
INFO@ADA-INC.COM
France : D.G. Diffusion
Rue Max Planck, B.P. 734
31683 Labege Cedex
Tél : 05-61-00-09-99
Belgique : Rabelais- 22.42.77.40
Suisse : Transat- 23.42.77.40

Imprimé au Canada

Données de catalogage avant publication (Canada)

Anderson, George (George P.)

Enseignements de la lumière : messages d'espoir et de réconfort de l'au-delà

Traduction de : Lessons from the light.

ISBN 2-921892-85-5

1. Spiritisme. I. Titre. II. Barone, Andrew.

BF1286.A5214 2000 133.9 C00-941274-3

TABLE DES MATIÈRES

Je dédie ce livre à la mémoire de mon père, George, « Andy » Anderson ainsi qu'à ma chère amie, Vicenza A. Barone. Pour sa gentillesse et pour la bienveillance qu'elle a toujours démontrée à mon égard, et ce, tant sur terre que dans l'au-delà. Je dédie aussi ce livre à mes animaux de compagnie bien-aimés, ainsi qu'à tous les animaux, ceux d'ici et de l'autre monde. Chaque jour, ces êtres exceptionnels témoignent de la grâce de la Lumière Infinie.

George Anderson

C'est avec tout mon amour que je dédie ce livre à mes anges : Andrew Petrone, Victoria Petrone et Colton Barone. Trois êtres formidables, qui par leur beauté intérieure, témoignent de la présence de la Lumière Infinie sur la terre.

Andrew Barone

REMERCIEMENTS

Pour leur patience et leurs efforts, pour l'espérance et la joie avec lesquelles elles aident les autres, j'exprime ma plus profonde gratitude aux personnes, qui de l'au-delà ou sur terre, ont contribué, par leurs paroles et par leurs actes, à faire de ce livre ce qu'il est.

Tracy Martin Bravin et Michael Bravin, M. Neal Sims, Mme Dianne Vitucci et la famille Vitucci, Mme Anna Max, Doreen et Roger Hemp et l'âme de M. Stephen Hemp, Mme Susan Marek et les âmes de Maître Ryan Marek et Maître Ryan Marek II, Connie et Phill Carey et l'âme de Mme Michele Carey, Mme Colleen Carey, Monseigneur Thomas Hartman, Sœur Julianne Speiss, S.S.N.D., Dr Elisabeth kübler-Ross, Mme Dianne Arcangel, Elaine et Joseph Stillwell et les âmes de Mme Peggy et de M. Denis O'Connor, Dr Raymond Moody, Dr Bruce Greyson, Dr Ian Stevenson, Mme Sharon Friedman, La Fondation Edgar Cayce, Dr Risa Levenson Gold et Dr Ken Gold, Mme Carol Bowman, Mary James et Kelly O'Reilly ainsi que les âmes de Maître Colin James O'Reilly, Mme Cherie Andes et l'âme de Maître Nicholas Andes, M. Jerome Stricker et l'âme de Mme Kimberly Stricker, la famille Barone, M. Bernard Weinstock, Mme Bill Doykem Erin et Daniel Tomcheff et l'âme de M. Theon Daniel Tomcheff, Peggy et Joseph Edwards ainsi que l'âme de Mme Corey Alan Edwards, Mme Berverly Jones et l'âme de Mme Kerry Lynn Cochram, Mme Deborah Scholes et l'âme de M. John Scholes, Mme Roxie Strish et l'âme de M. Larry Strish, Mme Deborah Bloomstrom et l'âme de Mme Nicole Bloomstrom, Shelley Grod Tatelbaum, M.S., C.G.T., Mme Geri Hashimoto et l'âme « d'Annie », Connie Costa Trivelli et Art Trivelli ainsi que l'âme de Geoffrey Costa, Pauline et Dennis Patterson et l'âme de Jeff Patterson.

Prologue
Le voyage d'une vie

Il y a maintenant plus de quarante ans que j'entretiens une relation soutenue avec les âmes de l'au-delà. Leur fréquentation m'a amené à comprendre cette ultime vérité : nous avons tous notre place dans le monde, puisque chacun de nous est né pour accomplir son propre itinéraire spirituel sur la terre. Peu importe qui vous êtes ou ce que vous souhaitez devenir, votre présence ici-bas témoigne du fait que vous avez certaines leçons à apprendre. Lors de notre existence précédente, nous avons tous choisi une mission et nous avons accepté de la remplir en y mettant toute notre foi et notre espérance, comme s'il s'agissait de notre seul et unique séjour sur terre. Les situations propices à notre apprentissage et à notre croissance jalonnent notre chemin afin que nous soyons en mesure d'atteindre les buts que nous nous sommes fixés et auxquels nous sommes destinés. Nous savions que les leçons à apprendre seraient nombreuses et difficiles, et que nous disposerions d'un temps infime pour y parvenir. Mais quelle que soit la leçon qu'il nous faille apprendre (patience, courage, pardon envers soi-même ou envers les autres), nous devons tous retenir ceci : notre vie est notre seule et unique vocation. Autrement dit, notre âme a pris une forme humaine et a été introduite dans la grande famille terrestre afin que nous puissions faire l'apprentissage des leçons qui nous sont destinées. Ces leçons se présentent à travers de multiples circonstances de notre vie ; soyez assurés qu'il y a plus de réactions possibles à ces événements qu'il n'y a d'étoiles dans le firmament.

En somme, tout est une question de choix. Certains seront bons, d'autres mauvais, mais chacun d'entre eux est important dans la mesure où il fait partie intégrante de notre itinéraire, ou plus précisément des raisons pour lesquelles nous sommes sur cette terre. Ainsi, les choix que nous effectuons nous aident à compléter notre apprentissage spirituel. Tout ceci ne vise qu'un seul but : nous faire connaître toute la douleur et tout l'espoir qui marquent le combat d'une vie, de sorte que nous puissions un jour bénéficier de nos acquis terrestres dans la félicité de l'au-delà. Les âmes de l'autre monde savent déjà cela, mais il nous faudra bien toute une vie, y compris l'expérience de la mort, pour que nous comprenions à notre tour de quoi il s'agit.

Notre présence en ce monde a une raison ; notre existence a un sens, un objectif précis qui concerne aussi bien notre propre vie que celle des autres. Bien entendu, nos itinéraires sont tous différents, mais les divers chemins que nous empruntons mènent à une seule et même destination. Certaines personnes ont une existence marquée par la perte d'un ou de plusieurs êtres chers. D'autres perdent même la faculté d'espérer. Quels que soient les événements de notre vie, nous devons continuer à lutter, car c'est à cette seule condition qu'il nous sera enfin donné de connaître la raison de notre présence ici-bas. De même, quelles que soient les circonstances qui sillonnent notre marche vers la Lumière Infinie, nous serons tous conduits à être tantôt professeur et tantôt élève. Selon les situations et les objectifs visés, les épisodes cruciaux de notre vie nous amèneront à endosser un de ces deux rôles. C'est par l'exemple que nous enseignons et que nous parvenons à apprendre. Aussi sommes-nous tous plus ou moins responsables de la croissance des autres. J'ai acquis, quant à moi, la responsabilité, lors de mon séjour sur terre, d'être pour les âmes de l'autre monde un instrument par lequel elles peuvent nous léguer un don précieux : l'espoir. Je ne saurais dire si ce sont elles qui m'ont choisi ou si je les ai choisies moi-même. Par contre, je sais pertinemment, comme chacun de vous l'apprendra bientôt, que tout ce qui arrive ici-bas a une raison et un but. Le fait d'établir une communication avec les vivants est loin d'être un simple amusement pour les âmes de l'autre monde ; au contraire, cette communication est parfois absolument nécessaire. Ces échanges nous procurent un réconfort et une paix inégalés, lorsque le désespoir nous envahit ou qu'une tragédie nous frappe. Par leurs enseignements, les âmes de l'au-delà nous font cadeau de l'espoir. Mon propre itinéraire sur cette terre m'a amené à partager cette conviction inébranlable des âmes de l'au-delà, à savoir les tragédies et les moments de désespoir que nous vivons nous conduisent à la paix et à la compréhension. Il se peut bien que nous ne goûtions pas tout de suite cette grâce, et pourtant une chose reste sûre : nous en bénéficierons dans l'au-delà. Nous avons tous, mère, père, conjoint, ami ou ennemi, un rôle à jouer, car nous avons tous reçu la vie qui nous convient. En d'autres termes : notre vie nous met en scène en nous plaçant dans des situations qui deviendront pour nous instructives. Je me suis demandé à un certain moment pour quelles raisons les âmes de l'au-delà m'avaient choisi comme interprète de leurs messages d'espoir auprès des familles en deuil. Or, en examinant de plus près mon passé, je me suis vite rendu compte que mes expériences m'avaient directement mené à endosser ce rôle. Ma naissance m'a placé dans les conditions propices à l'accomplissement du rôle de « messager » auquel on allait me destiner. Lorsque mon apprentissage sera complété, je savourerai à nouveau les grâces de l'au-delà, comme il le sera donné à chacun de nous. On m'a appris l'espérance en me faisant découvrir l'au-delà et ses beautés. On m'a enseigné l'humilité en mettant sur ma route des personnes exceptionnelles aussi bien que des vauriens. De même, afin que je sois capable de saisir la douleur des autres dans sa juste perspective, on m'a fait naître dans une famille peu encline à reconnaître mes talents et qui, encore aujourd'hui, ne comprend pas très bien la nature de mon travail.

Chacun de ces aspects de ma vie m'a façonné. Non seulement tous ont joué un rôle déterminant dans la manière de tirer profit de mes propres expériences, mais ils ont aussi influencé l'expérience des autres.

Je suis né en août 1952. À cette époque, Long Island (New York) était peuplée d'agriculteurs et les médecins faisaient encore des consultations à domicile. Quelque quarante-huit heures de plus et j'aurais eu la chance de naître le 15, soit le jour de la fête de l'Assomption. Ce fut un vilain coup du sort pour un catholique irlandais comme moi. Autrement, ma naissance ne fut marquée par aucun événement particulier, excepté que mes parents avaient décidé que je serais le dernier Anderson à joindre les rangs de la famille. Mes parents, Eleanor et George, avaient tous deux contracté une première union avant de se rencontrer et avaient déjà chacun une fille. Cela ne les a pas empêchés de souhaiter au moins deux autres enfants. En conséquence, mon frère de deux ans mon aîné et moi-même sommes nés. Notre arrivée venait compléter le portrait de ce qui, à leurs yeux, composait la famille idéale : deux garçons et deux filles. Au début des années quarante, mon père était bagagiste pour une compagnie de chemin de fer en Pennsylvanie, jusqu'à ce qu'il frôle la mort à la suite d'un accident. C'est ainsi que mon père connut une expérience au seuil de la mort dont il resta marqué jusqu'à la fin de sa vie. D'une façon ou d'une autre, il me semble que le souvenir de cette expérience ultime lui a permis de comprendre ce que je fais et les raisons qui m'incitent à poursuivre cette voie. Après ce terrible accident, mon père a retrouvé du travail chez KLM et ma mère a continué de se dévouer à sa famille en restant à la maison. Mes parents étaient des gens simples, appartenant à la classe ouvrière. Aussi notre vie se déroulait-elle entre l'école catholique, le travail et la sortie hebdomadaire du jeudi soir au petit restaurant du coin à laquelle nous avions droit, bien entendu, à la seule condition d'être sages.

Je ne me souviens pas bien de mes six ans, mais je me rappelle tout de même qu'il s'agit de l'année où j'ai eu la varicelle. Je me rappelle surtout que mon état de santé s'était progressivement détérioré. J'ai senti, au ton alarmé de mes parents et par les fréquentes visites du médecin, que mon état ne s'améliorait pas. D'ailleurs, je ne me sentais moi-même pas très bien. J'ai compris plus tard que j'avais développé une encéphalomyélite à la suite de complications. C'est une affection qui est mortelle dans la plupart des cas. Le virus de l'encéphalomyélite attaque le tronc cérébral. Il cause une intumescence du cerveau et de la moelle épinière qui conduit à la paralysie ou à la mort. Cette période ne fut pas de tout repos pour ma famille. Depuis quelques semaines la maladie ne me quittait pas et j'avais perdu l'usage de mes membres. Lorsque le virus donna enfin des signes d'essoufflement, je commençai à me sentir mieux et je fus capable de m'asseoir. À ce moment, nous avons tous ressenti un immense soulagement. Malheureusement, je n'avais toujours pas retrouvé l'usage de mes jambes.

Le cerveau d'un enfant est un organe surprenant. Je crois qu'on peut aisément le comparer à l'au-delà, en ce sens qu'il peut guérir, réparer, changer et travailler à contourner les obstacles qui se dressent sur son passage.

Jusqu'à l'âge de dix ans, le cerveau est doté d'une grande souplesse. Il peut non seulement réparer les dommages qu'il a subis, mais développer de nouvelles habiletés qui compensent les pertes et les dysfonctions encourues. Je me souviens d'avoir lu une histoire à ce sujet. Il y était question d'une petite fille épileptique dont le cas était si sévère qu'on avait dû pratiquer l'ablation d'une moitié de son cerveau afin de lui éviter une fin tragique. Ses médecins avaient émis l'hypothèse qu'après l'ablation d'une moitié de son cerveau, l'autre moitié prendrait le relais en remplissant les fonctions – le langage et le mouvement – qui incombaient auparavant à la partie malade. L'opération fut un franc succès. La fillette malade a survécu et elle est aujourd'hui une adolescente capable de marcher et de s'exprimer, ce qui d'un point de vue purement physiologique est un vrai miracle. En m'attardant à ma propre histoire, celle du temps où l'encéphalomyélite avait endommagé la région responsable du mouvement de mon propre cerveau, j'ai compris que mon jeune cerveau avait sans doute opéré le même genre de compensation afin que je reprenne la maîtrise de mes jambes. Pendant trois mois, je ne pouvais me déplacer qu'en rampant à quatre pattes ou en me faisant porter. Puis, soudainement, j'ai découvert un bon matin que j'étais de nouveau capable de me tenir debout. Sachant ce que je sais aujourd'hui, je suis persuadé que mon cerveau s'est réparé lui–même : une région saine aurait ainsi pris la relève en assumant les tâches de la région endommagée. Je crois, par ailleurs, que ce processus a activé une autre zone de mon cerveau, ce qui expliquerait mon aptitude à entendre et à voir des choses imperceptibles pour les autres. J'ai très tôt senti que cette habileté bouleverserait le cours de ma vie.

J'avais retrouvé l'usage de mes jambes, mais peu après, je fus littéralement projeté dans la seconde partie de ma vie. Ainsi, une nuit, peu après que l'on m'eut mis au lit, j'ai vu le visage d'une femme dans ma chambre. Elle se tenait là, immobile et radieuse au milieu d'un halo de lumière aux reflets bleu lavande. Elle était vêtue d'une longue robe de voile qui la couvrait de la tête aux pieds et elle souriait. Malgré son silence, j'ai vite compris qu'elle était en train de m'adresser des pensées paisibles et rassurantes. Elle semblait être capable de voir dans mon âme et j'avais l'impression qu'elle comprenait mes pensées et mes émotions mieux que quiconque. Sa visite ne dura que quelques minutes, mais cette expérience avait été si chaleureuse et si réconfortante qu'elle me laissa dans un état d'exaltation sans pareil. Lorsque tout fut fini, je m'endormis paisiblement. Je ne repensai pas à cette visite, jusqu'à la suivante, qui eut lieu quelques semaines plus tard. Une fois encore, la dame fit son apparition dans un halo de lumière bleu lavande. Elle me parla de façon si aimante et chaleureuse que j'ai tout de suite su qu'elle n'était pas de ce monde. Je la nommai « Dame Lilas ». Je ne soufflai mot de ces apparitions à personne jusqu'à ce qu'elles deviennent assidues. Lorsque je confiai à ma mère cette expérience, elle feignit un certain enthousiasme, comme si je venais de lui raconter que j'avais un ami imaginaire. Et pourtant, la Dame Lilas était loin d'être un personnage imaginaire. À mesure que ses apparitions devenaient plus fréquentes, ce que je racontais à leur sujet commença à mettre la patience de mes parents à l'épreuve. C'est ainsi que l'on m'enjoignit d'arrêter de parler de « ces histoires absurdes ».

Aussi décidai–je de ne plus reparler à personne de la Dame Lilas.

Mon enfance m'a permis d'apprendre ce qu'est le désespoir et d'en tirer une leçon. Je crois bien que cela a joué un rôle prédominant dans mon travail de médium. Il m'est impossible de me rappeler un seul moment où l'école ne fut pas pour moi une expérience à la fois menaçante et humiliante. Je n'y étais tout simplement pas à ma place, d'autant plus que je ne me sentais pas du tout intéressé par les choses qui préoccupaient les autres enfants de mon âge. En fait, ma relation avec la Dame Lilas avait tout simplement achevé de creuser l'écart qui me séparait des autres enfants. Sans compter que ma façon de voir la vie semblait toujours soulever la colère des sœurs enseignantes de l'école que je fréquentais, la *Our Lady of Perpetuel School*, une institution d'enseignement de Lindenhurst à Long Island. J'affichais des opinions qui étaient différentes et cela semblait agacer mes professeurs. Ils voyaient là une manifestation d'insolence de ma part. S'il est maintenant inconcevable pour un professeur de frapper un de ses élèves, il ne faut pas oublier que cela n'a pas toujours été ainsi. Aussi les religieuses s'arrogeaient–elles le droit de se servir de tous les moyens qu'elles jugeaient utiles à notre « redressement ». Je leur servais d'exutoire ; elles me giflaient sans ménagement ou me frappaient violemment la tête contre le tableau noir. Mais le pire était sans conteste les humiliations verbales que me faisaient subir les professeurs qui ressentaient une grande frustration à l'idée de ne pas pouvoir me comprendre. À la longue, je suis devenu timide et craintif ; je pensais que personne n'était disposé à m'aider. En ce temps, un enfant qui avouait à ses parents que son indiscipline lui avait valu d'être frappé par un professeur, devait s'attendre au pire. À chaque rentrée des classes, une rencontre était organisée entre le professeur et les parents. Tous les ans, mes parents profitaient de l'occasion pour donner ce conseil à mon futur enseignant : « s'il vous cause le moindre problème, nous vous donnons la permission de le frapper ». Mes parents étaient facilement impressionnés par l'autorité. Aussi croyaient-ils qu'une personne détenant un quelconque titre, devait nécessairement être plus compétente qu'eux. D'une manière ou d'une autre, ils pensaient que ce titre justifiait le fait qu'elle devait forcément « savoir mieux ». Ce sentiment a eu raison de leur jugement, si bien qu'ils ont placé leur confiance au mauvais endroit. Ainsi, jusqu'à ce que je devienne un adolescent, ils ont toujours pris des décisions qui allaient contre mon bien. Au fil des jours, les manifestations de l'au-delà dont je faisais l'expérience devenaient de plus en plus fréquentes, si bien que j'en suis venu à présumer que tout le monde recevait de telles visites et qu'elles n'avaient probablement rien d'extraordinaire. J'ai même osé dire à mon jeune voisin que j'avais communiqué avec sa grand-mère, qui venait de mourir. Elle m'avait dit qu'elle était en paix dans un lieu où règne la joie. Cette révélation mit les parents de l'enfant dans un tel état de colère et de peur que j'ai tiré une bonne et dure leçon d'avoir ainsi parlé ouvertement de mes expériences. Dès lors, pour ma propre sécurité, j'ai décidé qu'il valait mieux que je garde ces révélations pour moi, du moins pour un certain temps.

Malheureusement, les jeunes n'ont aucune discipline et je n'étais pas si différent des autres. Je détenais peut-être la capacité d'entendre et de voir des gens qui, j'avais fini par le comprendre, étaient des âmes de l'au-delà porteuses d'un message de réconfort et d'espoir, mais je ne savais toujours pas tenir ma langue.

De fil en aiguille, les âmes sont devenues mes seules vraies amies. Toutefois, mes visions étaient parfois sans rapport direct avec mon entourage. Ainsi, j'ai assisté à la fuite clandestine du Dauphin, Louis XVI, pour l'Angleterre à la suite de l'éclatement de la Révolution française. Durant une leçon d'histoire à l'école St. John Baptist, qui traitait de la dernière famille royale de France, j'ai affirmé d'un ton convaincu qu'il ne fallait pas croire que les enfants de la reine Marie–Antoinette et du roi Louis XVI avaient été assassinés comme les membres de leur famille. Une vision m'avait révélé que les enfants avaient plutôt été cachés et qu'ils avaient eu la vie sauve. Cette déclaration inattendue, qui s'assortissait d'un aveu non moins surprenant, déclencha une véritable catastrophe. Alors que j'étais encore à l'âge où la plupart des adolescents cherchent désespérément à s'intégrer dans leur milieu scolaire, je fus ridiculisé par les autres étudiants. Mon conseiller pédagogique demanda à rencontrer mes parents afin de discuter de l'à–propos d'une aide psychiatrique. Mes parents prirent au sérieux les recommandations du conseiller et décidèrent de me mettre entre les mains de la seule autorité qui, croyaient–ils, pourrait vraiment m'aider : l'Église catholique.

L'Association caritative catholique est une organisation qui a pour mission d'aider les familles en état de crise. Elle a mis sur pied des programmes d'aide pour les personnes toxicomanes ou alcooliques et les victimes de violence familiale, de même qu'un service de soutien psychologique. Pour les gens de la classe ouvrière, qui n'ont ni les moyens ni les ressources nécessaires pour prendre la décision de consulter un psychologue, cette association était le seul recours possible. Mes parents, qui avaient suivi sans aucune hésitation les conseils de l'école, – « parce que ses responsables savaient forcément mieux qu'eux » – croyaient que le Centre de santé mentale de l'Association catholique saurait comment m'aider. Au bout de quelques mois, et à la suite de nombreux tests peu concluants assortis de divers médicaments qui me maintenaient dans un état perpétuel de rêve éveillé, mon état laissa tout le monde dans une grande perplexité : mes visions gagnaient en fréquence et en précision.

Puis, alors que j'entamais ma deuxième année de collège, une situation fâcheuse survint. Je fus obligé de me défendre, assez férocement, j'en conviens, contre une véritable brute qui s'en était prise à moi. À la suite de cet événement, mon conseiller pédagogique et mon psychiatre s'accordèrent à dire que mon traitement ne réussirait pas à me « redresser ». Selon mon psychiatre, j'étais en pleine dissolution mentale. Ces messieurs diagnostiquèrent une schizophrénie paranoïde et suggérèrent de m'envoyer en cure de repos à l'hôpital Central Islip, une institution d'État. On invoqua pour raisons mes visions et ma difficulté d'intégration, toutes choses qui relevaient à leurs yeux d'épisodes psychotiques. À la suite de ce simple diagnostic, nous nous rendîmes, mon père, ma mère et moi, au bureau des admissions d'une institution psychiatrique d'État. L'institution était un endroit morne et plutôt intimidant où la plupart des malades étaient traités pour des troubles mentaux très sévères. Nous rencontrâmes le médecin responsable de l'admission, qui discuta avec mes parents avant de me rencontrer. Il crut bon toutefois de demander l'avis d'un autre médecin avant d'établir un diagnostic final.

Je crois que je ne me suis jamais senti aussi démuni que ce jour–là. J'étais en proie à la peur, je me sentais sans défense, complètement paralysé à l'idée que ma vie pouvait basculer à tout moment par la seule décision d'une personne en position d'autorité, d'une personne qui « savait mieux ». Cette crainte m'a poursuivi jusque dans ma vie adulte. Elle a eu une influence primordiale sur le sérieux avec lequel je considère mon travail et c'est sans doute pour cette raison que je suis si prudent et si soigneux dans l'exercice de mes dons. Ma rencontre avec le second médecin ne dura qu'une dizaine de minutes. Celui–ci s'en retourna voir le premier médecin pour lui dire qu'il doutait du bien–fondé de m'interner. Selon lui, il n'était pas impossible (c'était même plutôt probable) qu'une personne de mon âge soit battue ou même violée par les autres malades. Il ajouta que je n'avais rien de grave, sauf le fait d'être extrêmement stressé, sans toutefois l'être davantage que tout étudiant éprouvant des difficultés d'adaptation à son milieu. Il suggéra à mes parents de m'éloigner pour quelque temps de mon école. Il insista sur le fait qu'il désapprouvait fermement l'opinion du conseiller qui recommandait mon internement à l'âge encore si vulnérable de seize ans. Mes parents ont ramassé mes affaires et nous sommes repartis. Chacun de nous avait tiré une leçon personnelle de cette expérience. Mes parents avaient appris que personne ne possède, à elle seule, toutes les réponses, et moi j'avais appris que je devais écouter avec confiance les voix qui me disaient : « tu tireras de nombreuses leçons de cette expérience ». Et elles avaient plus que raison.

On a souvent dit que celui qui ne sait pas tirer de leçons du passé est condamné à répéter les mêmes erreurs. Cette affirmation est très juste et, qui plus est, elle est aussi valable sur cette terre que dans l'au–delà. Nous avons reçu les outils et les matériaux dont notre âme a besoin pour grandir, mais nous sommes libres de les utiliser comme bon nous semble. Certaines personnes arrivent à prendre appui sur leurs expériences pour construire un édifice durable et solide, tandis que d'autres s'effondrent sous la charge à porter et baissent les bras, amers et misérables de n'avoir rien appris ni rien accompli. C'est une question de choix. Je comprends aujourd'hui que les événements fâcheux ou embarrassants que mes dons ont pu susciter ne sont pas survenus pour rien. Ils m'ont permis d'en extraire une leçon qui a eu d'importantes répercussions dans ma vie. Certes, les leçons de mon enfance étaient nombreuses et difficiles, mais je devais apprendre ces leçons, puisqu'elles me préparaient à comprendre ce qui allait m'arriver par la suite. Je me suis déjà senti comme ces gens qui viennent me voir après la perte d'un être cher et qui ne peuvent retrouver l'espoir et la joie. J'ai été complètement atterré par les circonstances. Par ailleurs, j'ai pu comprendre tout l'effroi qu'engendre le sentiment d'avoir perdu le contrôle de son existence. Heureusement, les leçons qui modèlent notre existence ici–bas sont celles dont nous profiterons lorsque notre séjour sur terre prendra fin. Autrement dit, notre souffrance sera récompensée lorsque nous retournerons enfin dans la joie de l'au–delà. Il en va de même lors de la perte d'un être cher. Ainsi, nous avons le choix : soit de bâtir quelque chose à partir des ruines que cette perte a laissées, soit de baisser les bras, tout bêtement, et de quitter les lieux, démolis par tant d'espoirs brisés. Il faut aussi savoir qu'au cœur des souffrances qui jalonnent notre route, des marques de réconfort et d'espoir nous sont consenties, même si elles ne sont parfois que temporaires.

Pour ma part, les personnes qui ont compris et accepté ma différence m'ont redonné espoir. De même, les personnes affligées par la mort d'un être cher retrouvent espoir lorsqu'on leur apprend qu'elles ne sont pas seules pour vivre leur peine. Ces petits signes d'espoir suffisent à insuffler à nouveau en nous la force de vivre et de poursuivre notre route vers la paix.

La perte d'un être cher nous pousse tous, à un moment ou à un autre, à la colère et à l'incompréhension. Face à la mort d'un de nos proches, nous avons tous envie de crier, en levant le poing au ciel : « pourquoi ? » Cette question n'est pas la bonne. Il faudrait plutôt nous poser celle–ci : « de quel passage obligé fait partie cet événement et quels sont les apprentissages que vise la souffrance que j'expérimente à travers cette situation ? » Il s'agit en fait de la première étape à franchir sur cette longue et tortueuse route que constitue notre itinéraire spirituel. Nos leçons ne sont pas inutilement difficiles. Les âmes de l'au–delà, même les plus secourables d'entre–elles, se gardent pourtant bien de nous révéler le pourquoi de nos souffrances. Elles ont promis toutefois qu'il existait bel et bien une raison. Contentons–nous pour le moment de nous en remettre à notre force, à notre foi et à notre espérance. Lorsque viendra le temps de retrouver la félicité de l'autre monde, la raison qui se cache derrière notre souffrance nous apparaîtra avec clarté. Le fait de savoir que nos souffrances ne sont pas vaines est la seule consolation que nous ayons pour le moment. Autant que je sache, il me semble qu'il y a certaines choses que les âmes ne sont pas autorisées à me dire. Je ne dois pas connaître ces choses, car j'ai aussi mon propre chemin vers la foi et l'espérance à parcourir sur cette terre. Néanmoins, je sais pertinemment que le fait de faire des efforts pour s'en sortir –si minimes soient–ils– et de conserver une lueur d'espoir et de foi, est, en soi, le signe que nous avons triomphé de nos leçons. Si vous avez tenté de donner un sens à ce qui semblait apparemment insensé, alors vous marchez vraiment vers la Lumière. Nous devons poursuivre notre route en dépit de ce que nous avons traversé par le passé. Tel est le véritable sens de notre apprentissage spirituel.

Au fil des ans, j'ai appris à voir que les événements que j'attribuais autrefois au hasard ou à l'infortune sont ceux qui m'ont façonné. Ils ont fait de moi un messager, un instrument par lequel les âmes de l'au–delà sont en mesure de transmettre un message d'espoir à leurs proches, qui vivent la douleur du deuil. Un singulier attachement nous unit, elles et moi : elles ont besoin de moi pour compléter leur apprentissage et j'ai besoin d'elles pour compléter le mien. Tout comme elles envoient des signes d'encouragement aux personnes qu'elles ont aimées, les âmes de l'au–delà placent sur ma route les circonstances et les personnes – bonnes ou mauvaises – dont j'aurai besoin pour comprendre quelle est ma véritable place dans l'univers. J'ai beaucoup appris de ces rencontres – avec les âmes de l'au–delà comme avec les êtres humains – et de ces situations, elles ont joué un rôle majeur dans mon itinéraire spirituel. Je pense, entre autres, à la sœur Sophie, une enseignante qui m'a fait très tôt comprendre l'importance de la bonté et de la générosité dans l'adversité. Je pense aussi aux relations durables que j'ai établies avec des âmes telles que Mère Cabrini, sainte Philomène, sainte Thérèse, sainte Edith Stein (sainte Thérèse Bénédicte de la Croix), saint Joseph et saint Thomas More. Ces âmes sont des modèles incomparables de foi et d'humilité qui nous aident à accomplir notre mission sur terre. Somme toute, elles sont les gardiennes de nos âmes et de notre vie spirituelle.

En assumant le rôle de relais entre les âmes de l'au–delà et leurs proches, je suis convaincu que je suis, moi aussi, en train de faire les apprentissages qui me sont destinés.

De cet endroit incomparable qu'est l'éternité, nos proches, ces êtres que nous chérissons, nous tendent la main. Ils nous épauleront sur notre chemin, jusqu'à ce que nous les retrouvions dans la paix et la joie de la Lumière Infinie. Il nous faut donc poursuivre notre route; les âmes le proclament résolument. Nous ne pouvons nous arrêter. En le faisant, nous ne trouverions pas l'apaisement et nos apprentissages seraient gaspillés. Il nous faut aller de l'avant en nous accrochant à la moindre lueur d'espoir. Voilà le but de tout ce que nous expérimenterons sur la route parfois parsemée d'écueils de notre existence. Telle est la leçon la plus pénétrante que nous donne la Lumière. S'il est vrai que nous ne choisissons pas nos leçons, nous avons au moins la possibilité, soit d'en tirer profit, soit de les ignorer. Les paroles de sainte Edith Stein résument admirablement cette pensée. « Quels que soient les desseins de Dieu, ils sont les miens ». Jamais paroles aussi sensées n'ont été prononcées.

Chapitre 1

COMMUNIQUER AVEC LES ÂMES DE L'AU-DELÀ

Les mots clairvoyance et médiumnité ne sont pas des synonymes. La clairvoyance relève de l'intuition, tandis que la médiumnité fait appel à la capacité de communiquer. Le clairvoyant a accès à certaines informations concernant les personnes qu'il côtoie. Ses intuitions concernent souvent un décès ou un événement important qui aura lieu dans l'avenir. La médiumnité est très différente. On peut parler de médiumnité lorsqu'une personne parvient à établir une communication directe avec les âmes de l'au-delà. Le don de médiumnité se caractérise par la capacité de recevoir des informations émanant des âmes de l'au-delà, habileté que ne possèdent pas les clairvoyants. L'art des clairvoyants repose donc sur l'intuition tandis que celui des médiums repose sur la capacité à capter les messages en provenance de l'au-delà. C'est pourquoi, je me dis médium et non pas clairvoyant. Le médium étant toute personne capable de mettre en contact les âmes de l'au-delà avec les « vivants ». La médiumnité est, quant à elle, la méthode par laquelle les médiums communiquent les émotions et les pensées qui leur sont directement transmises depuis l'au-delà. Aussi suis-je aux âmes de l'au-delà ce que la peinture est au peintre, un « support », autrement dit, un moyen grâce auquel elles peuvent exprimer leurs idées et leurs émotions. Bref, je ne suis que l'instrument par lequel elles ont la possibilité de faire entendre leur « voix ». Mes habiletés concernent seulement la communication avec les âmes de l'au–delà ; je ne capte que les messages qui me sont volontairement transmis.

La médiumnité n'étant pas une science exacte, il arrive que certains messages soient mal interprétés. Rien n'empêche que les messages d'espoir transmis par les âmes, sont d'un grand secours pour les personnes affligées par un deuil. Les âmes aident ces dernières à mieux saisir le sens des événements tragiques qu'elles traversent. Il me serait facile de dire aux familles affligées que leurs proches sont heureux et en paix dans l'au–delà ... Il y a longtemps que je n'ai plus aucun doute là–dessus. Seulement, mes paroles n'auront jamais la même portée, elles ne seront jamais aussi significatives que celles adressées directement par les « disparus » à leurs proches. Utilisée à des fins « thérapeutiques », la communication avec les âmes apporte réconfort et apaisement aux personnes en deuil qui souhaitent savoir si les êtres qu'elles chérissent sont heureux et en paix, là où ils sont. Et sur ce chapitre, les âmes de l'au–delà sont entièrement disposées à nous aider. Toutefois, il faut se garder de développer une dépendance face aux communications médiumniques. Les âmes de l'au–delà sont loin de souhaiter que leurs messages nous dispensent de franchir les étapes indispensables à l'apaisement de notre douleur. Ceux qui, par l'entremise d'un médium, cherchent à maintenir un contact soutenu avec leurs proches, risquent d'être fort déçus. Les âmes ne manqueront pas de leur rappeler qu'ils doivent tirer les leçons de cette expérience, et que pour ce faire, ils leur faut aller de l'avant et poursuivre leur itinéraire spirituel en s'appuyant sur leur propre confiance et leur propre foi. De même, les âmes tenteront de nous faire comprendre qu'il n'est pas de leur ressort de diriger nos vies ou de régler nos problèmes. Il y a des leçons que nous devons apprendre par nous–mêmes. Aussi réconfortante et salutaire que puisse être une expérience médiumnique, elle ne peut à elle seule combler le vide laissé par la perte d'un être cher. Elle devrait plutôt nous faire voir la mort comme faisant partie intégrante de notre séjour sur cette terre. Nous devons accepter cet état de choses, aussi difficile que soit pour nous la perte d'un être cher. Toutefois, les âmes peuvent nous aider à reprendre courage et à retrouver l'espoir nécessaire pour aller de l'avant en cette vie, jusqu'à ce que le temps soit venu pour nous d'aller les rejoindre. Car nous les rejoindrons un jour, elles nous en ont fait la promesse.

Les personnes qui ont entendu parler de mes dons croient souvent, et à tort, que j'entre en communication avec les âmes de l'au–delà. En réalité, c'est l'inverse : les âmes de l'au–delà établissent un contact avec moi. Je les écoute et je me contente de transmettre leur message aux familles concernées. Ce faisant, elles cherchent à faire comprendre à leurs proches que la mort n'est rien de plus que l'abandon du corps. Bien que nous soyons incapables de les voir ou de profiter de leur présence, nous pouvons toujours nous réjouir du fait qu'elles sont heureuses là où elles sont. Il est important de souligner qu'elles ne ressentent pas la séparation physique au même titre que nous. Elles demeurent auprès de nous aussi longtemps qu'elles en ressentent le besoin. Un peu plus tard, elles reviendront périodiquement nous visiter, surtout lorsque nous traverserons des moments difficiles. Les âmes m'ont confié qu'il était possible d'établir une communication avec elles à tout moment. Il suffit de penser à elles, de prier ou plus simplement encore, de leur parler à haute voix. Elles ont ajouté qu'elles entendaient toujours les messages qui leur sont adressés et faisaient tout ce qui était en leur pouvoir pour nous aider.

La médiumnité a ceci de particulier qu'elle permet aux âmes d'apporter directement à leurs proches, espoir et consolation. En somme, elle offre à ces âmes la possibilité de répondre directement aux questions qui hantent ceux qu'elles ont laissés derrière elles. Il faut bien saisir que les âmes choisissent d'entrer en communication avec nous : elles ne le font pas par obligation, mais plutôt par désir. La séparation physique a beau ne pas être pour elles une épreuve, elles nous observent et comprennent la profondeur de notre douleur, puisque du point de vue qui est le nôtre, la mort n'est rien d'autre qu'une fin ou une rupture abrupte. Par la médiumnité, elles ont la possibilité de faire savoir à leurs familles que la mort n'est pas synonyme de perte ou de disparition. En fait, elles ne sont pas plus mortes qu'une personne avec laquelle on n'a plus de contact parce qu'elle réside dans un pays lointain. S'il nous est impossible de la voir ou de la toucher, rien ne nous empêche de savoir qu'elle est heureuse et en sécurité là où elle est. De leur point de vue, tout ceci n'a rien de très compliqué ; les âmes nous voient et nous visitent aussi souvent que nous le souhaitons. Il est cependant important de souligner qu'elles consentent librement à ces visites ; aussi n'avons–nous pas à craindre de les importuner ou de les détourner de leur propre cheminement spirituel par nos demandes. Voici en leurs propres termes ce qu'elles m'ont dit à ce propos : elles savent que l'amour crée des liens indéfectibles que la mort n'entache pas ; rien ne nous sépare d'elles, à part un peu de temps. Les âmes savent pertinemment que la fin de notre itinéraire spirituel sur terre signera le moment de notre réunion.

Je crois que mes dons relèvent de la « perception ». Ainsi je préfère les mots « capter » et « captation » au mot « lecture ». Autrement dit, je ne crois pas lire dans les âmes comme d'autres prétendent le faire. Le mot « lecture » laisse entendre que je suis à la recherche d'informations, ce qui est inexact. Je perçois les âmes qui sont auprès des familles venues me consulter, puis j'écoute les messages qu'elles souhaitent transmettre à leurs proches. Bien que j'essaie parfois d'obtenir des informations précises, mon travail consiste à écouter attentivement le message qu'elles adressent à leurs proches. Ces perceptions sont un peu comme une « tribune des âmes », un forum qui leur fournit l'occasion d'exprimer leurs pensées sur des situations qu'elles connaissent bien pour les avoir observées. N'oublions pas qu'elles sont souvent avec nous lorsque nous traversons des moments difficiles. Peu importe la nature du message qu'elles tiennent à transmettre et peu importe qu'il corresponde ou non aux attentes de la famille, une chose reste sûre : je ne peux me permettre de faire dire aux âmes ce que l'on souhaite entendre d'elles. D'ailleurs, il semble que les âmes préparent toujours soigneusement le message qu'elles souhaitent transmettre. La plupart des gens croient, à tort, que je suis l'interprète de l'information qui m'est communiquée. Il n'en est rien ; je ne suis que l'humble instrument par lequel elles se font entendre. Parler aux vivants, fait partie de la vocation même des âmes de l'au–delà. En effet, elles ont pour mission d'amener leurs proches à comprendre que la vie sur terre est un voyage voué à l'apprentissage spirituel. Ainsi, à la fin de notre itinéraire, et ce, quelle qu'en ait été la durée et les leçons que nous en avons retirées, nous pourrons pleinement jouir de nos apprentissages terrestres. Les âmes savent tout cela pour l'avoir expérimenté. Ayant quitté cette existence et par le fait même, ayant été mises au courant du sens et du but des événements (bons ou mauvais) qui ont jalonné leur vie, elles espèrent que nous parvenions à percevoir la mort d'un autre œil. La mort n'est pas synonyme de perte, disent–elles, elle est un passage obligé qui nous mène vers la félicité de l'au–delà.

Les âmes ont beaucoup à dire à leurs proches. Par leurs paroles, elles cherchent à les aider à aller de l'avant dans leur apprentissage spirituel, jusqu'à ce que le temps des retrouvailles soit venu.

La plupart des gens s'imaginent que les âmes viennent me visiter à tout moment et à tout propos, ne serait–ce que pour me dire bonjour. Il n'en est rien, les âmes n'entrent pas en communication avec moi pour le plaisir, mais plutôt parce qu'elles sentent que leurs proches ont besoin d'elles. Elles n'ont d'ailleurs aucune autre raison de le faire. Il peut toutefois arriver que les âmes me persuadent du bien–fondé de les mettre en contact avec des personnes de mon entourage. Cette situation s'est présentée à moi lors d'un dîner avec des proches parents, originaires d'Afrique du sud, qui étaient venus à New York pour assister à une réunion de famille. Durant le repas, je pouvais sentir la présence de Stephen, le fils décédé du couple que j'accompagnais. Il ne cessa de m'appeler qu'au moment où je mentionnai sa présence. Il va sans dire que cette communication mit en joie les parents de Stephen, qui se montrèrent ravis de son insistance. Leur réserve était telle qu'ils ne cherchèrent toutefois pas à en savoir plus. Il est même arrivé que des âmes me demandent de faire parvenir à leurs proches (enfin, à des personnes que je connais), un message ou un cadeau pour souligner un quelconque événement. Ainsi, peu avant la fête des mères, la mère de mon amie Tracy, qui est décédée à la suite d'un accident en 1979, m'a demandé de lui remettre de sa part un ours en peluche. Elle m'a décrit de façon très précise l'ourson qu'elle souhaitait lui offrir et elle m'a même dicté le texte de la carte. Le message et la carte eurent l'effet escompté. Nul besoin de vous dire à quel point j'étais heureux d'avoir pu aider une mère à offrir un tel témoignage d'amour à sa fille.

La plupart du temps, j'arrive à savoir qu'il est l'heure de me mettre au travail lorsque j'entends une sorte de vrombissement dans ma tête, bruit qui ressemble aux sons émis par le démarrage d'une génératrice. Je sens alors une énergie monter en moi, énergie qui provient des forces électromagnétiques dont se servent les âmes pour transmettre leur message. Cette énergie reste en moi tout au long du processus de captation pour s'estomper à mesure que les âmes s'éloignent. Cette étrange sensation, qui ironiquement me draine physiquement, ne réapparaît jamais avant quelques heures, voire quelques jours. Toutefois, elle ne manque jamais de revenir. Il semble que les âmes savent qu'elles ne peuvent pas utiliser mon cerveau plus de quelques heures. Lorsqu'il m'est arrivé de poursuivre une captation (surtout durant les séances de groupe) un peu trop longtemps, les âmes ont toujours mis fin à la communication. Elles savent bien qu'une captation me demande une énergie considérable et il leur revient de veiller à ce que je ne me surmène pas. Le corps humain est parfois si fragile. Ainsi, je ne dois pas travailler tous les jours, tout comme je dois faire de mon mieux pour ne pas me surmener.

Néanmoins, il est plutôt réconfortant de savoir que les âmes veillent à mon bien–être, puisqu'elles me quittent toujours lorsqu'elles sentent que j'ai besoin de me reposer.

Les âmes de l'au–delà ne sont jamais à court de moyens lorsqu'il s'agit d'établir un contact et de me transmettre de l'information. Et qui plus est, elles font preuve d'habilités pour le moins fascinantes. Si je peux parfois les voir aussi distinctement que n'importe qui, il arrive aussi qu'elles me parlent directement, par l'intermédiaire d'une longueur d'onde que je suis le seul à capter. Chose étonnante, elles utilisent mon cerveau comme s'il s'agissait d'une grosse boîte à outils. Je m'explique : elles semblent être capables de se servir des informations qui s'y trouvent, ainsi, elles récupèrent les données que j'ai lues ou entendues pour illustrer leurs propos. Le cas d'une famille de Wichita au Kansas, dont la fille Stephany est décédée, illustre avec éloquence leurs surprenantes habiletés. Alors que j'étais au beau milieu d'une captation, Stephany m'a fait voir une des protagonistes d'un vieux film que j'avais déjà vu. Il s'agissait de la comédienne noire, Step'n Fetchit, qui faisait carrière dans les années trente. J'ai demandé aux membres de la famille si cette comédienne évoquait quelque chose pour eux et la mère interloquée m'a répondu : « mais c'était son surnom ! » C'était un bien curieux sobriquet pour une jeune fille, mais ce petit détail constitue une illustration des extraordinaires habiletés que déploient les âmes de l'au–delà lorsqu'il s'agit d'entrer en communication avec nous. À travers des situations banales de ma vie quotidienne, il m'a souvent été donné de constater à quel point les âmes sont habiles à capter ce qui se passe dans mon cerveau. Ainsi, lorsque je lis un journal ou lorsque je regarde quelque chose, il m'arrive d'entendre une voix qui me dit : « souviens–toi de ceci, tu en auras besoin plus tard ». Et, la semaine suivante, j'ai une captation qui est en lien direct avec ce que j'avais lu ou entendu. Il ne faudrait pas pour autant croire que je joue un rôle actif dans le processus de captation. Les âmes ne cherchent pas à m'impliquer personnellement dans leur communication.

Elles m'ont même dit que je n'avais pas à comprendre ce qu'elles me disaient, pas plus d'ailleurs qu'elles ne souhaitent me voir commenter les informations qu'elles m'envoient. Le fait est que je suis humain, aussi m'est–il difficile de rester insensible au drame des familles qui souffrent de la perte d'un être cher. De même, il m'est difficile de ne pas repenser aux messages que j'ai reçus. Quoi qu'il en soit, les âmes ne manquent pas de me rappeler à l'ordre lorsque je suis, bien malgré moi, tenté de m'investir de façon émotive dans un cas. Ainsi, elles me font savoir – d'abord poliment, puis assez énergiquement si je n'obtempère pas – que je ne dois pas outrepasser les limites de mon rôle. Les âmes ne reviennent me visiter que lorsque j'ai entièrement retrouvé le détachement et l'objectivité nécessaires à l'accomplissement de ma tâche. Elles me répètent que je dois rester aussi détaché que possible. Je crois bien qu'elles ne veulent pas que je sois contaminé par les sentiments de détresse et de désespoir auxquels mon travail me confronte. Lors d'une séance de captation, j'ai soudain aperçu le fils d'une des participantes. Il s'était suicidé : il avait mené une existence accablante durant laquelle il avait eu peur de tout. J'ai pu ressentir les émotions qu'il avait lui–même éprouvées lorsqu'il était sur terre (comme s'il avait voulu me faire comprendre ce que c'était que d'être à sa place).

Je reconnus instantanément sa souffrance ; ces émotions douloureuses, je les avais moi–même déjà ressenties lors de mon adolescence. Cette expérience fit sur moi une telle impression que je fondis en larmes au beau milieu de la séance. Si bien que la communication s'interrompit pour un moment afin que je reprenne le contrôle de mes émotions. Cette interruption temporaire constituait en quelque sorte un avertissement : une des âmes avait cru bon de me rappeler que je ne devais jamais me laisser submerger par les émotions qui émanent de toute captation. Ce n'est pas toujours facile, mais je sais que toute captation requiert que je mette mes émotions en veilleuse, ne serait–ce que pour le bien des personnes qui assistent à la séance.

Plusieurs personnes se demandent pourquoi les messages des âmes manquent de clarté ou sont susceptibles d'être mal interprétés. L'idéal serait certainement que les âmes puissent me dire : « Eh ! bonjour, je suis John, ton frère, tu sais celui qui est mort en tombant d'un élévateur à grains. Surtout n'oublie pas de saluer maman, papa, grand–maman et Rose ». La seule chose qui pose problème lors d'une communication avec l'au–delà est liée au fait que les âmes doivent s'introduire dans mon cerveau, ce qui, en soi, n'est pas une mince tâche. Après tout, en tant qu'être humain, j'ai mes propres limites, aussi suis–je susceptible de mal interpréter les messages qui me sont transmis. Pensez seulement aux quiproquos qui naissent du jeu du téléphone arabe et vous comprendrez aisément de quoi il s'agit. Ces dernières années, je me suis appliqué à mettre mes propres idées de côté. De même, j'ai tenté de repousser tout relent de scepticisme que je pourrais éprouver face au message qui m'est transmis. Malgré tout, il m'arrive encore d'interpréter le message des âmes dans le sens de mes attentes, en d'autres termes : je dis ce que je pense que les âmes veulent dire.

Ces malentendus me rappellent que je ne suis pas toujours aussi habile que je le crois. Toutefois, les âmes veillent au grain, elles ne me quittent jamais avant d'être certaines que j'ai bien saisi leur message. Il ne faudrait tout de même pas penser que je suis toujours à l'origine des malentendus. Cette anecdote le prouve bien : j'ai ainsi dit à une femme durant une séance de captation : « votre père me dit que votre mari est décédé ». Ce à quoi elle répondit par un signe de tête négatif. « Vous voulez dire qu'il est toujours sur cette terre ? » Lui demandai–je. « Non », répondit–elle. « Alors où est–il ? » « Il est mort », répondit–elle. Les âmes ne manquèrent pas de trouver cet échange très amusant, j'entends encore leurs blagues : « faisons–nous erreur ? Parlons–nous bien à des vivants !? » Les personnes qui viennent me voir sont quelquefois si bouleversées à l'idée de communiquer avec leurs proches disparus, qu'elles ont des réactions pour le moins étranges. Les âmes ont souvent à faire preuve de beaucoup de patience avec nous ; il nous arrive souvent d'entendre sans écouter.

Chacune de mes captations prend place dans des circonstances singulières, aussi il va de soi que les informations reçues, de même que les relations que j'établis avec les âmes sont toujours différentes. Malgré tout, certaines données ne démentent jamais nos attentes. Ainsi, les âmes de l'au–delà cherchent toujours à nous faire savoir qu'elles n'ont pas disparu. Et qui plus est, elles sont souvent plus près de nous qu'elles ne l'ont jamais été lorsqu'elles étaient vivantes, si bien qu'elles nous aident à surmonter les grandes comme les petites épreuves qui jalonnent notre vie quotidienne.

Un des grands messages que les âmes de l'au–delà tentent de transmettre à leurs proches, par l'entremise d'un médium, révèle que la mort n'est pas une perte. Bien au contraire, les âmes nous disent que la mort leur a tout donné. En somme, le seul véritable drame lié à leur mort concerne les vivants, qui doivent apprendre à vivre avec le vide que laisse la perte d'un être cher. Les âmes, elles, savent ce que c'est que d'être de l'autre côté et ainsi comprennent aisément que toute la peine engendrée par le sentiment de perte nous échoit. Fait digne d'intérêt : les âmes ne parlent jamais des circonstances entourant leur mort en termes de hasard ou de malchance. Peu importe que leur décès soit survenu dans des conditions tragiques ou accidentelles, elles ont compris que la notion d'accident n'est pas un concept valable dans l'univers. Les circonstances de leur trépas n'ont donc aucune importance à leurs yeux ; elles ont compris que la mort n'est que le processus par lequel elles sont entrées dans l'autre monde.

Lors des séances de captation, les âmes de l'au–delà font parfois sentir leur présence par des signes tangibles. Par exemple, il n'est pas inhabituel de percevoir, durant les séances, une odeur qui leur était familière ou de s'apercevoir soudainement que les lumières vacillent. Ces manifestations prennent plusieurs visages, parfois il s'agira d'une simple chanson entendue à la radio, tandis qu'en d'autres occasions, les âmes se présenteront à nous au grand jour ou par l'entremise d'un rêve. Malheureusement, il arrive trop souvent que les gens négligent ces signes en les mettant sur le compte d'une coïncidence ou d'une imagination trop fertile. Bientôt pourtant, ces mêmes personnes viennent me voir en pensant qu'il pourrait bien s'agir d'un appel de l'un de leurs proches. Les souhaits ne produisent pas de visions, ne vous y trompez pas. Aussi, ces manifestations devraient–elles être prises pour ce qu'elles sont : des messages que nous envoient les âmes qui nous aiment. Beaucoup de gens m'ont avoué qu'ils avaient appelé de leurs prières un quelconque signe ou une visite de la part d'un proche décédé. J'ai rencontré une mère qui m'a dit espérer nuit après nuit que son fils décédé vienne la visiter dans ses rêves et que malheureusement son vœu ne se réalisait pas. Elle en était consternée, mais telle n'était pas la tâche de son fils à ce moment. Dans l'immédiat, il ne pouvait rien faire sauf attendre qu'elle ait vaincu une partie de sa souffrance par elle–même. Les âmes ne viennent à nous que lorsque nous sommes prêts à les accueillir, c'est à dire lorsque nous sommes parvenus à panser quelque peu nos blessures. Elles s'assurent ainsi que nous ne dépendrons pas d'elles pour régler nos moindres gestes. Elles ne se manifestent pas avant, jamais, je le sais. J'ai demandé à Susan si elle croyait que le fait d'obtenir le signe qu'elle attendait changerait quelque chose à sa vie. Elle m'a répondu qu'elle ne vivrait alors que dans l'attente de nouveaux signes. Cette simple question lui a permis de comprendre que son fils n'avait pas répondu à ses demandes parce qu'il souhaitait qu'elle mette d'abord de l'ordre dans sa vie. Les êtres qui nous sont chers savent toujours ce qui est le mieux pour nous, et c'est pourquoi, ils ne se laissent pas fléchir par nos demandes. Les âmes ne songent en fait qu'à nous ramener sur le chemin qui est le nôtre afin que nous puissions compléter notre itinéraire spirituel sur cette terre. L'année suivante, j'ai rencontré Susan qui m'a confié que son fils avait enfin consenti à lui donner quelques signes de sa présence. Bien sûr, il n'était pas question de buissons ardents, mais de tous petits signaux. Toutefois, ils étaient suffisamment significatifs pour qu'elle comprenne que son fils était auprès d'elle.

Pourquoi les âmes de l'au–delà sentent–elles le besoin de communiquer avec nous ? Voici une question qui a deux réponses : une simple et une compliquée. Commençons par la plus simple. Les âmes voient toute la peine et la souffrance que leur départ a provoquées et elles souhaitent sincèrement nous aider à comprendre que la mort n'est qu'une séparation physique ne signifiant en rien la perte du lien émotif qui nous unissait à elles. Maintenant qu'elles connaissent le sens de leur existence terrestre tout aussi bien que celui de la nôtre, elles souhaitent par–dessus tout que nous ne nous laissions pas détourner de notre chemin, de cette route étroite qui n'est rien de plus que notre propre itinéraire spirituel et sur laquelle nous cheminons tout droit vers le lieu où nous pourrons enfin bénéficier de nos apprentissages terrestres.

LES COMMUNICATIONS SPONTANÉES

Il ne faudrait pas croire qu'il faille absolument être médium pour communiquer avec l'au–delà. Plusieurs personnes ne détenant pas de dons de médiumnité m'ont confié avoir reçu la visite d'un proche dans un de leurs rêves ou alors qu'ils étaient parfaitement éveillés. Il arrive aussi que certains événements dotés d'une forte portée symbolique ressurgissent par l'entremise de ce que l'on considère comme de simples manifestations naturelles, par exemple, une odeur entêtante de fleurs qui ne manque pas d'évoquer le souvenir de la personne décédée. Les âmes de l'au–delà m'ont raconté qu'elles utilisaient souvent de tels procédés pour faire sentir leur présence aux personnes qu'elles chérissent. Il peut s'agir d'une simple chanson que nous entendons à la radio au moment précis où nous pensons à un proche décédé, mais parfois l'expérience devient plus troublante et nous pouvons apercevoir la silhouette de la personne aimée. Plusieurs âmes m'ont dit qu'elles pouvaient permettre à leurs proches de soulever, pour un instant, le voile qui les sépare de leur monde. Pourtant, certaines personnes mettent toujours ces phénomènes sur le compte d'un rêve éveillé ou d'une fabulation. Dans leur grande sagesse, les scientifiques pensent que ces expériences relèvent d'une psychose attribuable à un état neurasthénique. Cette analyse me déplaît. Elle laisse entendre que la tristesse provoquée par la perte d'un être cher est à l'origine d'une maladie mentale qui provoque un délire. Ce qui prouve bien que la science n'a pas su comprendre toute la douleur qu'engendre la perte d'un être cher. Bien entendu, il y aura toujours des êtres pour confondre la réalité et leur propre imaginaire, toutefois la majorité des personnes qui expérimentent ces manifestations de l'au–delà ne font pas partie du lot. Elles n'ont pas perdu contact avec la réalité, au contraire, elles ont conclu, de façon fort rationnelle, qu'il s'agissait plutôt d'un cadeau de la part de leurs proches. En fin de compte, ces personnes ont compris que leurs proches tenaient suffisamment à elles pour se manifester à travers un geste significatif qui vise à leur redonner espoir.

Les âmes de l'au–delà donnent tant de signes variés de leur présence qu'il serait impossible de les énumérer ici. Les plus courants de ces signes, outre les visites durant le sommeil, font appel à notre odorat ou sont en rapport avec l'électricité. Ainsi, il m'arrive encore, de sentir l'odeur de la pipe de mon grand–père, même si personne ne fume dans les alentours. Les êtres que nous aimons savent se montrer astucieux lorsqu'il s'agit de nous faire comprendre qu'ils sont auprès de nous. L'expérience de mon amie et bailleur de fond, Connie Carey, l'illustre bien. Elle m'a raconté qu'elle avait entendu sa fille Michelle se lever et se préparer comme elle en avait l'habitude tous les matins. Or, sa fille était décédée dans un accident, en 1993. Connie avait déduit de ce curieux événement que Michelle tentait non seulement de lui signifier sa présence, mais elle cherchait à lui faire comprendre que leur séparation physique ne marquait pas la fin de leur intimité et de leur familiarité. Connie avait du mal à accepter la perte de sa fille, mais à la suite de cet événement, elle gagna en sérénité. Colleen, la seconde fille de Connie, en profita pour confier à sa mère que Michelle était venue la visiter durant son sommeil. Ses rêves lui semblaient si réels qu'elle se réveillait en sursaut, littéralement exténuée par ce qu'elle venait de voir. Peu importe la méthode utilisée par les âmes pour entrer en contact avec nous, l'important est qu'elles veulent faire savoir à leur famille qu'elles sont tout à fait bien là où elles se trouvent. Elles tiennent aussi à rappeler à leurs proches qu'elles sont toujours auprès d'eux, idée qu'elles mettent souvent en avant lors des séances de captation.

Il ne faudrait surtout pas croire que certains de nos cauchemars sont attribuables à la visite d'une âme. Ayant reçu certaines confidences en ce sens, je crois important de démentir cette croyance. Les rêves mettant en scène des âmes tourmentées et malheureuses ne proviennent pas de nos proches. Les âmes de l'au–delà transmettent une énergie beaucoup plus positive et croyez–en mes expériences, je n'ai jamais eu connaissance de cette détresse. Le regard qu'elles posent sur leur existence et la nôtre témoigne d'une compréhension beaucoup plus lucide et sereine de l'univers. Oubliez tous ces cauchemars, ils ne sont certainement pas aussi vrais qu'ils en ont l'air. Les rêves qui nous projettent dans des situations désagréables où règne la peur, ne sont que le reflet de nos propres angoisses. Prenez–les toujours pour ce qu'ils sont : de simples cauchemars. N'ayez crainte surtout, lorsqu'une vraie visite se présentera à vous par l'entremise d'un rêve, vous n'aurez aucun mal à voir la différence.

Certaines personnes dans le deuil se montrent parfois inquiètes à l'idée de ne pas avoir reçu de telles visites. Ajoutons qu'elles ont entendu toutes sortes d'histoires extraordinaires à ce sujet et qu'elles en viennent facilement à s'imaginer que leurs proches ne souhaitent pas rester auprès d'elles. Rassurez–vous, il ne s'agit pas de cela. Je me souviens, entre autres, d'une femme qui est venue me consulter à la suite du décès de sa fille dans un accident de la route. Elle me racontait qu'elle priait chaque jour sa fille afin qu'elle daigne lui faire signe. Malheureusement, ses prières restaient lettre morte. Elle était tellement obsédée par cette idée que son travail et ses relations avec ses autres enfants en souffraient terriblement, bref, toute sa vie en était bouleversée. Sa fille décédée a profité de ma captation pour faire comprendre à sa mère qu'elle ne consentirait à lui donner un signe de sa présence qu'au moment où elle serait prête à le recevoir. La mère n'en était pas là, elle devait cesser de vivre dans le passé pour être en mesure d'accepter cette perte et de la percevoir comme une épreuve à surmonter. En somme, elle devait d'abord comprendre que cette expérience douloureuse faisait partie de son apprentissage spirituel, sans quoi, il lui était impossible d'en tirer une leçon.utile à sa croissance.

Cette leçon est loin d'être facile, mais croyez–moi, les âmes de l'au–delà ne veulent que notre bien. Les âmes m'ont dit qu'elles ne peuvent nous aider à surmonter certaines épreuves de notre vie. Nous devons les traverser seuls, car c'est à cette condition que nous pourrons enfin grandir. J'ai d'ailleurs remarqué que les âmes ne faisaient jamais allusion à ce qu'avait été leur vie sur terre, durant les captations. Elles ne souhaitent pas ressasser le passé, bien au contraire, elles cherchent à nous aider à trouver des moyens pour que nous allions enfin de l'avant. Et, du point de vue unique qui est le leur, il faut admettre qu'elles sont plutôt bien placées pour le faire. Il me semble que ceci s'applique tout particulièrement aux communications entre les parents et leurs enfants décédés. Car ils doivent d'abord accepter cette perte afin d'être en mesure de saisir pleinement la signification que recouvrent ces signes. Autrement dit : les êtres qui nous sont chers, n'acceptent d'entrer en contact avec nous que lorsque nous ne comptons plus sur eux pour nous aider à supporter notre peine.

LES SOUTIENS SPIRITUELS

Je ne pourrais passer sous silence le fait que je reçois une aide précieuse de la part de ceux que j'appelle mes « soutiens spirituels ». Ces âmes étaient des personnes d'une grande spiritualité lorsqu'elles étaient sur terre. Dans certaines religions, on les appelle des « saints » – c'est l'appellation que j'emploie – mais peu importe le nom qu'on leur donne, retenons qu'il s'agit de personnes ordinaires qui ont accompli des choses extraordinaires et qui ont développé une spiritualité hors du commun. C'est pour moi un grand privilège que d'entretenir un dialogue soutenu avec chacune de ces âmes bénies. Leurs interventions durant mes captations sont plus que précieuses : elles sont en elles–mêmes un exemple positif qui nous démontre avec éloquence qu'il nous est possible d'accomplir de grandes choses en cette vie. Ce sont des personnes sur lesquelles on peut compter lorsque l'on a besoin d'aide. Bref, leur vie est en soi un témoignage du pouvoir de la foi et de l'espérance.

J'ai vu pour la première fois la Vierge Marie à l'âge de dix–neuf ans, lors d'un séjour en Irlande durant lequel je suis soudainement tombé malade. Ayant eu une éducation catholique, j'avais du mal à m'imaginer que la Vierge Marie puisse soudainement faire son apparition devant une personne telle que moi. Il émanait d'elle une telle sérénité, que j'ai tout de suite senti qu'il s'agissait d'une personne comme les autres, mis à part le fait qu'elle possédait une foi hors du commun. J'ai fait part de mon expérience à mes parents irlandais. Ils m'ont écouté avec attention sans remettre en cause le moindre détail de mon récit, leur foi de charbonnier les incitait à boire mes paroles. Cependant, mon frère ne tarda pas à écrire à ma mère pour lui faire savoir que mon état mental se dégradait encore une fois. Mais cette apparition n'était que le prélude à de nombreuses autres rencontres avec ceux que j'appelle mes « soutiens spirituels ». Je pense à sainte Philomène, qui est selon moi la patronne des naissances heureuses, à saint Joseph, patron du passage dans l'au–delà, au Christ, patron et conseiller de tous les désespérés et à saint Jude, patron des causes désespérées. Je songe à toutes ces âmes bénies, et à bien d'autres encore, qui se sont présentées à moi, non pas comme des symboles religieux, mais plutôt comme des porteurs de foi et d'espérance.

Ces âmes remarquables prêchent d'abord et avant tout par l'exemple, mais à l'instar de toutes les autres âmes de l'au–delà, elles souhaitent aussi nous faire comprendre que nous ne sommes pas seuls pour livrer le combat de notre vie. Ainsi, Mère Cabrini m'a déjà soufflé ces paroles au cœur de ma détresse : « je suis avec toi ».

Le fait de communiquer avec les âmes ne nous délivre pas de notre douleur. Comme je l'ai déjà dit, il n'est pas de leur devoir de nous soustraire à cette leçon de vie que constitue la perte d'un être cher. Les âmes ont insisté sur le fait que le seul véritable remède à nos souffrances se trouvait dans l'autre monde. Il est vrai que ces contacts avec l'au–delà suscitent parfois plus de questions qu'ils n'offrent de réponses, mais la nature humaine est ainsi faite que nous voulons toujours comprendre ce qui nous échappe. Il faut garder à l'esprit que les épreuves que nous traversons ont pour but d'exercer notre foi, aussi notre récompense viendra lors de notre passage dans l'autre monde. Malheureusement, aucune potion magique ne pourra nous soulager de notre peine. La séparation physique engendre une souffrance profonde et tenace qui nous tenaille jusqu'à ce que nous soyons de nouveau réunis. En fait la communication médiumnique est la meilleure alternative qui s'offre à nous pour composer avec la perte d'un être cher. Bien entendu, il vaudrait mieux que nos proches ne meurent jamais, mais à cela nous ne pouvons rien. Aussi, vaut–il mieux que nos proches tentent de nous faire comprendre qu'ils sont toujours auprès de nous.

Chapitre 2

LE PASSAGE VERS L'AUTRE MONDE

Nous vivons à l'ère de l'information. À peu près tout ce que nous souhaitons obtenir est aisément disponible par des moyens que nous n'aurions même pas pu concevoir, ne serait–ce que vingt ans plus tôt. L'ordinateur, l'Internet, la télévision, le fax, la radio et le téléphone nous donnent instantanément accès à toutes les informations dont nous avons besoin. Notre monde regorge d'informations qui sont tout aussi bien utiles à la conduite de notre propre vie qu'à la maîtrise et à la compréhension du monde dans lequel nous vivons. Bref, nous avons accès à tout, sauf à l'au–delà. Bien entendu, la mort a toujours été au cœur des préoccupations des êtres humains, toutefois, tout le monde admettra volontiers que notre connaissance du sujet ne peut être que limitée. Ainsi, peu de personnes abordent la mort comme un passage obligé dans la poursuite d'un itinéraire spirituel. Nous savons bien qu'il arrive toujours un moment où notre corps est à ce point abîmé, qu'il ne peut plus assurer son fonctionnement global, et que c'est à ce moment précis que nous mourons. La mort physique n'est qu'un des aspects de la mort, un peu comme la grossesse n'est qu'une des étapes du cycle de reproduction. Bien peu de choses ont été écrites ou dites concernant ce qu'il advient de nous après notre mort. Il faut bien avouer que cette question est à elle seule l'objet de controverses infinies puisqu'il se trouvera toujours quelqu'un pour persifler. On s'est bien moqué des récits de voyage de Marco Polo, le pauvre homme, il disait avoir visité un endroit fantastique appelé « Chine ». Ainsi, les questions liées à ce qui se passe après la mort ne font pas l'objet d'un grand enthousiasme et lorsqu'elles le font, elles sont récupérées par des mouvements Nouvel Âge, des groupements religieux ou quelques charlatans.

Ce débat ressemble un peu à celui qui oppose les personnes qui croient que la vie commence dès la conception et celles qui pensent qu'elle débute plus tard. Rien ne les empêche de s'entendre sur le fait que c'est la naissance qui donne accès à la vie physique active et à la pleine conscience. Ainsi, la mort physique nous donne accès à un autre monde. Durant la grossesse, l'enfant est en développement, son corps se forme afin qu'il puisse pleinement exercer ses capacités et ses talents dans le monde. Pensez aux astronautes, leurs combinaisons sont parfaitement adaptées à l'environnement qu'ils visitent, mais de retour sur terre, ils n'en ont plus besoin et revêtent une autre tenue. Ainsi en va–t–il de notre corps. Dans l'au–delà, nous avons seulement besoin de notre conscience et de notre corps spirituel. Notre mort signe le commencement d'un nouvel itinéraire spirituel, tout comme la naissance d'un nourrisson signe le commencement de sa vie terrestre.

PASSER D'UNE PIÈCE À UNE AUTRE

Il ne faut pas craindre la mort, les âmes m'ont dit qu'il n'était pas plus difficile de passer dans l'au–delà que de passer d'une pièce à une autre dans notre maison. Bien des histoires extraordinaires concernant des lumières et des tunnels, des êtres formidables et des démons, ont été racontées. Pourtant, ceux qui pour être dans l'au–delà, ont bel et bien vécu ce passage, m'ont dit qu'il s'agissait d'une expérience beaucoup plus subtile et agréable. Certaines âmes m'ont même confié, à l'occasion de mes captations, que leur transition s'était opérée de manière si discrète qu'elles n'avaient presque rien remarqué. Une de mes captations illustre ces témoignages avec éloquence.

Edna et Stu Graham sont venus me consulter à la suite de la mort de leur fils Kyle dans un accident d'automobile en Floride. Kyle m'a raconté (ainsi qu'à ses parents) qu'à la vue des débris laissés par l'accident, il s'est immédiatement exclamé : « mes parents vont me tuer ! » Puis, toujours dans l'intention de faire tomber la tension et de les faire rire, Kyle ajouta que sa mort avait été une bonne chose, puisqu'elle l'avait dispensé de subir leurs foudres. Cette histoire est loin d'être unique, je ne compte plus les âmes qui m'ont confié n'avoir pas tout de suite pris conscience de leur passage de l'autre côté. Une de ces âmes, un homme décédé à la suite du naufrage de son bateau, lors d'une tempête, m'a raconté qu'à mesure qu'il coulait, il se sentait de plus en plus calme, jusqu'au moment où il retrouva suffisamment d'énergie pour remonter. Une fois à la surface, il constata que la tempête s'était calmée et que le temps était clair, il entreprit alors de se rendre jusqu'au rivage. Il avait presque atteint le rivage lorsqu'il réalisa enfin qu'il n'était plus sur terre.

En longeant la rive, il avait aperçu des membres de sa famille qui lui souriaient en agitant la main en signe de bienvenue.

Bien d'autres âmes m'ont raconté avec quel étonnement elles avaient soudainement réalisé qu'elles se trouvaient dans l'au–delà. Elles avaient toujours pensé qu'un tel passage serait beaucoup plus marquant. Durant un séjour à Hawaï, en 1966, j'ai visité le cuirassé Arizona Memorial, dédié à la mémoire de la bataille de Pearl Harbour survenue le 7 décembre 1941. J'étais à explorer les alentours du cuirassé, lorsque l'âme d'un homme vint vers moi. Il se présenta, il se nommait Benjamin Steimetz et je me rappelai qu'il figurait au tableau d'honneur du cuirassé. Il m'a d'abord fait voir les circonstances de sa mort ; il était à bord au moment où le cuirassé fut touché. Puis il me confia que le fait de se savoir mort avait été aussi éprouvant pour lui que pour les membres de l'équipage. Cette découverte le plongea dans une grande fureur, il pensait que sa mort était injuste et prématurée. Ce moment de stupeur passée, il réalisa que sa vie n'avait pas été vaine et que l'au–delà lui offrait la possibilité de poursuivre sa croissance spirituelle et de mettre à profit ses acquis terrestres. Il croyait maintenant que la mort ne lui avait apporté que de bonnes choses et il affichait une certaine fierté à l'idée d'avoir pu participer à un des événements marquants de l'histoire des États–Unis.

Certaines âmes sont très à l'aise lors de leur passage dans l'au–delà ; elles accueillent même cet événement avec joie. La plupart de celles qui m'ont confié avoir vu leurs proches qui les attendaient au seuil de l'au–delà, étaient décédées à la suite d'une grave maladie. Le Dr Elisabeth Kübler–Ross et Dianne Arcangel appellent ce phénomène « apparition à l'article de la mort ». Toutes deux ont étudié de près ces visites de nos parents, amis, voire même de nos animaux domestiques, afin d'être en mesure d'aider les malades en phase terminale à vivre leur passage dans l'autre monde. Peu avant son décès, en avril 1997, mon père, George « Andy » Anderson, m'a dit avoir vu sa belle–mère Annie envers laquelle il éprouvait une affection sincère. Annie lui a fait savoir que tous l'attendaient là où elle était. Au fur et à mesure que son état se dégradait, les apparitions devenaient plus fréquentes. Il a même raconté avoir vu un vieux copain de l'Armée tué lors de la Seconde Guerre mondiale ainsi que Boo–Boo, le chat de la famille qui était mort récemment. Quelques semaines avant sa mort, il nous a fait part d'une visite du Dr Wellman, décédé, depuis trente ans déjà. Celui–ci venait tout simplement prendre de ses nouvelles. Plus mon père se rapprochait de l'instant de sa mort, plus il avait l'occasion de rencontrer et de parler à ses parents et à ses amis décédés. Je suis toujours un peu incrédule face à ce genre d'histoires ; il y a quelque chose en moi qui me pousse à mettre ces phénomènes sur le compte de rêves ou de délires. D'autant plus qu'il était sous l'emprise d'une forte médication et que ses récits étaient très détaillés. Le 28 avril de cette même année, je me faisais conduire par mon assistant à une réception d'anniversaire chez un ami lorsque nous nous sommes perdus.

J'étais confortablement assis à la place du passager lorsque je reçus la visite d'une ancienne voisine, décédée alors qu'elle n'était encore qu'une jeune femme. Elle m'a dit que mon père était attendu et qu'elle était de ceux qui devaient le recevoir. Puis elle a soudainement disparu au moment même où nous avons retrouvé notre chemin. Six heures plus tard, mon père mourait. Il n'avait aucune crainte, toutes ces rencontres avaient été si agréables et rassurantes. Je crois qu'elles ont grandement contribué à lui faire accepter sa propre mort. Quelles que soient les circonstances de leur mort, les âmes décrivent toujours avec naturel et simplicité leur passage dans l'au–delà. J'en ai conclu que les circonstances entourant notre mort importent peu, puisque mourir est pour nous un moyen de quitter cette terre, un passage sans heurt vers une paix durable.

Au moment où une âme passe dans l'au–delà, elle aperçoit immédiatement une personne qu'elle a connue ou elle est mise en contact avec quelque chose de familier afin de lui faire comprendre qu'elle n'est désormais plus sur terre. Certains nouveaux arrivants éprouvent en cet instant une crainte très vive, sentiment attribuable aux croyances qu'ils entretenaient sur l'au–delà. Les âmes doivent parfois faire preuve d'une grande imagination afin d'accueillir ceux qui se sentent confus ou qui n'ont aucun parent ou ami pour les inciter à entrer dans la lumière. De telles situations se présentent surtout dans le cas des enfants ou des personnes qui ont vécu un grand stress avant de mourir, je pense ici aux personnes qui se sont suicidées ou aux victimes de crimes violents. Une fois qu'elles sont passées de l'autre côté, il leur est immédiatement donné de voir des images réconfortantes telles que : le visage du Père Noël pour un enfant, des petits animaux broutant dans un pré ou un magnifique champ de fleurs au beau milieu duquel se trouvent des gens heureux. En somme, l'au–delà s'assure toujours que les nouveaux arrivants se retrouvent immédiatement dans une ambiance réconfortante et agréable afin de faciliter leur passage.

LE BILAN DE VIE

Entre le moment de notre arrivée dans l'au–delà et notre séjour dans la Lumière, il arrive toujours un moment où nous parvenons à comprendre le sens des événements de notre vie, les âmes de l'au–delà appellent cet épisode le bilan de notre vie. On m'a dit que cela ressemblait à un film mettant en scène tous les événements de notre vie. Nous y voyons défiler nos accomplissements, de même que les circonstances dans lesquelles il était impossible de faire mieux. Il nous est aussi donné de voir, d'un point de vue objectif, l'impact que notre vie a eu sur celle des autres. Grâce à cette reconstitution, nous commencerons à comprendre le sens de notre vie sur terre. Nous saurons enfin que notre souffrance et nos combats n'étaient pas vains, qu'ils étaient voués à notre croissance spirituelle, laquelle se poursuit dans l'au–delà. Fait intéressant, que, soit dit en passant, je tiens des âmes de l'au–delà elles–mêmes, il semble que nous soyons plus enclins à nous souvenir de nos mauvaises actions que de nos actes dignes de mention. Pourtant ces gestes ne sombrent pas dans l'oubli, la Lumière Infinie les connaît. Toutefois, il arrive aussi que certaines personnes soient incapables de voir qu'elles ont déjà posé des actes qui ont causé du tort à quelqu'un. Ces personnes sont souvent victimes de leur éducation. Les préceptes religieux ou politiques qu'on leur a inculqués dès l'enfance dictaient leurs comportements. C'est pourquoi elles ne comprennent pas que leurs actes aient pu avoir une influence néfaste sur leur entourage. L'au–delà fournira à ces individus, l'occasion de se mettre à la place de ceux qu'ils ont blessés, tant par leurs actes que par leurs paroles. De plus, les personnes qui ont commis des crimes violents pourront entrevoir toute l'horreur et la détresse que leurs actes ont suscitées. Elles peuvent toujours tenter de s'absoudre en pensant qu'elles n'avaient aucune maîtrise d'elles–mêmes lorsqu'elles ont commis ces actes violents, mais elles ne pourront plus se cacher la réalité. Elles réalisent que le chemin qui les mènera à la croissance spirituelle sera long et ardu.

Il ne faudrait pas pour autant croire que l'au–delà souhaite nous imposer un quelconque châtiment. Retenons que ce bilan est à notre vie ce qu'est un corrigé à un examen. L'au–delà n'est pas un lieu de punition. Chaque personne y est son propre juge et décide de ce qu'elle doit faire pour remédier à ses lacunes et parachever son développement spirituel. C'est par la grâce de la Lumière Infinie et notre bilan de vie que nous accédons à une nouvelle compréhension : nous voyons qu'en agissant en toute bonne foi nous avons parfois fait des erreurs. Dans l'au–delà, il n'y a rien d'irrémédiable, nos leçons terrestres se poursuivent, de sorte que notre âme se rapproche toujours un peu plus de la Lumière Infinie.

LES EXPÉRIENCES AU SEUIL DE LA MORT

Les personnes ayant vécu une expérience au seuil de la mort racontent qu'elles ont eu la chance d'entrevoir ce qui se passe aux portes de l'au–delà. Ainsi, elles ont vu leur vie défiler devant elles et ont été en mesure de saisir l'impact de leurs actes sur la vie des autres. La suite de leur existence a été profondément transformée par cette expérience (qui à notre échelle ne dure que quelques secondes). Pourquoi ?

La raison en est simple : ces individus ont été momentanément séparés de leur corps physique. Aussi ont–ils entamé leur bilan de vie et ont–ils eu l'inestimable chance de goûter à l'amour parfait qui règne dans la lumière de l'autre monde. Ils savent dorénavant que la vie terrestre s'offre à nous comme une occasion de répandre le bien autour de soi. Ils connaissent cette vérité toute simple affirmant que rien n'est inutile, autrement dit : ce que nous faisons pour les autres, les autres pourraient aussi bien le faire pour nous à un moment ou à un autre. Cette expérience les bouleverse si profondément qu'ils choisissent souvent de suivre un nouveau chemin, qui dans bien des cas, les mène vers un plus grand accomplissement spirituel. Dianne Arcangel en est un bon exemple. Elle était négociante avant qu'une opération de routine l'amène à vivre une expérience au seuil de la mort pour quelques minutes. Elle m'a raconté qu'elle n'aurait jamais cru qu'il était possible de ressentir de telles émotions ; elle était littéralement plongée dans la beauté. Ce jour là, elle a senti que l'amour de l'au–delà est si grand que rien de ce que l'on peut faire ou dire ne résiste à la compassion et à la compréhension de la Lumière Infinie. À la suite de cette expérience, Dianne quitta un travail pour lequel elle était très bien rémunérée afin de se dévouer aux malades en phase terminale. Mon père a vécu à peu près le même cheminement à la suite d'une expérience semblable. Il a subi un accident qui l'a mené à vivre une expérience bouleversante au seuil de la mort. Il m'a dit qu'il courait dans un pré couvert de fleurs, aux couleurs extraordinaires, comme il n'aurait jamais pu en imaginer. Il courait sous un ciel d'un bleu magnifique, très clair mais sans soleil, jusqu'à ce qu'il rencontre deux hommes vêtus de blanc. Ils lui demandèrent de rebrousser chemin en ces mots : « ton heure n'est pas venue George, retourne d'où tu viens ». Au moment précis où il obtempéra, il sentit qu'une infirmière le secouait dans l'espoir qu'il reprenne connaissance. Cette expérience a transformé à jamais sa façon de voir le monde et lui a permis d'accepter sa mort, de la voir comme un passage naturel vers l'autre monde. Plusieurs spécialistes pensent encore que les expériences au seuil de la mort sont attribuables au délire ou à certains états psychotiques, heureusement, la communauté médicale considère ce phénomène avec beaucoup plus de sérieux et pense qu'il relève d'un état de conscience modifié. Un médecin m'a expliqué à ce propos la différence qu'il y avait entre ce genre d'expérience et le rêve. Les rêves, m'a–t–il dit, font sur nous une forte impression, mais si nous les racontons plus d'une fois, nous en oublions facilement les détails, puisqu'ils sont le produit de notre subconscient. Les expériences au seuil de la mort se distinguent aisément en ceci qu'elles nous laissent des souvenirs impérissables. Ainsi, les personnes qui en ont fait l'expérience peuvent la raconter autant de fois qu'il est possible, sans qu'aucun détail ne leur échappe. Au contraire des rêves, leurs souvenirs ne s'affadissent pas, la mémoire que nous en gardons, s'aiguise au fil du temps. Que vous croyez ou non à ce phénomène, on ne peut nier que les personnes ayant touché le seuil de la mort sont, elles, convaincues de l'existence de l'au–delà. Elles en reviennent avec cette conviction inébranlable que le passage entre notre monde et l'au–delà est une expérience facile et empreinte d'une grande beauté.

LE RETOUR À LA MAISON

Certaines personnes ne comprennent pas comment leurs proches peuvent être heureux dans l'au–delà, alors que les circonstances de leur mort ont été tragiques. Au cours d'une séance de captation ayant eu lieu plusieurs années après sa mort, une fillette qui avait été sauvagement battue et assassinée à l'âge de huit ans, m'a parlé de la mort en ces mots : « notre souffrance cesse dès que notre esprit quitte notre corps », notre séjour dans l'autre monde est du véritable « gâteau ». Elle m'a expliqué qu'elle n'avait pas du tout souffert. Le temps était venu pour elle de quitter cette terre, de sorte que son âme a été emportée vers l'au–delà avant que son corps ne soit mort. Détail qui suscita une réaction d'étonnement de la part de sa famille. Il m'a été donné, depuis, de recueillir de nombreux récits confirmant l'histoire de cette petite fille ; plusieurs âmes m'ont confié n'avoir pas du tout souffert durant leur passage vers l'au–delà.

Notre bilan de vie nous donne l'occasion de saisir le sens de notre existence terrestre ; il nous prépare à poursuivre notre développement spirituel dans l'au–delà. Une fois ce bilan complété, nos souvenirs terrestres s'estompent graduellement jusqu'à ce que nous nous soyons parfaitement acclimatés à notre nouvelle existence. Et bientôt, nous comprenons que ce nouveau monde est notre seule véritable maison. Tout devient clair : nous venons de ce monde et nous y retournons. Ayant enfin compris le sens de nos efforts, ce qui est en soi notre récompense, nous nous libérons de nos vieilles entraves pour aller de l'avant et grandir spirituellement. Et ainsi nous poursuivons notre chemin vers la Lumière Infinie, le cœur pur et léger. De nouveau réunis avec nos parents et nos amis, nous commençons enfin à comprendre le sens de notre nouvelle existence dans cet au–delà qui n'est rien de moins que notre vraie demeure.

Chapitre 3

À QUOI RESSEMBLE L'AU–DELÀ ?

J'ai bien fait quelques milliers de captations au cours de ma vie et je peux dire que chaque passage vers l'au–delà constitue, en soi, une expérience unique. Seule la destination reste la même : l'au–delà et la Lumière Infinie. Les âmes se sont personnellement chargées de mon éducation en ce qui concerne la vie dans cette autre dimension. Chacune des âmes, avec qui j'ai eu la chance de m'entretenir, a ajouté une pièce au puzzle (sans fin) que je tente d'assembler depuis plusieurs années. Une des premières choses que j'ai apprises concerne la grande stabilité de l'au–delà ; dans ce monde tout n'est que calme et paix, tout y est conçu pour favoriser le bien–être de ces habitants. Bien entendu, je suppose que ces caractéristiques ne sont pas autant attribuables au lieu lui–même qu'à l'état d'esprit qui y règne.

Retenons d'abord que l'au–delà est un lieu différent pour chaque âme qui s'y trouve. Ce qui n'empêche pas que les expériences des âmes qui y vivent présentent toujours plusieurs similitudes. Cela tient en grande partie aux caractéristiques mêmes du lieu où elles sont. Qu'on l'appelle «quatrième dimension », «Nirvana » ou «Paradis», l'au–delà est un endroit où coexistent différents niveaux de conscience. Une fois qu'elles ont complété leur éducation spirituelle, les âmes quittent ce lieu pour la Lumière Infinie. L'écart qui sépare les personnes appartenant aux différents niveaux de conscience ressemble un peu à celui qui sépare une personne ayant obtenu un Doctorat à la suite de longues années d'études et une autre qui n'a obtenu qu'un diplôme d'études secondaires. À la différence près que toutes les âmes sont conduites par la force des choses à faire de «longues études», puisque chaque jour, elles font de nouveaux apprentissages qui les rapprochent toujours un peu plus de la Lumière Infinie.

Lorsque notre conscience graduera, autrement dit quand nous aurons franchi le dernier stade de notre développement, nous serons enfin en mesure d'explorer la Lumière Infinie. Il en va de notre existence dans l'au–delà, comme il en va de notre vie sur terre : nous apprenons certaines leçons et nous «graduons» vers la Lumière Infinie, laquelle est notre seule et ultime destination. Il est facile de comprendre le fonctionnement de l'autre monde en le comparant à ce qui se passe sur terre. Des personnes telles que Mère Térésa, dont la vie exemplaire témoigne d'une grâce spirituelle peu commune, sont largement récompensées pour leur altruisme, leur désintéressement et leur travail acharné. Dès leur arrivée dans l'au–delà, elles sont très proches de la Lumière Infinie. Au contraire, les meurtriers ou tous ceux qui n'ont pas su comprendre le sens de la vie terrestre lorsqu'ils étaient parmi nous, auront un long chemin à parcourir avant d'atteindre la Lumière Infinie. Leur passage dans l'autre monde a beau leur avoir donné les outils pour accéder à une meilleure compréhension de l'univers, ils doivent tout de même parvenir à s'élever spirituellement. Peu importe les circonstances, nous avançons toujours sur la route qui nous mène au salut et toutes les âmes de l'au–delà sont conviées, à condition qu'elles le souhaitent, à saisir les occasions qui favoriseront leur croissance et leur développement spirituel.

D'OÙ VIENT CETTE PAIX ?

Les âmes m'ont confié que l'au–delà était le lieu d'un perpétuel été. Le climat y est très doux et une merveilleuse lumière baigne toutes choses. Elles m'ont aussi confié qu'il n'y avait pas plus de nuit, que les âmes avaient besoin d'une quelconque période de sommeil ou de repos. Dans l'au–delà, il n'y a pas de source directe de lumière comme le soleil. Toute chose reçoit son énergie de l'amour et de la paix de la Lumière Infinie, source intarissable d'énergie et de lumière. L'au–delà regorge de choses inimaginables pour notre esprit, qu'il s'agisse des fleurs, des animaux ou des couleurs indescriptibles qui surpassent en beauté tout ce qui se trouve sur cette terre. Pierres, fleurs, animaux, bref absolument tout ce qui s'y trouve, brillent de sa propre lumière, celle de la Lumière Infinie qui imprime une âme à toute chose. Toute la beauté de l'au–delà tient au fait que tout y a été créé *par* et *avec* amour. Aussi étrange que cela puisse paraître, les âmes m'ont aussi dit que leur vie n'était pas très différente de celle qu'elles menaient sur terre. Toutefois, et c'est là un détail important, leur existence actuelle ne connaît aucun tumulte ; la vie dans l'au–delà est paisible. Elles vivent en petite communauté et elles travaillent, ce qui leur permet de nouer des liens durables avec les autres. Elles côtoient leurs parents, s'amusent et vaquent à leurs occupations dans une harmonie qui n'appartient pas à notre monde. Durant les captations, les âmes parlent souvent de ce qu'elles font dans l'au–delà. Elles souhaitent rassurer leurs proches en leur fournissant des points de références tangibles pour les amener à mieux comprendre en quoi consiste réellement la vie dans l'au–delà. La seule vraie différence entre notre monde et le leur réside dans la façon qu'elles ont d'aimer et de se dévouer à la Lumière Infinie et par ricochet, à leurs congénères. De plus, l'au–delà est un lieu dans lequel la souffrance, la maladie, bref tout ce qui nous pose problème ici, n'existent pas. À ce sujet, les âmes m'ont souvent répété qu'il fallait voir l'au–delà comme un endroit parfait où nos soucis cèdent leur place au repos.

D'une certaine façon, je me sens privilégié, puisque mes dons m'ont permis d'entrevoir et de ressentir des choses inaccessibles à la plupart des «vivants». Ainsi, il m'a été donné de ressentir la sérénité et la félicité qui imprègnent la vie des âmes de l'au–delà. De même, j'ai goûté à cette joie profonde que procure l'accession à une compréhension intime de l'univers. Croyez–moi, après avoir goûté les joies de l'autre monde, il est parfois difficile de retourner à notre existence.

Notre passage dans l'au–delà s'effectue sans heurt. L'au–delà veille à ce que le choc de notre arrivée ne soit pas trop brutal en nous plaçant dans un univers qui nous est familier. Je veux parler ici de l'environnement «matériel» auquel nous sommes habitués, vêtements, nourriture, maison, etc. L'au–delà nous fourni ces points d'ancrages matériels jusqu'à ce que nous soyons suffisamment acclimatés à notre nouvel environnement. Toutefois, au fur et à mesure que notre compréhension de l'au–delà se fait plus grande, les objets matériels font place à des concepts. Ainsi, serons–nous appelé à vivre dans un monde d'idées plutôt que de matérialité. Bien entendu, cette transition n'aura pas lieu avant que nous soyons prêts à renoncer au monde matériel. C'est pourquoi, l'au–delà forgera de toutes pièces un monde matériel aussi tangible que celui qui règne sur la terre, afin de faciliter notre acclimatation. Du moins, presque pareil… puisque dans l'au–delà toute chose y est parfaite et irradie l'énergie de la Lumière Infinie. Les âmes m'ont également confié que tous y menaient la vie qui leur plaisaient. Ainsi, nous est–il possible de concrétiser les rêves que nous n'avions pas pu réaliser sur terre. Toutes ces choses matérielles que nous avons ambitionnées de posséder, lorsque nous étions sur terre, sont dorénavant à notre portée (maison de rêve, voiture de luxe, etc.). Ces possessions matérielles seront vôtres aussi longtemps que vous le voudrez… Toutefois, notre âme finit par se lasser de ces choses, elle grandit spirituellement et n'a plus besoin de toute cette matérialité. Aussi le jour viendra où nous choisirons d'abandonner le plan matériel pour vivre sur le plan de la conscience. Les âmes qui sont parvenues à un développement spirituel de très haut niveau se chargent de faire comprendre aux autres qu'on ne peut avancer vers la Lumière Infinie sans amorcer un apprentissage spirituel. Ces âmes d'une grande spiritualité nous aident à franchir cette étape importante qui consiste à s'extraire de la matérialité pour vivre à un niveau de conscience plus élevée.

LA COMPRÉHENSION

Une fois franchies les premières étapes de notre vie dans l'au–delà, nous choisissons le plan qui reflète le mieux notre vie passée, bref celui, qui est en accord avec nos acquis terrestres. Notre vie sur terre constituait une mise à l'épreuve dont nous avions choisi les modalités. Cet itinéraire jalonné d'épreuves nous a placés dans des situations qui se voulaient le prétexte à un quelconque apprentissage. Aussi, tous les grands et les petits événements qui sillonnent notre vie terrestre – qu'ils soient heureux ou malheureux– comportent leur propre lot de problèmes qu'il nous faut surmonter pour grandir.

Vous souvenez–vous des réactions qu'a suscité la parution du livre de Christina Crawford, fille de Joan Crawford, qui y révélait des détails surprenants sur la vie de sa mère. Ce récit se veut une éloquente démonstration du fait que derrière toute existence marquée par la gloire et le succès, se cachent des drames insoupçonnés. Mon travail m'a très tôt amené à comprendre que chacune de nos existences nous met en face de défis à relever et d'épreuves à surmonter. Que vous soyez riches ou pauvres, croyants ou athées, que vous ayez ou non réussis, soyez sûr d'une chose : personne n'échappe aux épreuves. Cela fait parties des leçons que nous avons à apprendre avant de retourner dans l'au–delà. Bien entendu, nous livrons ces combats dans la mesure de nos capacités ; nous ne sommes pas des Dieux capables de triompher de tout. Pourtant nos combats brûlent les scories de nos âmes et nous aident à mieux comprendre les autres et à répandre le bien autour de nous. Ainsi, devenons–nous une source d'espoir pour les autres. N'est=ce pas là, la raison de notre présence sur terre ? Nos leçons dûment complétées, nous retournons dans l'au–delà pour y poursuivre notre apprentissage spirituel dans le calme et la joie. Nous sommes en constante progression vers la Lumière Infinie. Certaines personnes vivent jusqu'à l'âge de cent ans, tandis que d'autres ne passent que quelques jours sur terre. La durée de la vie est fonction des choses que nous accomplissons et de celles qu'il nous reste à accomplir. Pourtant, il arrive qu'une mission d'un type particulier nous échoie. Ces missions consistent à prendre une part active dans l'apprentissage des autres. Ainsi, en est–il du nouveau–né qui meurt dans les premières minutes suivant sa naissance. Il est l'instrument d'un apprentissage. Pour lui, cette expérience se résume à ressentir toute la joie et l'amour qui vient avec la naissance, tandis que pour la mère, cette mort constitue une épreuve de taille. Les rôles que nous endossons sur terre sont prédéterminés et ils dépendent des leçons que nous avons à apprendre et de celles dont nous serons l'instrument. Les conditions de notre mort –mourir dans son sommeil ou des suites d'une longue maladie– font tout autant partie de nos apprentissages que notre vie elle–même. Ce simple fait plonge toujours les familles qui ont perdu un enfant à la suite d'une longue et pénible maladie, dans une grande perplexité. Les parents qui vivent un tel deuil ont souvent le souffle coupé lorsqu'elles apprennent, de la bouche même de leur enfant, que toutes les souffrances qu'il a endurées valaient bien la récompense qui l'attendait dans l'au–delà. Cette conception des choses ne nous est pas coutumière, mais il ne faut pas oublier que tout ce qui nous arrive ici–bas est absolument nécessaire à notre croissance. Toutes nos leçons ont pour base un seul et même concept : l'Amour. Le bilan de vie, nous permet de pleinement comprendre le sens de cette vérité fondamentale en nous faisant voir comment l'amour aurait pu nous être d'un grand secours si nous l'avions mis au service des autres. Dans l'au–delà, nous obtenons la grâce de comprendre pourquoi nous avons refusé notre amour à certaines personnes, et c'est à partir de ce moment que nous pouvons enfin saisir le but de notre nouvelle existence. N'oublions pas que nous ne cessons jamais d'apprendre ; l'au–delà est un lieu d'apprentissage. La seule différence – quoiqu'elle soit importante– réside dans le fait que nos apprentissages se font dans la joie, libérés que nous sommes des combats et des tracas qui accompagnent nos leçons terrestres.

La vie nous met en face de choix ; cette proposition est aussi valable sur terre que dans l'au–delà. Aussi, sommes–nous notre propre juge lorsque vient le temps de faire le bilan de notre vie terrestre. Je suis conscient que ce que je m'apprête à dire heurtera plusieurs croyants de divers horizons religieux, mais je me dois de le dire. Dans l'au–delà, il n'existe pas de lieu de châtiments, tel que le feu éternel de l'enfer dont on nous a tant parlé. Rien n'est impardonnable pour l'au–delà ; aucun pécher, si vil soit–il, n'ébranle la compréhension et la miséricorde de la Lumière Infinie. Bien entendu, la violence de certaines personnes, leur mépris de la vie et des autres, appellent souvent en nous la vengeance et le désir de les voir souffrir autant qu'ils ont fait souffrir. Cette idée nous rassure. Comme il est soulageant de penser que les coupables d'un acte odieux iront «rôtir en enfer» pour l'éternité. Toutefois, elles témoignent de ce que nous sommes et de nos lacunes ; nous n'avons pas encore appris à pardonner. Je parle du pardon en acte (accorder son pardon de vive voix), qu'en conscience. Heureusement, dans l'au–delà, il nous sera donné de comprendre le sens et les répercussions de nos actes sur les autres. Cela concerne toutes nos actions, aussi bien celles qui ont semé la paix et la joie autour de nous, que celles qui ont fait naître la souffrance, le malheur et la frustration chez nos semblables. Les âmes qui n'ont pas su répandre le bien autour d'elles ou qui ont volontairement causé du tort aux autres, pourront enfin contempler leurs actes du point de vu de ceux qui les ont subis. Ayant vu les répercussions de leurs comportements sur leur entourage, ces âmes choisissent de débuter leur vie dans l'au–delà à un niveau très bas. Ces niveaux de conscience inférieurs sont très éloignés de la Lumière Infinie et de ce fait, ils jouissent d'une moins grande luminosité et d'un climat ambiant moins clément. Les âmes qui choisissent ces niveaux savent très bien qu'elles auront un long chemin à parcourir avant de comprendre le sens du pardon – en fait, elles sont très éloignées de la Lumière Infinie – mais elles le font de bonne grâce. J'ai fait quelques captations auprès de ces individus qui avaient mené une existence difficile qui les avait conduit au meurtre. Et bien laissez–moi vous dire qu'aucune de ces âmes ne s'est butées au rejet et à l'incompréhension. Les parents de ces personnes devraient au moins se consoler à l'idée que leur proche aura l'occasion de réformer dans un lieu où règne la miséricorde. L'expérience de Sainte Bernadette pourrait bien nous faire réfléchir au propos de la bienveillance et de la miséricorde de l'au–delà. Un jour sainte Bernadette se rendit chez les religieuses d'une congrégation de Lourdes pour leur annoncer qu'elle avait eu une vision de la Vierge Marie dans une grotte située à quelques pas d'une décharge de la ville. Sa déclaration reçue un accueil pour le moins mitigé. Les religieuses incrédules lui posèrent cette question : «qu'est–ce qu'un pécheur ? » Elle leur offrit une réponse propre à les confondre : « un pécheur est quelqu'un qui *aime le mal* ». Cette réponse étonnante contredisait la pensée commune qui veut qu'un pécheur est celui qui *fait le mal*, si bien qu'une discussion animée s'en suivit. Certaines des âmes de l'au–delà sont suffisamment développées spirituellement pour souhaiter apprendre de leurs erreurs, empruntant ainsi les chemins qui mènent à la Lumière Infinie. Ces âmes endossent le rôle de guide spirituel, et deviennent pour leurs proches un conseiller sur lesquels ils peuvent compter. D'autres, cependant, n'en sont pas là, aussi ne leur est–il permis d'entrer en contact avec leur famille et leurs amis que par l'entremise de la Lumière Infinie. Elles en profitent pour s'excuser de la peine qu'elles ont causée. Ces âmes ont besoin de notre pardon pour progresser. N'oublions pas que l'apprentissage du pardon fait partie de notre propre itinéraire spirituel. Il s'agit d'une dure leçon, mais combien valable et bénéfique !

CES MOTS QU'IL NOUS FAUT ENTENDRE

Je me souviens d'une captation que j'ai effectuée pour Rita et Joseph Stuart. Le couple voulait entrer en contact avec la fille de Joseph (fille née d'une première union). Dès le début de la captation, la fille de Joseph, Jessica, m'a dit qu'elle avait déjà parlé à son père et que cette fois–ci, la mère et la grand–mère de Rita avaient quelque chose à lui dire. Cette déclaration étonna Rita au plus au point. Cette chirurgienne de talent n'avait jamais entretenu de relations très affectueuses avec sa famille, et elle ne semblait tout simplement pas comprendre ce qu'elles pouvaient bien vouloir lui dire. La mère de Rita m'expliqua que dans son immense grâce, la Lumière Infinie lui avait permis de prendre part à la captation. Cela faisait partie de son apprentissage dans l'au–delà. Elle confia à sa fille qu'elles pensaient (mère et grand–mère) l'avoir traité injustement, tant en paroles qu'en actes. Elles avaient, toutes deux, eu l'occasion de voir à quel point leurs comportements avaient nui à Rita, et ce, tant dans son enfance que dans sa vie adulte. Elles souhaitaient s'excuser auprès de Rita. Toutefois, depuis lors, elles ont endossé le rôle «d'anges gardiens», elles veillent sur Rita et elles l'aident à surmonter les émotions négatives liées à cette expérience. Elles ont demandé pardon à Rita ; ce geste était tout naturel, lui dirent–elles, il faisait partie de leur apprentissage spirituel. Rita sembla pour le moins ébranlée à la suite de cette communication. Elle en profita pour me confier que son enfance était comme une tâche d'encre qui avait déteint sur sa vie d'adulte et qu'elle avait toujours eu beaucoup de mal à établir des relations saines avec les autres. La captation l'avait libérée de ses souvenirs pénibles, elle pouvait enfin commencer à panser ses blessures. Trois mots ont suffit : «je suis désolée» à changer profondément la vie de cette femme.

L'au–delà est capable de faire face à absolument toutes les circonstances susceptibles de se présenter lors de notre passage vers la Lumière Infinie. Ainsi, les personnes qui sont décédées dans des circonstances difficiles, pensons, par exemples, aux malades qui ont vécu de difficiles combats, tant moraux que physiques, avant de mourir. Ces personnes angoissées et tourmentées sont immédiatement conduites vers ce que nous appellerions une «maison de repos» où elles peuvent se remettre de toutes les souffrances physiques et morales qu'elles ont subies avant de s'engager résolument dans leur nouvelle vie. Les âmes qui y sont allées m'ont dit qu'il s'agissait d'un endroit merveilleux : les champs et les prés regorgent de fleurs extraordinaires et de milliers de petits animaux. La beauté et le calme qui émanent de ces lieux ont vite fait d'apaiser ces âmes tourmentées.

Sans compter qu'elles bénéficient du support d'âmes plus évoluées spirituellement, qui ayant accédé à une compréhension plus vaste des choses, les aident à faire une transition en douceur vers leur nouvelle vie. Une fois qu'elles sont en paix, elles sont conduites dans l'au–delà proprement dit pour y entamer leur cheminement spirituel.

LE PARADIS RETROUVÉ

N'allez surtout pas croire que l'au–delà est un lieu où les âmes se reposent en jouant de la lyre sur un nuage ! Contrairement à la croyance populaire, les âmes vivent une vie «productive» en fait, elles se mettent le plus souvent à l'emploi d'une âme de leur choix et travaillent comme vous et moi. Par exemple, Adriana, la mère de Vincenza Barone, qui est la mère de mon co–auteur et directeur du programme d'aide aux personnes en deuil auquel je participe, a pour tâche d'accueillir les enfants dans l'au–delà. Elle joue en quelque sorte le rôle de grand–mère d'occasion. Elle nous a parlé de son «nouvel emploi», lors d'une captation. Vincenza était consternée, elle, qui pensait qu'Adriana allait enfin pouvoir se reposer ! Il faut dire qu'Adriana avait trimé dur toute sa vie, cette immigrante avait honorablement élevé ses six enfants dans des conditions matérielles difficiles. Vicenza était persuadé que sa mère profiterait de sa nouvelle vie dans l'au–delà pour se reposer. Adriana ne voyait pourtant pas les choses ainsi : ce travail elle l'avait choisi et il faisait partie de son apprentissage spirituel, et qui plus est, il constituait en lui–même une immense source de joie. Il faut tout de même reconnaître que l'idée de travailler dans l'au–delà nous semble de prime abord absurde, d'autant plus qu'on nous a toujours répété que la mort apportait le repos ! Toutefois, les âmes s'accordent à dire que leur vie est trop bonne pour qu'elles se reposent. Autrement dit : cette vie parfaite qui leur est offerte se veut l'occasion d'entreprendre de nouvelles activités, de se sentir enfin vivre. Elles m'ont aussi confié que – mais seulement d'un point de vue superficiel– la vie dans l'au–delà ressemble à s'y méprendre à la vie sur terre. Toutefois, l'existence dans l'au–delà est empreinte d'un bonheur et d'une paix qui sont étrangers à la vie terrestre. «Notre vie est un véritable paradis.» De ce lieu où règne une joie et un sens de l'entraide qui nous est inconnu, les âmes sont enjointes à entrer en contact avec nous afin d'être nos guides dans ce long voyage qu'est notre vie terrestre. Plusieurs des âmes avec lesquelles je suis entré en communication lors de mes captations m'ont dit que leur travail spirituel consistait à veiller sur leurs proches en somme, ils sont leur «ange gardien». Elles ont d'ailleurs plaisanté à ce sujet en disant qu'il ne fallait pas pour autant qu'on les fasse trop travailler ! En fait, en plus de trente–cinq années de captations, je n'ai jamais rencontré une seule âme malheureuse ; toutes sont très satisfaites de leur sort et apprécient leur nouvelle existence.

LA LUMIÈRE INFINIE

De Moïse jusqu'à aujourd'hui, tant de choses ont été écrites au sujet de la Lumière Infinie qu'il m'est difficile d'y ajouter quoi que ce soit. Chacun la perçoit selon ses propres expériences. Bref, cette conception tient à notre éducation à notre expérience du religieux et à tant de choses encore, qu'il m'est impossible de les énumérées ici. Quoi qu'il en soit, les âmes de l'au–delà se montrent très respectueuses envers toutes les religions. Elles m'ont souvent dit à ce propos qu'elles pensaient que toutes les religions possédaient une explication valable de ce qu'est la Lumière Infinie, sans pour autant l'avoir saisi dans toute son essence. La Lumière Infinie prend pour nous de multiples visages, de Allah à Dieu, toutes les divinités terrestres en sont une représentation. Sur terre, chacune des religions prétend être la seule vraie religion, mais dans l'au–delà la question ne se pose même pas : la foi des âmes repose sur la Lumière Infinie, ultime source de l'Amour pur et parfait. En somme, toutes, les religions ne sont que les refrains d'une même chanson. Alors, direz–vous, comment l'au–delà arrive–t–il à accorder les milliers de voix discordantes de toutes les religions terrestres ? La réponse est pourtant simple : il n'a pas à le faire, cela se fait tout seul. L'au–delà est source de spiritualité ; les âmes portent en elles une vision très large de ce qu'est la foi. Je suis moi–même encore étonné par tout le talent et l'art dont elles font montre lors des captations. Ainsi, lorsque je fais une captation pour une famille chrétienne, je reçois des images de la Vierge Marie, de Jésus ou de personnages saints, tandis que lorsque je rencontre une famille japonaise, je reçois des images de Bouddha, Kanon Sama ou de la déesse de l'indulgence. Mais le plus extraordinaire est que seul les noms changent selon les religions. Lors de mes captations, j'ai rencontré plusieurs saints que je connaissais déjà par mon éducation catholique. C'est le cas de sainte Philomène, saint Antoine ou sainte Thérèse, chacun d'entre eux symbolisait une vocation que je connaissais. Autrement dit, les âmes se présentent à nous sous forme de symboles qui nous sont aisément reconnaissables. Ces personnes sont des êtres d'exceptions qui vivent très près de la Lumière Infinie, de sorte qu'elles sont toujours en mesure de nous offrir la paix et le réconfort dont nous avons besoin. Elles savent très bien de quoi est fait la vie terrestre et elles souhaitent nous aider dans la mesure de leurs moyens. Ainsi, lorsqu'elles sont entrer en contact avec moi, elles ont emprunté l'identité qui correspondait à mon bagage culturel. Je me souviens de cette femme qui est venu me voir à la suite du décès de son fils dans un accident de la route. Durant la captation, la Vierge Marie est apparue dans la pièce pour offrir ses condoléances et son appui en disant : «je suis venue en tant que mère pour m'adresser à une autre mère.» Lorsque je fis part de ce message à la mère, elle sembla confuse et rétorqua : «je ne suis pas catholique», ce à quoi la Vierge Marie répondit : « Moi non plus !» Ne vous formalisez surtout pas de ces paroles, les âmes aussi exceptionnelles soient–elles, ressentent les mêmes émotions que nous…et elles n'ont pas plus perdu le sens de l'humour, que celui de la compassion.

Nous avons vu que l'au–delà pouvait prendre mille visages, mais il ne faudrait pas oublier qu'il est d'abord et avant tout un lieu où règne la paix et la joie. D'ailleurs, ces sentiments profonds émanent toujours des communications qu'établissent les âmes avec leur proches. Lors d'une captation il arrive qu'une odeur, proche de celle du lilas, envahisse soudainement la pièce. Ce parfum sacré parvient directement de l'au–delà, les âmes l'entraînent dans leur sillage lorsqu'elles viennent nous visiter. Plusieurs âmes m'ont dit, au cours des captations, qu'elles ne quitteraient l'au–delà pour rien au monde ; la vie sur terre est trop difficile. Elles savent que ce lieu leur procure une joie incomparable, une joie qu'elles n'ont jamais ressentie sur terre. Aussi difficile que puisse être la vie ici–bas, aussi agréable l'est–elle dans l'au–delà, nous ne devrions jamais oublier cela. La perte d'un être cher constitue, pour plusieurs d'entre–nous, une épreuve terrible, mais une fois dans l'au–delà, nous tirerons de grands avantages de cette dure leçon. C'est pourquoi, les âmes, qui ont déjà vécu les mêmes combats que nous, viennent nous voir pour nous encourager à utiliser de manière constructive le peu de temps dont nous dispensons. Elles nous font le plus beau cadeau qui soit : elles nous donnent l'espoir et la certitude que notre existence sur terre est le prélude d'une vie non seulement meilleure, mais parfaite.

Chapitre 4

LA RÉINCARNATION ET LES MALADES EN PHASE TERMINALE

J'ai choisi de traiter ces deux thèmes parallèlement, puisqu'ils se situent, il me semble, chacun à un bout d'un même spectre. La réincarnation et les maladies mortelles constituent respectivement le prologue et l'épilogue d'une même histoire. Toutes nous ramènent vers l'au–delà, l'une constitue le point de départ de notre voyage terrestre et l'autre le retour vers notre lieu d'origine. Du point de vue qui est le nôtre, la Lumière Infinie semble avoir des desseins, pour le moins, incompréhensibles. Il est vrai que nos épreuves entachent parfois notre vie terrestre d'une manière irrémédiable. Toutefois, il faut admettre que nos explications pour donner un sens aux événements tragiques que nous vivons, sont bien maigres. Les âmes ont connu l'angoisse qui naît de cette incompréhension fondamentale liée à la condition humaine. Heureusement, dès notre passage dans l'autre monde nous recevrons la grâce de comprendre le sens et le but de notre existence. Quoi qu'il en soit, nous ne sommes pas tenus d'attendre la mort pour commencer à y voir plus clair. En attendant le moment où nous recevrons à notre tour cette grâce, les âmes de l'au–delà entrent en contact avec nous. Elles ne peuvent certes pas nous donner toutes les réponses que nous souhaiterions obtenir, mais elles font un cadeau irremplaçable, elles nous assurent que nous accéderons un jour à cette ultime compréhension du monde et que nous découvririons enfin le véritable sens de notre existence. En fait, notre incompréhension ne repose pas tant sur notre ignorance que sur les failles de notre jugement, lequel est entaché par nos croyances et les certitudes prônées par tous les soi–disant experts. S'il existe des spécialistes en matière de vie dans l'au–delà, croyez–moi, ce sont bien les âmes elles–mêmes. Malgré toute leur bienveillance, les âmes ont néanmoins conscience de ne pouvoir nous révéler tout ce qu'elles savent à propos de notre vie. Elles nous indiquent une direction à suivre et se contentent d'espérer que nous avons compris.

Car elles savent bien que nous finirons un jour par comprendre ce qu'elles nous ont dit…

LES MALADES EN PHASE TERMINALE

Plusieurs personnes sont très étonnées d'apprendre que des malades en phase terminale viennent me consulter. Pourtant, il n'y a rien de bien étonnant à ce qu'une personne souhaite en savoir plus sur le lieu qui sera son futur domicile. En fait, cette démarche n'est pas plus étrange que celle qui conduit quelqu'un à prendre des informations sur la ville dans laquelle il prévoit déménager. Ce simple geste le rassure en lui donnant la certitude que la mort n'est pas synonyme de dissolution et de néant. Après tout, les personnes qui se savent mourantes, se sentent réconfortées d'apprendre que leurs souffrances n'auront pas été vaines ; l'espoir est le plus beau cadeau qu'elles peuvent recevoir. Toutes les années que j'ai passées à communiquer avec les âmes de l'au–delà m'ont aidé à ne plus craindre la mort. Tout ce que je souhaite maintenant, c'est de transmettre à mes lecteurs cette certitude intérieure qui me fait accepter la mort physique. Je suis persuadé que le fait de connaître un peu mieux l'au–delà et de savoir en quoi consiste ce mystérieux passage qu'on appelle la mort, ne peut qu'aider grandement les mourants.

La plupart des malades qui viennent me consulter sont étonnés de constater que toute une cohorte d'âmes les attend dans l'autre monde afin de les aider à vivre leur passage. Les amis et les membres de la famille se tiennent prêts à les accueillir. Toutes ces âmes ne souhaitent qu'une chose, rendre cet événement aussi agréable et paisible que possible. Sachant qu'il n'est pas simple de s'imaginer un endroit que l'on a jamais visité, elles multiplient les exemples dans le but de brosser un tableau précis de leur vie dans l'au–delà. Les âmes se font si rassurantes et chaleureuses que les malades ressortent toujours des séances de captation, empreints d'un calme et d'une assurance qu'on ne leur connaissait plus. Le cas du Dr Elisabeth Kübler–Ross en est une bonne illustration. Il y a de cela quelques années, j'ai réalisé une captation pour le Dr Kübler–Ross alors qu'elle venait de subir une grave attaque cardiaque qui abrégeait sérieusement ses jours. Quelle ironie du sort pour cette femme qui avait accompagné tant de personnes sur le chemin de la mort et que l'on appelait la « mère des mourants ». J'étais très honoré de pouvoir aider une telle personne à préparer son passage vers l'autre monde. Cette captation m'a permis de voir que toutes les personnes qu'elle avait aidées l'attendaient ; elles souhaitaient à leur tour faciliter le passage de celle qui avait tant fait pour eux lors de leur propre mort. Elles ont fait l'éloge d'Elisabeth et m'ont assuré qu'elles seraient là pour l'accueillir quels que soient l'heure et le jour de son passage. À la suite de cette captation, Elisabeth semblait complètement transformée ; elle rayonnait. Tout cela pour dire que la mort ne cessera jamais de nous effrayer, au même titre que la perspective d'un changement majeur nous inspire toujours une certaine crainte (et ce, quelle que soit notre connaissance de l'au–delà). Toutefois, il ne faut jamais perdre de vue que nous pourrons toujours compter sur la bienveillance et le secours des âmes de l'au–delà. Cette idée devrait au moins nous rassurer.

Les âmes de l'au–delà n'ont pas toujours besoin de requérir à mes services pour transmettre leurs messages d'espoir aux mourants. Mon amie Dianne Arcangel étudie depuis de nombreuses années les cas « d'apparition à l'article de la mort» chez les malades dont elle a charge au *Kübler–Ross Center* de Houston au Texas. Elle a recensé de nombreux cas de vision dans lesquels les malades affirmaient avoir été contactés par des proches décédés. La science médicale avance que ces expériences sont plutôt attribuables à l'état de semi–conscience dans lequel les plonge la forte médication qui leur est administrée. Pourtant, il est indéniable que ces rencontres marquent profondément les malades soumis à une telle expérience en leur permettant de comprendre que la mort leur ouvre les portes d'une vie meilleure. Durant ces brefs entretiens, les âmes indiquent aux malades la « porte» par laquelle ils feront leur entrée dans l'au–delà. De même, elles en profitent pour rassurer les mourants au sujet de leur nouvelle vie qui ne sera, disent–elles, pas très différente de leur vie terrestre. Faites l'exercice, demandez à une personne qui a vécu de près l'agonie d'un de ses proches de vous parler de ses derniers moments. La plupart d'entre elles, vous diront que leurs proches leur ont raconté toutes sortes d'histoires concernant la visite de parents ou d'amis décédés.

Les captations que j'effectue pour les malades en phase terminale sont d'un grand secours pour les familles, elles les aident à surmonter leur peine. Voir un de ses proches mourir est toujours une expérience difficile qui nous fait parfois perdre espoir ; face à la mort, l'être humain se sent toujours démuni. Nous sommes là, assis au chevet d'une personne pour laquelle nous ne pouvons rien, sauf lui tenir la main. C'est pourquoi, il est très important que nous nous débarrassions de cette idée qui veut que la mort signe la fin de tout. De fait, les membres des familles qui étaient présents lors des captations acceptent avec beaucoup plus de facilité la perte de l'être qu'ils chérissent. La captation leur permet d'appréhender la mort et l'au–delà sous un nouvel angle. Cette attitude est très saine, elle signifie que l'on accepte de faire face à ce qui est, de toute façon, inévitable.

Depuis quelques années, les membres du corps médical semblent au moins admettre que la mort est un phénomène qui ne se limite pas à l'interruption de la vie. Ce n'est pas là un hasard puisque plusieurs d'entre eux ont même avoué qu'ils avaient assisté à des phénomènes étranges qui s'apparentaient à une sorte de séparation du corps et de l'âme. De plus, ils ont souvent reçu les confidences de leurs patients à propos des visites de leurs proches qui étaient décédés. Certains membres du corps médical m'ont même confié que cela leur avait donné la certitude que la vie ne s'arrête pas avec la mort. Il faut se rappeler que pour la majorité des médecins, la mort d'un patient constitue un échec auquel ils ne s'attardent qu'un instant, le temps de considérer leur impuissance face à la maladie. Heureusement, d'autres ont eu l'occasion d'approcher ce phénomène de plus près. La famille de mon amie Vincenza, morte d'un cancer des os, était convaincue qu'elle avait entamé, sur son lit de mort, un dialogue avec les âmes de ses amis (es) et parents décédés. Sa famille l'entendait souvent prononcer les noms de personnes décédées : « Anna ? , maman ? ». Elle lançait ces noms à brûle–pourpoint et d'un air étonné, puis elle s'apaisait et son air laissait entendre qu'il y avait quelqu'un auprès d'elle. Les personnes œuvrant auprès des familles qui vivent avec un malade en phase terminale remettent souvent en question le fait qu'un médicament, si fort soit–il, puisse être à l'origine de tels « dialogues ». Elles ont aussi remarqué que ces « dialogues » se manifestaient toujours au moment où le patient était à l'agonie. Quelle ne fut pas ma joie et ma surprise d'apprendre que l'une d'entre elles avait lu de nombreux ouvrages sur la médiumnité et que cela l'aidait grandement dans son travail. J'en ai conclu que même si l'on ne peut espérer que la science médicale revoie de si tôt ses positions au sujet de la mort, les membres du personnel médical, eux, mettent déjà en pratique certaines idées liées à une compréhension beaucoup plus vaste de la mort. La femme d'un oncologue m'a dit à ce propos que certains médecins pratiquant cette difficile spécialité, en sont venus à la certitude que la mort n'est qu'une étape dans la vie d'une âme et que certains événements ou rencontres préparent toujours leurs patients à faire face à ce passage. Par la suite, la famille d'un des malades de cet oncologue est venue me consulter et j'ai eu la chance de lui dire que plusieurs âmes veillaient sur son patient. Je crois que cela l'a rassurée et lui a donné l'espoir nécessaire à la poursuite de son travail.

Il ne fait aucun doute que ces graves et longues maladies sont très pénibles tant pour le malade que pour son entourage. Cette expérience restera, pour longtemps, gravée dans la mémoire des proches qui ont vécu une grande angoisse à la vue des souffrances de celui ou celles qu'ils aimaient. Cependant, et les âmes insistent là–dessus, une fois que l'âme s'est libérée de ce corps souffrant, notre leçon spirituelle commence. Elles nous disent que la perte d'un être cher marque une étape importante de notre développement spirituel, bénéfice dont nous ressentirons les effets dans l'au–delà.

Je ne me lasse pas de repenser aux expressions incrédules qui naissent sur les visages des gens auxquels je dis que leur proche n'hésiterait pas une seconde à répéter cette expérience douloureuse pour connaître la même récompense. Les âmes ont compris que tout événement, aussi difficile à vivre soit–il, a sa raison d'être.

J'ai remarqué que les personnes décédées des suites d'une longue maladie transmettent toujours, à quelques détails près, le même message lors des captations. Elles veulent nous faire comprendre que nous ne sommes jamais seuls lors de notre passage dans l'au–delà. Elles souhaitent aussi aider leurs proches à ne plus craindre d'être seuls face à la mort. De même, elles nous font la promesse qu'il y aura toujours quelqu'un pour nous accompagner lorsque notre chemin nous conduira aux portes de la mort. Bien entendu, nous ne pouvons pas voir ces âmes qui viennent visiter nos proches au seuil de leur mort, mais nous devons avoir confiance. Elles sont là, il n'y a pas de doute, le moment venu, elles escorteront le nouvel arrivant au seuil d'un monde dans lequel la souffrance et les épreuves n'existent pas. La mort du corps marque le début d'un grand voyage, celui de l'âme vers la grâce d'une lumière extraordinaire.

LA RÉINCARNATION

La réincarnation est un sujet qui préoccupe de nombreuses personnes. Même les âmes de l'au–delà s'y intéressent. J'ai choisi de consacrer quelques pages à ce sujet en pensant à toutes les craintes que suscite l'au–delà. D'autant plus, que de nombreuses religions refusent catégoriquement de discuter de la question de la réincarnation. Je n'aime pas aborder ce thème (l'au–delà non plus) pour la simple raison que trop de personnes s'y intéressent de manière superficielle, il suffit de penser à tout l'enthousiasme qu'il soulève chez les adeptes du Nouvel Âge. Bien souvent les gens ne cherchent qu'à savoir s'ils étaient Cléopâtre dans une autre vie ou un quelconque personnage célèbre. La plupart des gens éprouvent une réelle fascination pour ces détails, comme si cela pouvait changer leur vie. Pourtant, il n'en est rien. Les gens qui posent ce genre de question, lors des captations, doivent s'attendre à recevoir quelques explications en guise de réponse. « Quelle différence cela peut–il faire ? Tu as ton propre développement spirituel à faire en cette vie, concentre–toi sur cette tâche. » Si les commentaires des âmes sont toujours empreints d'humour, ils n'en sont pas moins vrais. Les âmes n'aiment pas parler des vies antérieures parce que ces préoccupations nous détournent de notre itinéraire en cette vie. Nos vies antérieures visaient d'autres objectifs qui ne sont plus nôtres, pourquoi s'en préoccuper à ce point ?

Il arrive que les âmes souhaitent faire savoir à leurs proches qu'elles ont déjà été en relation lors d'une existence passée.

Toutefois, il n'y a rien de spectaculaire dans leur démarche, elles le font dans le simple but de faire comprendre à leurs proches qu'ils sont liés par des liens qui traversent les âges. Ainsi, lors d'une captation que j'ai réalisée pour un couple qui avait perdu ses deux fils, j'ai appris que les deux garçons étaient non seulement frères, mais qu'ils avaient aussi été père et fils dans une autre vie. Cette révélation ne surprit pas la famille, au contraire, elle expliquait ce que les parents avaient déjà remarqué, à savoir que les deux frères étaient unis par des liens hors du commun. Lorsque nous parlons « d'âmes sœurs » nous pensons généralement à une relation succédant à une autre qui aurait débuté dans une vie antérieure. Il semble bien que nous ayons raison. Les âmes de l'au–delà m'ont dit que nous appartenions tous à un groupe ou une « famille » de personnes. Aussi lorsque nous prenons la décision de retourner sur terre, chacun des membres du groupe a un rôle à jouer dans notre vie, rôle en rapport avec les leçons que nous avons à apprendre. Ainsi, notre mère dans une de nos vies passées, peut devenir notre sœur ou notre amie en cette vie. Même un conjoint bien–aimé peut prendre les traits d'un ennemi juré, si cela doit servir notre apprentissage. Je crois que nous pouvons tous aisément nommer des membres de notre famille qui se comportent envers nous comme des ennemis, alors que certains de nos amis sont comme nos frères ou nos sœurs.

Les personnes en deuil craignent souvent d'arriver dans l'au–delà pour constater que leurs proches sont repartis sur terre. Ne craignez rien, lorsque vous franchirez les portes de l'au–delà tout heureux à l'idée de revoir votre conjoint, personne ne vous dira : « Désolé, mais il vient tout juste d'être réincarné. » Cela vous fait rire ? Tant mieux, mais n'oubliez pas que les âmes m'ont juré que cela n'arriverait jamais. En fait, elles ne retournent jamais sur terre avant une très longue période de temps, car elles doivent d'abord grandir spirituellement avant de prendre la décision de revenir sur terre pour apprendre de nouvelles leçons. N'oublions pas que nous « voyageons » en groupe et qu'il nous faut toujours attendre que les autres membres soient de retour avant de songer à repartir. Cela peut bien prendre au moins le temps de quelques vies humaines. Il faut aussi savoir que la perspective d'un retour sur terre n'est pas aussi réjouissante qu'il y paraît de prime abord. Les âmes se souviennent de la douleur et de la souffrance qu'elles ont expérimentées sur terre et elles ne sont pas pressées d'y retourner, à moins que leur développement spirituel le requière. Bref, elles nous font la promesse qu'elles seront là pour nous accueillir.

La réincarnation est une donnée importante du développement spirituel, puisque l'on apprend plus rapidement sur terre qu'on ne le fait dans l'au–delà. Cette différence s'explique aisément, l'au–delà est un lieu dans lequel il ne se trouve aucune contrainte. Les apprentissages s'y font dans le calme et le recueillement. Tandis que les leçons de la terre sont beaucoup plus astreignantes, elles s'apprennent dans la contrainte et l'adversité.

Dans l'au–delà, on ne ressent plus ces états de détresse qui étaient parfois nôtres sur terre. Ainsi, après avoir enduré les épreuves terrestres, l'au–delà nous donne l'occasion de bénéficier des apprentissages que nous avons faits dans la tourmente. D'un autre côté, il faut réaliser que nous apprenons en soixante ou soixante–dix ans sur terre, ce qui nous prend dix fois plus de temps à apprendre dans l'au–delà. Voilà pourquoi nous choisissons souvent de nous réincarner.

Avant de retourner sur terre, les âmes choisissent les leçons qu'elles souhaitent apprendre et les circonstances qui favoriseront le plus leur apprentissage. Elles peuvent, par exemple, choisir d'expérimenter la perte d'un enfant ou une vie de pauvreté et de misère. Il se peut aussi qu'un mandat précis nous soit assigné, comme celui de mourir en bas âge afin d'être l'instrument d'une leçon qu'expérimentera une autre personne. Quelles que soient les leçons que nous avons à apprendre, les rôles de notre vie font l'objet d'une « distribution », un peu comme le fait le metteur en scène pour une pièce de théâtre. Ainsi, tandis que nous sommes l'acteur principal de notre propre vie, nous jouons aussi un rôle de soutien dans la vie des autres. Cette métaphore m'aide à faire comprendre aux parents en deuil d'un enfant que cette naissance n'était pas vaine, puisque l'enfant qu'ils ont perdu tenait un rôle de soutien dans leur propre apprentissage spirituel. Tout compte fait, on pourrait comparer la réincarnation à un cours intensif de perfectionnement que l'on décide de suivre afin de « graduer » spirituellement. Certaines religions prétendent que nous pouvons revenir sur terre sous la forme d'un animal ou d'une plante. Je ne saurais me prononcer sur cette question, étant donné que les âmes ne m'ont jamais rien dit à ce sujet. Par contre, je sais que l'au–delà n'est jamais à court de ressources et d'imagination, aussi faut–il considérer que cela n'est pas impossible. Toutefois, aucun animal ne m'a dit, lors de mes captations, qu'il avait déjà pris une forme humaine. Une chose reste sûre cependant : les animaux possèdent une âme et ils ont eux aussi leur propre croissance spirituelle à faire sur cette terre.

Il me semble que les parents qui se montrent très curieux face à la réincarnation entretiennent souvent l'espoir que leur enfant pourrait renaître dans leur famille. Certains parents sont même venus me consulter dans l'espoir que je les conforte dans leur idée d'avoir un autre enfant. Ils espéraient que ce nouvel enfant serait la réincarnation de celui qu'ils avaient perdu. Je sais bien qu'il ne faut jamais dire jamais, surtout lorsque l'au–delà est concerné, cependant aucune captation ne m'a jamais laissé entendre qu'il puisse exister un processus qui permette à un enfant décédé de se réincarner quasi instantanément. Même l'ouvrage de Carol Bowmann, intitulé : *Children's Past Lives,* qui s'intéresse de très près aux réminiscences de vies antérieures chez les enfants ne traite pas de ce sujet. Je suppose qu'il est fort possible que les enfants se souviennent de leurs vies antérieures, mais de là à penser qu'ils se réincarnent dans la famille qu'ils viennent de quitter, il y a un abîme.

En fait, cela n'est pas du tout en accord avec la logique de l'au–delà. Si nous avions tous une mission à accomplir sur cette terre, il serait tout de même étrange que nous y retournions dans les mêmes conditions. Une fois encore, il y a peut–être des exceptions : les bouddhistes tibétains croient, par exemple, que l'âme du Dalaï–Lama est toujours la même. Ainsi, à la mort du Dalaï–Lama, elle s'incarne rapidement dans un enfant pour poursuivre sa tâche. Peut–être ces incarnations successives font–elles partie d'une mission exceptionnelle ? Je ne saurais répondre à cette question. Je le dis et je le répète : les desseins de l'au–delà dépassent souvent notre compréhension, aussi vaut–il mieux se garder de toute idée péremptoire à ce sujet. Je n'ai, quant à moi, jamais eu vent d'un tel processus durant mes captations.

Une chose reste sûre : nous avons choisi notre vie en fonction des apprentissages que nous souhaitions faire. Évidemment, face à la tragédie et aux grandes épreuves de notre vie, notre première réaction consiste à chercher la faute, nous pensons tout de suite : qu'est–ce qui est responsable de cet événement ? Alors que nous devrions plutôt nous demander : quelle leçon devrais–je tirer de cet événement ? Nous devons garder à l'esprit que « le mauvais sort n'existe pas ». L'au–delà est formel : la notion d'accident n'est pas valable. Nous avons déjà soigneusement rédigé le scénario de notre vie avant de venir sur terre et nous le jouerons dans la mesure de nos moyens et dans le but d'en tirer un maximum de leçons. Certaines âmes, dont l'expérience sur terre avait été particulièrement douloureuse, n'ont pas hésité à me dire qu'elles ne reviendraient jamais sur terre. Elles sont heureuses là où elles sont et acceptent de bonne grâce d'évoluer à un rythme plus lent. C'est une question de choix, nous avons la pleine et entière responsabilité de notre développement spirituel. Ainsi, nous pouvons choisir de repartir sur terre ou de rester dans l'au–delà.

LES MESSAGES DES ÂMES

Chapitre 5

QUI PRENDRA SOIN DE MES ENFANTS ?

es parents en deuil d'un enfant composent la majeure partie des personnes qui viennent me consulter. Certes, ils ont tous leur propre histoire et ils ne réagissent pas tous de la même façon au deuil de leur enfant. Toutefois, ils partagent toujours la même inquiétude quant au bien–être de leur fille ou de leur fils dans l'au–delà. En somme, ils veulent s'assurer que leur enfant est heureux dans sa nouvelle vie. C'est un réflexe naturel, tous les parents qui envoient leurs enfants en colonie de vacances ou dans une nouvelle école ne veulent–ils pas savoir si on prend bien soin d'eux et s'ils se sentent bien dans leur nouvel environnement ?

Si le deuil d'un être cher constitue toujours une expérience pénible, le décès d'un enfant s'avère une véritable tragédie pour les parents. Non seulement ils ont l'impression que ce départ soustrait une partie de leur avenir, mais ils se sentent souvent responsables de la mort de leur enfant. Les parents ont toujours tendance à endosser la responsabilité du décès de leur enfant, et ce, quelles qu'en soient les circonstances (maladie, accident, fausse couche ou suicide). Ils sont persuadés qu'ils auraient pu faire quelque chose pour prévenir ce drame. Tout cela concourt à faire de la perte d'un enfant une expérience incroyablement difficile.

Plus que quiconque, les parents qui perdent un enfant se sentent démunis, de sorte qu'ils perdent confiance en la vie et en viennent à penser qu'un nouveau drame les attend à chaque détour de leur vie.

À ces sentiments s'ajoute le poids des préjugés. Ainsi, il arrive que l'entourage se laisse aller à quelque jugement hâtif mettant en lumière l'incompétence des parents. D'autres, plus religieux, penseront qu'il s'agit là d'une punition divine qui frappe les enfants pour atteindre les parents. Bien entendu, tout cela n'est que foutaise ; vous n'avez qu'à demander aux parents ce qu'ils en pensent…

Mais le pire est sans doute l'isolement dans lequel ce drame les plonge. Nous vivons dans une société qui entretient beaucoup de peurs face à la mort. Le simple fait d'en entendre parler nous bouleverse tant, que nous jouons à l'autruche. Aussi préférons–nous ne pas y penser... à moins, bien sûr, que ce drame nous touche directement. La mort d'un enfant nous rappelle que personne n'est à l'abri d'une tragédie, et cela, nous ne voulons pas l'entendre. Et pourtant, chaque jour des milliers d'enfants meurent, alors pourquoi jouer à l'autruche ? Il n'y a pas d'âge minimal pour passer dans l'au–delà. Une fois nos leçons complétées, nous « graduons » vers la Lumière Infinie, et ce, quel que soit notre âge. Tel est le message que l'au–delà m'a transmis afin de nous éclairer sur le sens de cet événement qui nous paraît si injuste.

J'adore mener des captations auprès des enfants. Ils ont une pensée claire et précise ; il émane d'eux une puissante énergie qui se manifeste par une luminosité exceptionnelle. Et qui plus est, ils ne ménagent aucun effort pour rassurer leurs parents quant à leur bien–être. Les enfants de l'au–delà sont toujours disposés à rencontrer leurs parents. Ils ont compris que leur décès est un véritable drame pour leurs parents et ils souhaitent de tout cœur les rassurer. L'histoire de Susan Mareck, une infirmière de la banlieue de Chicago qui a perdu son fils de huit ans d'une leucémie illustre à merveille la bienveillance dont font preuve ces enfants envers leurs parents. Susan était à ce point submergée par la douleur qu'elle se sentait incapable de poursuivre ses activités quotidiennes. Elle était littéralement abattue et elle envisageait sérieusement d'aller rejoindre son fils. Heureusement, elle est venue me consulter avant de passer à l'acte. Elle était à peine entrée dans la pièce que son fils Ryan se fit entendre. Il parlait si vite que j'avais peine à le suivre. Il voulait dire à sa mère que les souffrances qu'il avait endurées ne l'empêchaient pas d'être très heureux et parfaitement serein. Il a fréquemment répété à Susan qu'il lui fallait aller de l'avant et que ses idées suicidaires ne la mèneraient à rien. Il lui fit comprendre qu'elle n'avait pas complété ses leçons sur terre et qu'il était de son devoir de les terminer avant que vienne le jour de leurs retrouvailles. Cet heureux jour viendra, ajouta–t–il, mais en attendant, elle ne devait surtout pas chercher à le devancer. L'inversion des rôles est typique de ces captations. L'enfant instruit ses parents de la vie dans l'au–delà, il veille sur eux et tente d'apaiser leurs craintes. .

Les enfants profitent aussi des captations pour faire savoir à leurs parents qu'ils n'ont pas souffert. Ils parlent avec tant de calme et de détachement de leurs derniers instants sur terre que leurs parents ne peuvent qu'être délivrés des images de souffrance et d'effroi qu'ils avaient associées aux derniers moments de la vie de leurs enfants. Les enfants de l'au–delà insistent toujours sur le fait que leur passage s'est effectué en douceur et sans la moindre souffrance. Ils savent bien que leurs parents sont persuadés du contraire.

Ces témoignages nous prouvent encore une fois que l'au–delà ne ménage jamais ses efforts pour faire du passage d'une âme une expérience agréable, et ce, quelles qu'aient été les circonstances du décès. J'ai rencontré Margo et Bob Ryan, un an après le décès de Christine, leur fille de vingt–deux ans qui a été violée et assassinée, un soir qu'elle rentrait à la maison après le travail. Lors de la captation, Christine m'a confié qu'elle n'avait pas souffert, en fait, elle n'avait même pas eu le temps de se rendre compte qu'on l'agressait brutalement. Son âme avait quitté son corps quelques secondes après l'agression. Dès qu'une main l'a violemment agrippée pour l'expulser de sa voiture, elle a immédiatement senti que sa mort était imminente et elle a sombré dans un état proche du rêve. Lorsqu'elle a repris conscience, elle était dans l'au–delà. Elle a demandé à ses parents de prier pour son agresseur (qui a été reconnu coupable de meurtre et de viol), en insistant sur le fait que les conditions de sa mort semblaient beaucoup plus terribles qu'elles ne l'étaient en réalité. L'histoire de Christine illustre, une fois encore, que le passage dans l'au–delà n'est pas une expérience désagréable. Tout se passe en douceur, notre passage est à l'image de ce que sera notre nouvelle vie.

La recherche d'un coupable est une autre conséquence fâcheuse de la perte d'un enfant. Aux yeux des parents, il doit y avoir un responsable, que ce soit quelque chose ou quelqu'un, comme si la mort ne pouvait pas être autre chose qu'un accident évitable. L'au–delà m'a pourtant répété, et ce, à un nombre incalculable de reprises, que la mort n'est pas un accident, nous n'avons aucune prise sur notre propre mort comme sur celle des autres. Je sais que cela est très difficile à accepter pour les parents, et encore plus pour ceux qui ont perdu un enfant dans des circonstances qui semblent relever du hasard ou de l'infortune, mais je le dis et je le répète, la mort est un moyen, un véhicule qui nous fait passer de cette terre vers l'au–delà. N'oubliez jamais que la recherche d'un coupable est une démarche qui provoque bien des maux. Elle déchire les membres d'une famille plutôt que de les rapprocher. Et pourtant, s'il y a bien un moment où les membres d'une famille devraient s'unir, c'est bien lorsqu'un drame survient. Pourtant, chacun reste dans son coin à ressasser le passé, pendant que toute la vie de la famille est insidieusement en train de s'effriter sans que personne ne fasse quoi que ce soit. En somme, les parents qui ont perdu un enfant vivent un second drame, une tragédie souterraine qui prend racine dans leur propre famille.

Durant les captations, il arrive souvent que les enfants de l'au–delà endossent le rôle de médiateur auprès des membres de leur famille qui n'admettent pas qu'il ne puisse y avoir aucun coupable. Ils s'expriment avec beaucoup de candeur, racontant en détail leur passage dans l'au–delà dans l'espoir que leur famille comprenne enfin qu'il ne s'agit pas d'un accident. Prenez, par exemple, cette captation que j'ai faite pour Nina Ballard. À la suite de la mort de Peter, son fils de trois ans, le mariage de Nina implosa littéralement. Lors de la séance de captation, Peter m'a dit qu'il était en train de jouer sur la pelouse, lorsque son père a malencontreusement passé le tracteur à gazon sur son fils qui jouait dans l'herbe. Le père de Peter n'a pas supporté d'avoir été l'instrument du passage dans l'au–delà de son fils. Au lieu d'accepter les choses telles qu'elles étaient, il s'est réfugié dans la colère et il a tenu Nina responsable d'avoir laissé leur fils sans surveillance.

Quant à Nina, elle ne comprenait pas pourquoi son mari avait décidé de tondre le gazon, alors qu'il avait dit qu'il s'occuperait de leur fils. Peter me demanda de dire à ses parents qu'ils n'étaient pas responsables de ce qui était arrivé. Son heure avait sonné et il n'y avait rien à faire. Peter avait bien compris que son décès avait été à la source d'un conflit insurmontable entre ses parents. Il profita donc de cette occasion qui lui était offerte pour dire à sa mère qu'il lui fallait tourner la page et poursuivre sa route. Il lui fit comprendre qu'elle devait s'efforcer de voir cet événement comme un des nombreux chapitres de sa vie. En somme, il tenta de ramener les choses à leur juste perspective en mettant en évidence le fait qu'il ne s'agissait que d'une leçon parmi tant d'autres. Peter se servit des images du film *Autant en emporte le vent.* Dans cette scène, Scarlett trouve la force de continuer, malgré le fait qu'elle a tout perdu. Il lui a conseillé de repenser à cette scène lorsqu'elle se sentirait troublée et angoissée. Ces images fortes lui redonneraient la force de poursuivre sa route. Je me demande souvent si les enfants de l'au–delà qui disent à leurs parents : « Ce n'est pas de ta faute » et « Je ne t'en veux pas », savent à quel point leurs paroles sont importantes pour eux. Elles font toute la différence entre l'espoir et le désespoir, entre la culpabilité et la sérénité. Toutes les belles rationalisations du type : « Au fond, je ne pouvais rien faire de plus » ne valent pas grand–chose à côté de la libération que procure aux parents le fait d'entendre, de la bouche même de leur enfant, qu'ils ne sont pas du tout responsables de leur décès. Autrement dit, s'il arrive que nous ayons un rôle à jouer dans la mort des autres, il ne faut jamais perdre de vue que ce rôle nous a été attribué, nous sommes l'instrument de leur passage et non pas l'instigateur de leur décès.

Quel que soit leur âge au moment de leur mort, les enfants continuent à vieillir et à se développer dans l'au–delà. Si bien qu'un jour, ils finissent par atteindre leur véritable âge : celui de leur âme. Cette information choque habituellement les parents, déçus qu'ils sont de ne pas pouvoir assister au développement de leur enfant. D'autant plus, que l'idée de rencontrer un adulte qu'ils ne connaissent pas et qui les accueillera en leur disant : « Bonjour maman » ou « Bonjour papa » est loin de les enthousiasmer. Pourtant, il n'en est rien. Les enfants se présentent toujours à leurs parents sous les traits de l'enfant qu'ils ont connu. Ce qui n'empêche pas qu'ils ont grandi et que leur âme a atteint la maturité d'un adulte. Toutefois, les âmes détiennent cette capacité fascinante d'emprunter le corps qui sert le mieux leurs intentions. Elles sont éminemment adaptables à toutes les situations, aussi ne vous inquiétez pas, vous ne rencontrerez pas votre enfant sous les traits d'un adulte. Les âmes m'ont dit que nous les revoyons telles qu'elles étaient lorsqu'elles nous ont quittés. Ainsi, lors des captations, elles se présentent à moi et par ricochet à leurs parents, sous l'apparence qu'elles avaient avant de quitter la terre. Les parents peuvent ainsi avoir l'assurance qu'ils ont bien affaire à l'enfant qu'ils ont connu.

Au–delà de l'apparence, une chose reste frappante, je veux parler de la maturité qui émane des âmes. C'est d'ailleurs pour cette raison qu'il m'est possible d'entrer en contact avec les âmes des enfants qui sont morts à la suite d'une fausse couche ou lors de leur naissance. Il faut voir que dans l'au–delà, les enfants ne sont plus limités par leur corps ; ils peuvent s'exprimer avec aisance. Cela vaut également pour les personnes qui, dans leur vie passée, souffraient d'un handicap mental. Cela me rappelle une anecdote. Un homme est un jour venu me voir pour me demander si je pouvais entrer en communication avec sa fille qui, toute sa vie, avait souffert d'un retard mental sévère. Durant la captation, elle m'a dit que sa vie n'avait pas été de tout repos dans ce corps qui ne lui permettait pas de s'exprimer et de communiquer ses besoins et ses envies aux autres. Elle me demanda de remercier sincèrement son père pour l'avoir toujours traitée avec respect comme si elle était tout aussi normale qu'une autre enfant. Il s'était toujours adressé à elle comme à une personne normale. Il pensait qu'elle était capable de l'écouter et de le comprendre. Je crois que les personnes qui traitent les handicapés comme des individus étrangers à la race humaine devraient y repenser à deux fois et prendre exemple sur ce père. Le corps ou le cerveau de ces personnes est peut–être malade ou défectueux, mais leur âme, elle, est intacte.

Je porte toujours une grande attention aux parents qui viennent me consulter à la suite d'une fausse couche ou d'un avortement. Après tout, ils n'ont pas eu la chance de connaître leur enfant. D'autant plus que les fausses couches sont rarement considérées comme objets de deuil et que l'avortement demeure un sujet tabou dans notre société. L'opinion que les gens s'en font varie selon la culture et la religion de chacun. L'au–delà qui, dans sa bienveillance, cherche toujours la compréhension et la conciliation m'a beaucoup aidé à saisir les enjeux de ces questions. Je dois admettre que ce que les âmes m'en ont dit a passablement ébranlé mes propres croyances. Pourtant, si l'on accepte de laisser tomber tout préjugé, on se rend vite compte que le message de l'au–delà relève d'une réflexion hautement spirituelle. Nous lui devons toute notre confiance, après tout, les âmes en savent plus sur la vie que nous n'en saurons jamais, même en cent ans de vie terrestre. Ainsi, selon l'au–delà, l'âme ne s'installe dans un corps qu'au moment de la naissance. De cette façon, une âme « repère » un corps à naître et cherche à voir si les conditions de cette naissance correspondent à ce qu'elle souhaite faire comme apprentissage. Si cela lui convient, elle attend et s'introduit dans le nouveau–né dès sa naissance. Toutefois et pour des raisons qu'elle est seule à connaître, il arrive que ce projet soit remis en question et que l'âme ne s'installe pas dans le corps. Or, le corps ne survit que s'il est habité par une âme, aussi l'enfant meurt–il à la naissance. Quant aux fausses couches, elles surviennent lorsque le corps en formation est incapable d'accueillir l'âme qui souhaite s'y installer.

Aussi patientera–t–elle jusqu'à ce qu'une autre occasion se présente. À la grande surprise des familles qui viennent me consulter, les âmes des enfants à naître (fausses couches) ou morts à la naissance se présentent souvent à leur famille lors des captations. Ces âmes se considèrent toujours comme les fils ou filles de la famille, elles sont tout à fait conscientes du fait que si le cycle de la naissance avait poursuivi son cours, elles vivraient auprès de ces personnes. Je suis toujours très étonné de constater que la plupart des gens n'accordent que très peu d'importance à la douleur des parents qui ont perdu un enfant de cette façon. Et pour comble, ils se permettent souvent d'ajouter ces paroles malheureuses : « Ne t'en fais pas, tu en auras un autre » ou « Tu n'étais probablement pas prête à être mère. » Ces personnes ne pensent pas que la mère a déjà tissé un lien avec l'âme de son bébé – même si elle ne l'a pas encore vu– et que de ce fait elle ressent la douleur de la séparation.

L'avortement est un sujet qui soulève tant de controverses qu'il est plutôt difficile d'aborder cette question froidement. D'autant plus que, n'étant pas une femme, je ne pourrai jamais pleinement saisir les implications émotives de cette question. Toutefois, les âmes de l'au–delà m'ont fourni plusieurs indications pratiques propres à éclaircir cette délicate question. Ici, je ne peux passer sous silence la grande compassion que démontre la Lumière Infinie envers celles qui ont choisi de ne pas conduire à terme une grossesse. Les âmes utilisent une métaphore fort éclairante pour nous faire comprendre en quoi consiste l'avortement. Elles m'ont dit qu'il suffisait de penser à un voyageur qui attend un train dans une gare, s'il rate son train, le voyageur sait que tout n'est pas perdu, qu'il n'a qu'à attendre le train suivant. Si le corps qu'elles prévoyaient habiter n'est plus là, elles savent très bien qu'elles peuvent s'incarner dans un autre corps. Que l'on me comprenne bien : je n'essaie pas de banaliser l'avortement, je tiens simplement à faire connaître le point de vue de l'au–delà – qui témoigne d'une grande évolution spirituelle – concernant cette délicate question. En fait, l'au–delà n'encourage pas plus les femmes à mettre un terme à leur grossesse, qu'il ne les juge si elles décident d'avorter. Les âmes savent que nos décisions sont liées à certaines contraintes et c'est pourquoi elles nous offrent toujours la compassion dont nous avons besoin pour faire la paix avec nous–mêmes. S'il arrive qu'elles tentent d'influencer une décision, c'est seulement parce qu'elles croient avoir trouvé les conditions propices à la poursuite de leur développement spirituel. Quoi qu'il en soit, nous devrions garder à l'esprit que les âmes ne nous jugent pas et qu'elles nous comprennent. Je me souviens de cette femme qui m'avait appelé à mon bureau, à une heure plutôt tardive, pour me parler de ses angoisses. J'ai décroché (habituellement, je ne réponds pas aux appels tardifs) et alors que je m'apprêtais à lui dire qu'il était un peu tard pour appeler, je me rendis compte, au son de sa voix, qu'elle était complètement désemparée. Elle m'appelait à cette heure tardive, parce qu'elle n'y tenait plus, elle voulait absolument savoir si Dieu lui avait enlevé son fils pour la punir de s'être fait avorter à l'âge de dix–sept ans. Cette question était pour le moins déchirante.

Je lui expliquai qu'il ne s'agissait pas d'une décision facile à prendre. Toutefois, elle ne devait pas s'en faire, après tout, lui dis–je, si j'arrive à comprendre son choix, la Lumière Infinie, dans sa grande miséricorde ne peut que saisir ses motivations et accepter son choix. La lumière Infinie ne prône pas la vindicte, elle fait preuve d'une compassion sans limite. De plus, elle sait pertinemment que nos choix (dans l'au–delà comme sur terre) font partie de notre cheminement. Les âmes, au contraire des mouvements religieux ou des groupements politiques, ne cherchent pas à avoir une quelconque influence sur la décision des femmes qui font face au dilemme que leur pose l'avortement. À ce propos, tous devraient prendre exemple sur la Lumière Infinie et se montrer compatissants au lieu de juger et de critiquer. Et surtout, n'allez pas vous inquiéter pour les âmes, elles auront de nombreuses autres occasions de naître, et qui plus est, dans des conditions favorables à leur croissance. N'oubliez jamais que la bienveillance des âmes est sans limite. Aussi, lorsque l'âme d'un enfant qui ne s'est pas incarnée (soit par fausse couche ou par avortement) se présente à ses parents lors d'une captation, elle prend toujours soin de le faire avec discrétion, si bien que seules les mères sont mises au courant de leur visite. Les âmes ne cherchent jamais à provoquer de malentendus ou à choquer. De ce point de vue, elles sont vraiment exceptionnelles.

Les parents des enfants qui sont dans l'au–delà ne devraient surtout pas s'inquiéter : leurs enfants resteront toujours leurs enfants. Les liens qui unissent parents et enfants sont indéfectibles. Aussi, les enfants sont–ils toujours les premiers à accueillir leurs parents qui arrivent dans l'au–delà. D'ailleurs, ils se reconnaissent immédiatement, puisqu'il ne s'agit pas d'une rencontre physique, mais plutôt d'une retrouvaille entre âmes. Les âmes m'ont expliqué que nous reprenions toujours nos relations là où nous les avons laissées. Le temps dans l'au–delà étant relatif, les parents qui le souhaitent pourront voir grandir leur enfant. Toutefois, ce sera au tour des enfants d'accueillir leurs parents et de les initier à leur nouvel environnement.

Ceux qui doutent encore des habiletés exceptionnelles dont font preuve les enfants de l'au–delà devraient parler à James et à Mary O'Reilly. J'ai rencontré les O'Reilly à l'occasion d'un séminaire que je donnais dans le Kentucky, nos chemins se sont littéralement croisés à une intersection de la ville de Bardstown et depuis, nous sommes devenus des amis. La détermination et le courage de James, Mary et leur fille, Kelly, m'étonneront toujours. Loin de se laisser abattre par la perte de leur fils (et frère), ils ont cherché à comprendre le sens de cet événement. Aussi, ont–ils décidé de s'engager dans une nouvelle direction et de mener une vie dans laquelle la spiritualité tient une place prépondérante. Jim, un entrepreneur en construction, a choisi de concrétiser son rêve en érigeant de ses propres mains une maison de repos pour les personnes en deuil. Cette maison du Michigan se veut un véritable havre de paix pour les familles en deuil qui s'y retrouvent pour échanger et faire le point.

Il arrive trop souvent que les familles en deuil d'un enfant soient victimes d'une certaine incompréhension de la part de leur entourage. Jim a conçu cette maison comme un lieu de rencontre et d'échanges où les individus ne sont pas considérés seulement comme des personnes en deuil, mais comme des personnes à part entière, avec tout ce que cela suppose de souffrance, d'espoir et de joie. Un lieu où ces familles recevront le support nécessaire pour parvenir à briser l'isolement dans lequel leur souffrance les confine trop souvent. Le projet des O'Reilly ne manque pas d'ambition, mais ils ont le meilleur codirecteur qui soit en la personne de leur fils Colin. Voici l'histoire des O'Reilly, telle que l'ont racontée Mary et James.

MARY O'REILLY

Notre cauchemar a débuté le jour de l'Halloween de 1991. Ce jour–là, notre fils Colins James a été soudainement pris d'une forte fièvre. Comme cette brusque poussée de fièvre m'inquiétait beaucoup, nous l'avons emmené chez le médecin dès le lendemain matin. Ce dernier lui a fait passer plusieurs examens de routine, sans pour autant suspecter quoi que ce soit. Il nous a simplement dit qu'il communiquerait avec nous dès l'obtention des résultats. C'est ainsi que quatre jours plus tard, il nous a appelés d'urgence en nous disant qu'il voulait nous rencontrer à 20 heures. Il nous attendait à la porte de son bureau pour nous annoncer que notre fils souffrait d'une leucémie. Toutefois, il ne savait pas encore de quel type était la leucémie, seules d'autres analyses pourraient le préciser. Abasourdis et désespérés, nous avons passé la nuit à prier pour notre fils.

Dès le lendemain, Colin entra à l'hôpital St John pour y subir une batterie de tests visant à déterminer le type de leucémie dont il souffrait. Nous entretenions encore l'espoir qu'il s'agisse d'une leucémie lymphoïde aiguë, puisqu'elle débouche sur une guérison dans 90 % des cas. Malheureusement, nous avons été informés en après–midi que notre fils souffrait d'une leucémie myéloïde aiguë. Cette forme que revêt la maladie est difficile à traiter et seulement 50 % des personnes atteintes y survivent. Notre cauchemar ne semblait pas vouloir s'arrêter. Il fallait agir vite, notre fils était gravement malade et son état requérait un traitement énergique.

Les premiers traitements comportaient plusieurs séances de chimiothérapie. Colin a passé vingt–deux jours consécutifs à l'hôpital, les traitements l'ont rendu très malade, il souffrait beaucoup. Nous sommes restés à ses côtés pendant tout ce temps. Au bout de huit mois de chimiothérapie, il a reçu son congé de l'hôpital, pas besoin de vous dire que nous espérions ne pas avoir à y retourner, sauf pour des examens de contrôle. L'été de 1992 nous donna quelque espoir : tout allait bien, Colin était en rémission et il ne suivait plus de traitement. Nous avons passé des vacances formidables, d'autant plus que les médecins nous avaient dit qu'il pourrait retourner à l'école en septembre. Septembre arriva et Colin entama sa troisième année, tout allait bien, jusqu'à ce qu'il recommence à avoir de fortes poussées de fièvre. Nos pires craintes se réalisaient, Colin avait rechuté.

Le 16 septembre 1992, Colin fut admis à l'hôpital pour subir d'autres traitements. Il nous a tout de suite dit qu'il ne voulait pas revivre la même souffrance. Il faut dire que les tests et les traitements qu'il avait subis étaient terriblement douloureux. Mais avions–nous d'autres choix ? Il nous fallait poursuivre les traitements en espérant et en priant pour qu'ils débouchent sur une nouvelle rémission. Nous avons bien profité du peu de temps qui nous restait avant le début des nouveaux traitements : nous étions toujours ensemble, nous parlions beaucoup et nous écoutions des films en compagnie de sa sœur. Je me souviens de ses dernières paroles. Ce soir là, je l'avais serré très fort dans mes bras en lui disant : « Je t'aime Colin, je t'adore » et il s'est retourné vers moi en disant : « Non, maman, je t'aime encore plus. » Un peu plus tard, au petit matin du 21 septembre, notre fils rendait les armes, il avait perdu sa bataille contre la leucémie.

JAMES O'REILLY

Quand je pense à cette période troublée, je songe immédiatement à un événement survenu quelques jours avant la mort de Colin. J'étais assis dans le lit de mon fils et je zappais nonchalamment pour changer les chaînes de télévision, quand je tombai sur une émission qui attira mon attention. Il y était question d'un médium nommé George Anderson, pour tout dire, ce fut mon premier contact avec lui. Cette émission qui traitait de communication avec l'au–delà m'a fasciné, d'autant plus que je n'étais pas au courant qu'une telle chose puisse exister.

Puis, dans la semaine qui suivit les funérailles de Colin, alors que je rentrais du travail complètement exténué, j'ouvris la télévision, histoire de me détendre avant d'aller au lit et j'aperçus, encore une fois, George Anderson. C'était étrange de le revoir ainsi deux fois de suite, alors que je ne l'avais jamais vu auparavant. Il faut dire que je n'écoute pas souvent la télévision et encore moins ce genre d'émission. J'étais rivé à l'écran, je ne pensais jamais qu'il puisse être possible de communiquer avec les morts. Il faut dire que le deuil d'un enfant est une expérience particulièrement difficile et je savais bien qu'il était de mon devoir de trouver un moyen de traverser ces moments difficiles. Or, j'avais l'impression que cette émission et les bouquins de George pourraient bien être « mon moyen ». C'est ainsi que je me suis mis en tête de rencontrer George. J'ai essayé de le joindre pendant deux ans, jusqu'à ce que je sois mis au courant d'un certain séminaire qui devait se tenir à Bardstown dans le Kentucky. Nous sommes donc partis à sa rencontre.

Dès notre arrivée dans la ville, nous avons cherché une pharmacie de toute urgence, parce que notre fille Kelly avait très mal à l'estomac. Un homme a traversé la rue alors que nous nous étions arrêtés à un feu rouge, en le voyant m'a femme s'est écrié : « On dirait George Anderson ! » J'ai levé les yeux et un seul regard a suffi pour me convaincre qu'elle ne se trompait pas.

J'ai baissé la fenêtre de la voiture et je lui ai lancé : « Êtes–vous George Anderson ? « Oui, c'est moi », répondit–il simplement. Sans hésitation, je sautai sur l'occasion et je lui demandai s'il était en ville pour le séminaire, tout en lui tendant un de ses livres pour qu'il l'autographie. Je l'avais tant cherché et il était là, sous mes yeux, c'était assez pour me donner envie de le kidnapper sur–le–champ, mais j'ai plutôt choisi de lui demander s'il accepterait de nous rendre visite dans le Michigan. Ce à quoi il répondit : « Bien entendu, écrivez–moi à mon bureau. » Nous avons tout de suite pensé qu'il s'agissait sans doute d'un signe et que Colin viendrait peut–être nous visiter durant le séminaire. Toutefois, il n'a pas jugé bon de le faire à ce moment. Le séminaire fut très intéressant, ce que nous y avons appris nous a, à la fois, touchés et rassurés. Les paroles de George ont littéralement bouleversé ma femme ; ce séminaire lui a procuré un sentiment de bien–être et d'apaisement qu'elle ne connaissait plus. Si bien que nous avons décidé d'organiser un séminaire dans la ville de Détroit en juin 1995 et pour nous remercier de notre dévouement, George nous a offert une séance de captation avec notre fils Colin. Nous ne savions trop quoi penser de ce cadeau inattendu, mais, au fil de la séance, toutes nos appréhensions se sont évanouies.

Certains indices nous ont d'ailleurs démontré que George était bel et bien en communication avec notre fils. Tout d'abord, il nous a parlé de cet incident avec l'oiseau, un événement que nous étions les seuls à connaître : incident au cours duquel notre fille Kelly avait malencontreusement écrasé un oiseau avec la tondeuse à gazon. Nous avions oublié cet événement anodin, mais notre fils nous l'a rappelé durant la captation et il nous a même confié que cet oiseau était avec lui dans l'au–delà. De même, Colin a su toucher le cœur de sa sœur Kelly en lui disant qu'il comprenait ce qu'elle ressentait par rapport à nous. Il savait qu'elle se sentait délaissée et que ce sentiment faisait de son deuil une expérience d'autant plus difficile. Ce commentaire n'a pas manqué de faire naître un sourire sur le visage de Kelly, un sourire qui en disait long…

Ses paroles étaient justes et sages, il nous a dit : « Lorsque l'on perd un de ses parents, on perd son passé, mais lorsque l'on perd un enfant, on perd une partie de son avenir. » Et, ce n'est là que quelques exemples. Colin avait tout orchestré, il avait un message précis à nous transmettre. Si vous saviez tout le plaisir et l'apaisement que nous a procurés cette expérience, le fait d'entendre notre fils à travers George, nous a fait un bien immense. Au sortir d'une séance de captation, la joie se lit sur tous les visages. Nous le savons, nous l'avons vécu et nous connaissons aussi toute la peine et l'angoisse qu'engendre la perte d'un être cher. Les personnes qui n'ont jamais connu un tel drame ne peuvent que compatir à notre douleur, mais elles ne sauront jamais à quelles terribles angoisses les parents en deuil d'un enfant sont soumis. C'est pourquoi nous avons fondé un organisme à but non–lucratif nommé *Peace Be With You*, dont la mission est d'apporter un peu de réconfort et de paix aux parents et aux familles en deuil d'un enfant. Par l'entremise de cet organisme, nous entendons redonner ce que nous avons reçu de George, à savoir : la paix et le réconfort nécessaires pour triompher de la douleur et de la souffrance qui s'emparent des parents en deuil d'un enfant.

Je crois que George fera toujours partie de notre vie. Il a été pour nous un ami très spécial et il nous a fait don d'un cadeau inestimable en nous permettant de communiquer avec notre fils bien–aimé. Voici la retranscription de la captation faite avec notre fils, Colin James.

LA CAPTATION

— Bon, quoi que je vous dise, vous devrez toujours répondre par oui ou par non. Commençons. Il y a une femme tout près de vous, non plutôt deux. Attendez, je crois qu'il y a une troisième personne, oui il y a bien trois personnes maintenant. Quelqu'un vient de se joindre à elles. Ils sont maintenant quatre. Deux hommes et deux femmes de deux générations différentes, une autre femme vient de se joindre à eux. Il y a maintenant un autre homme et une autre femme. Ah ! Et une autre personne encore. Décidément c'est la foule ici. Il y a encore deux femmes de deux générations différentes. Il y a un jeune homme dont vous étiez très proches qui est décédé, oui ?

— Oui.

— Il se rapproche et je constate que les personnes qui l'accompagnent sont beaucoup plus âgées que lui. Tour à tour, il s'approche de chacun de vous, il est sans doute de la famille. Un homme plus âgé l'accompagne, il est d'une autre génération, il est parent avec lui. Je sens une autre présence, elle me dit qu'elle est le fils, votre fils est décédé ?

— Oui.

— Il est trop jeune pourtant (à Kelly) et il pourrait être ton frère ?

— Oui.

— Il n'arrête pas de répéter qu'il est le fils, il dit : « Je suis le frère qui est mort. » Il me dit que son grand–père est avec lui, mais je ne sais pas s'il parle de son grand–père ou de son arrière–grand–père. Ne dites rien pour le moment. Il insiste pour que je vous dise : « Grand–papa est avec moi », en fait, il s'agit de l'homme qui l'accompagne. (À Mary) « Votre père est–il mort ? »

— Oui.

— Oui, c'est cela, lorsqu'il m'a dit : « Grand–papa est avec moi » il vous a pointée, aussi s'agit–il de votre père. (À Jim) Maintenant il parle de votre mère. Votre mère est–elle décédée ?

— Non.

— Non, elle est toujours ici. (À Mary) Votre mère est–elle vivante, oui ?

— Oui.

— D'accord. Elle doit être une très bonne grand–maman. (À Jim) Il n'arrête pas de répéter : « Grand–maman est avec moi » en s'adressant à vous. Il semble qu'elle est la mère de votre mère, je viens de comprendre qu'il parle de la famille de votre mère. J'étais un peu confus tout à l'heure, c'est pourquoi j'ai pensé que votre mère était décédée. Le mari de votre grand–mère maternelle est aussi décédé, il y a deux grands–parents ici. (À Mary) Avez–vous perdu un autre enfant ? N'avez–vous pas fait une fausse couche ou quelque chose comme ça ? (Mary fait signe que oui) C'est ça, il me dit qu'un enfant l'accompagne. C'est l'enfant que vous avez perdu. Connaissez–vous le sexe de cet enfant ?

Il me semble que c'est une fille. Il m'a laissé comprendre que sa sœur est avec lui. Attendez, il me dit qu'ils sont trois. Vous avez eu trois enfants. (À Kelly) Tu es la seule qui reste ?

— Oui.

— (À Mary) Voilà, j'ai compris. Vous avez eu trois enfants, je crois bien qu'il essayait de me dire, qu'en principe, il y avait trois enfants. (À Kelly) Il me dit à la blague, que tu es un peu comme le dernier des Mohicans. Tu es la seule vivante en ce moment. Il ajoute : « Mais s'ils s'étaient tous incarnés, nous serions trois enfants. » La famille serait composée d'un fils et de deux filles. Il veut dire que si le cycle de la naissance n'avait pas été interrompu, vous auriez une sœur. Il m'a dit que sa sœur est avec lui en ce moment, c'est une jeune femme. (À Mary) Étiez–vous proche d'une de vos grands–mères ? Il y a une dame qui rôde autour de moi en affirmant qu'elle est votre grand–mère. Vos grands–mères sont–elles mortes ?

— Oui.

— Elle semble bien vous connaître.

— C'est vrai.

— Vous la voyiez fréquemment ou quelque chose du genre. Je sens qu'il y a plusieurs personnes derrière elle, et elles se disent aussi être de vos grands–parents. (À Jim) Les vôtres sont aussi présents, tous vos grands–parents sont avec lui. (À Mary) Une femme s'est avancée en proclamant qu'elle était votre grand–mère, elle a ajouté : « C'est moi qu'elle connaît le mieux. »

— Hum, oui.

— (À Mary) Votre père est mort alors qu'il était encore jeune ? Du moins selon ce que l'on entend par ce mot de nos jours ?

— Oui.

— Il est mort avant votre fils ?

— Oui.

— Parce qu'il m'a dit qu'il avait accueilli votre fils dans la Lumière, qu'il était là pour lui et que c'est une chose que vous aviez souhaitée et appelée de vos prières. Est–ce qu'ils se connaissaient sur terre ?

— Oui, enfin un peu.

— Apparemment, ils ont appris à mieux se connaître dans l'au–delà. Il m'a dit qu'ils se connaissaient depuis peu.

— (À Kelly) Étais–tu proche de ton frère ?

— Oui.

— Je ne crois pas qu'il cherche à prendre la vedette auprès de toi, mais le fait est qu'il revient sans cesse vers toi. Je le vois derrière toi, ses mains sont posées sur tes épaules comme si vous étiez de grands amis. Il dit que si la perte d'un enfant est une épreuve très difficile pour les parents, il ne faut pas oublier qu'elle l'est aussi pour les autres membres de la famille.

Ton frère souhaite te dire qu'il est toujours auprès de toi, un peu comme un ange gardien et qu'il n'hésitera pas à vous casser la figure à tous, si vous osez penser que cette tâche le dérange de quelque façon. Ce garçon a le sens de l'humour ! Vous pouvez en déduire que tout va bien pour lui et qu'il n'a pas changé. Il dit que s'il s'était présenté tel qu'il est maintenant, vous ne l'auriez pas reconnu. Il devait endosser cette personnalité pour vous rencontrer.

— (À Mary et à Jim) Votre fils est–il mort dans des circonstances tragiques ?

— Oui, de par son âge et les circonstances de sa mort.

— Il me dit que sa mort n'a pas été aussi tragique qu'elle a pu le paraître. Il tient à vous dire qu'il n'a pas souffert. Il est mort instantanément. Il ajoute qu'en l'espace d'un instant il est passé de vie à trépas. C'est cela ?

— Oui.

— Dites–moi s'il est mort accidentellement.

— Non.

— Alors pourquoi dit–il que ses problèmes de santé étaient « accidentels » ? Il est mort de façon soudaine ?

— Oui.

— Peut–être voulait–il me dire cela, mais je ne comprenais pas comment on pouvait mourir de problèmes de santé accidentels, c'est l'un ou c'est l'autre. Un événement a précipité sa mort ?

— Oui.

— Il me dit qu'il a manqué d'oxygène. Il n'est pas mort d'une maladie qu'il avait à la naissance ?

— Non, il n'était pas malade.

— Sa mort a été soudaine. Il me répète qu'il est passé dans l'autre monde en un instant. C'est pour cette raison que je croyais qu'il était mort à la suite d'un accident. Il s'agit de sa tête ?

— Oui.

— Je sens une forte pression dans ma tête et il me dit qu'il s'agit précisément de cet endroit, il a été touché à la tête ou quelque chose comme ça. Il ajoute qu'il ne savait pas plus que vous ce qui lui arrivait, c'est pourquoi il parle d'un accident. Il dit que vous n'auriez pas pu savoir ce qu'il avait, pas plus que lui, d'ailleurs, ne le savait. Il dit qu'il s'est évanoui avant de mourir. Est–ce bien cela ?

— Oui.

— C'est pourquoi j'ai cru qu'il avait eu un accident. Il me dit que je vous ai bien transmis les informations, mais que je n'ai pas réussi à comprendre que son évanouissement pouvait être dû à autre chose qu'un accident. Il ne veut surtout pas que vous vous sentiez responsables de sa mort. Vous ne pouviez pas savoir que quelque chose n'allait pas. Comment auriez–vous pu le savoir ? Il ne le savait pas lui–même.

— C'est juste.

— Vous étiez pourtant convaincus qu'il était en parfaite santé. Avait–il quelque chose qui s'apparente à une tumeur au cerveau ?

— Oui.

— C'est la seule façon que je vois de décrire ce qu'il avait en termes familiers. Attendez, il me dit de ne pas utiliser le mot *tumeur*, il semble plutôt que quelque chose a « éclaté » dans sa tête. Est–ce bien cela ?

— Oui.

— Ah ! Il me dit qu'il s'agit d'un anévrisme.

— Oui.

— C'est bien ce que je ressens, une pression ici, un genre de congestion. Il a dû avoir un mal de tête atroce avant de mourir.

— C'est vrai.

— Habituellement on traite ce genre de malaise en prenant deux aspirines… mais il avait un anévrisme. Il est mort de façon si soudaine que j'ai cru qu'il avait eu un accident. Quelque chose s'est brisé dans son cerveau et il est mort subitement. C'est ça ?

— Oui.

— Tout s'est passé très vite. C'est pour cette raison que j'ai affirmé qu'il n'était pas malade avant de mourir. Rien n'empêche que son décès avait à voir avec sa santé, même si son corps ne lui avait jamais donné de signes de défaillance. J'ai l'impression que lorsque ce genre de chose survient, tout se passe très vite. Il m'a dit qu'il avait perdu connaissance. Il semble qu'il ait manqué d'oxygène en raison d'une hémorragie au cerveau. Autant vous le dire, il est de ces rares personnes qui sont parvenues à terminer leurs leçons terrestres en avance. Comme il m'a dit : « Il était temps que j'entreprenne autre chose. » Et, il en sera ainsi pour vous. Lorsque votre travail sur terre sera fini, vous partirez. Encore une fois, je me permets d'insister sur le fait que vous n'auriez rien pu faire pour lui. Vous ne pouviez tout simplement pas le sauver. Tout est arrivé si vite. Je vois saint Jude, il est tout près de vous, il symbolise tout le désespoir que vous avez ressenti à ce moment, vous vous sentiez démunis, vous ne saviez que faire, mais vous avez tout fait ce qui était en votre pouvoir. Il sait bien que vous avez tout essayé, mais il dit que vous avez beaucoup de mal à accepter cette mort abrupte, vous ne pouviez pas comprendre que son heure était venue et qu'il devait partir. (À Kelly) Est–ce que tu vas bientôt obtenir un diplôme ou quelque chose du genre ?

— Oui.

— Parce qu'il tient à te féliciter pour ta graduation.

— Il t'offre des roses blanches, il me demande de te dire qu'il assistera à la cérémonie de remise des diplômes. Est–ce pour cette année ?

— Oui.

— Il dit qu'il sera avec toi en esprit, en ce moment il te tend les mêmes roses blanches et t'offre ses meilleurs vœux de bonheur. (À Jim et Mary) Il était toujours pressé, n'est–ce pas ? Un peu comme s'il savait que ses jours sur terre étaient comptés. Il était au cœur d'un tourbillon d'activités, essayant de tout faire à la fois. Il ne remettait jamais rien au lendemain, au contraire, avec lui, tout aurait dû être fait pour la veille. Il n'est pas surprenant qu'il soit parvenu à compléter son travail sur terre plus tôt qu'il ne l'avait cru. Connaissez–vous un dénommé Patrick ou Pat qui est décédé ?

— (Mary) Oui.

— Il n'arrête pas de dire que Patrick est avec lui. J'ai l'impression soudaine de retourner en arrière, comme s'il s'agissait d'un arrière–grand–père. Il y a aussi un dénommé Sean ou John.

— Oui.

— Est–il mort ?

— Oui.

— Il y a quelqu'un qui se présente comme un oncle, il dit s'appeler Sean ou John, s'il est anglais, il s'appelle sûrement John. J'entends quelqu'un derrière lui qui parle le gaélique.

— (Jim) Il doit s'agir de membres de ma famille.

— Je suis certain qu'il y a quelqu'un qui parle une langue celte, je suis sûr que j'entends de l'irlandais, en fait du gaélique.

— Oui.

— Votre fils me dit qu'il s'était plaint de maux de tête.

— Oui.

— Encore une fois et j'insiste, vous n'avez pas à vous sentir coupables de n'avoir pas cherché plus loin lorsqu'il vous a dit qu'il avait mal à la tête.

— Oui.

— Vous ne pouviez pas penser qu'il avait quelque chose de beaucoup plus grave qu'un simple mal de tête.

— C'est vrai.

— Les maux de têtes sont habituellement bénins et personne ne pense qu'un simple mal de tête peut–être le symptôme de quelque chose de très grave. Il tient à vous remercier pour le monument commémoratif. Avez–vous posé d'autres gestes en sa mémoire ?

— Oui.

— S'agit–il d'une fondation ou de quelque chose comme ça ?

— Oui.

— Je vois le mot *finance*, il me dit que de bonnes choses ont été faites en son nom. Apparemment, cela se rapporte à quelque chose du genre. Avez–vous connu un dénommé James, il se peut qu'il s'agisse d'un oncle ?

— Oui.

— Il est avec votre fils. Votre fils comprend votre chagrin, il sait aussi que toute cette peine ne s'en ira pas par magie. Mais, il vous demande de voir les choses d'un autre œil et de penser à lui comme à un fils qui a déménagé dans un lieu agréable où il est entouré de ses parents. Avez–vous perdu un animal domestique ?

— Oui.

— Votre fils n'arrête pas de me parler d'un animal qui est avec lui. Est–il mort après votre fils ?

— Oui.

— Le décès de cet animal vous a causé une grande peine. Sa mort vous a brisé le cœur car il représentait le dernier lien qui vous rattachait physiquement à votre fils, à partir de ce moment vous avez vraiment senti qu'il ne reviendrait plus. Il ne me dit pas de quelle espèce il est, surtout ne m'en dites rien. Il est auprès de lui en ce moment et il dit qu'il en prend grand soin. Votre fils est très indépendant, n'est–ce pas ? Du moins, c'est ce que je présume. Il est entouré de membres de sa famille, il est aussi très proche de votre père, mais il apprécie la solitude, il aime avoir des activités qui lui sont propres. Il est très heureux et serein et il souhaite de tout son cœur que vous puissiez envisager sa mort avec moins de tristesse et plus de sérénité. Il va toujours vous manquer, votre peine ne s'envolera pas, mais il tient à vous dire qu'en ce qui le concerne, il ne s'ennuie pas. Et il m'a demandé de vous dire : « Je suis plus près de vous que vous ne pourrez jamais vous l'imaginer. » Vous avez rêvé de lui et vous avez même eu l'étrange impression qu'il était auprès de vous. (Ils acquiescent d'un signe de la tête) « Et même si vous ne me voyez pas, vous saviez que j'étais avec vous. Vous aviez l'impression que vous alliez me voir en détournant la tête, vous auriez pu jurer que j'étais là, juste à côté de vous. » Il est en train de m'expliquer qu'il vous a été permis de jeter un œil de l'autre côté du « voile » qui nous sépare de l'autre monde et que vous l'avez vu dans son monde. Connaissez–vous un dénommé Robert ou un Bob ?

— (Mary) Oui.

— Il est mort ?

— Oui.

— Il me dit qu'il est avec Robert ou Bob.

— Robert.

— Est–il de la famille ?

— Non.

— Mais il le considère comme un membre de la famille ? Un ami de la famille, enfin quelqu'un de très proche, puisque je ressens l'idée de famille.

Je ne crois pas qu'il s'agisse d'un lien du sang. Est–il mort alors qu'il était encore jeune ?

— Oui.

— Avant votre fils ?

— Non.

— Bon, alors votre fils a dû l'accueillir, parce qu'il me dit qu'il était encore jeune lorsqu'il est mort et qu'ils se sont revus dans l'au–delà. Ainsi, ils devaient se connaître avant de mourir. Il est aussi question d'un homme nommé George. (À Mary) Les membres de votre famille parlent–ils une autre langue ?

— Oui.

— Vos grands–parents, par exemple ?

— Oui.

— Je suis persuadé d'avoir entendu parler une langue étrangère, mais ne me dites pas de quelle langue il s'agit. C'est une langue européenne, j'ai déjà entendu cette langue en Europe. C'est cela ?

— Oui.

— Oui, c'est une langue européenne. Je ne saurais trop dire laquelle, mais je l'entends en arrière fond.

— Oui.

— Je pense à quatre–vingts ans.
— Oui, vous n'avez pas tort.
— Parlait–il cette langue ?
— Oui.
— Il ne parlait pas anglais ?
— Non.
— Il semble que cette langue transparaît dans sa façon de parler. Oui, c'est ça, quelqu'un me confirme qu'il avait du mal à s'exprimer en anglais. Je pense à un père ou enfin quelqu'un qui présente une image paternelle. Il s'agit peut–être d'un oncle ou quelque chose comme ça. Avez–vous conservé un contact avec les amis de votre fils ?
— (Jim) Oui.
— Il tient à remercier ses amis d'avoir gardé le contact avec vous, cela vous a permis d'entretenir sa mémoire.
— Oui.
— Si vous croyez que ses amis peuvent comprendre, dites–leur que vous avez eu de ses nouvelles et qu'il va bien. Ne me dites rien de plus, répondez simplement à cette question : Le prénom de votre fils est court ?
— Oui.
— Il compte moins de huit lettres ?
— Oui.
— Il me dit qu'il s'agit d'un prénom court qui a moins de huit lettres. Il pourrait facilement me le dire, alors pourquoi ne le fait–il pas ? Il m'arrive souvent d'avoir à jouer à ce petit jeu. Enfin, je sais que c'est un prénom que je connais pour l'avoir déjà entendu.
— (Mary) Oui.
— Son prénom est d'origine étrangère ?
— (Jim) Oui.
— Il me dit que son prénom est courant à l'étranger et qu'il s'agit d'un prénom célèbre.
— Oui.
— Il me confirme qu'il s'agit du prénom d'un personnage célèbre. Manifestement, il joue aux devinettes. Il me donne

des indices, je les reçois et je vous les transmets tels quels. Il est aussi question d'une femme qui s'appelle Margaret et d'une autre qui se nomme Elizabeth, vous les connaissez ?

— (Jim) Oui, la sœur de ma mère s'appelait Elizabeth.

— Elle est morte ?

— Oui.

— Votre fils me dit qu'elle est présentement à ses côtés. Il était le seul garçon de la famille ? C'est peut–être pour cela qu'il a cherché à se démarquer des autres. Et le plus jeune aussi ?

— Oui.

— Il me répète qu'il était le cadet et que c'est pour cette raison que sa mort a tant secoué sa famille. Cet événement a été difficile pour vous. Et vous devez avoir beaucoup de mal à comprendre qu'un garçon de dix ans puisse avoir accompli tout ce qu'il avait à faire sur terre, n'est–ce pas ?

— Oui.

— J'ai parlé de dix ans pour l'exemple, juste avant qu'il me dise qu'il avait moins de dix ans à sa mort. Quelqu'un a dit un rosaire pour lui ? (Ils acquiescent de la tête)

— Parce que je vois un chapelet qui s'égraine devant moi et je vois Notre–Dame de Lourdes. Il me dit que le chapelet est un instrument spirituel remarquable et il tient à vous remercier pour ce geste. Il ajoute que le rosaire représente une puissante action de grâce pour l'au–delà, et il ne voudrait surtout pas que vous pensiez que vous avez perdu votre temps. Il me montre le chiffre sept, son prénom compte moins de sept lettres n'est–ce pas ?

— Oui.

— Il dresse un cinq devant lui, j'en conclus que son prénom a cinq lettres. C'est aussi un prénom célèbre dans le domaine littéraire, n'est–ce pas ?

— (Jim) Il me semble que oui.

— Ne me dites rien de plus que ce que je vous demande : « Comprenez–vous pourquoi il me dit : « A B C D E ? » La première lettre de son nom vient–elle après le E ?

— Non.

— Alors la première lettre de son prénom fait partie de la série ?

— Oui.

— Il me montre maintenant les lettres A B C. Il ne s'agit ni d'un A ni d'un B ? Je me trompe ?

— Non, c'est exact.

— (En riant) Alors ça ne peut être qu'un C.

— Oui.

— Il me montre le mot « Colin ».

— Oui !

— C'est ça ?

— Tout à fait.

— Il m'a mis son prénom sous les yeux mais je ne le reconnaissais pas, quel imbécile je fais. Il m'avait pourtant dit que son prénom était le même que celui d'un des membres de ma famille. Lorsqu'il m'a dit cela, j'ai tout de suite pensé à « COLIN », mais je n'ai pas poursuivi la piste. Il se moque de moi : « Pourtant je te l'avais dit. » Il me rappelle que j'ai même cité son prénom en exemple tout à l'heure. J'ai tout de suite pensé : « Quel imbécile, c'est ça, et ça fait dix minutes que tu cherches ! » (À Kelly) Tu commences à t'éloigner de tes amis ?

— Que voulez–vous dire par là ?

— De nouvelles personnes entrent dans ta vie, tandis que tu t'éloignes de certaines autres. Ta vie change, tu es en train de devenir une femme et une adulte. Il ajoute qu'il est normal que tu te sentes souvent en proie à des sautes d'humeur. Il est très content d'être là où il est. Il te dit que tu ne devrais pas trop t'inquiéter de ces petits déséquilibres, tu entres dans une période de changements, tu t'apprêtes à faire la première grande transition de ta vie, celle qui te mènera de l'enfance à l'âge adulte et ta vie va en être bouleversée. Tu vas te métamorphoser, tout, de ton apparence physique jusqu'à tes pensées, va changer. Et même si cette période risque d'être marquée par certaines frustrations, elle sera très enrichissante.

C'est très amusant, il est si jeune et pourtant j'ai l'impression de parler à une personne beaucoup plus âgée. Et pourtant, il est mort aux alentours de l'âge de huit ans, mais il est beaucoup plus mature. (À Kelly) Ton anniversaire est pour bientôt ?

— Oui.

— Il te souhaite un bon anniversaire. Il se tient juste en face de toi et il t'offre des roses blanches. Il sait bien que sa mort t'a mise en colère parce que tu ne comprenais tout simplement pas ce qui lui était arrivé, il te demande de ne garder aucun ressentiment. Même s'il n'a plus de corps, il est bien vivant.

— Il n'a tout simplement plus de corps physique. Il est certain qu'il te manque, mais ne perds pas de vue que ce n'est pas son apparence physique que tu aimais, mais la personne qu'il était. Ce qui faisait l'essence de ton frère n'a pas pour autant disparu ; il est plus vivant que jamais. Tu penses souvent que la vie a été injuste envers lui, que c'est trop cruel de mourir à l'âge de huit ans. C'est pourquoi, il veut que tu saches que la vie se poursuit dans l'au–delà. Il avait d'autres leçons à apprendre et il veut que tu penses à lui comme à un frère qui est parti étudier dans un pays lointain. D'autant plus que c'est ce qu'il fait dans l'au–delà. Il est à l'école et comme il est très brillant et qu'il apprend vite, il a obtenu son diplôme en un temps record et c'est ainsi qu'il a gradué vers l'au–delà. Il sait que tu es très chagrinée de ne pas le voir grandir, mais il veut que tu saches qu'il a grandi en sagesse, à défaut de grandir physiquement, ce qui est loin d'être un désavantage. Il me parle des animaux domestiques de la famille, je ne suis pas sûr de comprendre. Aviez–vous plusieurs petits animaux ?

— Oui.

— Il me dit qu'il a beaucoup d'animaux là où il est : des chiens, des chats et même un cheval. Toutes sortes d'animaux qu'il ne pouvait pas avoir lorsqu'il était sur terre. Éprouvait–il des problèmes de vision ? Il avait parfois des maux de tête et sa vue s'embrouillait.

— Oui.

— Je ressens une pression autour des yeux, il devait avoir des vertiges. Il me confirme qu'il se sentait parfois très apathique et fatigué. Il me demande encore une fois de vous dire qu'il ne faut absolument pas que vous vous sentiez concernés par ce qui lui est arrivé. (À Jim) Je sais que vous êtes maintenant votre propre patron, mais se peut–il que vous envisagiez d'étendre vos activités ? Vous avez posé les principaux jalons, mais il reste bien des choses à venir. Votre travail est très prenant, au point où vous avez parfois l'impression d'être marié à votre travail, c'est exact ?

— Oui.

— Il est vrai que lorsqu'on est son propre patron il n'y a pas de place pour la paresse ou la négligence, vous n'avez pas le choix de travailler. Toutefois, il me dit qu'il vous faut prendre du temps pour vous et votre famille. Il voit bien que depuis son départ vous vous étourdissez dans le travail pour noyer votre chagrin. Le travail vous empêche de ressasser le passé, en soi, ce n'est pas si mal, mais vous devez aussi penser à vous. (À Mary) Travaillez–vous ?

— Non.

— Il croit que vous devriez le faire. En ce qui vous concerne, le travail aurait un effet thérapeutique. Non pas que vous ayez besoin de cet argent pour la famille, mais votre fils est d'avis que vous avez tendance à ressasser le passé.

— Vous avez trop de temps pour penser et le fait d'avoir un travail, même un petit boulot à temps partiel, vous permettrait de canaliser vos énergies vers quelque chose de plus constructif. Il comprend bien que vous ne pouvez vous empêcher de penser à lui et aux circonstances de sa mort, mais votre esprit a besoin de repos. Vous n'y pouvez rien, il est mort et n'ayez crainte, vous le reverrez un jour. Il m'a dit, qu'un jour, le temps sera venu pour vous de poursuivre votre route dans l'au–delà, comme il l'est donné à chacun de nous. Il sait bien que vous vous êtes parfois surprise à espérer que cela arrive le plus tôt possible, mais votre tâche n'est pas terminée, vous avez encore quelque chose à accomplir ici–bas.

Connaissez–vous une certaine Helen ou Ellen ? Est–elle proche de votre père ? Votre père parlait–il une langue issue des pays du bassin méditerranéen ?

— Oui.

— Je pense à l'Espagne, l'Italie, la Grèce ou le Portugal, mais il ne s'agit peut–être que de symboles. Si je vous dis Nicholas vous pensez à quelque chose ou à quelqu'un ?

— Oui !

— Il me semble que votre père parle d'un certain Nicholas, peut–être a–t–il quelque chose à lui dire. Votre père le connaissait ?

— Oui.

— Se connaissaient–ils bien ?

— Oui.

— Je ne saurais dire pourquoi, mais votre père m'a dit : « Faites savoir à Nick que ma joie est grande de l'avoir rencontré ». Ils sont parents, n'est–ce pas ?

— Oui.

— Mais ils étaient aussi très bons amis. Est–il malade ou a–t–il des ennuis ?

— Pas que je sache.

— Il s'agit peut–être de quelqu'un dans son entourage, parce qu'il semble qu'il traverse des moments difficiles. C'est peut–être seulement circonstanciel. Est–il sentimental ou romantique ? Je le sens à la façon qu'il a de s'exprimer.

— Oui.

— Il n'est pas grec ?

— Non.

— Je voulais simplement m'en assurer. Il m'a dit qu'il parlait une langue romantique. Il parle un dialecte ou un patois, je crois que c'est cela qui m'a confondu.

— Oui.

— Mais il est italien ?

— C'est ça.

— Au début, j'étais persuadé qu'il parlait espagnol ou portugais.

— Est–ce mon père qui vous a détrompé ?

— Oui. Il m'a dit de bien l'écouter parler, comme cela je saisirais qu'il ne s'agissait pas tout à fait de la langue que l'on a l'habitude d'entendre à l'opéra, mais qu'elle s'en approche beaucoup. (À Jim et Mary) Est–ce que l'un de vos anniversaires est pour bientôt ?

— Non. Ni le mien, ni le sien.

— Alors pourquoi votre fils vous tend–il des roses blanches en vous souhaitant un bon anniversaire ? Il est juste en face de vous deux, c'est pourquoi je croyais qu'un de vous deux était concerné. Enfin, laissons–le savourer ce moment. (À Mary) Avez–vous pris soin de votre père ?

— Il tient à vous rendre grâce pour votre bonté. Vous avez accompagné ses derniers moments, votre mère et vous, mais c'est vous qui le soigniez. J'ai l'impression que sa famille comptait beaucoup pour lui. D'ailleurs, il me demande de vous dire de penser à lui le jour de la fête des pères, votre père est toujours là, même s'il ne peut célébrer avec vous en personne. Il vous dit : « Je suis plus près de toi que tu ne pourrais l'imaginer » et il ajoute que vous comprendrez pleinement le sens de cette phrase lorsque le jour de vos retrouvailles sonnera. Votre fils vous tend toujours les mêmes roses blanches, mais j'ai compris qu'il vous souhaitait une bonne fête des mères en retard. Et à vous, Jim, il offre des roses rouges en vous offrant ses meilleurs vœux pour la fête des pères à venir. Il sait bien que vous vous sentez diminué, puisque le père que vous êtes, a été amputé d'une partie de sa famille. Il vous demande de ne pas être aussi protecteur envers votre fille. Vous surveillez le moindre de ses gestes et vous vous montrez toujours inquiet à son sujet.

— (Ils rient) Il a raison.

— Kelly est très indépendante, dit–il et elle se sent parfois coupable de ce penchant, je me sentais un peu comme elle, ajoute–t–il. (À Kelly) Il me dit que tu vivras des moments difficiles durant ton adolescence, mais ne t'inquiète pas, il ne t'arrivera rien de fâcheux. Seulement tu auras à trouver ta voie et il ne faut pas que tu te décourages et que tu penses que ce qui t'arrive est la fin du monde. Tout passe, les bons comme les mauvais moments. Il rigole, il me dit qu'il t'observe souvent – en fait, il est un peu comme ton ange gardien – et il pense, même s'il n'y peut rien, que les arbres te cachent souvent la forêt. (À Mary et à Jim) Connaissez–vous un Henry qui est mort ? À vrai dire, je n'en sais rien, mais j'ai vu ce nom passer devant moi et je ne voudrais pas passer à côté de quelque chose de significatif, comme je l'ai fait pour Colin. Il y a aussi un Peter ?

— Oui.

— Qui que vous soyez, sachez que je suis désolé de vous avoir ignoré. Votre fils n'arrêtait pas de me dire que Peter était avec lui, mais je me disais que j'avais mal compris et il me répondait : « Non, c'est comme pour Colin », alors je lui ai dit que j'allais vous en parler. A–t–il des enfants ?

— (Jim) C'est mon arrière–grand–père.

— Oui, c'est ça, parce je sens que vous le considérez tous deux comme un père. Est–ce que le prénom de Charlie vous dit quelque chose ? (À Mary) Il est tout près de votre père, il me semble qu'ils se connaissent. Il est mort ?

— Oui.

— Il n'est pas de la famille, c'est plutôt un ami ou quelque chose comme ça.

— Oui.

— Votre fils n'a de cesse de me dire que Charlie est avec lui, il semble qu'il tienne à se présenter sous l'appellation affectueuse d'oncle Charlie. Ce Charlie est aussi avec votre père. Votre mère habite le Michigan ?

— Oui.

— Il vous demande d'appeler votre mère dès votre retour à la maison, pour lui dire que vous les avez rencontrés. Il veut qu'elle sache qu'elle n'est pas seule. Est–ce que son anniversaire est pour bientôt ? (Elle fait un signe de la tête) Parce qu'il lui souhaite un bon anniversaire, il dit que c'est pour bientôt et il lui tend des roses blanches. Elle prie beaucoup pour lui et il apprécie grandement cette attention. Il fait aussi dire qu'il est plus près d'elle qu'elle ne se l'imagine. (À Jim) Avez–vous eu des maux avec votre frère ?

— C'est un peu ça.

— Votre fils vient de m'en parler, il me dit que votre frère et vous, éprouviez certains problèmes de communication. Ce n'est pas d'hier ?

— Tout à fait.

— Il me dit que ça ne s'arrangera probablement pas, vous devez accepter cet état de chose, parce que les choses ne changeront pas.

— D'accord.

— (À Mary) Avez–vous perdu un oiseau ?

— Non.

— C'est étrange, je vois un oiseau voler dans la pièce et votre fils me dit qu'il a un oiseau.

— Oh ! Oui ! Il parle de l'oiseau que j'ai écrasé avec la tondeuse à gazon !

— Il doit s'agir de celui–là, votre fils me dit qu'un oiseau est avec lui. Comment avez–vous pu écraser un oiseau avec une tondeuse à gazon ? !

— Ce n'était pas un oiseau domestiqué, il traînait depuis longtemps autour de la maison et mon fils l'avait remarqué.

— Il a dû en faire son animal de compagnie, parce que je vois l'oiseau voler dans la pièce et il me dit : « Dites–leur que j'ai un oiseau comme animal domestique, là où je suis. » Cet oiseau est un des nombreux animaux dont il parlait tout à l'heure.

— Je crois comprendre maintenant. Vous vous sentiez coupable d'avoir tué cet oiseau et il veut vous rassurer. Il insistait et je ne comprenais pas, mais je vois maintenant qu'il tenait à vous faire savoir que cet oiseau est devenu son compagnon. Vous connaissez un dénommé Thomas ?

— (Jim) Oui.

— Il est décédé ?

— Oui.

— Quelqu'un n'arrête pas de parler d'un certain Tom, encore une fois il me semble qu'il représente une image paternelle. Se pourrait–il qu'il s'agisse d'un grand–père ?

— Oui.

— Manifestement, il est le grand–père de votre fils ?

— Oui.

— Vous le connaissiez ?

— Oui.

— Il me semble qu'il vous aimait bien.

— Il avait un accent, n'est–ce pas ?

— Non.

— Était–il américain ?

— Oui, enfin canadien.

— C'est ça, je me disais qu'il y avait quelque chose de différent.

— Oui, vous avez raison.

— C'est pourquoi j'ai d'abord pensé qu'il avait un accent étranger, il me semblait qu'il n'était pas américain.

— C'est exact.

— Ah ! Bien. Je vois que Colin ne manque certainement pas de compagnie. Il y a beaucoup de monde autour de lui. Votre fils sait bien que vous avez eu peur pour lui, après tout il était si jeune, mais il veut vous rassurer, il n'a pas eu peur.

— C'est bien.

— Il veut apaiser les craintes que vous entreteniez à ce sujet. Votre fils aime l'aventure, c'est pourquoi il a tout de suite envisagé son passage dans le tunnel vers la Lumière comme une nouvelle aventure excitante. Il me dit que le passage dans le tunnel n'a rien d'effrayant, il ajoute que l'on a immédiatement la rassurante impression d'avoir déjà fait ce parcours. On s'y sent très bien puisque l'on sait ce qui est en train de se produire. Il savait que tout allait bien. Il a pu voir de l'au–delà la scène de sa mort et il s'inquiétait pour vous. Il me dit qu'il est venu vous visiter en rêve pour vous dire que tout allait bien pour lui.

— Il est venu vous voir pour vous rassurer sur sa nouvelle vie, pour vous dire qu'il était heureux et qu'il ne souffrait pas. Je n'ai jamais été séparé de vous, dit–il, aussi je ne sais pas ce que c'est, que d'être séparé de ceux qu'on aime, je n'ai pas connu cette souffrance. Il vous demande de célébrer Noël comme s'il était toujours avec vous, il ne veut pas que votre vie s'arrête avec son départ. Il pense que votre vie devrait reprendre son cours normal. Il me dit qu'il vous arrive de lui parler à voix haute, vous pensez donc qu'il est toujours auprès de vous. Il y a des photos de lui dans la maison ?

— (Mary)

— Oui.

— Bien, il me dit qu'il apprécie ce geste. D'ailleurs, ils me disent qu'ils sont très contents que vous exposiez leurs photos. Il y a une naissance prévue dans la famille, n'est–ce pas ? Une naissance heureuse s'en vient.

— Oui, une amie.

— Non, à moins qu'elle ait été très proche de votre famille.

— Elle l'est.

— Alors il s'agit peut–être d'elle. Quoi qu'il en soit, il félicite la future maman. Sainte Philomène vient d'apparaître, c'est le signe d'une naissance heureuse et sans encombre. Attendez–vous à avoir de bonnes nouvelles. Je vois le Christ auprès de vous, ça fait trois fois que je le vois, mais je suis toujours distrait par autre chose. Il vous dit : « Que la paix soit avec vous. » C'est tout ce qu'il a dit. Votre fils me demande encore une fois de vous dire qu'il est heureux et en paix. S'il insiste tant, c'est qu'il sait que vous avez essayé de retrouver la paix et la joie, mais que cela n'est pas facile. Il vous arrive de devenir fous de douleur. (À Mary) C'est pour cette raison qu'il vous recommande de trouver un travail ou une quelconque occupation. Je vois saint Jude derrière vous, comme s'il s'agissait de votre ange gardien, mais je crois aussi qu'il symbolise tout le désespoir que vous ressentez. Votre fils me dit que vous n'avez de cesse de ressasser le passé et il vous demande : « Croyez–vous que cela peut changer la moindre chose à ce qui est ? » Cette mort vous a rendu fous de douleur, parce qu'elle vous a mis en face de votre propre impuissance à changer le cours des choses. Mais vous n'y pouvez rien et il vous demande d'essayer d'accepter les choses telles qu'elles sont. Vous devez vous mettre en harmonie avec ce qui est, rien ne sert de résister. Vous le reverrez un jour. Tout va bien pour lui, il est en paix. Votre fils me dit qu'il y aura toujours quelque chose pour vous troubler, c'est normal, on ne sait jamais quand ce genre de chose arrive. Votre père et votre fils vous disent qu'il vous faut poursuivre votre chemin et être heureux. Ils ne souhaitent surtout pas que vous vous enterriez vivants ! Je sens qu'ils veulent nous quitter. Votre père vous embrasse ainsi que votre mari et votre fille. Il vous dit de ne pas oublier d'appeler votre mère pour lui dire que vous lui avez parlé.

Colin vous embrasse tous les trois tendrement, de même que tous les autres membres de la famille. Il ajoute qu'il est peut–être difficile de concevoir que les « morts » soient toujours avec vous, mais si vous acceptez le fait que leur présence ne se manifeste pas physiquement (vous et eux n'êtes pas dans le même monde), vous comprendrez mieux. Il me dit qu'on peut comparer la situation à celle d'une personne qui passerait le reste de ses jours dans une pièce avec une fenêtre qui lui permette de voir ce qui se passe dehors, sans toutefois qu'elle puisse y aller. Il en va ainsi de nous, nous ne prenons pas part à la vie terrestre – nous sommes de l'autre côté de la fenêtre – mais nous voyons ce qui se passe sur terre. Je suis avec vous, sauf que nous sommes séparés par le voile d'une autre dimension. (À Kelly) Il te dit que tu vivras des périodes tourmentées durant ton adolescence, mais tu surmonteras toutes ces épreuves en commençant par la peine que te cause son départ. Bon, il me demande de le laisser partir maintenant. Tous vous envoient leur amour et vous demandent de prier pour eux : pour votre père et votre fils et tous vos parents qui sont dorénavant dans l'autre monde. Rappelez–vous qu'ils sont plus près de vous que vous ne pouvez l'imaginer et ils vous envoient tout leur amour jusqu'à ce que vous les revoyiez. Voilà, ils sont partis.

LE GENTIL GÉANT

L'au–delà fait preuve de capacités étonnantes lorsqu'il s'agit d'accueillir les enfants. Étant donné que les enfants en bas âge ne connaissent généralement pas les membres de leur famille qui sont décédés, l'au–delà a aménagé un décor et une ambiance propres à les mettre en confiance dès leur arrivée. Par exemple, le fait de voir le père Noël ou saint Nicolas suffit habituellement à susciter une immense joie chez les enfants. Ces personnages bienveillants, immédiatement reconnus par la majorité des enfants – indépendamment de leurs cultures ou de leurs religions – les présentent aux autres enfants et les conduisent jusqu'à un champ où ils peuvent jouer. Puis, on leur présente les membres de leur famille avec qui ils vivront et qui, bien entendu, prendront soin d'eux. Mes captations confirment d'ailleurs leurs dires. De nombreuses âmes, oncles, tantes et grands–parents m'ont dit prendre soin d'un enfant de leur famille. Ils prennent cette responsabilité très au sérieux et ils considèrent ce rôle comme un honneur : « C'est un merveilleux cadeau que de prendre soin de vos enfants », disent–ils aux parents.

À ma grande surprise et à celle des parents, j'ai appris qu'un personnage surprenant jouait un rôle central dans la vie des enfants de l'au–delà. J'ai entendu parlé de ce personnage pour la première fois par l'entremise d'un petit garçon – dont les parents n'étaient pas particulièrement religieux – qui m'a raconté en détail son passage dans la Lumière. Il appelait ce surprenant personnage : « Le gentil géant. » Voici l'histoire tragique de deux familles et de leurs enfants Ashley et Nicky, deux petits voisins de six ans qui habitaient une petite ville du Michigan. Cherie Andes, la mère de Nicky et par le fait même la voisine d'Ashley, a décidé de relater l'histoire des ces enfants exceptionnels qui lui ont raconté leur passage et leur vie dans l'au–delà au cours d'une de mes captations.

Voici la lettre que m'a fait parvenir Cherie, un mois après la captation. Elle me parle de ces deux enfants et m'explique ce que signifie pour elle la présence de saint Christophe auprès d'eux.

Je dois d'abord remettre les choses dans leur contexte, enfin il me semble que cela pourrait vous intéresser. Dès sa naissance, j'ai tout de suite su que Nick n'était pas tout à fait comme les autres. Durant ma grossesse j'avais l'impression de le connaître, d'ailleurs je savais d'instinct que c'était un garçon et de quoi il aurait l'air. J'avais trente–trois ans à sa naissance et mon mari en avait trente–sept. Il était notre petit « miracle ». Nous en avions fait notre centre d'attention, si mes souvenirs sont exacts, nous ne nous étions jamais séparés de lui plus de quatre fois en six ans et demi. J'étais une mère protectrice, voire un peu mère poule. Six mois avant sa mort, j'avais décidé de lui accorder un peu plus de liberté en lui permettant de voir ses amis plus souvent. Il adorait s'amuser dehors, c'était un enfant très actif, à deux ans déjà, il trouvait toujours une nouvelle activité à laquelle s'affairer. Il débordait d'énergie. Nicky avait un grand cœur, c'était un petit garçon très sensible et affectueux. Sa nature curieuse et aimante nous stimulait et nous aidait à rester jeunes de cœur. Je crois que le lien qui nous unissait était bien différent de celui qui unit ordinairement une mère et son fils ; je sentais que nos âmes étaient liées. Il lui arrivait souvent de lire dans mes pensées et vice–versa.

Je dois aussi vous dire que nous sommes une famille très unie. Nous entretenions d'excellentes relations avec les parents de la petite Ashley, nos voisins. Ashley et Nicky passaient le plus clair de leur temps ensemble, malgré leur jeune âge, ils se conduisaient souvent comme des amoureux. Nous disions à la blague que ces deux–là allaient finir par se marier un jour, ce qui ne manquait jamais de faire naître des expressions de dégoût sur leurs petits visages enfantins. N'empêche qu'ils étaient vraiment très bons amis et qu'ils se vouaient une grande affection réciproque.

L'accident survint pendant la première semaine du mois de mars. Ce printemps–là, le dégel s'était annoncé plus tôt que prévu car le mois de février avait été très doux. Il avait neigé toute la journée et Ashy et Nicky étaient allés jouer dehors. Un peu plus tard dans la journée, Nicky a voulu traverser chez Ashy (c'est ainsi que sa mère la surnommait). Je l'ai suivi des yeux jusqu'à ce qu'il soit rendu, mais peu de temps après, tous deux ont décidé d'aller visiter un ami qui habitait à deux pas. La maison de leur ami avait beau se trouver à un jet de pierre de la maison d'Ashy, elle se trouvait néanmoins de l'autre côté d'un étang.

Je les avais pourtant avertis à maintes reprises du danger que représentait cet étang, et ce, en hiver comme en été. La nuit tombait, j'imagine qu'ils ont suivi les consignes et qu'ils ont contourné l'étang, mais constatant que la noirceur approchait, ils ont décidé de rebrousser chemin illico en traversant les glaces qui couvraient l'étang.

Ils étaient si pressés de rentrer à la maison qu'ils ne m'ont pas entendue lorsque je les appelai pour qu'ils rentrent à la maison. De toute façon, je ne pensais pas qu'ils étaient sur l'étang, je les avais vus partir dans une autre direction. La neige qui tombait était trompeuse, car nous avions eu un printemps hâtif, aussi, n'avaient–ils pas cru qu'il pouvait être dangereux de s'aventurer sur l'étang.

La nuit tomba et nous trouvâmes Ashley dans l'eau mais Nicky manquait toujours à l'appel. Les parents d'Ashley tentaient, quant à eux, de pratiquer sur elle des manœuvres de réanimation. Désespérée, je décidai d'entreprendre moi–même des recherches. Je criais pour avoir de l'aide, quand Scott, un ami du voisinage, arriva sur les lieux pour nous prêter main forte. Il retira son blouson, noua une corde autour de sa taille et plongea dans l'eau glacée. Il retrouva le corps sans vie de Nicky, quant à Ashley, elle ne reprit jamais conscience et mourut un peu plus tard.

Il y a de ça plusieurs années, alors que j'étais enfant, mon père m'a donné une médaille de saint Christophe. Je suppose qu'il l'avait achetée aux puces ou quelque chose comme ça, puisque ma famille n'était pas catholique. J'avais donné cette médaille à Nick et elle se trouvait maintenant dans sa chambre. Je ne crois pas lui avoir dit qui était saint Christophe, mais il aimait bien sa médaille, si bien qu'il l'a toujours gardée. Le jour des funérailles de Nick, alors que je cherchais un objet à déposer dans son cercueil, je suis tombée sur cette médaille. Juste avant que l'on referme son cercueil, mon mari et moi avons glissé la médaille dans sa poche en disant : « Saint Christophe le protège ».

LA CAPTATION

— Commençons. À partir de ce moment, je vous demande de répondre par oui ou par non, et ce, quelles que soient les questions. Je sens la présence d'une entité féminine et d'une entité masculine. (George semble un peu embrouillé) Avez–vous toutes deux une famille ?

— (Les deux mères) Oui.

— Bon, connaissez–vous toutes deux une personne de sexe masculin qui est décédée ?

— Oui.

— En fait, il ne serait pas faux de penser que cette personne vienne vous voir toutes les deux ?

— Oui.

— Il marche dans la pièce. Il me semble très impatient de partir et aussi très sûr de lui, enfin il sait ce qu'il fait. Il est apparu soudainement et il s'est immédiatement dirigé vers vous. Une personne de sexe féminin l'accompagne, mais elle semble plus âgée que lui, elle doit être d'une autre génération. Ah ! Ah ! (À Sandra) Se pourrait–il qu'il s'agisse d'une personne avec laquelle vous entreteniez une relation amoureuse ? (Sandra semble confuse) Attendez, il vous présente un énorme cœur de la saint Valentin. Il pourrait aussi s'agir d'une façon de symboliser son affection et son attachement. Bon, je me contenterai à l'avenir de vous parler de ce que je vois, sans tenter aucune interprétation.

— Un gros cœur de la saint Valentin flotte au–dessus de votre tête, mais je ne saurais dire s'il symbolise l'amour romantique, l'affection ou les deux. Par contre, je crois qu'il est lié par le sang à l'une de vous deux, est–ce exact ?

— Oui.

— (À Cherie) Vous étiez très proche de lui ?

— Oui.

— Je sens qu'une affection réciproque vous unit, mais je ne crois pas qu'il soit question d'une histoire d'amour.

— C'est exact.

— Le cœur symbolise l'affection et il y a beaucoup d'affection entre vous (les deux mères). Ce n'est pas tant les liens du sang qui vous unissent mais plutôt une affection sincère qui relève d'un choix.

— Oui.

— Il dit que cela la rend d'autant plus spéciale.

— Oui.

— C'est sa façon de voir les choses, car il ajoute que vous (Sandra et Cherie) êtes très liées même si vous n'avez pas de liens de parenté, vous êtes comme deux membres d'une même famille ?

— C'est exact.

— Vous êtes comme des sœurs l'une pour l'autre.

— Oui.

— (À Cherie) Il y a une personne de sexe féminin dont vous étiez proche qui est morte.

— Oui.

— Est–ce que nos deux visiteurs se connaissent ?

— Oui.

— Parce qu'ils semblaient se connaître, elle vient tout juste de revenir. Cette personne fait partie de votre famille, mais elle est plus âgée. Elle va et vient et semble vouloir garder ses distances. Oh ! Attendez une seconde… bon, ça va. (Aux deux mères) Un deuil commun vous unit, n'est–ce pas ? C'est en quelque sorte un deuil qui unit vos deux familles ?

— Oui.

— (À Cherie) Avez–vous perdu une fille ?

— Oui.

— (À Sandra) Et vous avez perdu un garçon ?

— Oui.

— Étaient–ils amoureux l'un de l'autre ? (L'une fait signe que oui, l'autre que non.)

— L'une de vous me dit oui, alors que l'autre me dit non. (Elles rient)

— Ils se connaissaient ?

— Oui.

— Peut–être n'étaient–ils pas amoureux l'un de l'autre, mais il est certain qu'ils éprouvaient une grande affection réciproque.

— Oui, c'est juste.

— Bon, alors disons–le ... il s'agissait d'un amour platonique ?

— Oui.

— Laissez–moi vous expliquer ce qui s'est passé. Il a commencé par me dire qu'ils se vouaient une grande affection mutuelle, qu'ils étaient amoureux, mais qu'ils n'étaient pas mariés... alors j'ai demandé : « Que voulez–vous dire par là ? » Et, il m'a répondu qu'il s'agissait d'un amour platonique : « Nous nous aimons ... mais nous ne sommes pas mariés. » (Elles rient) Alors je lui ai dit : « Ah ! Je comprends maintenant pourquoi vous me disiez que vous étiez liés par des liens familiaux. » Et, lui de répondre : « Non, ce n'est pas pour ça, vous n'avez pas compris ». (Aux deux mères) Soit dit en passant, je vous remercie d'avoir gardé le silence, ils ont eu l'occasion de s'exprimer. Je poursuis, votre fille est alors intervenue, elle m'a dit qu'elle ne s'était pas présentée avant parce qu'elle craignait que sa présence ajoute à ma confusion. Aussi, votre fils s'est–il d'abord présenté à moi et il semble bien que la personne plus âgée qui l'accompagne est sa grand–mère.

— Oui.

— Elle est ici, mais sa présence n'est pas très forte... j'imagine qu'elle fait office d'émissaire. J'ai entendu votre fils dire : « Je prépare le terrain, après tu viendras nous rejoindre ». Ce qui fait que votre fils et sa grand–mère de même que votre fille sont maintenant avec nous.

— (Elles pleurent)

— Vous vous demandiez s'ils étaient ensemble ? Et bien plus besoin de vous poser la question, vous avez la réponse. Sont–ils morts ensemble ?

— Oui.

— Parce qu'ils sont aussi unis dans l'au–delà qu'ils l'étaient sur terre, ils ont franchi cette étape ensemble. Ils sont morts ensemble.

— (Sanglots) Oui.

— Parce qu'il semble que vous espériez que l'un des deux survivrait. Ils m'ont dit qu'ils sont contents qu'il n'en ait pas été ainsi.

— Je le savais.

— Votre fils me dit, et votre fille approuve ses dires, que si l'un des deux avait survécu, il se serait senti coupable de ce qui était arrivé.

— Oui.

— Ils savent bien que vous auriez préféré qu'un des deux survive, mais ils sont contents que cette peine leur ait été épargnée.

— Vous savez bien qu'il vaut mieux ne pas avoir à porter un tel fardeau. Ils savent que votre peine est immense, mais ils veulent que vous sachiez « que personne n'est jamais responsable de la mort de quiconque ». Personne n'y peut rien, il faut que vous n'oubliiez pas cela.

— D'accord.

— Votre fils me dit qu'on aurait fini par chercher un coupable, qu'on aurait blâmé quelqu'un. Est–ce qu'ils ont eu un accident ? Parce que j'entends parler d'un « accident ».

— Oui.

— Ils parlent de la maison, est–ce qu'ils se rendaient à la maison ?

— Oui.

— C'est ça, en fait, ils étaient sur le chemin du retour ou ils se rendaient chez quelqu'un. (Elles hésitent et ne semblent pas savoir quoi répondre) Attendez, y a–t–il un véhicule d'impliqué ?

— Non.

— Je ne parle pas d'une voiture, mais d'un véhicule en général.

— Non.

— Vous dites non, mais ils ne semblent pas tout à fait d'accord, je sens que quelque chose ne va pas. Les véhicules symbolisent toujours pour moi un accident, mais tout de même, je sais que quelque chose ne va pas, parce que je me sens aussi mal à l'aise que tout à l'heure, lorsque je me suis trompé au sujet de la signification du cœur. Il était en train d'essayer de me dire quelque chose, mais vous m'avez dit qu'il ne s'agissait pas de ce que je croyais. Accordez–moi quelques instants et je vais comprendre. Ils étaient presque arrivés à la maison, n'est–ce pas ?

— Exact.

— Je vois, ils étaient dehors ?

— Oui.

— Est–ce qu'ils étaient, de quelque façon, pris au piège ?

— Oui.

— Ce qui explique pourquoi je me sens confiné, comme emprisonné. Votre fils me rappelle à ce sentiment. Je crois qu'ils se sont soudainement retrouvés dans une position fâcheuse et ils n'y pouvaient rien.

— Oui.

— Tous deux affirment qu'ils n'ont pas souffert.

— (Sanglots) Merci.

— Il semble que cela vous inquiétait au plus haut point

— Oh ! Oui.

— Ils me répètent qu'ils n'ont pas souffert. Je vois saint Joseph, c'est un symbole de mort heureuse. Les circonstances de leur décès semblent horribles, mais je vois bien qu'ils n'ont pas du tout souffert avant de mourir. Ils tiennent absolument à ce que vous soyez assurées de ce fait. Ils ne sont pas morts sur le coup, mais ils ont perdu connaissance, aussi n'ont–ils ressenti aucune souffrance.

— Merci.

— Comprenez–vous ce qu'ils veulent dire par « nous étions emprisonnés ? »

— Euh, euh.

— Ils n'arrêtent pas de dire qu'ils étaient pris au piège. « Nous étions pris au piège et notre seule issue était la mort. »

— Oui, c'est ça.

— Qu'est–ce qui est très chaud ? J'ai très chaud tout à coup.

— Non.

— Bon, ne me dites rien. Il pourrait s'agir de quelque chose qui menait à ce qui est arrivé. Ils ont été frappés à la tête, je veux dire qu'ils ont souffert de lésions internes à la tête ?

— Non, enfin peut–être.

— Pourquoi je sens que je manque d'air ?

— (Elles se montrent hésitantes) Parce que…

— Je ne comprends pas, ils me disent que oui et vous me dites non. Bon, poursuivons. Il me semble évident qu'ils ont manqué d'oxygène.

— Euh, oui.

— Ils me disent qu'ils sont morts par asphyxie.

— Oui.

— Ils devaient être bien au chaud juste avant l'accident, ce qui expliquerait les bouffées de chaleur que je ressens.

— Oui.

— Je sens que je manque d'air... je sens que je pars tranquillement. Je me sens comme si j'étais sur le point de m'endormir. Croyez–vous qu'ils aient pu avoir froid ?

— Oui.

— C'est ça. Votre fils vient tout juste de me dire quelque chose à ce propos, et je n'essaie pas d'enjoliver les choses ou de me rattraper, mais il m'a dit : « J'ai froid, mais cette sensation s'efface derrière la chaleur que je ressens peu avant de mourir ». Je comprends cette sensation.

— Il me dit qu'il sait de quoi il parle. Ont–ils lutté pour survivre ?

— Oui.

— Parce que je sens l'envie de m'échapper, puis un sentiment de résignation et de paix s'empare de moi. Un peu comme s'ils s'étaient dit : « Bon, puisque l'on ne peut sortir d'ici, laissons tomber ». Je sens que votre fils a dû essayer d'aider votre fille. C'est ce que je comprends.

— Y avait–il de l'eau tout près d'eux ?

— Oui.

— Parce que je n'arrête pas de voir de l'eau. Sont–ils morts noyés ?

— Oui.

— C'est ça. Permettez–moi d'ajouter qu'il semble que la mort par noyade soit très douce, voire agréable, on me l'a très souvent dit.

— Oui.

— C'est tout à fait ça, plusieurs âmes me l'avaient déjà dit. L'eau était–elle froide ? Ou même glacée ?

— Oui.

— C'est pour cela que j'ai froid et chaud à la fois. Comme on me l'a déjà dit, il paraît qu'au début on a très froid, mais que soudainement, on est envahi par une douce chaleur. C'est pourquoi j'ai dit tout à l'heure que je comprenais cette sensation. (Silence, période d'écoute) ... Oh ! Ok, ok. C'est un peu farfelu, mais je vais vous le dire quand même. Il me dit que l'eau est le véhicule. Autrement dit, l'eau est l'instrument par lequel, ils ont péri. Maintenant que je sais de quoi il s'agit, le mot « véhicule » me semble un peu étrange, parce que lorsque l'on entend « véhicule », on pense généralement à une voiture. Y avait–il de la glace ?

— Oui.

— Le glace s'est rompue ou quelque chose comme ça ?

— Oui.

— Oui. Je vois de la glace qui se brise. Je ne pourrais dire si votre fils est tombé le premier, mais il semble que la glace se soit rompue soudainement et qu'un des deux ait tenté d'aider l'autre. Je sens qu'une main s'agrippe à la mienne. Oh ! Votre fils l'aide à remonter. Ils me répètent qu'ils n'ont pas souffert, mais ils vous mentiraient s'ils vous disaient que ces moments ont été faciles.

— Oui.

— J'aurais menti si j'avais prétendu le contraire.

— Oui.

— Ils m'ont dit qu'ils avaient lutté pour leur survie pendant un moment. Ils paniquaient à l'idée de rester prisonniers de l'eau glacée, puis soudainement (ça semble horrible de dire ça, mais c'est ce qu'ils m'ont dit) : « Nous avons su que nous étions condamnés et nous avons lâché prise ». Alors, ils ont commencé à couler, l'eau glacée les plongeant instantanément dans un profond sommeil. Ce qui explique cette pression que je ressens à la tête, je manque d'oxygène et je sens que je commence à m'endormir. Je me suis senti très bien, puis très endormi, je crois qu'ils se sont sentis comme ça à ce moment. Et croyez–moi, la mort par noyade n'est pas du tout désagréable. Le froid a eu raison d'eux, mais leur mort n'a pas été une expérience difficile et souffrante. C'est pourquoi un saint est apparu à deux reprises, ils ont lâché prise, remis leur destin entre d'autres mains. À partir de ce moment, l'eau glacée leur a semblé tiède, ils avaient l'impression que leurs corps se réchauffaient, probablement parce qu'ils étaient en état de choc. C'est sûrement pour cette raison que j'avais chaud comme lorsque l'on sue sous la chaleur. Puis, tout à coup… ils sont partis. Étaient–ils seuls ?

— Oui.

— Je sens que personne ne pouvait les aider. Étaient–ils en train de patiner ou de jouer, parce qu'il me semble qu'ils traversent sans aucune conscience du danger, puis tout à coup, ils ont été surpris.

— Oui.

— Est–ce arrivé dans cet État ?

— Oui.

— Mais c'est arrivé pendant le dégel ? Parce que je sens que ça c'est passé en hiver, mais qu'il y a eu un dégel inattendu ?

— Parce qu'il m'a dit que quelques semaines plus tôt, ils auraient pu traverser sans aucun problème, la glace était très solide. En fait, ils n'ont pas pensé que la température s'était réchauffée depuis quelques semaines, d'autant plus que la fonte des glaces est parfois longue.

— Exact.

— Étaient–ils au milieu de l'étendue d'eau ? C'est curieux, car quand la glace a craqué, ils avaient l'air d'être en plein milieu, mais ils se sont débattus assez pour se déplacer. « Oui, je comprends. »

— Oui, mais je ne sais pas ce qu'ils veulent dire par « c'est comme si le froid, et bien il est arrivé ».

— Je sais moi.

— Ah ! Il s'agit de deux petits enfants ?

— Oui.

— Donc, je ne m'adresse pas à des adolescents, je parle à un petit garçon et à une fillette, c'est ça ?

— (Elles rient) Oui.

— Mais (période d'écoute)… ok, ok, bon, ainsi cet amour romantique est une amourette d'enfants ? Un amour candide et innocent.

— Vrai.

— Leurs pères sont toujours ici ? Ils demandent à parler à leurs pères.

— (Elles rient) Oui.

— Ils disent : « Dites–leur que vous nous avez parlé et ce, qu'ils croient ou non à ça (la médiumnité), ce n'est pas ce qui compte. C'est notre message qui est important, pas la croyance. » Ils ajoutent : « Pourquoi mentirions–nous ? » Aussi, vous demandent–ils de leur parler de cette communication dès votre retour à la maison. Vous étiez très effrayées à l'idée qu'ils soient seuls là–bas ?

— Oui.

— Ils m'ont dit que c'était là une de vos plus grandes craintes. Si vous me permettez un petit commentaire qui, je me dois de le souligner, n'a rien à voir avec le fait que je sois catholique, ni avec une quelconque religion, je vous raconterai un fait intéressant. Tout d'abord, les enfants ont insisté sur le fait que vous aviez très peur qu'il n'y ait personne avec eux pour les aider à traverser cette étape. Je me dois de vous rassurer, il y avait bien quelqu'un auprès d'eux, quelqu'un qui s'est chargé de venir les chercher et je crois bien qu'il s'agit de saint Christophe. D'ailleurs, il m'est apparu à plusieurs reprises. Ils m'ont parlé d'un homme d'environ six pieds doté d'une stature imposante, mais un peu simple d'esprit. Disant cela, je ne veux pas me montrer irrespectueux, je veux simplement souligner le fait qu'il semble tout à fait inoffensif et naïf. Il les a transportés sur ses épaules en lieu sûr, c'est à dire de l'autre côté. Ils ont surnommé cet homme le « Gentil Géant ». Ils ont, sans doute, rencontré leurs grands–parents par la suite, mais une chose reste sûre : saint Christophe était là pour les accueillir. Et d'ailleurs, il n'était pas seul, il était venu avec des animaux. Ils m'ont parlé de chats, de chiens et de bien d'autres animaux, tout cela a fait qu'ils n'ont pas eu peur, qu'ils se sont tout de suite sentis en confiance. En somme, ils ont réagi comme tout enfant l'aurait fait à la vue d'un homme accompagné de nombreux animaux : ils sont venus vers lui en toute confiance et innocence. La confiance que lui témoignaient les animaux était pour eux le gage qu'il ne pouvait rien leur arriver de mal. Aussi, il ne faut plus que vous vous en fassiez à ce sujet. Ils ont été gentiment amenés en lieu sûr, soit : dans l'au–delà. Il vous faut retrouver la paix, vous n'êtes responsables de rien. Vos enfants m'ont dit que chacune de vous deux s'est souvent dit en son for intérieur : « J'aurais dû faire ceci ou ne pas faire cela ». Cessez de vous torturer, ce n'est pas de votre faute, c'est arrivé, c'est comme ça, il faut l'accepter.

Ils ajoutent que cela s'applique aussi bien à vos maris. Vous ne pouvez pas passer le restant de votre vie à vous torturer en vous disant que vous n'êtes pas de bons parents. Ils ne pouvaient plus rester auprès de vous, ils avaient autre chose à faire, ils devaient poursuivre leur chemin. Connaissez–vous un certain Christopher ?

— Oui.

— Est–il décédé ?

— Oui.

— Les enfants n'arrêtent pas de me parler d'un dénommé Christopher, ils disent qu'il est avec eux. Il a quitté cette terre avant eux ?

— Oui.

— Drôle de coïncidence, les enfants affirment qu'il était accompagné de saint Christophe. Christopher est enfant ?

— Non.

— Était–il mort très jeune ?

— Peut–être, c'est même fort possible.

— Ce Christopher est–il un de vos parents ?

— Oui.

— Votre fille le connaissait, n'est–ce pas ?

— Non.

— Pourtant, elle me dit que si. J'imagine qu'elle parle de lui maintenant, parce qu'elle m'a dit : « Christopher est venu rejoindre saint Christophe ». Et, comme il semble que ce soit saint Christophe qui les a aidés à traverser de l'autre côté, l'autre Christophe a dû venir à leur rencontre dès leur arrivée.

Il semble qu'elle a su tout de suite qui il était. Il évoque un personnage paternel pour elle, c'est juste ?

— Oui.

— Est–ce que Christopher était votre père ou votre beau–père ?

— C'était mon grand–père.

— Ah ! Il était donc votre grand–père et l'arrière–grand–père de votre fille. Il venait à vous sous des « traits paternels », aussi ai–je tout de suite pensé qu'il ne pouvait s'agir que de votre père. Ainsi, votre grand–père les a accueillis peu après que saint Christophe les a amenés de l'autre côté. Vos enfants vous demandent, et je vous rappelle encore une fois que cela n'a rien à voir avec la religion, de prier pour saint Christophe en leur nom et de lui rendre grâce. Ils lui témoignent une grande estime depuis qu'il les a aidés à traverser de l'autre côté. Il leur a permis d'échapper à la douleur physique, mais ce n'est pas lui qui les a pris en charge spirituellement. Ils étaient un peu effrayés, car ils ne savaient pas encore qu'ils étaient morts. Ils demeuraient un peu inquiets malgré le fait que la situation ne leur laissait rien présager de mal.

— Saint Christophe les a hissés sur ses épaules et les a amenés à Christophe, l'arrière–grand–père. Ils me disent que les images de saint Christophe évoquent souvent une scène semblable : elles le montrent en train de traverser les eaux en portant le Christ encore enfant, aussi ces images devraient–elles toujours vous rappeler que vos enfants étaient entre bonnes mains lors de leur passage dans l'au–delà. Ainsi, elles devraient vous procurer un sentiment d'apaisement et de sécurité, en les regardant, même lorsque le désespoir vous envahit, vous vous rappellerez de ceci et vous saurez que tout va bien. Est–ce que vous connaissez quelqu'un qui s'appelle Marie ?

— (Cherie) Oui.

— Est–elle décédée ?

— Non.

— En êtes–vous sûre ?

— (Sandra) Je n'en suis pas certaine. (Cherie) Oui, elle est morte.

— (À Cherie) Oui, je vous regarde parce que votre fils insiste, il me dit que Mary est avec lui. Je ne sais pas s'il s'agit d'une grand–mère ou d'une grand–tante, mais une chose reste sûre, elle est avec votre fils, et ce, même s'ils ne se connaissaient pas sur terre. Votre fils me parle d'elle comme d'un personnage maternel, aussi il peut tout aussi bien s'agir d'une grand–tante ou d'une grand–mère.

— Une grand–tante.

— Votre fils fait souvent appel à son aide. (Aux deux mères) Avez–vous d'autres enfants ?

— Non. Vous n'avez eu qu'un enfant ?

— (Sandra) Non, je n'en ai pas d'autre.

— Bon, parce qu'ils m'ont dit qu'il y avait un autre enfant, enfin. (À Cherie) Souhaitez–vous avoir un autre enfant ?

— Ah ! C'est une question qui me préoccupe beaucoup.

— Eh ! Bien, je dois vous dire que votre fils vous encourage à en avoir un autre.

— (Elle pleure) C'est ce que je voulais savoir.

— Voilà pourquoi j'interdis toute question, ils finissent toujours par nous répondre lorsqu'ils jugent que c'est important. Votre fils vous encourage à avoir un autre enfant, il sait bien que vous ne vouliez pas qu'il croit que ce nouveau bébé allait lui voler sa place dans votre cœur.

— (Elle pleure) Oh ! Jamais.

— C'est pourquoi, il dit : « Je sais que tu ne fais pas ça pour me remplacer, tu dois aller de l'avant, vas–y ! » Il sait bien que vous souhaitez désespérément un autre enfant. Je vois sainte Philomène, elle est au–dessus de vous, vous savez qu'elle est un symbole de naissance heureuse et sans encombre. Votre fils est en accord avec votre décision, il souhaite vivement que vous ayez un autre enfant. Ah ! Ah ! Je vois qu'un autre garçon sera auprès de vous, enfin il me semble qu'il s'agira d'un garçon, mais je ne donnerais pas ma tête à couper là–dessus. Je ne suis pas très doué pour ce genre d'exercice, d'ailleurs, la plupart du temps je me trompe.

Votre fils vous dit que vous devez être en paix avec cette décision. La naissance d'un garçon est susceptible d'aiguiser le sentiment de culpabilité que vous éprouvez envers votre fils, mais il me dit qu'il ne faudra surtout pas vous tourmenter avec ça. Il sait qu'à vos yeux, il est un être unique et irremplaçable et que ses parents l'aimeront toujours. L'amour que vous ressentez l'un pour l'autre est impérissable. Vous le considérerez toujours comme un membre de la famille. Il insiste aussi sur le fait qu'il vous faut poursuivre votre chemin et avancer. Il vous conseille aussi de ne pas trop « couver » votre autre enfant. Connaissez–vous une certaine Amy ?

— Vivante ?

— Oui, j'entends quelqu'un appeler « Amy ». Votre fils la connaîtrait–il ?

— Euh, euh.

— Alors peut–être que votre fils l'appelait. Enfin, il se peut bien qu'il souhaite simplement que vous fassiez savoir à Amy que vous avez eu des nouvelles de lui. Connaissez–vous un certain Scott ?

— Oui.

— Il est vivant ?

— Oui.

— Votre fils le connaissait–il ? Parce que je l'entends dire : « Scott» ou « Scotty ».

— (Elle pleure) Oui.

— Il me dit : « Dis à Scott que tu as eu de mes nouvelles. »

— (Elle pleure) Je le ferai.

— Envisagez–vous de déménager ?

— (Elle hésite et ne répond pas)

— Tout va bien, vous pouvez déménager sans crainte. Votre fils me dit que c'est une bonne décision. Il me dit que vous auriez l'impression de l'abandonner en quittant la maison qui l'a vu grandir.

— Oui, j'ai songé à déménager, mais je ne l'ai pas fait.

— Vous ne devez pas vous accrocher au passé, vous devez aller de l'avant et faire ce qui est le mieux pour vous.

— Ok.

— Si vous souhaitez déménager, alors déménagez ! Si vous désirez un autre enfant, n'hésitez pas, vous comprenez ? Il faut que vous alliez de l'avant, que vous cessiez de ressasser le passé. Vos enfants ne souhaitent que cela, ils veulent que vous soyez heureuses et que vous mordiez dans la vie. Vos deux familles ont toujours… enfin, étiez–vous voisins ou quelque chose comme ça ? (Elles font signe que oui) Vos deux familles ont toujours été très proches l'une de l'autre, mais il faut avouer que cet événement tragique vous a rapprochés ?

— Oui.

— Même s'il arrivait que vous soyez physiquement séparés, vous resterez toujours unis par des liens profonds. C'est, en tout cas, ce que votre fils me dit.

— Encore une fois, il me répète que vous devez aller de l'avant, puisque quoi qu'il arrive vous serez toujours très liés. (À Sandra) Le prénom de votre fille est–il court ?

— Oui.

— Moins de six lettres ? (Elle fait signe que non) Alors six lettres ?

— Oui.

— Il ne s'agit pas d'un prénom rare, il m'est sûrement arrivé d'entendre ce prénom, n'est–ce pas ?

— Oui.

— A–t–il une épellation différente ?

— Non.

— Mais, il est susceptible de s'écrire de différentes manières ?

— Oui.

— Je vois, c'est pour cette raison qu'elle m'a dit de faire très attention. Il contient un A ou plutôt, commence–t–il par un A ?

— Oui.

— Vous l'écrivez avec une lettre, mais il pourrait aussi s'écrire avec deux. (Elle ne semble pas très bien comprendre ce que George veut dire par là. Ashley tente de faire comprendre à George la différence entre : « Ashley » et « Ashli », d'où la lettre en moins.)

— Elle me met encore une fois en garde, je dois faire attention à l'épellation. Y a–t–il un L dans son prénom ?

— Oui.

— Il peut s'écrire avec deux L ?

— Non.

— Bon, elle me montre au moins les bonnes lettres, comme ça je ne suis pas obligé de deviner. Elle me montre un prénom qui contient les lettres de son nom. Elle me montre « Alison », ce n'est bien sûr pas son prénom, puisqu'il s'agit de l'indice pour le L.

— Oh ! Je viens de comprendre ce qu'elle essaie de faire. Elle essaie de me faire épeler son nom en me montrant des noms qui ressemblent au sien. (Rires) Maintenant, je comprends. Y a–t–il un E à la fin ?

— Oui.

— Bon, elle me montre des noms, le L est au milieu ?

— Oui.

— Y a–t–il un M ou un N dans son prénom ?

— Non.

— Bon, elle me montre un M et un N mais je ne sais pas pourquoi. Pourrais–je épeler ce nom différemment parce qu'elle me dit de surveiller l'épellation ?

— Oui, c'est possible.

— Y a –t–il une autre voyelle ? (Elles hésitent) Je vois que vous ne répondez pas, mais elle insiste, elle dit qu'il y en a une. C'est…c'est…c'est…un Y.

— Oui.

— À la fin ?

— Oui.

— C'est ce qui fait le son i de la fin. Ah, elle vient de me donner un indice important : « Ashley ».

— Oui.

— Elle m'a d'abord fait entendre l'air de *Autant en emporte le vent* et j'ai tout de suite su que je connaissais ce prénom. Mais lorsqu'elle m'a dit que son nom pouvait s'écrire de différentes façons, j'ai cru devenir fou. L'a–t–on déjà surnommée Lee ou Ashi ?

— Oui, Ashi, oh ! Mon Dieu ! Ashi !

— C'est précisément cela qui m'a confondu. Elle m'a dit : « J'ai un surnom qui ressemble à Ashley » et j'ai pensé qu'il devait s'agir de « Lee » ou de quelque chose d'approchant et elle m'a dit : « Non, Ashi. » Alors j'ai pensé que c'était là un surnom bien étrange, mais elle m'a répondu : « Demande, tu verras. » Telle fut ma méprise. Appartenez–vous à un quelconque groupe d'entraide ?

— Non.

— C'est votre choix, il est vrai que vous vous apportez un grand soutien mutuel.

— Oui.

— Vos enfants me disent qu'ils sont très heureux de voir que vos rapports vont au–delà des simples rapports de bon voisinage. Ce triste événement vous a rapprochés et vous avez tissé des liens solides qui vous apportent un grand réconfort. Certes, vous auriez préféré que cela ne se passe pas ainsi (je veux simplement dire que vous auriez préféré que vos enfants soient toujours auprès de vous) mais vos enfants, eux, ont appris à voir le bon côté des choses et ils sont contents de voir que des liens profonds se sont noués entre vous. Vous étiez toutes deux très inquiètes concernant ce qu'il était advenu d'eux. Comme vous avez pu le constater, ils n'ont de cesse de répéter que tout va bien, vous n'avez rien à craindre. Saint Christophe, dans sa bienveillance, les a portés vers un lieu de paix.

Êtes–vous catholiques ? Cela n'a peut–être rien à voir avec la religion, mais l'image de saint Christophe flotte au–dessus de vous.

— (Cherie) Je ne suis pas catholique, mais je crois savoir ce que cela signifie.

— Bon, mais je dois vous dire que cette image revient périodiquement au–dessus de vous deux. J'ai l'impression qu'ils souhaitent que l'image de saint Christophe vous aide à ne pas oublier ce qu'ils vous ont raconté au sujet de leur passage dans l'au–delà. Aussi, toutes les fois que vous serez envahies par le désespoir – et malheureusement, cela arrivera – vous pourrez contempler cette image en vous disant : « Voici l'homme qui a sauvé mes enfants en les transportant en lieu sûr. » Voilà, maintenant, votre fils essaie de me dire son nom, mais j'ai du mal à saisir ce qu'il me dit. Le prénom de votre fils est court, n'est–ce pas ?

— Oui.

— Le diminutif attaché à son prénom a six lettres, non, je crois qu'il veut dire qu'il a moins de six lettres.

— C'est exact.

— C'est étrange, j'ai l'impression qu'il ne s'agit pas d'un prénom très commun.

— C'est vrai.

— Son prénom se compose de huit lettres ou moins, n'est–ce pas ?

— Oui.

— Son prénom a plusieurs diminutifs, dont l'un a moins de six lettres, c'est juste ?

— Vrai.

— Il me dit à l'instant que je devrais le savoir, parce qu'il me l'a dit tout à l'heure. J'espère que je n'étais pas distrait par autre chose à ce moment. Il ajoute que son prénom peut s'écrire de différentes façons.

— Oui, c'est possible.

— Hum, il s'arrête à D, la première lettre de son prénom vient après D ?

— Oui.

— Il vient de poursuivre et il s'arrête sur le M. Est–ce qu'il s'agit d'un M ?

— Non.

— Alors il s'agit d'un N ?

— Oui.

— Désolé ! Ça doit être de ma faute. Il m'a dit, arrête–toi à N et j'ai compris M. Il m'avait pourtant donné la bonne lettre, comme Ashley l'a fait tout à l'heure. (Par la suite, Cherie m'a expliqué que Nicky intervertissait les M et les N.) A–t–il un prénom biblique ?

— Euh, euh.

— Pourquoi me montre–t–il le mot « auteur », porte–t–il le prénom d'un auteur célèbre ? Ah ! Il me dit que je cherche trop loin. Y a–t–il un A dans son prénom ?

Oui, enfin dans son prénom, pas dans le diminutif.

Bon, je vais me concentrer sur son prénom, c'est sans doute celui là qu'il essaie de me dire. Si je trouve son prénom, je trouverai son surnom, n'est–ce pas ?

— Oui.

— Bon, alors son prénom commence par un N, c'est ça ?

— Oui.

— Ah ! J'entends le son « i ».

— Continuez !

— Y a–t–il un Y ? Enfin il y a un son en « i » ?

— Oui. Vous m'en avez parlé tout à l'heure. (Elle veut parler de Nick, l'ami de son père.)

— Nicolas, oui, c'est ça, saint Nicolas ! Votre fils me l'a montré tout à l'heure. D'ailleurs il m'a dit : « Pourtant je te l'ai montré ! C'est l'homme qui accueille les enfants dans l'au–delà. » Je vois maintenant pourquoi ils insistaient sur le son « i », Ashi et Nicky.

— Ah ! C'est vrai !

— Votre fils m'avait pourtant fourni un bon indice en me montrant saint Nicolas. Alors que j'étais à chercher son prénom, il m'a dit tout à coup : « Regarde » et il m'a montré saint Nicolas, mais cela n'a fait qu'ajouter à ma confusion. C'est saint Nicolas qui est habituellement chargé de l'accueil des enfants dans l'au–delà. Or, vos enfants m'avaient dit que saint Christophe les avait accueillis, ce qui fait que je ne comprenais pas du tout où votre fils voulait en venir avec cette image. Bon, passons. Saint Christophe est quelqu'un de très spécial pour vous. Ce personnage saint est entré dans votre vie dès la mort de vos enfants, je ne me trompe pas ?

— C'est exact.

— Bien avant que vous preniez rendez–vous avec moi, vous aviez l'impression que quelqu'un cherchait à vous dire que saint Christophe avait joué un rôle secourable dans le passage de vos enfants vers l'au–delà ?

— Oh oui ! Mon Dieu que oui !

— C'est pourquoi je vous disais tout à l'heure que la religion n'a rien à voir avec tout ça. Votre fils me dit qu'il espérait que vous compreniez que le « Gentil Géant » qui les a amenés vers l'au–delà était saint Christophe.

— Ainsi, il vous avait déjà donné des signes de la présence de saint Christophe. Autrement dit, vous devez avoir reçu des signes indiquant la présence de saint Christophe bien avant notre rencontre. C'est exact ?

— Oui, en fait, je dirais plutôt que j'ai fait quelque chose.

— Oui, je comprends bien ce que vous voulez dire, mais avouez que lorsque je vous ai dit que saint Christophe les avait accueillis, vous le saviez déjà inconsciemment, autrement dit, cela vous a fait une forte impression comme s'il s'agissait de la confirmation de quelque chose que vous ressentiez déjà.

— Oui, c'est vrai. Nous ne sommes pas catholiques et nous ne connaissions pas saint Christophe.

— (À Cherie) Prévoyez–vous aller à Disneyworld ou en Floride ? Vous songez à faire un voyage dans un endroit où il y a des palmiers, n'est–ce pas ?

— Ah ! Quelle joie ! (Rires)

— Enfin, vous ferez un voyage dans un proche avenir. Vous serez accompagnée de membres de votre famille, je vois beaucoup de palmiers. Les enfants vous encouragent à faire ce voyage. (Six mois plus tard, Cherie nous a écrit pour nous dire ceci : « Deux mois après la captation, les parents de mon mari nous ont invités à séjourner avec eux dans une villa de la Caroline du Sud. Je n'avais jamais pensé qu'il pouvait y avoir des palmiers dans cet État, jusqu'à ce que je voie notre maison : elle était littéralement encerclée par les palmiers. ») Je vous le dis et je vous le répète : Vos enfants ne veulent pas que vous vous enterriez vivantes. Ils souhaitent, par–dessus tout, que vous alliez de l'avant. Voulez–vous d'autres enfants ?

— Oui.

— Parce que vos enfants vous encouragent à le faire. Vous en voulez, mais quelque chose vous retient encore.

— Oui.

— Une fois encore, je vois sainte Philomène, symbole des naissances heureuses. Elle est auprès de vous. Vos enfants me disent que toute naissance porte en elle les germes d'un renouveau et c'est précisément ce que vous devez faire : aller de l'avant, ils ne veulent pas que vous soyez toujours après eux ! (Rires) Bref, ils souhaitent sincèrement que vous ayez un autre enfant, allez de l'avant ! Ils savent bien que vous ne les oublierez jamais. Ils ajoutent qu'il vous faudra vous débarrasser de cette autre peur qui vous hante, à savoir celle d'avoir à revivre la perte d'un enfant. Vous avez des appuis importants, pensez, vos deux enfants ne cessent de vous enjoindre d'avoir d'autres enfants. Vos deux enfants sont très gentils, mais avouez que quand ils ont quelque chose à dire, ils ne se gênent pas ! (Elles rient) Soyez, toutefois, sans crainte, ils ne vous en veulent pas ! J'ai l'impression qu'ils souhaitent tous deux transmettre un message à leurs pères. Ah ! Ils me disent : « Dites à nos pères que vous avez eu des nouvelles de Ashi et de Nicky. » Le message s'adresse aussi aux autres membres de la famille. Sont–ils décédés lors d'un congé scolaire ?

— Euh, euh.

— Cela a dû se produire durant une période de festivités. Ce genre d'événement est toujours difficile à vivre, mais il est d'autant plus difficile à accepter lorsque tout le monde s'amuse autour de soi. Enfin, les enfants me disent qu'ils se souviennent de cette période comme d'un moment de joie et de festivités. Avez–vous rêvé d'eux ?

— Oui.

— Parce qu'ils m'ont dit qu'ils étaient venus vous rendre visite en songe. Je sens maintenant que vous avez eu une apparition. Il me semble que ce que vous avez vu était si réel que vous auriez juré que les deux enfants se trouvaient à vos côtés. Vous avez pu lever, pour un moment, le voile qui nous sépare de l'au–delà et c'est pour cela que vous aviez la certitude d'avoir vu les enfants.

— Oui, j'avais cette certitude.

— Et bien c'est un peu comme ça que je les vois, ils marchent dans la pièce en se tenant par la main comme deux enfants qui font une balade. Ouf ! (La mère d'Ashley avait eu la même vision quelque temps avant de prendre rendez–vous avec George.)

— Je les vois maintenant : ils sont sur une plage par un temps splendide. N'oubliez jamais qu'ils sont bien et que l'on prend bien soin d'eux, ces pensées vous aideront à surmonter votre souffrance. Ils sont bien entourés, puisque des membres de vos familles veillent sur eux, mais de toute façon ils sont en sécurité. L'au–delà est un lieu d'harmonie et de paix où ils n'ont pas besoin d'être toujours sous l'œil vigilant d'un adulte. Aussi vos deux enfants sont–ils très autonomes, et je dirais que votre fille l'est particulièrement. Elle préfère faire les choses par elle–même.

— Oui.

— D'autant plus qu'ils peuvent aller et venir comme bon leur semble. C'est ainsi que vos enfants ont choisi de travailler auprès de saint Christophe en venant à la rencontre des enfants qui ne connaissent personne dans l'au–delà. Ils m'ont dit qu'ils se rendaient dans le tunnel qui mène vers l'au–delà pour apaiser les peurs des enfants qui sont seuls. Ainsi, le fait que saint Christophe soit accompagné de deux enfants et de petits animaux rassure immédiatement les enfants, ils se disent : « Oh ! Quel bel endroit, je suis content d'être ici. » Cela n'a rien de surprenant, les enfants sont très bien dans l'au–delà, d'autant plus qu'ils peuvent aller où bon leur semble sans jamais avoir rien à craindre. L'au–delà est un endroit très sûr : « Vous pouvez donc dormir sur vos deux oreilles ! » Ces paroles sont d'eux.

— Oui.

— Ils poursuivent leur itinéraire, leur vie quoi ! Il faut que vous compreniez que la vie ne leur a pas été ravie, ils poursuivent leur chemin, mais dans un autre endroit. Et, tous deux adorent cette nouvelle vie et ils apprécient grandement leur travail. Cette activité leur procure d'immenses satisfactions : non seulement s'amusent–ils avec les enfants qui arrivent, mais ils ont le sentiment de rendre ce qu'ils ont reçu.

— Ah ! Tous deux vous tendent des roses blanches : ils vous offrent leurs meilleurs vœux pour la fête des mères, sans oublier leurs pères. (Même si leurs vœux arrivent en retard) Vous pensiez que ces fêtes n'étaient plus pour vous mais ils m'ont dit : « Nous sommes toujours là, vous êtes toujours nos mères. » Cela concerne aussi vos maris : ils sont toujours pères d'un enfant. Je crois bien que notre communication s'achève. Il y a bien des membres de la famille avec eux, mais ils semblent vouloir rester à l'écart. Un de vos oncles est décédé ? Le frère d'un de vos parents est mort, n'est–ce pas ?

— (Cherie) Oui.

— Il doit s'agir de cette personne, parce qu'ils m'ont dit qu'un des frères de leurs grands–parents est avec eux. Bon, j'espère que vous ne m'en voudrez pas si je les laisse partir, parce que je sens que vos enfants sont sur le point de nous quitter. Ils vous embrassent avec tendresse, leurs papas et vous. Ils vous demandent de prier pour eux, peu importe la manière, du moment que vous vous adressiez à eux à travers saint Christophe ; ce personnage est très significatif. Ah ! C'est amusant ! Ils me disent qu'ils vous feront parvenir des signes de leur présence par l'entremise des saints. Cela pourrait se produire environ tous les cinq ans, mais peu importe, ils vous feront signe pour vous rappeler qu'ils sont heureux là où ils sont. Ils souhaitent que ces signes tangibles de leur présence auprès de vous, vous rappellent aussi que votre devoir est d'aller de l'avant et d'être heureuses en cette vie. Ah ! Je vois quelque chose de très intéressant. Jésus est derrière vous en ce moment et il vous dit : « Que la paix soit avec vous et avec chacun de vos enfants. » Ses vœux s'adressent tout particulièrement à vous deux, étant donné le drame que vous venez de vivre. Bon, ils me disent qu'ils vont mettre fin à notre communication sur ces bonnes paroles. Plusieurs membres de vos familles respectives ont assisté silencieusement à notre communication, ils sont venus spécialement pour cela. Ils vous envoient tout leur amour. Bon, tout le monde est parti.

LES ANIMAUX

Comme je l'ai dit tout à l'heure, l'au–delà se sert souvent d'animaux pour rendre le passage des tout–petits plus agréable. Si l'enfant avait un animal domestique qui est décédé avant lui, alors cet animal viendra à sa rencontre dans le tunnel et l'incitera à le suivre vers la Lumière. Les animaux apaisent aussi bien nos angoisses que celles des âmes de l'au–delà.

On se sert aussi des animaux pour amener les enfants vers la Lumière. La majorité des enfants n'accepteraient pas de suivre un inconnu, ils ont souvent besoin d'encouragements pour aller vers la Lumière. Tous ces animaux : faons, chiots, chatons, oiseaux, lapins, etc. leur procurent un sentiment de sécurité et de bien–être immédiat. Plusieurs enfants m'ont confirmé ces faits : leur passage dans l'au–delà a été une expérience fort agréable et joyeuse. Ainsi, ils comprennent immédiatement que le fait d'être séparés de leurs parents ne veut pas dire qu'ils seront pour autant privés d'amour et de tendresse. Par ailleurs, ils comprennent assez rapidement qu'ils peuvent voir leur père et leur mère aussi souvent qu'ils le souhaitent. De nombreux enfants m'ont dit qu'ils visitaient leurs parents durant leur sommeil et qu'ils restaient toujours auprès d'eux lorsqu'ils sentaient que quelque chose n'allait pas.

J'ai eu l'occasion de voir les effets spectaculaires d'une de ces visites sur Mary et James O'Reilly. Je dînais avec eux en compagnie d'autres parents en deuil et nous discutions de la difficulté qu'éprouvent la majorité des êtres humains à accepter la mort. Tandis que Mary nous parlait de son deuil et des difficultés qu'elle rencontrait dans ses efforts pour retrouver le goût à la vie, Colin apparut et vint s'installer à côté de sa mère comme pour la consoler. Bien entendu, elle ne l'a pas vu, mais je lui ai fait part de sa présence, de cette force tranquille et apaisante qu'il tentait de lui communiquer. Les enfants de l'au–delà sont comme des phares pour leur famille, ils tentent de les guider et de les épauler comme le ferait un « ange gardien ». Je ne compte plus les fois où des enfants de l'au–delà ont fait en sorte que je rencontre leurs parents en deuil qui avaient besoin de réconfort. Les âmes guident toujours leurs proches vers les ressources dont ils ont besoin. Parfois, elles se chargent elles–mêmes de faire comprendre à leurs proches que la mort ne signe pas l'anéantissement de la conscience. C'est une des grâces que nous consent l'au–delà et je crois qu'en cette matière, les enfants sont vraiment très doués. À travers eux, il nous est donné d'acquérir une nouvelle conception de la mort. Ces enfants qui nous ont quittés sont sans doute les plus disposés à nous aider à saisir ce qu'est la vie dans l'au–delà.

Les enfants qui ont été victimes de crimes violents rayonnent d'une telle grâce qu'il est difficile de décrire la joie et la paix qui émanent d'eux. Ils ont une telle compréhension des choses qu'ils n'éprouvent aucune haine face à leur agresseur. Ils comprennent et acceptent les gestes de leur agresseur et ils lui pardonnent, aussi ils nous demandent de faire de même. Malheureusement, leur message n'est généralement pas très bien accueilli par leurs parents. Confrontés à ce genre de demande de la part de leurs enfants, les parents font plus souvent qu'autrement la sourde oreille ; ils ne croient tout simplement pas que leur « bébé chéri » puisse leur demander une telle chose. Leur réaction est fort compréhensible et je ne les blâme pas. Il n'y a rien d'anormal ou de condamnable dans le fait de ressentir une profonde amertume et un sentiment de rage intense à l'idée qu'une personne nous ravisse ce que nous avons de plus cher.

Cette réaction est légitime, elle fait partie du processus d'acceptation d'un deuil. Toutefois, on ne peut toujours vivre dans la haine. Il faut bien finir par accepter, voire pardonner. C'est pourquoi, les enfants victimes de crimes violents recommandent à leurs parents de prier pour l'âme de leur agresseur. Certes, il s'agit là d'une chose plus facile à dire qu'à faire, mais il faut voir que le pardon et la compassion font partie des choses que nous avons à apprendre sur cette terre. Ces enfants savent bien qu'il s'agit là de l'unique moyen de triompher de la colère et de s'engager sur la voie de la guérison.

Je ne pourrais clore ce chapitre sans vous donner un aperçu de ce que les enfants disent généralement à leurs parents lors des captations. J'ai tenté de résumer leurs propos dans les quelques lignes qui suivent.

AUX PARENTS : Vous nous pleurez, mais vous pleurez simplement la perte de notre présence physique, puisque nous ne vous avons jamais quittés. Nous sommes vos « anges gardiens », nous prenons soin de vous comme vous avez pris soin de nous. N'oubliez jamais que nous serons toujours vos enfants et que vous pourrez toujours vous adresser à nous quand le besoin s'en fera sentir. Vous pouvez même nous parler à voix haute si vous le souhaitez ; nous serons toujours là pour vous écouter. Grand merci pour toutes les cérémonies données en notre mémoire ainsi que pour toutes les bonnes actions entreprises en notre nom. Et surtout, ne nous considérez pas comme des saints ou quelque « monument » ou « icône » à idolâtrer. Pas plus que nos chambres ne sont des lieux saints et nos objets personnels, des reliques. Notre présence auprès de vous n'a rien à voir avec les lieux ou les objets qui s'y trouvent. Vous avez été nos parents et vous le demeurez. Aussi longtemps que vous nous aimerez, nous serons auprès de vous, peu importe l'endroit et l'heure. N'ayez pas peur du changement et allez de l'avant. Vos décisions ne nous porteront jamais ombrage. Que vous décidiez d'avoir un autre enfant ou que vous souhaitiez vous remarier, rien ne peut altérer le lien qui nous unit. Nous avions complété nos leçons sur terre, c'est pourquoi nous avons été rappelés dans l'au–delà, comme vous le serez un jour. Ainsi, nous serons de nouveau réunis. En attendant, vivez votre vie, quelle soit pour vous la meilleure possible. Et surtout, ne craignez rien, nous nous reverrons.

Chapitre 6

LE SUICIDE

POURQUOI ?

e suicide d'un individu provoque une véritable commotion dans son entourage. Face au suicide d'un proche, parents et amis se sentent démunis, coupables, voire humiliés, tant et si bien que la torture qu'ils s'imposent semble ne pas avoir de limites. Les proches de la personne qui s'est enlevé la vie entament souvent un questionnement qui frôle la flagellation. Ils se reprochent leur inaction, ils se disent qu'ils auraient pu faire quelque chose, bref, ils se culpabilisent, persuadés d'avoir négligé les signes annonciateurs de ce geste malheureux. (À supposer qu'il y en ait eu, ce qui n'est pas sûr.) Tout cela dans le but de trouver une réponse à cette question tout aussi fondamentale que dévastatrice : « Pourquoi ? » J'ai vu les ravages que ce lancinant questionnement a provoqués, des familles entières se sont entredéchirées à la suite d'un suicide. J'en ai vu d'autres qui se sont juré de connaître toute la vérité et qui ont sapé leurs dernières énergies dans ce vain combat. Mais comprendre quoi au juste ? Comprendre qu'une personne ne se sentait plus la force de poursuivre son chemin en cette vie ?

Tout ça pour dire que nous avons du mal à saisir le sens d'un tel geste. La position de l'au–delà sur la question est fort éclairante, mais elle ne va pas de soi, d'autant plus qu'elle contredit les prises de position de plusieurs grandes religions. Enfin, lorsque nous les envisageons selon nos propres critères, puisque l'au–delà dans sa perfection et sa magnanimité, n'est en concurrence avec aucune religion terrestre. Aussi, ne faut il jamais perdre de vue que la compréhension et la sagesse de l'au–delà dépassent de loin, tout ce que l'on peut imaginer. Si bien que pour la Lumière Infinie, des choses telles que le châtiment ou la punition n'existent pas. Dans l'autre monde, chacun est placé devant sa propre conscience, plus précisément, chacun est mis en face des conséquences de ses actes.

J'ai reçu tant de courrier au sujet du suicide que je ne puis passer sous silence la position des âmes à ce propos. C'est pourquoi, je me sens dans l'obligation de répondre sans détour aux personnes préoccupées par cette épineuse question. D'abord, il faut comprendre ceci : *Les personnes qui se suicident ne vont pas en enfer.* Je le dis sans aucune réserve, puisque je sais que l'enfer n'existe pas. Dans sa grande sagesse, la Lumière Infinie ne condamne pas, elle comprend. Elle connaît les raisons qui nous poussent à nous enlever la vie ou à nous en prendre à celle des autres. Les âmes de l'au–delà qui se sont suicidées m'ont souvent dit qu'elles étaient passées à l'acte au moment où elles traversaient une période difficile. Soudain, tout a chaviré dans leur vie, elles étaient complètement déboussolées et elles ne comprenaient plus ce qui leur arrivait. En somme, le suicide n'est rien d'autre qu'un geste de désarroi qui relève de la maladie mentale, la punition n'y fait rien, l'au–delà le sait bien et c'est pourquoi il fait tout ce qu'il peut pour favoriser la guérison de ces âmes troublées.

Je n'ai jamais compris pourquoi les religions se sont toujours montrées aussi intransigeantes à l'égard du suicide. Certaines vont même jusqu'à dire qu'il s'agit d'un « péché contre l'humanité » et « d'une injure envers le Créateur ». Ce n'est pas une réponse adéquate à offrir à un désespéré. Lorsque je pense à cette femme qui était venue me consulter à la suite du suicide de son fils – qui avait mis fin à ses jours parce qu'il vivait un fort sentiment d'échec — je me dis que ces idées sont inacceptables. La pauvre était venue me voir parce qu'elle ne trouvait plus aucun repos depuis qu'elle croyait que son fils endurait les pires tortures… en enfer. Heureusement, elle trouva enfin quelque apaisement lorsque son fils put enfin lui dire qu'il n'en était rien. Bien entendu, elle avait reçu une éducation chrétienne stricte où on lui avait appris, dès l'enfance, que le suicide menait à une sévère punition divine. Par–dessus le marché, l'église de son quartier avait refusé de donner une sépulture à son fils, ce qui ajoutait à son désarroi. Durant la captation, son fils lui a confié qu'il avait beaucoup appris depuis qu'il avait quitté la terre. Il avait trouvé dans l'au–delà un environnement apaisant où il n'était plus soumis aux pressions extérieures qui le poussaient à de sévères autocritiques. Dans les semaines qui suivirent notre rencontre, la dame m'écrivit pour me confier qu'elle avait retrouvé le sommeil dans la nuit qui avait suivi la captation. Il faut dire que cela faisait plus de quatre mois qu'elle n'avait pas dormi pendant toute une nuit.

Les âmes qui se sont enlevé la vie ont appris que le suicide n'était pas la meilleure solution. Elles pensent qu'elles auraient dû s'accorder un peu plus de temps, ce faisant, elles auraient pu trouver une solution à leurs problèmes ou du moins, demander de l'aide. Ceci dit, elles étaient dans l'incapacité de raisonner avec sang–froid. Elles étaient au cœur d'une immense détresse psychologique. Nombre d'entre elles m'ont confié qu'elles se sentaient torturées et totalement démolies. Par ailleurs, tout semblait normal aux yeux des autres, elles vaquaient efficacement à leurs occupations quotidiennes et ne laissaient rien transparaître de leur état. Depuis qu'elles sont dans l'au–delà, elles ont pu prendre du recul par rapport à leurs problèmes, elles voient les choses avec beaucoup plus de clarté et de lucidité. Toutefois, elles savent bien qu'elles auraient été incapables de faire cet effort de distanciation sur terre, les conditions n'étaient pas favorables.

En mettant fin à ses jours avec un fusil de chasse qu'elle avait emprunté à une connaissance, Kimberly Stricker créa une véritable commotion dans son entourage. Kimberly était la fille adoptive de Nancy et Jerome Stricker, un homme d'affaires très en vue dans sa ville. Cette jeune femme dynamique n'était pas passée inaperçue dans Covington, la petite ville du Kentucky qui l'avait vue grandir. Confiante et ambitieuse, Kimberly éprouvait une véritable passion pour les animaux. Aussi avait–elle choisi d'étudier la médecine vétérinaire à Cincinnati.

Lors de mon séjour à Cincinnati, le propriétaire d'un restaurant qu'elle avait l'habitude de fréquenter, m'a dit qu'il y avait tant de monde à ses funérailles, qu'il avait eu l'impression que toute la ville la connaissait. Son geste était incompréhensible pour ses parents, d'autant plus qu'elle ne leur avait jamais donné le moindre indice pouvant leur laisser croire qu'elle avait l'intention de s'enlever la vie. Lors d'une captation réalisée auprès de Kimberly, la jeune femme s'est présentée à moi vêtue d'un habit de clown, dans l'intention avouée d'exprimer que sa joie n'était que façade. Elle m'a dit qu'elle avait toujours adopté une attitude joyeuse pour cacher sa douleur et sa tristesse. Du point de vue privilégié qui est maintenant le sien, elle a pu prendre beaucoup de recul par rapport à sa vie passée et elle est dorénavant en paix avec elle–même. Kimberly avait vécu une période très difficile peu de temps avant son suicide, elle était très malheureuse, vivait de grandes insatisfactions et par–dessus tout, elle venait de rompre avec son petit copain. Un flot de tristesse s'est soudainement abattu sur son âme ; la souffrance morale s'est emparée d'elle comme s'il s'était agi d'un poison mortel, si bien qu'elle croyait ne jamais en être soulagée.

L'au–delà fait preuve d'une compassion et d'une bienveillance sans bornes envers les personnes en état de crise. Ainsi, dès qu'une personne qui s'est enlevé la vie s'y présente, elle est immédiatement conduite vers un lieu de réflexion. Dans cet environnement d'une grande beauté où règne une grande paix, elle a le temps de réfléchir au sens de son geste. Ce lieu est une véritable oasis où la solitude et le calme règnent en maîtres. Tout y est propice au recueillement, les prés verdoyants et les petits animaux (chiots, chatons, faons, lapins) donnent vie à un environnement d'une incomparable beauté.

La présence d'animaux a toujours été d'un grand secours aux humains, tant ici–bas que dans l'au–delà. Là–bas, ils jouent un rôle « thérapeutique » auprès des personnes en crise. Dans cet univers réconfortant, les personnes en détresse trouvent toujours le repos et peuvent enfin commencer à comprendre, avec l'aide de leurs parents et amis, les raisons et le sens de leur geste.

La présence du Christ est certainement l'un des aspects les plus fascinants des captations que j'ai menées auprès des personnes qui se sont enlevé la vie. Jésus joue un rôle crucial auprès de ces âmes en détresse. Il les supporte dans leurs démarches et il les aide à surmonter l'angoisse et la souffrance qui se sont emparées d'elles. Toutes choses, qui font obstacle à leur progression vers la Lumière Infinie. Durant mes captations, il m'est souvent arrivé de voir le Christ derrière l'âme d'une personne suicidée ; je le vois, debout et immobile, baignant dans un halo de lumière blanche et posant une main rassurante sur l'épaule de l'âme qui est à ses côtés. Il n'a pour toutes paroles que ces mots : « Que la paix soit avec vous. » Il assiste à toute la captation et raccompagne l'âme dans l'au–delà. J'ai bien essayé d'amener le Christ à me parler, mais en vain. Il se contente de répéter ces paroles : « Que la paix soit avec vous. »

Je m'en voudrais de passer sous silence un fait fort significatif à propos de la perception qu'ont de leur geste, les personnes suicidées. Elles parlent de leur suicide comme d'un accident ou d'une maladie. Je crois que nous devrions tous nous en souvenir ; le suicide est le résultat d'une maladie, seulement il s'agit d'une maladie de l'esprit, plutôt que d'une maladie physique.

La dépression est une terrible affection qui conduit au désespoir et à un vif sentiment d'échec. Prise au piège de cette spirale infernale, la personne qui en est atteinte ne voit d'autre issue que la mort pour se libérer de la souffrance qui l'étreint. Je crois qu'il est intéressant de faire une analogie avec les maladies physiques incurables, l'une comme l'autre mènent à un point de non–retour : dans le cas de la maladie physique, le corps rend les armes et ne peut plus assurer ses fonctions vitales et dans le cas du suicide, l'esprit est tellement malade qu'il ne peut plus diriger le corps. Après coup, les personnes qui se sont suicidées réalisent qu'elles ont causé, bien malgré elles, une immense souffrance à leurs proches. Ceux qui restent ont au moins la consolation d'apprendre que leurs proches décédés jouent un rôle d'ange gardien auprès d'elles. Ces âmes ont enfin pris conscience du fait que rien n'est impossible sur terre, fortes de leurs expériences, elles tentent maintenant d'en faire profiter leurs proches. Elles savent que la terre a beaucoup à offrir en termes de croissance et d'apprentissage spirituels et elles sont bien décidées à aider leurs proches, dans la mesure du possible, bien entendu. Ces âmes sont loin de considérer que le suicide est la voie royale vers une vie meilleure, d'ailleurs, elles ne nous recommandent pas de choisir cette voie. Les leçons que nous aurons ainsi perdues sur terre, disent–elles, devront être reprises dans l'au–delà ; il n'y a rien à y faire. De plus, nous apprenons beaucoup plus rapidement sur terre que dans l'au–delà ; dans ce monde le temps est infini.

Une chose reste sûre : les âmes qui ont délibérément quitté la terre auront à reprendre les leçons qu'elles ont manquées. En revanche, celles qui ont su résister au désespoir qui les assaillait, bénéficieront, une fois dans l'au–delà (quand elles auront terminé leurs leçons terrestres) des acquis de cette épreuve. Aussi, les âmes nous encouragent–elles à persévérer et à triompher de nos épreuves, puisqu'elles savent bien que ces expériences font partie de nos apprentissages et que nous en tirerons de grands bénéfices. Mes captations m'ont permis de constater qu'elles sont tout à fait conscientes du fait que certaines leçons sont plus difficiles que d'autres. Le sentiment d'être inutile et la réussite sont les deux conditions les plus difficiles à supporter pour l'être humain. À première vue, ces deux états trahissent pourtant des sentiments diamétralement opposés, puisque l'un se rapporte à la peur de l'échec et l'autre à la peur de la réussite. Toutefois, il ne faut jamais oublier que nos sentiments nous conduisent vers notre âme, ils en sont la principale porte d'entrée. Or, l'estime que nous avons de nous–même est constamment mise à l'épreuve par les gens que nous côtoyons et par nos expériences quotidiennes. Ainsi, lorsque nous ne nous sentons pas bien dans notre peau, notre âme en subit immédiatement les conséquences. Il en va de la santé de notre âme comme de celle de notre corps : nous devons lui accorder de l'attention et des soins afin qu'elle reste en bon état. En somme, notre âme est un peu comme un nourrisson, elle nécessite une attention constante. Laissée à elle–même, elle s'étiole jusqu'à périr par manque de soins et d'attentions. Aussi, devons–nous avoir des buts et une certaine conscience de notre valeur, sans quoi notre âme dépérira. Les gens sont toujours très étonnés d'apprendre que les âmes de l'au–delà parlent du succès comme de l'une des épreuves les plus difficiles de la vie terrestre. Lorsqu'on y réfléchit un peu, on arrive tout de même à entrevoir les difficultés que pose le succès. Nous savons tous que la réussite requiert beaucoup d'efforts, mais il faut aussi voir qu'il est encore plus difficile de la conserver une fois que nous sommes parvenus au sommet. Ceux qui ont réussi – bien entendu, je veux parler de ceux qui ont réussi selon les critères terrestres — sont confrontés à une tâche herculéenne, celle de demeurer au faîte de la gloire et du succès, sans compter les responsabilités et les problèmes qui naissent de leur nouvelle condition.

En fait et c'est très simple, lorsque l'on a atteint le sommet, il est impossible d'aller plus haut et ainsi on est constamment menacé d'une dégringolade. On ne compte plus les personnes qui, parvenues au faîte de leur carrière, sont retombées en disgrâce en raison de quelques malheureux faux pas.

Une telle expérience ébranle les individus dans ce qu'ils ont de plus profond, elle dissout leurs repères et bouleverse leur vie de fond en comble. À cela s'ajoute le sentiment d'être inutile, si bien que la plupart des gens perdent pied et tombent à la renverse. Bien peu survivent à une telle impasse. Bien que ces sentiments nous semblent faciles à saisir, il faut voir qu'ils sont très difficiles à vivre lorsque nous y sommes confrontés. Il est extrêmement difficile de prendre du recul lorsque l'on est enfoncé dans un problème et c'est pourquoi la majorité des personnes dépressives ne cherchent pas à obtenir de l'aide.

Connie Trivolli connaît bien ce genre de situation, elle sait pertinemment qu'elle conduit tout droit à de terribles drames. Cette femme débordante de vie et d'énergie n'aurait jamais pensé que l'on pouvait être à ce point victime de son succès. Elle sait maintenant qu'une telle chose est possible, malheureusement, bien peu d'entre nous l'ont compris, sinon ceux qui sont eux–mêmes passés par là. Connie et son mari, Geoff, menaient une existence confortable guidée par l'ambition et le succès. Aujourd'hui, il lui semble que le jeu n'en valait pas la chandelle, puisque l'ambition lui a coûté la vie de son mari. Pour peu que l'on ait réfléchi sur le sens du succès et de la réussite, on se rend vite compte que Connie a vécu le plus terrible des revers de fortune qui soit… Mais elle a su tirer des leçons de cette expérience, elle sait maintenant que la détresse psychologique s'apparente parfois à une affection mortelle. Il ne faut pas s'y tromper, la dépression est bel et bien une maladie de l'âme, d'ailleurs, dans certains cas elle est d'origine génétique.

J'ai rencontré mon mari, Geoff, à l'âge de vingt et un ans. C'était un très gentil garçon et grand par–dessus le marché ! Nous nous sommes connus dans une boîte de nuit, nous avons dansé ensemble toute la soirée, puis il m'a raccompagnée à la fin de la soirée. Il m'a embrassée en me quittant et m'a gentiment souhaité bonne nuit, pourtant, j'étais persuadée que nous allions nous revoir. Ce baiser m'avait tant secouée que je me suis précipitée vers la maison pour réveiller ma mère afin de lui annoncer que j'avais rencontré l'homme de mes rêves. Je sentais bien que quelque chose d'important venait de se passer. Dès le lendemain matin, Geoff m'a téléphoné. Notre premier rendez–vous marqua le début de notre histoire d'amour. D'ailleurs, j'ai su dès ce moment, que lui et moi, « c'était pour la vie ». Nous étions faits l'un pour l'autre, nous poursuivions les mêmes objectifs et nous partagions les mêmes rêves. Pas besoin de vous dire à quel point nous étions amoureux l'un de l'autre. En fait, nous étions si bien ensemble que nous ne nous quittions jamais, du moins jamais plus que quelques jours. Si bien qu'un an après notre rencontre, nous étions déjà mariés. Nous avons acheté notre première maison et nous avons projeté d'avoir des enfants. Trois ans plus tard, je donnais naissance à notre premier fils, un enfant merveilleux... issu de notre grand amour. Nous ne pouvions être plus heureux, je me sentais comblée. Geoff avait un très bon emploi et qui plus est, il obtenait promotion sur promotion. Sans compter que nous habitions une très belle maison dont nous étions très fiers. Deux ans plus tard, notre second fils naissait. Nous étions touchés par la grâce ; tout allait merveilleusement bien et notre amour ne cessait de grandir. Au fil des jours, il se faisait toujours plus profond et plus fort. Conscients de notre bonheur, nous prenions souvent le temps de remercier Dieu pour ses grâces. Nous avions conscience d'être des privilégiés.

Geoff continuait de gravir les échelons, les promotions étaient presque devenues une habitude pour lui. Il avait débuté tout au bas de l'échelle de son entreprise, mais Geoff était un homme très intelligent. Et ce qui devait arriver, arriva, on lui offrit un poste au sommet de la hiérarchie de son entreprise.

Cette promotion nous obligeait à déménager dans une autre ville. Malheureusement, on ne lui accorda que très peu de temps pour prendre une décision. L'idée d'être loin de nos parents respectifs ne nous enchantait pas, mais notre petite famille restait ensemble et cela nous suffisait. Geoff a donc accepté la promotion, nous avons vendu notre maison et nous sommes partis. J'étais très fière de lui. Ce déménagement ne nous causait en somme que bien peu d'ennuis, nos enfants étant encore très jeunes à cette époque (deux et quatre ans) et en plus, nous étions logés, dès notre arrivée, dans une maison offerte par l'entreprise. C'était une très belle maison avec une vue sur un terrain de golf. Nos garçons se gaussaient à l'idée de posséder la plus grande arrière–cour du monde ! L'argent coulait à flots, nous en avions plus que nous ne pouvions en dépenser et nous étions amoureux comme jamais. Je sentais que j'étais ce qu'il avait de plus cher, il se montrait toujours délicat et très empressé, bref, j'avais droit à tous ses égards. C'était un homme très sensible doté d'un cœur d'or. Il ne se passait pas une journée sans qu'il prenne le temps de jouer avec ses garçons ou de leur accorder du temps. Il entretenait d'ailleurs une relation de qualité avec eux ; il savait leur faire sentir à quel point ils étaient importants à ses yeux. C'était un papa formidable.

Un après–midi, en rentrant à la maison, Geoff m'annonça qu'on lui avait proposé de reprendre le poste d'un employé qu'on venait tout juste de licencier. Il ajouta qu'il s'agissait d'un travail plutôt ardu et qui plus est, ne correspondait pas à son champ de compétences. Toutefois, cet emploi lui offrait un avancement inespéré. J'avais confiance en Geoff, aussi lui ai–je dit de faire comme bon lui semblait, quelle que soit sa décision je l'appuierais. Après deux jours de réflexion, Geoff avait pris sa décision. Il ne pouvait pas laisser filer sous son nez une telle offre, aussi accepta–t–il de relever ce défi, sachant très bien que cela n'allait pas être de tout repos, étant donné les lourdes responsabilités incombant à ce poste.

Cela ne m'a pas pris de temps avant de m'apercevoir que Geoff était en train de changer. Il n'était plus le même. Il travaillait le week–end, si bien qu'un jour j'ai décidé d'aller le voir pour lui demander si je ne pouvais pas l'aider de quelque façon. Vous auriez dû voir le nombre de mémos portant la mention *urgent* et *priorité absolue* qui tapissaient son bureau. Il était enseveli sous le travail. Quelque temps plus tard, je vis bien qu'il commençait à se sentir déprimé. Une nuit, que je m'étais réveillée en constatant qu'il n'était pas à mes côtés, je me suis levée et je l'ai trouvé dans la chambre des garçons. Il se tenait immobile dans la chambre et il les regardait dormir d'un air contemplatif. Il a détourné la tête et m'a dit de but en blanc : « J'ai si peur de ne pas être un bon père pour eux », sur quoi je lui ai dit qu'il ne fallait surtout pas qu'il pense cela.

Nous ne faisions plus tellement l'amour, mais je savais qu'il n'avait pas la tête à ça, il était bien trop préoccupé par son travail. Le lendemain matin de notre nuit d'insomnie, il m'a téléphoné de son bureau pour me dire qu'il avait pris rendez–vous avec le grand patron pour démissionner de ce poste qu'il trouvait trop astreignant. Son patron a mal pris la chose, il lui a dit que la direction était très satisfaite de son travail et qu'il désapprouvait sa décision. Ce soir–là, Geoff a dû boire pour trouver le sommeil, chose qu'il n'avait jamais faite auparavant. À partir de ce moment, les choses sont allées de mal en pis. Son patron ne cessait de lui rappeler qu'il était content de son travail et qu'il ne voulait pas qu'il parte. C'est alors que Geoff l'a menacé de partir si on ne lui redonnait pas son ancien poste. Il était très bouleversé par ces événements, il ne ressemblait plus à l'homme que j'avais connu, il n'y avait plus aucune lumière dans ses yeux.

Le Geoff joyeux avait cédé la place à un être nerveux et toujours sur la corde raide.

Il souffrait d'insomnie et il paraissait complètement exténué. Bref, il nageait en pleine tourmente. Il a finalement quitté son emploi. Sa réputation était telle, qu'il n'a pas eu de mal à obtenir une entrevue pour un autre emploi peu de temps après. Jusque–là nous habitions la maison complètement meublée de la compagnie, aussi avions–nous entreposé tous nos meubles. Comme nous n'avions pas plus de maison que de meubles, nous avons décidé d'aller habiter chez mes parents à New York en attendant que Geoff trouve un autre emploi et que nous achetions une nouvelle maison. Les choses ne s'arrangeaient pas pour Geoff, il avait du mal à assumer sa décision, en fait, il était très déçu de lui–même. Il semblait avoir besoin de temps d'arrêt et de réflexion, mais avant qu'il n'ait eu le temps d'y penser, les choses se sont aggravées.

Nous vivions avec mes parents et Geoff dépérissait de jour en jour. C'est pourquoi nous avons décidé de consulter un thérapeute qui a diagnostiqué une dépression. À la suite de ce diagnostic, le patron de Geoff a téléphoné de la Caroline du Nord pour lui offrir de reprendre son ancien poste. Le seul fait d'avoir à considérer cette offre le rendit nerveux à l'extrême et son état s'aggrava. C'est alors qu'il a commencé à croire qu'il ne se sortirait jamais de cette mauvaise posture. J'avais beau lui répéter que je ne me souciais guère de ces histoires de position et de statut social, tout ce que je souhaitais, c'était que mon Geoff que j'aimais tant me revienne, rien n'y faisait, il dépérissait de jour en jour.

Il ne mangeait plus et il ne prenait plus soin de son apparence. Sur avis de ses médecins, Geoff fut hospitalisé. Dès son entrée à l'hôpital, Geoff ne cessait de me dire que je serais mieux sans lui. Son regard était éteint ; ses yeux trahissaient un immense vide. J'avais très peur pour lui. Il a fini par m'avouer qu'il souhaitait mourir, il pensait que la mort était le seul moyen de se sortir de cet état. Il m'a dit qu'il nous aimait et qu'il ne voulait surtout pas que ses enfants sachent qu'il avait été hospitalisé pour une dépression, toutefois il était persuadé que nous serions mieux sans lui, étant donné la gravité de son état.

La dépression n'est pas une maladie qui attire la sympathie des autres, d'autant plus que peu de personnes savent vraiment de quoi il s'agit. Pourtant, elle peut causer la mort des personnes qui en sont atteintes. Parfois, elle s'empare d'une personne et la détruit comme un poison lent, c'est précisément ce qui est arrivé à Geoff. Après de nombreuses hospitalisations successives, Geoff n'allait toujours pas mieux. Je remercie encore le ciel d'avoir eu mes parents et ma sœur pour m'aider dans cette épreuve. Leur force et leur courage m'ont été d'un grand secours, ils ont toujours été là pour me soutenir et me rassurer lorsque je traversais des moments de doute. Puis Geoff a obtenu son congé définitif de l'hôpital et j'ai eu soudainement très peur de ce qui allait arriver. Néanmoins, les enfants étaient si contents de le revoir que je me suis dit que tout rentrerait dans l'ordre. Je l'aimais tellement que j'avais envie de le secouer, de lui crier de toutes mes forces des mots propres à pénétrer sa conscience et à le guérir. J'aurais fait n'importe quoi. J'ai même demandé à un prêtre de prier pour lui.

Le soir de son retour, nous avons dîné et tout était comme avant, nous avons même passé une nuit délicieuse, blottis l'un contre l'autre.

Le lendemain matin, à mon réveil, Geoff n'était plus là. Ma mère était sortie pour acheter du lait et elle avait demandé à ma sœur de veiller sur les enfants jusqu'à mon réveil. J'ai d'abord pensé qu'il était avec les enfants, mais j'ai vite réalisé que la voiture n'était plus là. Dès cet instant, j'ai été prise de panique. Où pouvait–il bien être ? Je n'avais même pas de voiture pour partir à sa recherche. Lorsque ma mère rentra, j'étais en larmes. Je lui expliquai que Geoff était parti en voiture. Nous l'avons attendu toute la journée et une partie de la soirée. À la tombée de la nuit, j'ai finalement appelé la police pour signaler sa disparition en expliquant qu'il n'était plus lui–même et qu'il fallait faire quelque chose. Au cours de la soirée, Geoff est finalement rentré. Un peu plus tard, il m'a expliqué qu'il avait réfléchi au moyen de s'enlever la vie. Il n'a pas passé à l'acte parce qu'il s'est dit que son geste nous démolirait et que nous ne méritions pas cela. Je ne comprenais pas pourquoi mon amour ne suffisait pas à le guérir, quant à mes prières, elles restaient sans réponse.

Nous entreprîmes de faire des tours de garde pour le surveiller. Ces moments furent particulièrement éprouvants pour ma sœur qui avait courageusement combattu la paralysie cérébrale depuis sa naissance et qui était sur le point de se marier. Elle nous aidait du mieux qu'elle le pouvait, mais son état ne lui permettait pas de faire autant qu'elle l'aurait voulu. Quoi qu'il en soit, nous étions une famille unie et personne n'entendait laisser tomber Geoff. Au fil des jours, son état se détériorait, au point où il en était, nous savions que nous ne pouvions plus grand–chose pour lui. Nous espérions seulement que nos prières et notre amour suffiraient à lui donner la force de se relever.

Puis, un matin, je me levai et encore une fois, Geoff n'était plus là. Il n'avait pas pris ses affaires, mais il était parti en voiture. Je ne savais pas s'il venait tout juste de quitter la maison ou s'il était parti au milieu de la nuit. J'avais l'impression que mon cœur allait s'arrêter de battre dans ma poitrine, j'avais peine à respirer. Je me suis précipitée vers la seconde voiture en chemise de nuit pour ratisser le secteur, en criant son nom par la fenêtre dans l'espoir qu'il m'entende. Je me suis concentrée sur les plages, je me disais qu'il avait peut–être eu envie d'aller réfléchir au bord de l'eau, mais je ne le trouvai pas, ni là, ni ailleurs, non plus. Puis, soudain, je me suis rappelé qu'il m'avait parlé de se jeter d'un pont. En pleine panique, je me suis précipitée vers le prochain pont sans même attendre que les feux de circulation virent au vert : je m'arrêtais au feu rouge pour m'assurer que la voie était libre et je fonçais. Je ne voulais blesser personne, mais je n'avais qu'une chose en tête, arriver au plus vite sur ce foutu pont. Je pleurais, je criais et je tremblais, tout à la fois.

Soudain, j'ai entendu une sirène derrière moi et j'ai aperçu des gyrophares. Une voiture de police me faisait signe de me ranger sur le côté de la route. Je n'avais surtout pas le temps de me plier à ce genre d'exercice, mais j'ai obtempéré. Un policier m'a demandé mon permis de conduire et bien entendu, je n'avais pas eu le temps de le prendre. Je n'avais même pas apporté mon portefeuille. Je n'avais aucun papier et par–dessus le marché j'étais pieds nus, portant pour tout vêtement, mon pyjama. J'étais persuadée que le policier m'arrêterait, après tout je ne pouvais pas prouver que la voiture était bien la mienne. Incapable de me contrôler, j'ai fondu en larmes et le policier m'a demandé de monter dans l'auto patrouille. Je lui ai alors demandé : « Croyez–vous en Dieu ? » Sur quoi il m'a regardée d'un air étonné, en disant : « Quoi ? » Je ne me suis pas débinée et j'ai répété ma question et il m'a gentiment répondu : « Oui ».

« Alors, de grâce, relâchez–moi. Mon mari est malade et j'ai de bonnes raisons de croire qu'il est sur le pont. Il faut agir au plus vite, sa vie est entre nos mains. Je vous en prie, il faut me croire. Il est fort possible qu'il soit déjà sur le pont en train de s'enlever la vie. J'ai très peur pour lui. »

Il a attrapé son C.B. et il a immédiatement appelé la police des autoroutes en leur donnant la marque et le modèle de la voiture de mon mari. Le policier leur a également demandé de surveiller le pont en attendant notre arrivée. Il m'a semblé qu'ils ne répondraient jamais à l'appel tellement la réponse fut longue à venir. Quand une réponse se fit enfin entendre, le policier me demanda de sortir de la voiture durant la communication. Quelques minutes plus tard, le policier m'invita gentiment à venir le rejoindre pour m'annoncer qu'ils avaient retrouvé sa voiture, mais qu'ils n'avaient pas encore retrouvé mon mari. Il a mis la sirène en marche et nous avons filé vers le pont en laissant ma voiture derrière nous.

J'avais l'impression que notre arrivée marquerait la fin de mes espoirs. Tout le long du trajet, je repensais à notre vie, à nos enfants et à ce terrible revirement de situation auquel j'étais dorénavant confrontée. Je ne pourrai jamais exprimer toute la terreur que j'ai ressentie à l'approche du pont. J'ai d'abord aperçu sa voiture littéralement encerclée d'autos patrouilles, non loin de là se trouvait un rassemblement de policiers en conciliabule. J'étais en pleine panique, quand soudain je l'aperçus, Geoff, l'amour de ma vie, ce géant au cœur d'or qui partageait ma vie. J'ai couru aussi vite que j'ai pu et je me suis jetée dans ses bras. Il n'y avait rien à dire… nous savions tous pourquoi il s'était rendu jusqu'ici. L'homme qui se trouvait en face de moi avait perdu son âme ; il n'avait pas plus de raison de vivre que d'envie d'exprimer quoi que ce soit.

Les hôpitaux psychiatriques ne sont pas conçus pour accueillir les personnes aux prises avec une dépression sévère. La clientèle de ces institutions se compose majoritairement de personnes qui ont totalement perdu contact avec la réalité. La plupart passent leur journée à se bercer, à danser et à pousser des hurlements. Or, Geoff était loin de présenter de tels comportements. Certes, il était très déprimé, mais il ne représentait aucun danger pour personne. Sa condition mentale était bien meilleure que celle des autres patients, mais que pouvions–nous faire d'autre ? C'était le seul endroit susceptible de lui apporter l'aide dont il avait besoin. Je lui ai rendu visite dès le lendemain matin et par la suite je n'ai jamais manqué aucune heure de visite. Je voyais bien qu'il n'était pas comme les autres : tous souffraient de maladies mentales sévères et parmi eux, se trouvaient des individus d'une violence extrême qui constituaient une menace pour les autres Le fait de se voir enfermé dans une telle institution renforçait le sentiment d'échec de Geoff. J'ai rencontré les médecins de Geoff et ils m'ont dit que son internement n'avait rien de définitif et qu'il pourrait sans doute trouver de l'aide à l'extérieur, toutefois j'avais la vive impression que son traitement ne changeait rien à son état. Finalement, au bout de vingt–deux jours passés à arpenter cette institution lugubre, où les chaises bancales côtoyaient les barreaux de prison, je réussis à obtenir une audience auprès du procureur de l'État. Elle m'expliqua qu'il avait des droits en tant que malade et qu'il pouvait s'il le souhaitait, demander son congé par ordonnance de cour. Pour la première fois depuis le début de son calvaire, j'ai vu naître une lueur d'espoir dans ses yeux.

Dix jours plus tard, il comparaissait en cour et je dois dire qu'il avait fière allure, il était plus élégant que les avocats. Il était très confiant, pour tout dire, il avait de la classe et par–dessus tout, il souriait.

Et soudain, je me suis souvenue des raisons pour lesquelles j'étais tombée amoureuse de lui ; avant sa maladie, il était si tendre et si gentil. On lui a permis de rentrer à la maison tout de suite après la comparution. Ses médecins lui avaient prescrit des antidépresseurs. Nous sommes passés à la pharmacie et nous avons posé les médicaments sur le comptoir de la cuisine. Ma mère nous attendait, elle avait préparé un fastueux repas. J'étais en pleine forme et je pensais que tout irait bien. Nous nous sommes couchés très tôt, ce soir–là. Nous avons dormi dans les bras l'un de l'autre ; cette nuit–là, je me suis laissée porter par la paix et la joie que me procurait sa présence chaleureuse.

Le lendemain matin, nous avons amené les enfants chez le médecin pour un examen de routine, puis nous sommes tout de suite rentrés à la maison. Plus tard, Geoff et Michael sont partis en balade à bicyclette. Geoffrey, mon plus jeune fils, est resté à la maison avec moi, il était encore trop jeune pour les accompagner dans cette escapade à vélo. Je me sentais comme avant, j'avais l'impression que tout était rentré dans l'ordre. Une fois rentrés de leur balade, Geoff a décidé d'aller se faire couper les cheveux. Nous étions sur le point de nous mettre en route, lorsqu'il m'a tendu les clés de sa voiture en me regardant. J'ai réfléchi quelques instants et j'ai répondu : « Non, c'est toi qui conduis, c'est toi qui conduis habituellement. » J'ai ajouté à la blague : « Mon capitaine, les choses sont comme elles étaient et tu conduis ! » Sur ce, je lui ai remis les clés et nous nous sommes mis en route. Tout me semblait si facile maintenant.

Au bout de quelques kilomètres, Geoff m'a dit qu'il ne se sentait pas très bien. Il souffrait d'un terrible mal de tête. J'en étais à me dire que c'était peut–être trop lui demander en une seule journée, mais soudain, alors que je n'avais pas encore ouvert la bouche, sa tête s'est écrasée sur le volant. J'attrapai le volant en catastrophe, mais je n'arrivais pas à joindre les pédales. Mes efforts pour le pousser restaient vains, il était bien trop lourd. Je me suis assise sur lui, c'était le seul moyen. Quand enfin la voiture s'immobilisa le long de la chaussée, je tentai de le faire revenir à lui, j'avais beau crier son nom, il ne reprenait pas conscience. Je me rassurai en me disant qu'il avait vécu beaucoup de stress ces derniers jours et que cela avait dû être à l'origine de son évanouissement. Je descendis donc de la voiture pour demander de l'aide, mais aucun automobiliste ne daigna s'arrêter. Je pris sur moi d'arrêter une voiture pour lui demander la direction de l'hôpital le plus proche. Sans plus tarder, je le conduisis à toutes vapeurs vers l'hôpital. Alors que j'approchais de ma destination, j'aperçus une voiture de police, sautant sur l'occasion, j'ai fait un appel de phares en klaxonnant pour attirer son attention. Le policier a vite compris que j'avais besoin d'aide et il a joint l'hôpital pour leur annoncer que j'arrivais avec un malade. Plusieurs personnes nous attendaient à la porte. On m'a posé de nombreuses questions sur sa santé : « Souffre–t–il de problèmes cardiaques ? Peut–il s'agir d'une crise cardiaque ? » Ce à quoi j'ai répondu que c'était plutôt improbable. Ils l'ont amené à l'intérieur pour lui faire passer des examens. Je ne pouvais rien dire d'autre que : « Qu'est–ce qu'il a ? Qu'est–ce qu'il a ? Il n'a rien, il ne peut rien avoir, nous venons de nous retrouver, c'est le début de notre nouvelle vie. » Le personnel soignant ne voulait pas que j'entre dans la chambre, mais je pouvais les voir travailler. Puis une infirmière est venue me demander s'il prenait des médicaments. Sur le moment, je ne pensais à rien si bien que je pris quelques instants pour répondre. « Ah ! Oui, suis–je bête.

Il prend des antidépresseurs. Est–ce qu'il va bien ? » L'infirmière me répondit qu'il était trop tôt pour émettre un quelconque jugement. Elle reviendrait me voir dès qu'ils en sauraient plus.

Plusieurs minutes passèrent avant que l'infirmière ne revienne me voir pour obtenir des détails concernant le type et le dosage de ses médicaments. Je lui répondis que je n'étais pas certaine de pouvoir lui fournir ces informations de mémoire. « Fait–il une allergie aux médicaments ? » Elle m'a demandé d'appeler sans attendre à la maison pour obtenir plus d'informations. Je me précipitai vers le téléphone pour appeler ma mère. Quand elle décrocha, j'entendis mes enfants qui s'amusaient dans la cour arrière. Je lui dis : « Maman, écoute–moi bien, Geoff s'est évanoui et il se peut bien que cela ait à voir avec ses médicaments. Cours les chercher et donne–moi leurs noms exacts ainsi que la posologie. » Elle revint en criant : « Oh ! Mon Dieu Connie, je ne les trouve pas. » Sur quoi, je lui dis : « Vérifie bien, c'est très important. » Mon père prit l'appareil et me dit d'un ton grave : « Connie, le flacon n'est plus là, nous l'avons cherché partout. » J'ai raccroché et j'ai couru vers l'infirmière pour lui dire que mes parents n'avaient pas trouvé le flacon. Elle me répondit : « C'est ce que nous craignions : les pupilles de ses yeux sont dilatées, il a dû avaler tous les comprimés du flacon. Il fait une overdose. » Elle ajouta que les overdoses de ce type sont très sérieuses et qu'un médecin viendrait me voir dans quelques minutes. À ce moment, mon esprit ne faisait pas encore le lien, je ne saisissais pas pleinement le sens du mot «overdose » que je venais d'entendre. Je ne comprenais tout simplement pas la gravité de son état. Je me disais qu'il avait dû prendre plus de médicaments dans l'espoir de guérir plus vite ou qu'il s'agissait d'une erreur. Peut–être avait–il oublié d'en prendre un et ensuite avalé plusieurs d'un coup. Enfin, j'étais convaincue que tout se passerait bien.

J'attendais dans la salle d'attente quand j'ai soudain eu l'impression que mon sang quittait lentement tout mon corps, j'ai dû me rendre aux toilettes en vitesse pour vomir. Quand je suis revenue, le médecin m'attendait. Il m'a tout de suite dit que Geoff était très mal en point, toutes les pilules qu'il avait ingérées pouvaient provoquer un arrêt cardiaque à tout instant. Toutefois, Geoff était un grand gaillard de vingt–neuf ans en pleine santé doté d'un cœur robuste, c'est pourquoi j'étais persuadée qu'il s'en sortirait. On m'a permis d'entrer dans la salle et je lui ai tenu la main. Bien qu'il fût dans le coma, je lui ai dit combien je l'aimais et que je voulais le tenir dans mes bras. Mes parents et mes amis arrivèrent un peu plus tard. J'étais fatiguée, terrifiée et je me sentais malade, mais je ne voulais pas le quitter, ne serait–ce qu'une seconde. Geoff était un homme exceptionnel, chaleureux et aimable comme pas un, il fallait qu'il passe au travers de cette épreuve.

Toutefois, il se faisait tard et on me demanda de quitter la pièce. Avant de partir, je me suis assise tout contre lui et j'ai prié. Notre médecin avait été appelé un peu plus tôt. Soudain, il entra dans la salle d'attente où j'étais maintenant assise. Son visage s'embruma quand il me vit : « Connie, me dit–il, Geoff est mort. » Je l'ai dévisagé et je lui ai crié à la tête : « Mais vous êtes fou, je viens tout juste de le voir. Il est couché, là, dans cette salle et il dort. » « Non, répliqua–t–il, je suis désolé Connie, mais il est mort. »

Je suis tombée par terre, mes genoux ne me supportaient plus. Je me suis même mise à tambouriner sur la poitrine du pauvre médecin en le suppliant de retourner auprès de Geoff pour en prendre soin. Les infirmières se sont penchées vers moi pour m'aider. Puis, tout à coup, elles ont poussé un cri. Je me suis retournée et j'ai vu mon père qui venait de s'écrouler sur une chaise ; Geoff et mon père étaient très proches l'un de l'autre, enfin plus qu'un beau–père ne l'est ordinairement de son beau–fils.

Je me suis alors précipitée dans la salle et j'ai aperçu Geoff. Il était livide, blanc comme neige. Et, je me suis dit en mon for intérieur : «Oh ! Mon Dieu ! Le médecin a peut–être raison. Il est parti… Mon mari est mort. Mon Dieu ! Qu'est–ce que je vais faire sans lui ? Les enfants n'ont plus de père. Ça n'a pas de sens. Je ne peux pas le croire. Il y a tant de personnes dans cet hôpital qui luttent pour leur vie et mon mari décide qu'il ne veut plus de la sienne ?! Mon Dieu ! Qu'est–ce que je vais dire aux garçons, est–ce que je pourrai leur dire la vérité un jour ? Je n'ai plus envie de continuer, c'est moi qui veux mourir maintenant. »

Dans les semaines qui suivirent son décès, je me sentais comme si j'avais tout à apprendre, le simple fait de respirer et de marcher m'était presque devenu étranger. Au fil du temps, les choses se sont quelque peu replacées et j'ai déniché un emploi. J'ai décidé de dire aux enfants que leur père était mort d'une embolie. Je ne pouvais pas leur dire la vérité, le décès de leur père les avait suffisamment bouleversés et qui plus est, ils étaient encore trop jeunes pour comprendre. Au moins, j'ai eu la chance de me faire un nouvel ami. Au cours des mois qui suivirent le décès de Geoff, Artie est devenu mon meilleur ami. Ma mère connaissait sa famille depuis longtemps, ils s'étaient rencontrés durant le Seconde Guerre. J'en étais encore à recoller les morceaux de ma vie. J'avais décidé de me prendre en main et d'entreprendre une thérapie, quand le malheur frappa encore notre famille : ma jeune sœur de vingt–sept ans mourut quelques semaines avant son mariage. J'avais beau faire de mon mieux pour apprendre à vivre avec cette dure réalité, je ne pouvais rien à ce que je ressentais… et je me sentais comme une morte vivante.

Dès que j'ai vu qu'ils seraient en mesure de comprendre, j'ai dit la vérité à mes enfants au sujet de la mort de leur père. Il n'existe aucun moyen parfait d'annoncer ce genre de nouvelle. Et comme j'avais moi–même du mal à comprendre, je me disais qu'il se pouvait bien qu'ils aient encore plus de mal à comprendre. Michael l'a très mal pris, il éprouvait un terrible sentiment de colère, tandis que Geoffrey semblait très triste et abattu. Il faut dire que Michael était déjà sur une mauvaise pente, il sortait beaucoup, buvait et fumait de la marijuana, manquait l'école, bref il menait une vie complètement dissolue. Il suivait une thérapie depuis longtemps, mais elle ne semblait pas lui être d'un grand secours. Aussi, ai–je décidé de révéler à mes garçons tous les secrets concernant leur père, de sorte que je leur ai confié, que peu de temps après sa mort, un ami m'avait parlé d'un grand médium nommé George Anderson. Comme je n'avais jamais entendu parler de lui et que je ne me sentais pas très à l'aise avec cette idée, mon ami me suggéra de le rencontrer pour me rassurer. J'ai hésité pendant trois ans avant de me décider et même lorsque ma décision fut prise, je croyais encore qu'il pouvait s'agir d'une supercherie. Comment un homme pouvait–il parler aux morts ? Cela signifiait–il que l'âme de Geoff était toujours vivante ?

Tout ça pour dire que j'y suis finalement allée et que j'ai vécu des moments incroyables. J'ai toujours pensé qu'il fallait que je parle aux garçons de la captation. Je voulais aussi qu'ils sachent que leur père souhaitait s'excuser pour son geste, qu'il les aimait et qu'il était toujours auprès d'eux. J'avais un enregistrement de la captation et je leur ai fait entendre avant de leur révéler la vérité.

Je savais bien que cette révélation troublerait profondément Michael. Mon fils aîné était très intelligent et sa relation avec son père comptait beaucoup pour lui. Je sentais bien qu'il en savait déjà beaucoup sur lui, même s'il n'avait que quatre ans et demi lorsqu'il est décédé. Cet enregistrement fit merveille. Les garçons avaient l'occasion «d'entendre » leur père, chose qu'ils n'auraient jamais crue possible. Je m'escompte chanceuse d'avoir connu George. Dès notre première rencontre, j'ai su qu'il disait la vérité. Ce que j'ai entendu ne pouvait venir que de Geoff, il a touché mon cœur encore une fois et il a su guérir certaines de mes blessures, et je crois bien que cet entretien a eu le même effet sur mes garçons. Maintenant que nous savions tout sur cette histoire, je souhaitais seulement que nous aurions la force de tourner la page et d'aller de l'avant.

Dix ans plus tard, je me rendais encore à l'hôpital, mais cette fois, pour voir mon fils Michael qui souffrait d'une dépression. Je me suis demandé si tout ça allait un jour s'arrêter. Toutefois, j'ai pensé que Geoff pourrait nous être d'un grand secours. Si j'emmenais les garçons avec moi, Geoff pourrait leur parler et les aider. C'est ainsi que sans relâche, je lui ai téléphoné tous les jours, jusqu'à ce que je réussisse à obtenir un rendez-vous. À cette époque, Artie était non seulement entré dans ma vie, mais nous étions mariés. Nous avions pris cette décision deux ans après la mort de Geoff. Il était ma force et en plus, il adorait Michael et Geoffrey, c'est pour ces raisons qu'Artie m'a tout de suite plu. Artie nous a construit une nouvelle maison, une magnifique demeure qui nous a donné l'impression que notre vie recommençait à zéro. Notre troisième enfant, Joseph, est né sous de bons auspices, dès sa naissance il affichait un sourire radieux, cet enfant a de la chance, il possède une âme joyeuse.

Connaissant Artie et sa grande compassion, j'étais persuadée qu'il accepterait d'assister à la captation. J'étais très excitée à l'idée de revoir George, il faut dire que j'attendais beaucoup de cette captation, puisque je souhaitais ardemment qu'elle aide mes deux garçons à y voir plus clair. Ainsi, je passai plusieurs nuits sans sommeil à me demander comment la captation allait se dérouler. Le jour venu, je retenais mon souffle, mais ce fut incroyable, mieux que je n'aurais jamais pu l'imaginer. Geoff nous aime toujours et cette seule pensée me procure une joie immense. Il savait que Michael avait traversé des moments difficiles. Au sortir de la séance, je ressentais une grande paix, j'étais transportée de joie à l'idée que Geoff était toujours auprès de nous. Après toutes ces années, nous savions enfin que chacun de nous tenait encore une place importante dans son cœur. Le message de Geoff recouvrait, à mes yeux, une dimension quasi sacrée. J'étais persuadée que mon fils Michael en retirerait le plus grand bénéfice et qu'il commencerait enfin à apprécier sa vie.

Malheureusement, ce ne fut pas le cas. Michael avait cru tout ce que lui avait dit son père et Geoff l'avait même averti des dangers qu'il courait à suivre le même chemin que lui. Pourtant, rien n'y fit. C'est pourquoi, je me retrouve encore une fois, assise dans la salle d'attente d'un hôpital et je revis les affres de la dépression. Toutefois, j'ai acquis une certaine expérience et je détecte aisément les signes avant–coureurs de la maladie. Aussi, ai–je tout de suite décidé d'amener Michael ici avant qu'il ne commette l'irréparable. J'ai perdu mon mari, ma sœur, ma maison, mes espoirs, mais je ne perdrai certainement pas mon fils, ça non !

Nous resterons toujours une famille solidaire et qui plus est, nous savons maintenant que nous serons un jour tous réunis, quoi qu'il arrive. Le fait de savoir que George approuve ma nouvelle vie a effacé en moi tout sentiment de culpabilité. Je sais maintenant, pour l'avoir appris de George, que chacune de nos vies nous destine à un but précis. Chacun d'entre nous doit remplir sa tâche, mais nous avons aussi reçu des cadeaux de Dieu pour nous aider dans ce travail. Ayant reçu la force, j'ai le devoir de sauver mon fils bien–aimé. Je l'aime de tout mon cœur, lui et ses deux frères. Je ne l'abandonnerai jamais. George m'a dit que je ne devais pas craindre la mort. Nous serons tous appelés à quitter cette terre, nous le savons, mais nous craignons ce moment. Pourtant, il n'y a rien à craindre, la mort n'a rien de tragique, au contraire, elle nous ouvre les portes d'un monde plein de beauté.

Voici la transcription de la captation qui a eu lieu en présence de toute la famille. Merci à Dieu, à George et à Artie, vous m'avez donné la force de continuer.

LA CAPTATION

— Depuis le début, je sens la présence d'un individu masculin dans la pièce. Il est de votre famille ?

— Oui.

— Parce qu'il me dit qu'il est un membre de votre famille. Avez–vous déjà été mariée ? Votre mari est–il décédé ? Il est votre mari ? (En pointant du doigt Artie) L'homme se présente à moi comme étant le mari, le père et je crois...Non, je veux dire qu'il est assis juste là. (C'est à dire à côté d'Artie) (Aux garçons maintenant) Il est votre père biologique, n'est–ce pas ? (Ils font signe que oui) Est–il mort dans des circonstances troubles ? Il me dit qu'il n'était pas le plus heureux des hommes, c'est vrai ?

— En tout cas, il n'était pas heureux à la fin de sa vie.

— Il me dit que ce n'est la faute de personne. Il veut vous faire comprendre certaines choses, son message s'adresse tout particulièrement à vous et aux garçons. Il me dit que c'est à vous qu'il a des choses à dire. Il vient tout juste de me dire qu'il ne faut pas que ses garçons pensent que tout cela est de leur faute. Il était très malheureux vers la fin de sa vie. Il nageait en plein chaos, était–il très bouleversé ou tendu... ou quelque chose comme ça ? (Toujours aux garçons) Vous aviez peur qu'il soit fou ou quelque chose comme ça ? Parce qu'il n'arrête pas de répéter qu'il n'est pas fou. Les choses se sont simplement mises à mal tourner pour lui et il a dégringolé. Il me dit qu'il était son pire ennemi, en somme, il ne pouvait pas s'empêcher de voir tout en noir, il voyait les choses pires qu'elles ne l'étaient. (À Connie) Vous avez déjà été très proches l'un de l'autre ? A–t–il cherché à se distancer de vous à un certain moment ? Parce qu'il s'en excuse. Il semble que vous étiez très proches et qu'il a brusquement coupé les liens, il ne voulait plus être auprès de vous, il ne voulait pas être dérangé. Vous avez dû vous sentir coupable, vous vous disiez : «Mais qu'est–ce que j'ai bien pu faire pour qu'il se détourne de moi ? Nous étions si proches et tout à coup il ne m'aime plus. Il ne se soucie plus du tout de moi. » Mais il était en train de se perdre et de sombrer. Se montrait–il très exigeant envers vous ? (Ils acquiescent)

Il réalise qu'il a parfois été un peu dur envers vous, mais pas tellement plus qu'un père doit normalement l'être. En fait, il souhaitait prendre ses distances, voire couper les ponts. Il était un homme très ambitieux et très déterminé. N'est–ce pas ?

— Hum, ouais.

— Pendant un certain temps, il travaillait beaucoup, il avait à cœur de réussir. Vous priez souvent pour lui, n'est–ce pas ?

— Oui.

— Il vous en remercie et il vous demande de continuer. Croyez–vous qu'il était son pire ennemi ? Parce qu'il me semble que ses problèmes viennent de là. Il m'a dit à la blague qu'il avait fait de sa vie un opéra ; les choses lui paraissaient toujours pires qu'elle ne l'étaient en réalité. Cet homme avait très bien réussi, n'est–ce pas ?

— Oui.

— Son ambition et son travail l'avaient conduit à être très à l'aise financièrement. Cet homme était un fonceur, il n'hésitait pas à plonger et allait toujours au devant des événements, il bâtissait sa vie à coup de volonté et de force. Il voyait grand, ses projets avaient de l'ampleur et il mettait tout en œuvre pour les réaliser. Il n'était pas fait pour les demi–mesures. Avec lui, c'était tout ou rien. C'est ça ?

— Oui.

— C'est d'ailleurs la raison de sa chute. Enfin, c'est ce qu'il vient de me dire. Il voulait mourir ? Parce qu'il me dit qu'il souhaitait lâcher prise, tout laisser tomber. Pour tout dire, s'est–il enlevé la vie ? Ah ! Il vient de me dire qu'il s'était suicidé. Maintenant, il sait qu'il n'aurait jamais dû faire ça, non pas qu'il souffre là où il est, mais il a compris que son geste a causé plus de mal que de bien. Ce faisant, il a autant nui à sa propre famille qu'à lui–même. Mais il était au bord du gouffre, il étouffait littéralement et il était convaincu que la situation était sans issue. Dès son arrivée ici, il a pris le temps de réfléchir et il avoue qu'il n'est pas fier de son geste. Cet homme est loin d'être un idiot, il aurait pu s'en sortir et il le sait très bien. Il aurait pu voir ce qui lui arrivait comme un obstacle à surmonter, un autre défi à relever. C'est le genre d'homme qui aime les défis. Était–il irritable et colérique juste avant sa mort ? Il vient de me dire qu'il avait dit des choses qu'il regrettait. (Aux garçons) Est–ce que vous étiez le plus souvent l'objet de sa colère ? (À Connie) Il ne parle pas de vous, parce qu'il semble que vous entreteniez une relation différente, vous l'écoutiez et étiez toujours auprès de lui. (Aux garçons) Est–ce que vous aviez l'impression qu'il avait un préféré ?

— Bien… il était plus vieux. (Il pointe du doigt Michael)

— Il tient à s'excuser d'avoir démontré un certain favoritisme envers un de ses garçons. Enfin, il semble qu'il donnait l'impression de préférer un de ses deux fils au détriment de l'autre. Ah ! Je crois qu'il veut ajouter quelque chose. Il veut vous dire qu'il vous aime et qu'il sait que vous l'aimez.

Il admet cependant qu'il a pu se montrer plus empressé envers l'un de vous deux, mais il ajoute qu'il ne le faisait pas intentionnellement, même si vous aviez certaines raisons de le penser. Buvait–il ou quelque chose comme ça ? Quelque chose a rompu son équilibre et l'a tiré vers le bas ? À moins qu'il ne s'agisse de ses émotions ? Tout à coup, je me sens très abattu, comme si je souffrais d'une dépression.

— Oui, il était dépressif.

— Prenait–il des Valiums ou un autre médicament de ce type ?

— De l'Elavil.

— C'est pour cela qu'il m'a dit qu'il prenait une substance qui avait l'effet d'une drogue. Alors, j'ai pensé qu'il pouvait s'agir d'une substance illégale comme d'un médicament. Il m'a tout de suite montré le mot «Valium». Quoi qu'il en soit, il prenait des antidépresseurs. Il croit que sa médication l'aidait autant qu'elle lui nuisait. Il a connu les extrêmes. Sa vie se déroulait normalement, il était un jeune homme ordinaire, mais plus actif que la moyenne des gens. Il n'avait pas peur du travail, mais soudain, il lui a semblé que tout s'effondrait et qu'il perdait pied. Sa vie familiale étant pourtant très heureuse, remplie de bons moments, n'est–ce pas ?

— Oui, il a été très heureux.

— Son union lui procurait beaucoup de joie. Il était un très bon père et votre famille était très heureuse. A–t–il fait preuve d'un quelconque manque de jugement dans le domaine des affaires ?

— Il pensait que oui.

— Il me dit qu'il a manqué de jugement en affaires. Enfin, ici je parle pour moi, mais je sens qu'il s'accuse à tort, il n'a pas échoué. Je ne veux surtout pas le juger, mais j'ai envie de le secouer et de lui hurler à la tête : « Mais quel est ton problème à la fin, tu n'as pas échoué, l'échec n'existe pas. »

— Tout à fait.

— Il me dit qu'il est persuadé d'avoir échoué, pour lui les choses doivent toujours être parfaites.

— (Elle acquiesce)

— Il cherche toujours à atteindre la perfection, avec lui, il n'y a pas de place pour la moindre erreur. Sans quoi, il n'est pas tranquille. Il me dit qu'il a compris que le suicide était la pire solution. Vous avez cru qu'il vous envoyait au diable et la vie de vos deux garçons en a été profondément bouleversée. Ce geste revenait à vous dire : « Bon, je n'ai rien à faire de vous, aller vous faire f..., moi je pars. » Sans compter qu'il ne cessait pas de hurler et de rouspéter.

— Oui, mais seulement vers la fin.

— Oui, il semble qu'il était toujours hors de lui, il criait et se plaignait de tout, quoi que vous fassiez, rien n'était jamais satisfaisant. Et vous vous demandiez ce que vous aviez bien pu faire de mal. Ce changement d'humeur est survenu en l'espace d'un éclair ; en un rien de temps il est passé d'un extrême à un autre. Il ne mangeait presque plus, n'est–ce pas ?

— C'est juste.

— Il ne s'aidait pas, ses médicaments avaient un certain effet, mais ses carences nutritionnelles nuisaient à leur efficacité. Il n'avait plus d'énergie et bien qu'il dormait beaucoup, son sommeil était de piètre qualité. Il était en pleine dépression, mais il ne le savait pas encore. Du jour au lendemain, le gentil Dr Jekyll s'est transformé en M. Hyde. Il veut que vous sachiez qu'il n'est pas du tout fâché contre vous, pas plus que vous n'avez quoi que ce soit à vous reprocher. Vous n'aviez rien à voir avec son état, c'est pourquoi, vous ne pouviez rien y faire. Il s'est coupé l'herbe sous le pied. Malheureusement, dit–il, il est le seul à blâmer. N'allez par croire qu'il endure de terribles souffrances dans l'au–delà en repensant à sa vie, seulement, il a acquis une certaine lucidité et il sait dorénavant qu'il est le seul responsable de ses malheurs. Comme il vient de me le dire : « On peut aisément mentir aux autres, mais on ne peut se mentir à soi–même ou à la Lumière Infinie, un jour ou l'autre, on doit se regarder tel que l'on est. Êtes–vous en thérapie ou quelque chose comme ça ? (Ils font signe que oui) Je crois qu'il est au courant de vos démarches, parce qu'il m'a dit « que vous en étiez à recoller les morceaux ?»

— C'est vrai.

— Il me dit qu'il sait qu'il vous arrive parfois de souhaiter la mort pour enfin être libérée de tout ceci. Il vous supplie de ne pas le faire : « Crois–moi, ne me suis pas sur ce chemin, cela n'arrangera rien. » Il ajoute qu'il comprend très bien que lorsque la déprime s'empare de nous, il nous est difficile de faire appel à notre raison. On pense alors : « Puisque je ne vaux rien aussi bien partir. » Est–ce que son père est décédé ?

— (Elle acquiesce)

— Avant lui ?

— Je n'en sais rien.

— Parce qu'il n'arrête pas de me dire que son père l'a grandement aidé. Ils n'étaient pas très proches l'un de l'autre, n'est–ce pas ?

— Il ne le connaissait pas.

— Il me dit qu'ils ne se connaissaient pas très bien avant, mais qu'ils ont appris à se connaître et à s'apprécier dans l'au–delà. Son père a été merveilleux, il lui a fait le plus beau cadeau qui soit, il l'a aidé à s'aider. (À Michael) As–tu déjà eu des idées suicidaires ? Ton père te dit : « Ne fais pas la même chose que moi» et il a raison. Cela n'arrangera rien, tu n'en seras que plus malheureux car tu n'auras pas su affronter cette épreuve, il n'en tient qu'à toi, n'oublie pas. Tu ne voudrais certainement pas qu'on dise : «Tel père, tel fils. » Non pas qu'il pense que tu mérites plus d'égards que ton frère, mais il sait bien que tu souffres en silence. Tu es le genre de personne qui garde tout en soi et en ce sens, tu lui ressembles énormément.

Tu ne dois pas perdre de vue que tu es assis sur une bombe, toujours prête à exploser, il était comme ça. Il répète : « Ne fais pas la même chose que moi. Cela ne règlera pas tes problèmes, au contraire, tu te sentiras encore plus mal. » Il me dit que c'est une chose de perdre son père, mais que c'en est une autre de le perdre dans de telles circonstances. Était–il du genre à se faire du mal ? Il me semble qu'il essayait délibérément de se faire du mal. C'est plutôt déconcertant. Tout le monde qui le connaissait bien ne comprenait pas pourquoi il agissait de la sorte. Il m'a dit qu'il avait érigé un véritable mur devant lui, une véritable muraille savamment construite au fil des frustrations et du désespoir qu'il vivait. Il n'aurait jamais laissé personne s'en approcher, cette enceinte le protégeait du monde extérieur. Il ajoute qu'il ne voulait surtout pas demander de l'aide ; toute requête en ce sens constituait, à ses yeux, un signe de faiblesse. Maintenant il sait que c'est plutôt le contraire : reconnaître que l'on a besoin d'aide est un signe de force intérieure. Il a appris que tout le monde a besoin de l'aide des autres et de leur écoute, mais, à ce moment, il ne voulait compter que sur lui–même. (Aux garçons) Est–ce que l'un d'entre vous est, d'une quelconque façon, malmené par quelqu'un ?

— (Geoffrey) Toute la famille me malmène.

— Parce qu'il me parle d'un souffre–douleur.

— Il (en pointant du doigt son frère Michael) est toujours après moi.

— Il me dit qu'il faut absolument que cela arrête. Ne fais plus jamais cela, ça ne règlera rien. Vous devez faire un effort pour vous entendre, il sait que cela est plus facile à dire qu'à faire, mais vous avez déjà un lourd fardeau à porter sans en rajouter. Votre prénom est Connie, n'est–ce pas ?

— Oui.

— Un autre de vos proches est décédé, n'est–ce pas ?

— Oui.

— Parce que quelqu'un se tient derrière vous en disant qu'elle s'appelle Conchetta. S'agit–il de votre grand–mère ? Je la sens derrière vous, elle a posé ses mains sur vos épaules et elle dit que l'on a choisi votre prénom en sa mémoire.

— Oui.

— Elle me dit qu'elle est en quelque sorte votre ange gardien, elle veut que vous sachiez qu'elle fait tout ce qui lui est possible pour venir en aide à votre mari. Vous vous appelez aussi Conchetta ?

— Oui.

— Connaissez–vous un certain Joseph ou Joe qui est décédé ? Deux ? Répondez simplement par oui ou par non.

— Je crois que oui.

— Parce qu'il y a deux personnes à vos côtés qui prétendent se nommer Joe et Joseph. L'une d'elles joue un rôle paternel, il peut s'agir d'un oncle ou de quelque chose comme ça.

— Et l'autre ?

— L'autre l'a appelé Giuseppe (Joseph en italien), il est aussi associé à la paternité, peut–être un de vos oncles. Quant à l'autre Joseph, il vient de me dire qu'il était votre grand–père.

— Oui.

— Connaissez–vous un certain Peter ? (À Artie) Il est fort probable, comme je vous l'avais dit tout à l'heure, que des membres de votre famille en profitent pour venir vous visiter. Ce prénom vous dit–il quelque chose ?

— Je ne connais pas ma famille.

— Bon, je comprends. Une présence féminine est apparue à vos côtés, mais elle me dit qu'elle ne parlera pas tout de suite, étant donné que le mari de Connie a encore beaucoup de choses à dire. Il m'apparaît clairement que cette femme est une de vos proches parentes, peut–être s'agit–il d'une de vos grands–mères. Est–ce que le prénom de Carl vous dit quelque chose ? (À Artie) Il me semble qu'il est un de vos proches. Vous ne connaissez pas du tout votre famille ?

— (Artie) Non, pas vraiment.

— Vous ne connaissez personne du nom de Carl ou de Charlie ? Bon, nous verrons bien. En fait, il peut s'agir d'une erreur de ma part, mais il se peut aussi que vous n'ayez tout simplement pas eu la chance de connaître ces personnes. Et c'est bien là le problème, elles savent qui nous sommes, mais nous ne savons pas du tout qui elles sont. Toutefois, la femme qui est à vos côtés affirme qu'elle est votre vraie grand–mère, enfin elle doit vouloir dire «biologique». Elle a déjà été dans un orphelinat, êtes–vous au courant d'un tel fait ?

— (Artie) Il s'agit probablement de ma mère.

— Je vous vois entouré de religieuses. Votre mère est–elle morte ?

— Non.

— Il y a quelqu'un autour de vous qui dit être votre grand–mère, mais je voudrais m'assurer que je ne me trompe pas et qu'il s'agisse bien de votre grand–mère et non de votre mère. Je vois des femmes autour de vous, elles sont vêtues comme les religieuses que j'ai connues dans mon enfance.

Apparemment, elles appartiennent à l'institution qui a pris soin de votre mère ou d'un membre de votre famille.

— Est–ce qu'elles sont en rapport avec ce Carl dont vous me parliez ?

— Il me semble que Carl ou Charlie est un membre de votre famille, mais vous m'avez dit ne pas le connaître. Quatre religieuses sont auprès de vous. Votre mère a–t–elle déjà été dans un orphelinat dans la région de New York ?

— Oui.

— Parce qu'elles m'ont dit que leur ordre était établi tout près de l'endroit où nous nous trouvons. C'est pourquoi, j'ai pensé qu'il ne pouvait s'agir que de Brooklyn, de la région métropolitaine de New York ou d'une des cinq régions administratives de New York.

— (Connie) Je crois qu'elles parlent de Queens.

— (À Connie) Connaissez–vous un dénommé Mike ou Michael ?

— Oui.

— Il est mort ?

— Ouais.

— Votre mari le connaissait ?

— Il ne le connaissait pas, mais…

— Il est comme un père pour lui dans l'au–delà. Il me dit que dès son arrivée dans l'au–delà, votre mari a été envoyé dans ce que nous appellerions ici une maison de repos où il a vécu un certain temps en ayant pour toute compagnie des animaux. Il était entouré de faons, de chiens et de chats, bref d'animaux qu'il ne percevait pas comme menaçants. Quand il commença enfin à se sentir mieux, l'oncle Mike vint lui rendre visite pour lui offrir son aide. Il souhaitait l'aider à amorcer une réflexion sur lui–même. Votre mari ne manque pas de courage lorsqu'il est décidé à faire quelque chose, il va jusqu'au bout. Il aurait pu s'en sortir, seulement fallait–il encore qu'il le souhaite. (À Artie) Avez–vous perdu un de vos frères ?

— Pas que je sache.

— Vous ne vous connaissez pas un demi–frère qui soit décédé ?

— Pas que je sache. Quel est son nom ?

— Je ne le sais pas encore, je sens simplement la présence d'un frère décédé dans son entourage.

— (Connie) Dans son entourage ?

— Oui.

— Vous parlez bien d'un frère ?

— Oui, ou d'une personne qui est aussi proche de lui qu'un frère.

— Je vois.

— Ils devaient être comme des frères l'un pour l'autre. C'est qu'ils se montrent tous très discrets, ils savent que votre mari à encore beaucoup de choses à vous dire et ils ne veulent pas interférer dans cette communication. Mais, je sens une présence auprès de vous (Artie) et cette personne se présente à vous comme un frère. Si vous êtes certain de n'avoir aucun frère décédé, alors je crois qu'il doit s'agir d'un frère par choix, autrement dit, vous le considériez comme un frère.

— Oui.

— Vous travailliez avec lui ?

— Comment le savez–vous ?

— (Connie) Je sais de qui il s'agit, j'en suis persuadée.

— Peu importe qui il est, une chose reste sûre, il vient vers vous comme un frère. Il affirme que vous aviez des contacts de travail, c'est pourquoi j'en ai déduit que vous travailliez ensemble.

— (Connie à Artie) Travaillais–tu avec lui ?

— (Artie) Si c'est la personne à laquelle je pense, alors oui.

— Répondez seulement par oui ou par non. J'avais bien compris ce qu'il me disait, je suis certain que vous travailliez ensemble.

— D'accord.

— Bon, je crois qu'avec cela vous devriez trouver de qui il s'agit. (À Connie) Votre mari s'est enlevé la vie à l'aide d'une arme. Je ne parle pas d'une arme au sens où on l'entend d'habitude, mais il me dit qu'il a utilisé quelque chose contre lui. Je ne sens pas qu'il parle d'un fusil ou d'un couteau. Mais je me sens comme asphyxié, je manque d'air, je cherche mon souffle. Connaissez–vous un dénommé Sonny ?

— Oui.

— Il est mort ?

— Oui.

— (À Artie) Vous le connaissiez ?

— (Connie) Nous le connaissions tous les deux.

— Bon, peu importe qui il est, il vous salue. Il a surgi dans la pièce et il a salué Artie et les garçons. Il m'a dit qu'il vous connaît tous. Connaissait–il votre premier mari ?

— Oui.

— Il se présente comme étant son oncle.

— Oui, c'est bien ça.

— Connaissez–vous une dénommée Anna ?

— Oh ! Enfin, cela ressemble étrangement au prénom de quelqu'un que j'ai connu.

— Bien, mais n'en dites pas plus. Enfin, il s'agit d'une femme décédée. Et, d'une façon ou d'une autre, elle tient un rôle maternel ? Mais il peut tout aussi bien s'agir d'une grand–mère ou d'une tante. Enfin, il m'a semblé qu'elle s'appelle Anna. Connaissait–elle votre mari ? Elle est morte jeune. Elle m'a dit qu'ils se sont retrouvés ici. Attendez un instant… Connaissiez–vous deux personnes qui portaient le même prénom ?

— Je ne vois pas.

— Parce qu'elle m'a dit qu'elle avait rejoint l'autre. Je ne comprends pas ce qu'elle veut dire.

— (Connie) Voulez–vous que je vous explique ?

— Non, elle va me le dire. (Attendez) J'entends «Annie», en fait ça ressemble aussi à Angela ou Angelina.

— Oui, Angela.

— Ok, probablement qu'elle me disait Angie, on a dû l'appeler Angie, c'est pourquoi j'avais compris Annie. Vous êtes parentes ?

— Oui.

— Elle était plus qu'un membre de la famille, elle était aussi votre amie. Je sens qu'un fort sentiment d'amitié vous unissait.

— Vous avez traversé des moments très difficiles à la suite de la mort de votre mari, mais quand vous l'avez perdue, elle, vous avez pensé que c'en était trop, que c'était la goutte qui faisait déborder le vase.

— Oui.

— Elle me dit qu'elle était un peu comme une mère pour vos garçons.

— Oui.

— Elle se présente à vous comme une sœur ?

— Oui, c'est ma sœur.

— Elle m'a dit qu'elle était votre sœur et la tante de vos garçons, mais elle est aussi votre amie ?

— Oui.

— Vous avez pris soin de votre sœur ?

— Oui.

— Parce qu'elle vous remercie d'avoir été si bonne envers elle peu avant son décès. Elle vous tend un bouquet de roses blanches. Elle adorait vos deux garçons, n'est–ce pas ?

— Oui.

— Si je ne l'avais pas su, j'aurais pu facilement croire qu'elle était la mère des garçons. (Aux garçons) Elle se présente comme une mère, elle entretient un vif sentiment maternel envers vous deux.

— Oui. Pourrions–nous leur répondre ?

— En autant que vous ne me révéliez aucune information importante concernant votre famille. Elle vous salue, elle sait que vous êtes ici. Il y a aussi un dénommé Vincent, mais on le surnomme Jimmy, c'est exact ? (Ils font signe que non) Pourtant, il n'en démord pas, il me dit que vous le connaissez.

Réfléchissez, en êtes–vous sûrs ? Quand une âme s'obstine à me répéter une chose, c'est généralement vrai. Il se pourrait qu'il soit parent avec votre mari ?

— Je ne sais pas.

— Ok, essayons d'y voir un peu plus clair. Un de vos frères est–il décédé ?

— Oui.

— (À Connie) Le vôtre ?

— Oui.

— Elle me dit que cette personne est également avec elle.

— Oui.

— Parce que je sens sa présence. « Grant a pris Richmond ».

— Ah ! Ah ! Bien sûr !

— En fait, je me demande s'il ne s'agit pas de l'homme qui m'a parlé tout à l'heure, vous savez celui qui est allé à la rencontre de votre mari ?

— Vous aviez parlé de Michael, et mon frère porte ce prénom.

— Oui, je le vois. Il affirme qu'il est le frère de quelqu'un. Il a accueilli votre mari dans l'au–delà. Manifestement, ils sont tous les deux ensemble, votre mari et Michael. Conchetta est avec votre mère. Est–elle votre grand–mère maternelle ?

— Non, elle est la mère de mon père. Mais c'est tout comme si elle avait été la mère de ma mère. Elles étaient très proches l'une de l'autre.

— Ils me disent qu'ils sont avec elle, mais ils me laissent entendre que les parents de votre mère sont décédés ou au moins un des deux ?

— Oui.

— Angela et Michael se sont retrouvés, ils sont ensemble.

— Dieu merci !

— Angela vous demande de faire savoir à vos parents que vous avez entendu parler d'elle et qu'elle a rencontré Michael.

— Puis–je dire quelque chose ?

— Non. Vous avez eu une fausse couche ?

— Non.

— Avez–vous perdu un autre frère ? Ou votre mère a–t–elle déjà fait une fausse couche ?

— Je crois bien que ma mère a déjà fait une fausse couche.

— Je sens la présence d'un garçon. Il me dit que sa mort était tout à fait naturelle, qu'elle fait partie du grand cycle de la naissance et de la mort. Mais vous auriez pu avoir un autre frère. Ne répondez que par oui ou par non, dites–moi : « Est–ce que votre mari avait un surnom ? »

— Oui.

— Mais il s'agissait plutôt d'un surnom qui n'était connu que de quelques personnes, un genre de nom de code ?

— Oui.

— Il n'arrête pas d'écrire le mot «code» devant moi.

— Surtout ne me dites rien de plus que ce que je vous demande. Pensez–vous que j'ai déjà entendu ce nom ? Voyez–vous, là est toute la question. Si je n'ai jamais entendu ce mot, mon cerveau ne pourra le reconnaître et j'aurai l'impression d'entendre un mot d'une langue étrangère et je ne comprendrai pas.

— Oui, mais j'ai bien peur que vous ne l'ayez jamais entendu.

— Bon, pour le moment je sais qu'on l'appelait souvent par un genre de surnom, il m'a même montré un code. Ce qui prouve qu'il essaie de me le communiquer d'une façon ou d'une autre.

— Oui.

— Son surnom est en rapport avec son nom. Il ne cesse de me dire qu'il est en rapport direct avec son nom. C'est un nom très court.

— Oui.

— (À Geoffrey) Ton anniversaire est pour bientôt ?

— Je viens tout juste de le fêter.

— Oh ! C'est bien ça, parce que ton père te souhaite bon anniversaire et il t'offre un bouquet de roses blanches. Manifestement, il savait que tu venais tout juste de le célébrer.

(À Connie) Cette fois encore ne me dites rien, mais il me semble que votre mari cherche à me dire que son surnom est un diminutif de son prénom.

— Oui.

— L'appeliez–vous par un diminutif ?

— Oui.

— Ah ! Je viens tout juste de comprendre ce qu'il tentait de me dire. S'agit–il d'un surnom très usuel ? Il me dit que je dois déjà l'avoir entendu.

— Oui.

— Si je vous dis Sam, vous pensez à quelqu'un ou à quelque chose ?

— Oui.

— Il est mort ?

— Non.

— Votre mari le connaissait ?

— Oui.

— J'ai du mal à comprendre ce que votre mari veut me dire. Non, ça n'a pas beaucoup de sens.

— Sam est une personne ?

— Oui.

— Je voulais juste m'en assurer. Votre mari ne cesse de me répéter : «Dites à Sam que vous avez eu de mes nouvelles. » On dirait qu'il était plutôt proche de ce Sam.

— Oui.

— Il affirme que Sam ne l'a pas laissé tomber.

— Ok.

— Enfin, il semble que vous devriez comprendre ce qu'il entend par là. Est–ce que votre mari a manqué d'oxygène avant de mourir ?

— Je cherche ma respiration, j'ai la tête qui tourne et je me sens partir. C'était un très bon homme d'affaires ?

— Oui.

— Il me semble qu'il était un bon gestionnaire, il savait faire fructifier l'argent. C'était un type très brillant.

— Oui.

— Il était l'artisan de sa réussite, cet homme s'est fait tout seul.

— Sans aucun doute.

— C'est ce qu'il m'a donné comme impression. Il a commencé au bas de l'échelle et il a gravi peu à peu les échelons.

— C'est tout à fait ça.

— Il a eu le temps de réfléchir dans l'au–delà et il a compris qu'il avait baissé les bras pour la première fois de sa vie. Il s'est trouvé tellement bête de ne pas avoir au moins essayé de surmonter cette épreuve, d'autant plus que, du point du vue privilégié qui est dorénavant le sien, il voit bien qu'il avait accompli de nombreuses choses avant sa dépression. Il est passé du tout au rien, il s'est soudainement mis à voir tout en noir, lui qui était pourtant si optimiste.

— Oui.

— Vous avez posé certains gestes en sa mémoire, n'est–ce pas ?

— Oui.

— Il vous remercie pour le monument commémoratif. C'est vous qui l'avez fait ériger ?

— Oui.

— En fait, il ne s'agit qu'un des nombreux gestes que vous avez posés en sa mémoire ?

— Oui.

— Vous avez planté un arbre ou vous avez fait quelque chose en son nom. Enfin, vous ne vous êtes pas contentée de faire ériger un monument commémoratif, n'est–ce pas ?

— C'est exact.

— Bon, voici qu'il me reparle du fameux code, il me répète que son surnom est un dérivé de son nom. On l'appelait par un diminutif de son nom de famille ou quelque chose comme ça ?

— Ah ! Je crois que je commence à comprendre, mais vous ne voulez pas que je vous le dise, c'est bien ça ?

— Effectivement. Son nom de famille est plutôt court ?

— Oui, il est court.

— Moins de cinq lettres ?

— Oui.

— Il compte précisément cinq lettres.

— Les gens surnommaient mon père «Andy», parce qu'il se dénommait Anderson. Il me semble bien que le surnom de votre mari lui vienne de son nom de famille. Il n'arrête pas de me dire qu'il s'agit d'un dérivé de son nom de famille. Le nom de Peter revient sans cesse.

— Ce prénom me dit vaguement quelque chose, il se pourrait bien qu'il s'agisse d'un des parents de mon mari. Mais, je ne sais pas vraiment.

— C'est très intéressant. Il semble qu'il soit un parent d'Artie.

— Bon.

— Je l'ai entendu trois ou quatre fois.

— (Connie à Artie) Peut–être que ton grand–père s'appelait Peter.

— (Artie) Bon, c'est possible.

— Il faudrait tout de même que j'obtienne une confirmation. Au risque de me répéter, le prénom de votre mari a–t–il plusieurs diminutifs ?

— Oui.

— Qui comptent moins de trois lettres ?

— Oui.

— Son prénom se compose de plus de huit lettres ?

— Exact.

— Il compte précisément huit lettres ?

— Oui, mais vous ne le trouverez jamais, je vais vous le dire.

— Non, non !

— Bien, je voulais simplement savoir si c'était bien lui.

— J'avoue que c'est un peu frustrant. Il a été capable de me dire que son prénom avait huit lettres, mais on dirait qu'il n'arrive pas à me le dire.

— Pourquoi ?

— Je ne sais pas. Imaginez comment je me sens. Je n'ai jamais eu tant de mal à comprendre une âme. Son prénom avait une orthographe peu usuelle ?

— Oui.

— Ah ! Je comprends maintenant pourquoi il m'a mis en garde. Il vient de me dire que si je tentais de l'orthographier comme je le pensais, j'aurais du mal à le trouver. (Silence) Ah ! Il m'a donné un bon exemple. Il m'a dit de penser au prénom Stephen qui s'écrit aussi Steven. Il y a deux lettres semblables dans son prénom, mais habituellement, on ne l'écrit qu'avec une seule ?

— Non, il y en a deux aussi.

— Alors pourquoi me demande-t-il de doubler les lettres ? Ces lettres se suivent-elles dans son prénom ?

— Oui.

— Depuis tout à l'heure, il me répète que je dois porter une attention particulière à l'orthographe. Il m'a dit que je n'allais peut-être pas le trouver à cause de l'orthographe. Même s'il s'écrit différemment, son prénom ne compte pas plus de huit lettres. Bien qu'il comporte une lettre supplémentaire.

— C'est exact.

— Il m'a dit que cette lettre supplémentaire m'avait embrouillé. Ah ! Maintenant il me montre un M et un N. Cela signifie peut-être qu'il y a un N et un M dans son prénom. Mais j'ai plutôt l'impression qu'il est en train de réciter l'alphabet pour que je devine.

— Ah ! Je vois.

— Bon, je vais me concentrer sur l'orthographe usuelle de son prénom.

— Oui.

— Il a récité : « A B C D» et il s'est arrêté. Je dois donc considérer que la première lettre de son prénom vient après le D.

— Euh, euh.

— Il a sauté de D à M et m'a dit d'aller plus loin.

— Oui.

— Est–ce que son prénom a une consonance étrangère ?

— Certaines personnes le pensent, mais il ne s'agit pas vraiment d'un prénom étranger. Bien que sa manière de l'orthographier le soit.

— Voilà pourquoi il m'a dit de penser à un prénom étranger. Maintenant, il s'arrête sur le P. Est–ce après le P ?

— Vous ne voulez pas que je vous le dise ?

— Non.

— C'est après le M, il pourrait s'agir d'un O. (Silence) Son prénom commence par un O ?

— Non.

— Alors pourquoi me montre–t–il un O ? Il m'a dit que la première lettre de son nom se trouvait entre le M, mais pas plus loin que le P. Et je lui ai dit que cela ne se pouvait pas, seulement, il me semble que le O est quand même important ?

— Oui.

— Mais il ne s'agit pas de la première lettre de son prénom ?

— C'est exact.

— Mais il me dit que cette lettre est importante. Il y a un O dans son prénom et la première lettre vient après le M ?

— Non.

— Avant le M, mais il ne s'agit certainement pas d'un M ?

— C'est exact.

— J'avoue que je commence à perdre patience, il va falloir qu'il fasse un petit effort. Est–ce qu'il y a un G dans son prénom ?

— Ouais.

— Son prénom commence par un G.

— Oui.

— Maintenant il s'arrête sur le R, y a–t–il un R dans son prénom ?

— Oui.

— Est–ce qu'il commence par G et E ?

— Oui.

— Il est convaincu que je connais ce prénom. Est–ce que ça commence comme George, par G E O. Il me dit qu'il y a un son en «i» dans son prénom. (Silence, il écoute) Poète ? Quel poète ? Oh ! Chaucer, Geoffrey Chaucer.

— Oui.

— C'est ça ! Il s'écrit G E O F F R E Y.

— Geoffrey Chaucer, dès qu'il m'a dit Chaucer, j'ai pensé que son prénom était Jeffrey. Puis, je me suis dit que ça ne pouvait pas être ça à cause du J. Alors, j'ai pensé que les Anglais orthographient ce prénom avec un G (Geoffrey). Il m'avait pourtant dit que j'aurais du mal avec l'orthographe. S'il m'avait dit Jeffrey, j'aurais cru que la première lettre de son prénom était un J.

— C'est vrai.

— On l'appelait aussi Geoff ?

— Oui.

— Un de vos chiens est mort ?

— Oui.

— Il me dit que le chien est avec lui. Le chien est–il mort avant lui ?

— Oui, avant lui.

— Il m'a dit que la présence de ce chien faisait partie de sa «thérapie ».

— Oh ! Mon Dieu !

— Les âmes qui ont besoin d'un temps de réflexion sont directement dirigées vers un lieu de repos où se trouvent des animaux. Là–bas, elles jouissent de toute la latitude et du calme qui leur faut pour se remettre sur pied. Il m'a dit que le chien était avec lui dans cet endroit. L'animal était déjà là ou il est venu le rejoindre, je ne sais trop. Connaissez–vous un certain Dan ou Daniel ?

— Oui.

— Il est mort ?

— Votre mari le connaît, je dirais même qu'ils se fréquentent dans l'au–delà. Du moins c'est l'impression que j'en ai.

Je le dis parce que votre mari m'a dit : « Dan est ici avec moi. »

— Oui.

— Il y a aussi quelqu'un qui porte le prénom de Lou.

— (Artie) Oui, je connais quelqu'un de ce nom là.

— Il est décédé ?

— Pas à ma connaissance.

— Il fait partie de votre famille, se pourrait–il qu'il soit votre oncle ? Ils parlent de lui en disant « l'oncle Lou » Est–il veuf ?

— Non, pas que je sache.

— Parce que j'entends une voix féminine qui l'appelle. Mais il pourrait tout aussi bien s'agir de sa mère, bien entendu, si sa mère est morte. Ce Peter n'en démord pas, il revient toujours vers vous, ça doit bien vouloir dire quelque chose. Je ne sais pas encore qui il est, peut–être un ami de la famille ou que sais–je encore, mais le fait est qu'il revient toujours vous voir. D'une façon ou d'une autre, il doit être lié à votre famille.

— Pourriez–vous le garder auprès de vous pour un moment, je crois que je sais de qui il s'agit.

— Est–il de votre famille ?

— Ouais.

— (Connie) Il vient juste de s'en souvenir.

— Il est attaché à des images paternelles.

— (Artie) Pour qui ?

— Pour vous, il est sans doute un de vos oncles ou de vos grands–pères.

— Je vois.

— Parlait–il italien ?

— Oui.

— Parce qu'il vient de me dire qu'il s'appelait Pietro. Je crois bien qu'il s'agit de votre grand–père.

— Oui.

— Il m'a dit qu'il était venu à vous à cinq reprises depuis le début de la captation. Il est un des membres de votre famille. Donc, il se peut vous ayez un grand–père qui s'appelle Pietro.

Je ne saurais dire s'il est votre grand–père adoptif ou biologique, mais un chose reste sûre, cette âme me dit qu'elle veille sur vous comme un ange gardien.

— Bien.

— Il voulait simplement vous dire qu'il est auprès de vous. En général, lorsque les âmes insistent et me demandent de les écouter, c'est qu'il y a un détail qui m'a échappé, si elles persistent, c'est pour de bonnes raisons. Aussi, ai–je bien l'impression qu'il va s'en aller étant donné qu'il vous a transmis son message. Ces deux âmes (Lou et Peter) étaient venues nous visiter lorsque j'étais en communication avec Geoffrey, et je ne comprenais pas ce qu'elles tentaient de me dire. Geoffrey vous embrasse tous les trois avec amour. Il tient à rappeler à ses deux fils qu'il est heureux et en paix là où il est. Il ajoute qu'il ne faut surtout pas que vous vous sentiez coupables de quoi que ce soit en ce qui concerne la tragédie qui est survenue. Il dit que le fait de s'enlever la vie est une décision qui lui appartient. Il vous demande encore une fois de prier pour lui et surtout, rappelez–vous toujours de ce qu'il a dit à propos du suicide : « Croyez–moi, cela ne règlera pas vos problèmes. » Car il sait maintenant qu'il n'y a aucune épreuve terrestre dont on ne peut triompher, à condition bien sûr d'y mettre les efforts et la volonté nécessaires. Il aurait aimé savoir cela avant de prendre cette décision insensée. Il ne doute pas de l'amour que vous lui portez et il sait pertinemment que son départ a laissé un grand vide. Toutefois, il veut que vous sachiez qu'il est heureux et qu'il s'en est sorti. Continuez à prier pour lui, cela lui est d'un grand secours. Il serait comblé, si vous finissiez par trouver enfin la paix. Est–ce que vous connaissez quelqu'un qui s'appelle Lena ?

— Oui.

— Elle est décédée ?

— Oui.

— J'ai aperçu quelqu'un qui marchait dans la pièce et soudain elle m'a dit : « Bonjour, je suis Lena. » Est–ce une de vos tantes ou une de vos grands–mères ?

— Oui, ma grand–mère.
— Est–elle la mère de votre mère ?
— Oui.
— Elle me dit qu'elle est avec Angela et Michael ; ils sont tous réunis. Elle vous demande de dire à vos parents que vous avez entendu parler d'elle. Si j'ai bien compris, son mari est mort.
— Oui.
— Parce que je sens sa présence dans la pièce, voilà, il est bien ici. Lena est apparue la première et elle a appelé tout le monde par la suite. Naturellement Geoff est avec eux. Ils m'ont dit qu'ils allaient bientôt nous quitter, Geoff y compris. Ils vous demandent de prier pour eux jusqu'à ce que vous les retrouviez.
— Puis–je vous poser une question ?
— D'accord.
— Je sais que cette question est un peu bizarre, mais je suis curieuse de savoir ce qu'ils font dans l'au–delà.
— Bien, chacun d'entre eux a une tâche à remplir. Mais je crois que vous aimeriez savoir ce que fait Geoff. Eh bien ! Geoff pousse la réflexion qu'il a entamée sur lui–même. Une fois qu'il aura mieux compris qui il est, et ce qu'il veut, il pourra s'adonner à ce qui lui plaît. Ainsi, il choisira peut–être de jouer un rôle de conseiller auprès de personnes en détresse, qu'elles soient sur terre ou dans l'au–delà. Cette tâche s'apparente à celle que remplissent les alcooliques anonymes auprès des nouveaux arrivants. Il se rendra auprès des personnes qui sont en période de réflexion et quand elles auront terminé leur démarche, il ira à la rencontre d'une autre personne en difficulté.

LA FORCE DE PARDONNER

Les captations que j'ai menées auprès de personnes qui se sont suicidées, m'ont fait comprendre – et je crois bien que les familles en deuil en sont arrivées aux mêmes conclusions — qu'il nous fallait mettre en pratique le message d'amour et de générosité de l'au–delà. Il est de notre devoir d'être à l'écoute des autres et de ne jamais les juger. Nous devons faire l'effort de compassion nécessaire pour les comprendre sans les critiquer. Non seulement nous devrions agir ainsi avec les gens que nous aimons, mais aussi envers les personnes que nous ne connaissons pas. Certains individus qui ont vécu le suicide d'un proche m'ont avoué qu'ils avaient beaucoup de mal à pardonner ce geste. Ils pensent qu'il s'agit d'un acte profondément égoïste et irréfléchi. À leurs yeux, la personne suicidée est doublement coupable. Non seulement elle a gaspillé son temps sur terre, mais en plus, elle a créé un effroyable remous avant de quitter cette terre en semant la consternation et le désarroi dans son entourage. Sans un effort de compréhension et de compassion, le sens de ce geste nous échappera toujours, c'est pourquoi il nous faut puiser en nous, la force de comprendre et de pardonner. Par l'entremise des captations, les personnes qui se sont suicidées nous apprennent qu'elles ne se sentaient pas le courage de continuer sur cette terre. Dans l'au–delà, elles peuvent enfin poursuivre leur apprentissage spirituel et leur progression vers la Lumière Infinie dans un lieu de paix, loin des tourments et de l'agitation terrestre.

Le message des personnes suicidées n'est jamais aussi émouvant que lorsqu'elles avouent qu'elles n'auraient jamais dû commettre ce geste. Dans l'au–delà, elles ont pu faire le bilan de leur vie et avec le recul, elles ont compris qu'il n'y a jamais de situation désespérée. Maintenant, elles savent qu'elles auraient pu réagir autrement, seulement, elles ne se sont pas donné le temps de réfléchir et d'explorer toutes les avenues possibles avant de baisser les bras. Malheureusement, cette lucidité et ce calme qu'elles cherchaient tant, elles ne les ont trouvés qu'une fois dans l'au–delà. Ce n'est pas qu'elles regrettent leur geste, mais plutôt qu'elles ont pris conscience du mal qu'elles ont causé à leur entourage en prenant cette décision malheureuse. Cette question les préoccupe grandement, c'est d'ailleurs un des problèmes cruciaux qu'elles auront à régler dans l'au–delà.

Il m'est cependant arrivé de rencontrer au cours de mes captations, des âmes qui n'étaient pas en paix avec elles–mêmes.

Bien que l'au–delà soit un lieu de calme et de paix, ces personnes n'acceptent pas les circonstances de leur décès et se montrent hargneuses et pleines de ressentiments. Ces cas semblent plutôt isolés : sur mille captations, seulement trois ou quatre âmes présentaient une telle attitude. Non pas que leur état se soit aggravé dans l'au–delà, mais elles ont du mal à passer à autre chose, elles se remémorent constamment le passé. Elles savent bien que leur arrivée dans l'au–delà a marqué la fin de leurs tourments, toutefois, elles n'arrivent pas à trouver la paix, puisque leurs blessures émotionnelles ne sont pas encore guéries. Cette situation est temporaire, avec le temps, la paix de l'au–delà finit par avoir raison de leurs ressentiments. Certaines blessures prennent plus de temps à guérir que d'autres, mais tout finit par guérir et plus rapidement encore, dans l'au–delà.

J'ai rencontré Erin et Daniel Tomcheff chez le Dr Moody, lors d'un séminaire de fin de semaine consacré aux parents en deuil. Ces deux personnes singulières me donnaient l'impression d'être des incarnations des personnages de J.D. Salinger. Ils étaient tous deux cultivés, intelligents et ouverts d'esprit avec un je ne sais quoi qui leur conférait un petit côté artiste. Bref, ils font partie de ces rares personnes à n'entretenir aucun préjugé et à jouir d'une totale liberté de pensée. Vous me diriez sans doute qu'il s'agit du genre de personne à qui la chance a souri. Eh bien ! non. Le fait qu'ils aient pu s'épanouir malgré la souffrance qu'ils ont endurée me remplit d'une admiration sincère. Les pages qui suivent relatent un émouvant récit, celui de la vie et des circonstances du décès de Theon, tel que l'ont raconté ses parents. Qui d'autre aurait été mieux placé pour relater le parcours de cette courte vie, que ses parents qui l'aimaient tendrement ?

ERIN TOMCHEFF

Je voudrais vous parler de notre fils, Theon Tomcheff, né le 1er juillet 1970 à Westwood en Californie. Son histoire commence plutôt bien : Daniel, mon mari, avait un bon boulot qui payait bien et je venais d'obtenir un rôle dans un film dont le tournage était prévu dans quelques mois. Tout allait bien dans nos vies professionnelles, mais notre fils restait notre plus grande joie, nous l'aimions plus que tout au monde.

Peu après la naissance de Theon, nous avons quitté la Californie pour nous installer à Bensenville dans l'Illinois, nous trouvions que Los Angeles avait beaucoup changé et cela ne nous plaisait guère. Nous voulions que Theon grandisse dans un environnement sain et joyeux. Nous avons vécu dix–huit ans en Illinois, jusqu'à ce que nous décidions de repartir pour le Colorado.

Theon avait toujours éprouvé certaines difficultés à l'école. Dès son plus jeune âge, il avait été l'objet des railleries de ses camarades.

Tout cela aurait pu se régler aisément, si ce n'avait été de l'apathie des administrateurs qui ne prenaient pas au sérieux nos plaintes. C'est pourquoi, nous avons décidé de le retirer de l'école pour lui donner des leçons à la maison. Ainsi, Theon obtint son diplôme d'études secondaires par correspondance. À me lire, vous serez peut–être porté à croire que mon fils était un modèle de vertu ou un de ces êtres exceptionnels, auréolé d'une perfection quasi divine. Eh bien, détrompez–vous, il n'en est rien ! Bien au contraire, c'était un garçon tout à fait normal, un petit casse–cou doté d'un sens de l'humour décapant. Notre Theon a grandi bien vite, nous n'avons pas eu le temps d'y penser qu'il était devenu un magnifique jeune homme.

Ce qui ne nous a pas empêchés d'avoir des discussions orageuses concernant notre façon de voir le monde. Un soir, alors que nous étions en pleine discussion, Theon nous confia qu'il ne se sentait pas très bien. Il m'a dit : «Maman, j'ai l'impression que je fais une petite dépression. » Disant cela, il me semble qu'il pensait à ses vingt et un ans alors qu'il passait son temps dans les bars, qu'il avait de mauvaises fréquentations et qu'il collectionnait les armes à feu par pur plaisir. Cette expression : «Petite dépression» me rendait perplexe, Theon avait toujours l'habitude de s'exprimer avec clarté. Enfin, je me suis dit qu'il devait s'agir d'une remise en cause de ses valeurs et de sa vie en général.

Les amis de Theon ne composaient pas un groupe homogène, il avait des relations amicales avec des personnes de tous âges, de toutes professions et des deux sexes. Il avait des goûts très éclectiques, un savoir encyclopédique auquel se joignait une curiosité sans limite. Toutefois, il faisait preuve d'une crainte démesurée de l'autorité, plus précisément de la police et de l'emprisonnement. En 1991, il avait eu maille à partir avec la justice et ce petit incident avait fait naître en lui une angoisse terrible, en somme, il craignait plus que tout au monde d'être emprisonné. Pour Theon, la prison était pire que la mort. « Si je dois aller en prison, je me tuerai, même si ce n'est que pour une nuit », avait–il dit à son père. Sa condamnation se résuma à une amende doublée d'une assignation à des tâches communautaires. À partir de ce moment, la crainte de l'emprisonnement ne le quitta plus, il répétait souvent à son père : « Je mourrai avant d'aller en prison. »

Il faut ajouter que parmi ses nombreux amis, il s'en trouvait qu'on ne pouvait pas qualifier de bonnes fréquentations. Je pense à ces membres d'un groupe skinhead de Denver qu'il côtoyait. Tout ça pour dire qu'à la suite de cet incident, notre fils s'est progressivement replié sur lui–même. L'expression «petite dépression» qu'il avait utilisée pour me parler de son malaise, référait d'ailleurs à cette période. Durant l'hiver 1993, Theon commença soudainement à se remettre sur pied, de jour en jour, il allait mieux et sa personnalité s'affirmait. Deux semaines après cette transformation fulgurante, nous emménagions dans une nouvelle maison, remplis d'espoir devant l'avenir plein de promesses qui s'ouvrait devant nous.

Au mois d'octobre suivant, à deux heures du matin, les aboiements de notre chienne Tia me réveillèrent en sursaut. Je me précipitai à la porte avant et j'ouvris la lumière extérieure. J'ouvris la porte moustiquaire pour voir ce qui se passait dehors et j'aperçus Theon devant le garage qui pointait une arme dans la direction d'un homme. L'homme en question avait forcé les serrures de plusieurs voitures du voisinage et Theon, dans un élan de conscience civique, s'était mis en tête de jouer au justicier. L'homme vint vers moi en titubant, il ne faisait aucun doute qu'il était ivre. Sur le coup, je n'ai rien trouvé d'autre à dire que : « Il a une arme ».

Puis j'ai sommé Theon de rentrer immédiatement à la maison. Tandis que l'homme rebroussait chemin d'un pas chancelant, Theon tenta de nous expliquer ses intentions, ce sur quoi je répondis : « Tu sais, Theon, tu n'es pas le justicier du quartier. » Il a fait quelques réglages à son arme puis est retourné dans sa chambre. Nous n'avons pas cru bon de signaler l'incident à la police, nous nous sommes mis au lit tout de suite.

Ma nuit de sommeil fut encore une fois interrompue par des tambourinements intempestifs qui semblaient venir de la porte avant. Je me tirai encore une fois hors du lit, mais il n'y avait personne. Comme j'allais refermer la porte, j'entendis : « Agent Boulder police, agent Boulder police. » Des policiers inspectaient les alentours du garage, je les voyais derrière un arbre. « Allons, vous la mère, par ici et vous le père, venez nous rejoindre» cria le policier. Oh ! Mon Dieu, dis–je, venez dans la maison, je suis pieds nus.

Daniel m'a dit de courir mettre mes pantoufles pendant que le policier venait à notre rencontre. Ce que je fis en un éclair, je me précipitai dehors pour enjoindre le policier à entrer dans la maison. Le policier avait une curieuse façon de s'adresser à nous, il nous qualifiait de « père » et de « mère ». Il nous a raconté de façon un peu confuse qu'un homme avait porté plainte pour menaces avec une arme à feu. (Il s'agissait de l'homme que Theon avait surpris à cambrioler des voitures.) Je n'étais pas sûre de bien saisir ce qu'il me disait, j'avais froid et la peur me paralysait. Finalement, j'ai convaincu tout le monde de venir à l'intérieur, sur quoi, les policiers ont acquiescé en répliquant qu'ils voulaient voir Theon. Ils m'ont demandé d'aller tout de suite le réveiller, ils voulaient l'interroger.

J'obtempérai. Je lui dis que des policiers souhaitaient l'interroger, mais il était encore en plein sommeil et il semblait confus. J'ajoutai que cela concernait l'incident avec l'homme qui cambriolait les voitures. Lorsque nous sommes remontés à l'étage, là où tout le monde se trouvait, le policier s'entretenait avec ses deux collègues féminines. Ils ont longuement interrogé Theon au sujet de son arme et des tatouages qu'il portait. Theon leur expliqua qu'il avait déjà appartenu à un groupe de Skinheads. Toutefois, cet aveu ne sembla pas les satisfaire. Ils lui ont posé de nombreuses questions en rapport avec l'homme qu'il avait menacé, mais Theon nia tout.

Une des femmes officier appela alors la centrale. Elle revint en disant : « Bon, très bien Theon, nous devons t'emmener, habille–toi. » Je lui ai demandé pourquoi on l'arrêtait et elle m'a répondu d'un ton menaçant : « Parce que votre fils a commis un crime, c'est très grave. Il va être emprisonné. » Ce à quoi j'ai répliqué que nous aimerions d'abord appeler notre avocat. L'officier ne broncha pas, faisant mine de ne pas m'avoir entendue. Elle se retourna vers Theon : «Tu dois t'habiller et nous suivre. Où se trouve le revolver ? » Comme l'officier et mon fils s'apprêtaient à aller chercher l'arme, l'autre policière lui prodigua ce conseil : « Fais attention à ce qu'il ne prenne pas l'arme, ramasse–la et descends la première. » «Pourquoi ? Vous m'emmenez en prison ? », lança Theon. L'officier répliqua : «Il s'agit d'une affaire sérieuse. » (Theon était confronté à son pire cauchemar, mais nous ne le savions pas encore. Nous n'avions pas encore eu le temps d'y penser.)

« Nous nous apprêtions à descendre au rez–de–chaussée, mais notre chienne Tia s'obstinait à rester là, elle ne voulait plus quitter la pièce. Je l'ai appelée, mais Theon a préféré aller la chercher, il l'a prise par le collier et l'a amenée vers Daniel en disant : « Prends bien soin d'elle. » Puis, nous sommes tous descendus.

Theon était le premier, suivi du policier aux cheveux noirs, de moi–même et de la policière qui avait mis en garde sa collègue aux cheveux blonds contre les dangers d'ouvrir la marche en laissant mon fils la suivre avec l'arme. Une fois en bas, Theon s'est dirigé tout droit vers la bibliothèque, il a saisi son arme, l'a chargée en une fraction de seconde, puis l'a pointée sur sa tempe et il a appuyé sur la gâchette.

Son corps s'est légèrement soulevé de terre, on a entendu un bruit sourd, puis une fumée bleutée s'est élevée dans les airs. Le corps de Theon s'affaissa gracieusement sur la moquette, sa tête, plaquée contre le sol, baignait dans une flaque de sang. Daniel se précipita en bas, il était si énervé qu'il fonça dans le policier en courant vers Theon. Grand mal lui en prit, la policière blonde lui asséna un vigoureux coup de poing à l'œil droit pour le repousser. J'eus droit au même traitement assaisonné de cris menaçants pour bien me faire comprendre de ne pas m'approcher de Theon. Pas besoin d'insister sur le fait que leurs comportements m'a complètement dégoûtée ! Le policier aux cheveux noirs criait : « Reculez ! Reculez de la scène du crime ! » Tout cela me semblait si irréel, je les regardais s'agiter, mais ils me paraissaient à mille lieux ; tout ce que je savais, c'était que mon fils, mon seul fils, venait de mourir.

À ce moment, je ne savais pas du tout de quoi serait fait le reste de notre vie. On nous a amenés à la centrale et un détective nous a fait subir un interrogatoire de plusieurs heures. J'espère seulement que j'ai réussi à leur faire comprendre que Theon était un garçon très brillant, mais j'en doute. Je leur ai répété qu'il n'était pas suicidaire, mais que l'emprisonnement comptait parmi ses pires craintes. Il fallait voir ce suicide comme une réponse démesurée face à cette phobie qu'il avait. Il a fait ce qu'il croyait être le seul moyen d'échapper à ce qu'il percevait comme le plus terrible châtiment...Il s'est enlevé la vie. Il s'agit d'un accident tragique, d'une véritable catastrophe. Il ne pensait pas à la mort, il cherchait simplement à s'échapper.

La vie de notre fils sur cette terre a été celle d'un pèlerin de passage. Il aimait la vie et savait même l'apprécier sous ses pires aspects. Toutefois, il avait toujours eu peur de perdre le contrôle de sa vie, il craignait par–dessus tout qu'une institution détienne un quelconque pouvoir sur lui. Un mois après la mort de notre fils, Daniel a fait un rêve dans lequel Theon lui disait : « Où est maman ? Puis, il a ajouté doucement : «Je ne pouvais pas supporter cela. » Ce rêve nous a déchiré le cœur. Cette première phrase lui ressemblait tellement : Theon voulait toujours savoir où se trouvait sa mère, elle était la personne qui comptait le plus pour lui. Et puis, ce «je ne pouvais pas supporter ça», faisait directement référence à son arrestation et à sa phobie de la police et du système judiciaire, ces monstres qui lui avaient coûté la vie.

La semaine qui suivit son décès fut pour le moins agitée. Nous ne cessions de ressasser le passé à la recherche d'indices et de souvenirs.

Nous étions au cœur de la tourmente, pour dire les choses de façon claire mais brutale, disons que nous nous approchions dangereusement de cette question : « Devrions–nous mettre fin à nos jours ? » Nous n'avions formulé aucun désir conscient de passer à l'acte, seulement nous avions perdu le goût de vivre. Depuis le décès de notre fils ce samedi matin de la semaine précédente, la vie n'avait plus aucun sens. Peu à peu, cependant, nous en sommes venus à considérer les choses sous un autre angle. Les policiers appelaient «suicide» ce qui était arrivé à Theon, or, si nous en mourions aussi, tout le monde dirait que nous sommes morts par suicide, alors qu'il s'agit d'une situation beaucoup plus complexe. Ainsi, nous ne pourrions jamais témoigner de ce qui a motivé le geste de

Theon ce matin–là. L'attitude de la police et de tous ceux qui tiennent notre vie entre leurs mains ne serait pas remise en question et si elle l'était, nous ne serions pas là pour voir que justice a été rendue.

DANIEL TOMCHEFF

Les mois qui suivirent le décès de Theon ont été des mois de ténèbres. Heureusement, nos amis nous ont grandement supportés dans cette épreuve. Nous avons utilisé toutes les ressources disponibles, car nous voulions comprendre et approfondir le sens de cette épreuve. Notre quête a été marquée par une de ces fausses «coïncidences», un de ces «petits miracles» dont parle le Dr Melvin Morse, qui sont en fait orchestrés par les âmes de l'au–delà. Alors que j'attendais Erin dans une librairie, mon regard s'est posé sur deux livres qui ont immédiatement capté mon attention. Le premier était de George Anderson et l'autre de Raymond Moody. Je me suis souvenu de ces livres lorsque nous avons rencontré ces auteurs, seize mois plus tard, lors d'une thérapie de groupe qui se tenait en Alabama. Ce week–end de thérapie nous a permis d'acquérir les quelques connaissances qui faisaient défaut à notre compréhension. Ainsi, nous avons pu saisir les motivations à l'origine de son geste, de même que le sens de cet événement tragique. Le fait d'apprendre que Theon était bien – et je dirais même qu'il se porte à merveille – nous a été salutaire. D'autant plus, que nous savons maintenant que nous le retrouverons un jour. Voici la captation qu'a menée George Anderson auprès de notre fils Theon.

LA CAPTATION

— Bon, maintenant quoi que je vous demande, répondez seulement par oui ou par non. Voyons voir. Ils ne savent pas encore qui va parler en premier. Enfin, je sens la présence d'un homme autour de vous, d'une femme aussi, oh ! Et d'un autre homme. Deux de vos proches sont décédés ? Je ne vous donne même pas le temps de répondre, puisqu'ils viennent de le faire pour vous. Ils m'ont répondu : « Oui, c'est bien ça. » Ainsi, vous connaissez deux hommes, parmi vos proches parents, qui sont décédés et l'un est mort assez jeune ? C'est bien ça ?

— Oui.

— Ils sont de deux générations différentes ?

— Oui.

— C'est ça. Parce qu'ils sont deux. Non, il y a encore un autre homme avec lui et une autre femme. Maintenant, il y a trois hommes et au moins deux femmes. Ah ! Ok, ok, quelqu'un vient de se présenter à moi, il dit qu'il est votre fils. Avez–vous perdu un fils ?

— Oui.

— Oui, manifestement, c'est le plus jeune des deux. Il est apparu le premier dans cette pièce. Ah ! Je peux... je sens qu'il vient de s'asseoir entre vous deux et qu'il vous enlace. Je suis content que vous ayez laissé une petite place entre vous. Ainsi, votre fils est avec nous en ce moment. (À Erin) Votre père est décédé ? Oui, c'est ce qu'il me semble, parce que je vois un homme derrière vous, il a posé ses mains sur vos épaules. Et, il affirme qu'il est père. Votre fils est en compagnie de son grand–père. (À Daniel) Votre père est décédé lui aussi ?

— Oui.

— Ah ! C'est la même chose pour vous. Un homme a posé ses mains sur vos épaules et votre fils vient de me dire qu'il était en compagnie de ses deux grands–pères. Je les entends parler, ils parlent de « maman ». Est–ce que votre mère est morte ? (À Erin) La vôtre est décédée ? Ok, je sens qu'il s'agit bien de sa grand–mère maternelle. (À Daniel) Votre mère est toujours vivante ?

— Oui.

— Une femme s'est présentée à moi en disant qu'elle était la maman, mais elle ne m'en a pas dit plus. C'est pourquoi, je ne savais pas trop de qui il s'agissait. (À Daniel) En fait, cette femme est votre mère par alliance. (À Erin)

Vraisemblablement, votre mère et votre père sont tous les deux présents. (À Daniel) Et, bien entendu, votre père. Mais il me semble que vous avez perdu un frère ?

— (Erin) Oui.

— Votre frère ?

— Oui.

— Bon, je ne saisissais pas ce que votre fils entendait par : « Parlez–leur du frère. » Je ne savais pas s'il voulait parler de son frère ou du frère de quelqu'un d'autre. Bon, alors votre frère est décédé ? Il est mort jeune, enfin selon les critères d'aujourd'hui ?

— À cinquante–sept ans.

— Oh ! C'est bien ça, parce que de nos jours, toute personne qui meurt avant l'âge de soixante–cinq ans meurt prématurément. Je sens la présence discrète de plusieurs autres personnes, toutes se disent être vos grands–parents, autrement dit, les arrière–grands–parents de votre fils. Ils sont tous réunis ici. Votre fils était très proche de vous deux ? Parce que je sens que je ne m'adresse pas seulement à un fils, mais aussi à un de vos bons amis. C'est à cause de ce qu'il vient de me dire : « Vous savez, notre famille n'était pas différente des autres, nous avions nos hauts et nos bas, mais nous n'avons jamais cessé de nous aimer malgré tout.

Il … hum… il… comment dirais–je, il était le genre de type à garder tout pour lui ? Je sens pourtant qu'il est très ouvert, mais en même temps, je sens qu'il est très secret.

— C'est exact.

— Il est vrai que c'est un peu le cas de tout le monde, mais je sens tout de même qu'il est plein de contradictions, il est très extraverti et en même temps une petite parcelle de lui reste complètement inaccessible. En gros, il est tout de même relativement extraverti. Manifestement, vous avez prié pour lui, parce qu'il vous remercie pour vos prières et il vous demande de continuer. Il était très indépendant, n'est–ce pas ? (Les parents font signe que oui) J'ai l'impression que c'est le genre de personne à faire plusieurs choses en même temps, vous comprenez ce que je veux dire. Autrement dit, je sens que sa famille compte énormément à ses yeux, mais qu'en même temps, il est autonome, il a des idées et des manières de faire qui lui sont propres et il y tient. Il m'a dit que vous vous inquiétiez pour lui et il tient à vous rassurer. Il est très bien et il m'a dit – mais vous le savez sans doute — qu'il n'est pas du genre à rester seul, il se lie d'amitié facilement, bref, il n'est pas oisif. Il s'est fait beaucoup d'amis. Il s'adapte, c'est le genre de personne qui se trouve bien partout. Sa mort relève de circonstances tragiques ? En tout cas, il se trouvait dans une situation qui était hors de son contrôle, n'est–ce pas ? Enfin, c'est sous cet angle qu'il m'a présenté les choses.... (Silence) Bon, ne me répondez pas tout de suite. Vous semblez hésitants. Votre fils m'a confirmé qu'il se trouvait bel et bien dans une situation tout à fait hors de son contrôle. (Long silence) Hum...il savait qu'il allait mourir ?

— Euh...

— Parce qu'il me dit que la mort ne lui faisait pas peur. Aussi, savait–il qu'il était sur le point de mourir. Son agonie n'a pas été longue, n'est–ce pas ?

— C'est exact.

— Quand le temps a été venu, il est mort très rapidement. Enfin, c'est sans doute pour cette raison qu'il a affirmé que la mort ne lui faisait pas peur. Je ressens un malaise dans la poitrine, mais je n'ai pas l'impression que son décès était attribuable à la maladie ?

— C'est exact.

— Il m'a vaguement semblé qu'il m'indiquait sa poitrine. Mais je ne sais pas encore pourquoi. Il m'a clairement affirmé qu'il ne souffrait pas d'un problème de santé. Ah ! Il ajoute que sa mort était accidentelle, enfin peut–être un peu plus qu'accidentelle.

— C'est vrai.

— Il m'a dit, c'est un accident, mais encore un peu plus que ça. Je crois qu'il m'a dit cela pour que mon cerveau ne fasse pas une analogie avec la maladie. En fait, j'aurais bien pu associer la maladie à un état accidentel, c'est sans doute pour cette raison qu'il a dit : « C'était un peu plus qu'un accident ».

Cela concerne sa tête ? Parce que je ressens quelque chose d'étrange dans ma tête à présent. Tout à l'heure, j'ai ressenti le même malaise, mais dans la poitrine, en fait, j'ai aussi l'impression de manquer d'air. Vraisemblablement, quelque chose a fait qu'il s'est asphyxié et c'est en rapport direct avec ce qu'il avait à la tête. Pour le moment, il n'a de cesse de me dire que tout va bien. Comme s'il savait que le fait d'entendre parler de cela allait vous mettre dans un état terrible. En fait, il semble que vous ne souhaitiez pas en entendre parler, vous voulez simplement vous assurer que les circonstances de sa mort ne le traumatisent pas trop. Oui, je sens bien (je ne trouve pas de meilleurs mots pour l'exprimer) qu'il a subi une blessure à la tête, c'est ça ? Il vient tout juste de me dire que sa mort était due à une blessure à la tête.

— Oui.

— Ça s'est passé en un éclair, il s'est blessé et il est mort tout de suite. Il tient absolument à ce que vous sachiez qu'il n'a pas souffert. Il m'a dit que sa mort paraissait beaucoup plus terrible qu'elle ne l'avait été. Il affirme qu'il n'a pas... ou plutôt que vous aviez peur qu'il se sente seul ?

— (En pleurs) Non.

— Parce qu'il m'a dit qu'il n'était pas seul. Je crois qu'il veut dire que quelqu'un l'attendait de l'autre côté, qu'une personne était là pour l'accueillir et l'aider.

— Ah ! Je comprends.

— Était–il très proche d'une femme ? D'une femme qui est morte ? Une de ses amies est–elle morte ou une femme qu'il connaissait bien ?

— Non, pas que je sache. Nous déménagions tout le temps.

— Oh ! Il n'arrête pas de me parler de cette femme, d'une amie qui est décédée et qui est auprès de lui. Je me sens soudain comme si je remontais le temps. Il peut s'agir de quelqu'un qui ... Je n'arrive pas à connaître son nom, pas plus qu'aucun détail la concernant. Je ne ressens que quelques vagues impressions… il pourrait s'agir d'une copine de collège ou quelque chose comme ça. Bien qu'il revienne sans cesse sur le sujet, il ne me donne aucun détail, peut–être ne souhaite–t–il pas en dire plus. Je ne vais pas lui poser plus de questions sur le sujet, du moins pour le moment. Encore une fois, j'ai l'impression d'un coup. A–t–il été frappé à la tête ? Enfin, pas comme si quelqu'un l'avait frappé, je sens plutôt un coup dans sa tête.

— C'est exact.

— Hum… une arme est impliquée ?

— Oui.

— C'est bien ça. Il est en train de me dire : « J'ai reçu un coup dans ma tête, pas un coup à la tête comme si quelqu'un m'avait frappé avec une batte de base–ball. » C'est ce qu'il voulait dire par «dans la tête», il m'a dit que je devais penser aux différents sens du mot coup, en fait aux coups de feu et non pas aux coups de poing.

On peut dire qu'il se trouvait au mauvais endroit au mauvais moment ?

— Oui.

— C'est ce qu'il m'a affirmé. C'est comme si… Ou plutôt, je vois Curly un des membres des Trois Stooges, il rigole, il fait des plaisanteries sur le fait que votre fils a été victime des circonstances. Cela confirme ce que votre fils m'a dit : il était au mauvais endroit au mauvais moment. Il a été victime des circonstances. Il a malencontreusement été mêlé à une querelle ?

— Je ne sais pas si l'on peut dire cela.

— Il a été mêlé à une querelle qui ne le concernait pas ou dans une situation qui ne le regardait pas ?

— Oui.

— Pourquoi me parle–t–il de travail ? Est–ce que l'incident s'est produit sur son lieu de travail ? Il était en train de travailler ? Ok … il parle de travail pour tenter de me faire comprendre quelque chose. Bon, passons à autre chose pour le moment, il reviendra sans doute sur le sujet et peut–être s'expliquera–t–il plus clairement. J'entends des coups de fusil. Il a été touché à la tête ?

— Oui.

— Quelqu'un lui a tiré une balle dans la tête ?

— Non.

— Bon (il parle au fils), alors qu'entendez–vous par « quelqu'un » ? Il me dit qu'il a été touché à la tête. Accidentellement ?

— C'est juste.

— C'est vrai qu'il m'avait dit tout à l'heure : « C'est un peu plus qu'un accident». J'ai tout de suite su qu'il ne s'agissait pas d'un accident de voiture. Soit dit en passant, dans ma symbolique personnelle, les accidents de voiture représentent tous les accidents, ils constituent pour moi une représentation symbolique des accidents en général. Bref, le fait qu'il me dise : « C'est un peu plus qu'un accident», combiné au fait que je n'avais pas reçu d'images d'accidents de voiture, m'a donné l'impression qu'il s'agissait d'autre chose. Il semble qu'il y ait une zone grise ici. En somme, de son point de vue, les choses sont plus compliquées qu'elles ne le paraissent à première vue.

— C'est juste. C'est tout à fait ça.

— Et il très heureux de pouvoir en parler. Ce faisant, il pourra confirmer ce que vous pensiez, m'a–t–il dit. Il y avait beaucoup de tension dans l'air juste avant sa mort ?

— Oui.

— Parce que … enfin, pardonnez–moi l'expression, mais vous aviez des emmerdes ?

— Oui.

— Il m'a dit qu'il y avait des emmerdes, juste avant sa mort, que tout le monde vivait des moments angoissants.

— Oui.

— Il vient de m'avouer qu'il s'était comporté de façon totalement irrationnelle, c'est exact ?

— (En pleurs) Ouais, oui et non.

— C'est tout à fait ça. Il n'avait pas complètement perdu la tête, mais en même temps, on ne peut pas dire qu'il avait toute sa tête. Il a admis qu'il n'était pas dans un très bon état d'esprit. Sa conduite était totalement irrationnelle.

— Oui, je suis d'accord.

— Est–ce qu'il... buvait–il ou quelque chose comme ça ? Prenait–il de la drogue ou une quelconque substance ? C'est ça ... je sens que quelque chose affecte mon organisme, je me sens étrange, comme si je n'étais plus tout à fait moi–même.

— C'est juste.

— Il me semble qu'une quelconque substance est en jeu. Il pourrait s'agir d'alcool, de drogue ou de toute autre substance de cette nature. Je me sens...enfin, j'ai l'impression de perdre mon équilibre mental. Oh ! Je vois, c'est ce qui m'a confondu. Bon... je vais le dire, j'ai la sensation qu'il s'est enlevé la vie ?

— Oui.

— Mais, il ne s'est pas suicidé, n'est–ce pas ? (Ils acquiescent d'un signe de tête.) Il m'a dit : «Quelqu'un a tiré sur moi, mais je n'avais plus conscience de ce qui m'arrivait. » Il savait bien qu'il m'induirait en erreur en me disant cela. Car j'ai tout de suite pensé que quelqu'un avait tiré sur lui. Il n'a pas tardé à réagir : « Non, non, ce n'est pas ça, si tu ne peux pas comprendre, autant arrêter maintenant, va–t–en.... Puis, quelques instants plus tard, il m'a dit : « Oui, c'est vrai, je me suis enlevé la vie, mais je ne me suis pas suicidé. »

— C'est tout à fait ça.

— C'est pourquoi, il m'a dit : «Quelqu'un a tiré sur moi», en fait, ce «quelqu'un», c'était lui, mais il voulait me signifier qu'il n'était plus lui–même, comme hors de lui.

— Oui.

— Sur le rapport de police on a écrit qu'il s'agissait d'un suicide.

— (En pleurs) Absolument.

— Enfin, je ne fais que répéter ce qu'il est en train de m'expliquer. Il est très heureux de pouvoir enfin vous raconter sa version des faits. Il est persuadé que cela vous réconciliera avec ce qui est arrivé. La question restait sujette à bien des spéculations, vous pensiez qu'il ne s'était pas suicidé, mais dans les faits, son geste ressemble plus à un suicide qu'à autre chose, alors vous étiez confus. Il est très heureux de pouvoir enfin vous faire savoir qu'il ne l'a pas fait, il ne s'est pas suicidé. C'est pourquoi, il a insisté sur le fait qu'il s'agissait d'un accident, mais d'un peu plus qu'un accident. Il s'est enlevé la vie de manière accidentelle. Il a été victime des circonstances.

— (En pleurs) Oh ! On ne peut pas dire plus juste.

— Bien entendu, il a tiré, cette «personne» qui a tiré, n'est nulle autre que lui, mais il a parlé de lui à la troisième personne pour signifier qu'il n'était plus lui–même.

— C'est juste, vrai.

— Ce geste ne lui ressemblait pas du tout.

— (En pleurs) Bien sûr que non.

— Il n'était plus lui–même. Si j'étais psychiatre comme le Dr Moody, je dirais que votre fils n'était plus là, au moment du drame, vous n'étiez plus en face de la personne que vous aviez connue. En ce moment, votre fils me parle, mais ce matin–là votre fils était quelqu'un d'autre.

— Oui, pour ça, il l'était.

— Je sais qu'un esprit cynique pourrait bien trouver qu'il ne s'agit là que de vaines sensibleries, mais je suis persuadé qu'il veut me dire qu'il se trouvait dans un drôle d'état d'esprit. Était–il du genre cabotin ? Aimait–il plaisanter ? C'est étrange, j'ai l'impression qu'il veut jouer à un jeu ou quelque chose comme ça ? Bon, ne me dites rien de .... Ah ! ... Je vous explique. Il vient de me dire que sa pensée était plus complexe et que j'aurais peut–être du mal à saisir ce qu'il veut dire. Bref, il m'a dit que cette histoire avait de multiples facettes. C'est pourquoi, il a insisté sur le fait qu'il n'était plus lui–même, mais quelqu'un d'autre. Il ajoute qu'il n'est pas devenu fou du jour au lendemain ; il ne s'est pas levé un bon matin en se disant : « Bon, c'est ce matin que je me tue. »

— C'est exact.

— Ce n'est pas aussi simple que ça. Vous savez... enfin, il s'agit de plus... C'est au–delà de l'accident. Y avait–il des personnes avec lui lorsque c'est arrivé ? Parce qu'il me dit qu'il était avec des gens et puis tout à coup, il s'est retrouvé seul. (Ils font signe que oui.) Il me dit qu'il est seul, mais qu'il y a des gens autour de lui. Ce qui confirme ce que vous m'avez dit tout à l'heure à propos du fait qu'il n'était pas seul au moment de sa mort. Bon, on dirait qu'il hésite entre oui et non maintenant. Bref, il semble qu'il n'était pas seul, du moins en apparence.

— C'est exact.

— Il se sentait seul ?

— C'est le moins qu'on puisse dire. C'est absolument ça.

— Hum...Il y a quelqu'un d'autre... Bon, je vous remercie de n'avoir rien dit, je sens que je commence à comprendre ce qu'il essaie de me dire. Je croyais que je faisais fausse route, mais il m'a dit : « Non, non, c'est ça, mais en beaucoup plus complexe. » Connaissez–vous un certain Kevin, ce nom vous dit quelque chose ?

— Oui.

— Il est décédé ?

— Non, je ne crois pas.

— C'est un de ses amis ?

— Oui. (*Kevin était venu visiter Theon en compagnie de sa femme et de leur nouveau–né, la veille de sa mort. Ils ont même écrit un poème en mémoire de son décès.*)

— Il m'avait bien parlé de ce Kevin tout à l'heure, mais je n'y ai pas porté attention. J'étais trop concentré, je voulais d'abord éclaircir les circonstances de sa mort. J'ai maintenant le temps de m'y attarder. D'ailleurs, il n'arrête pas de répéter son nom. Est–ce que Kevin était présent lors de son décès ou...

— Non, mais ils étaient bons amis, enfin je crois.

— Oui, ils étaient amis. Mais je ne saurais dire s'ils étaient très bons copains. Le fait est qu'il répète son nom, comme s'il l'appelait, mais je ne sais pas pourquoi.

— Nous comprenons cela.

— Vous avez rêvé de votre fils ?

— Oui.

— Il m'a dit qu'il vous avait visités en rêve. Il cherchait à vous joindre... Hum...Il ajoute que ce n'est pas tant qu'il se sente désespéré ou angoissé, mais il est en période de questionnement. Parce qu'il... hum, hum... parce qu'il a compris, bien que la situation était compliquée...Il est en paix maintenant et il ...hum...tentait de vous le dire. Aujourd'hui, il a enfin la chance de vous faire savoir qu'il est bien. Ok, ok, il ajoute que ce n'est de la faute de personne.

— D'accord.

— Il tient vraiment à ce que vous le sachiez, il n'arrête pas de répéter : « Personne n'est responsable, j'étais simplement au mauvais endroit au mauvais moment. » Il ne voudrait surtout pas vous choquer, mais il tient à dire les choses telles qu'elles sont. Est–ce qu'une dispute a précédé sa mort ? Parce que je sens que l'atmosphère était très tendue quelques minutes avant son décès.

— Oui.

— Y a–t–il eu un échange verbal ou ... ?

— Je dirais ça comme ça.

— Il s'agissait d'une discussion très sérieuse ? Je me sens comme...

Je sens ... que la situation n'était pas très claire sur le moment. (Au fils) Pourquoi, n'acceptes–tu pas de tout me dire maintenant ? Je comprends de moins en moins le sens de tes explications. Enfin, il semble qu'il souhaite me dire que des membres de votre famille étaient là pour le saluer dès son arrivée dans la Lumière. Vous aviez peur d'avoir raté son éducation ? De l'avoir mal élevé ?

— Oui, c'est une de nos grandes craintes.

— Il répète : « Vous n'avez rien fait de mal, vous m'avez bien élevé. » Il tient à ce que vous le sachiez hors de tout doute. Il était très dur envers lui–même, n'est–ce pas ?

— (En pleurs) Oh ! Pour ça, oui.

— Oui, il l'admet. Ah ! Il s'est mis à chanter un air connu, vous savez : « Avec moi, c'est tout ou rien. » Vous saviez qu'il était comme ça ?

— Oh ! Oui !

— Je crois que cette tension que je ressentais tout à l'heure se rapporte à ses émotions. Il traversait une période difficile ?

— Oui.

— Il vient de me le dire. Il me raconte qu'il était très tendu, voire frustré. Tout le désignait comme un bon candidat au suicide. Enfin, vu de l'extérieur cette hypothèse était parfaitement plausible. Toutefois, ce n'est pas le cas.

— Effectivement.

— C'est pour cette raison qu'il m'a dit tout à l'heure : « Les policiers ont eu beau jeu, ils ont écrit SUICIDE sur leur rapport et l'affaire était réglée. » Son état mental faisait de lui un candidat au suicide. Et comme vous le savez, il a ajouté : «Non, ce n'était pourtant pas le cas. »

— Oui.

— Que faisait–il avec son arme ?

— Vous voulez dire…

— Ouais, il était en train de la nettoyer ou il s'en servait pour faire une blague ? Il a fait quelque chose à son arme avant de s'en servir. Parce qu'il m'a dit qu'il ne jouait pas à la roulette russe, mais qu'il jouait quand même. En tout cas, il faisait quelque chose avec son arme avant de mourir ?

— Oui, c'est exact.

— Maintenant, il me dit quelque chose au sujet de la maison. Est–ce que cela s'est produit à la maison ?

— Oui.

— Ah ! Je sens que ça se précise. Travaillait–il avec cette arme ?

— Non, mais probablement qu'il y a eu un problème avec cette arme.

— C'est peut–être ce qu'il voulait dire par «travailler avec» .

— Oui, parce que quelque chose ne fonctionnait pas bien.

— Il m'a dit qu'il s'amusait avec son arme. Un peu comme ces personnes qui, par pur plaisir, s'amusent à démonter des horloges, vous voyez ? Pourtant, il a aussi affirmé qu'il travaillait avec. Bref, il travaillait et il jouait. C'est très étrange, il me dit qu'il savait très bien ce qu'il faisait, mais qu'en même temps, il ne le savait pas du tout. (Rires) C'est un peu comme si j'avais une crevaison sur une route déserte, je ne sais pas comment m'y prendre, mais je me verrais dans l'obligation d'essayer. J'ai l'impression qu'il était en train d'essayer de faire quelque chose, mais je ne sais pas quoi. Je crois bien que le coup est parti accidentellement. C'est comme si le coup était parti tout seul et je sens aussi toute la confusion et le trouble qui accompagnent ce geste.

— (En pleurs) C'est tout à fait ça.

— Diriez–vous qu'il avait trop bu ? J'éprouve soudain cette sensation.

— Il ... avait bu plusieurs bouteilles de bière.

— Car j'ai la sensation qu'il était plutôt ivre.

— Il était...

— Pourtant ce n'était pas seulement l'alcool qui l'avait mis dans un tel état.

— C'est vrai.

— Est–ce qu'une autre personne est morte en même temps que lui ?

— Non.

— Même pas quelque temps avant ou après son décès ?

— Non.

— Bon, il avait plutôt de mauvaises fréquentations à cette époque ?

— Plus vraiment, il avait tourné la page, sa vie était en train de changer.

— Ok, parce qu'il m'a dit qu'il n'était pas toujours en très bonne compagnie.

— C'est exact.

— Hum, sans doute pensait–il aux quelques mois qui ont précédé l'accident. Je n'ai pas bien compris. Ah ! Il vient tout juste de me dire que tout ceci n'a aucune importance. « J'étais avec les mauvaises personnes, c'est tout. »

— Bon.

— Pourtant, cela ne lui ressemblait pas ?

— Il n'était pas comme ça.

— J'ai encore l'impression d'être dans le noir… mais je ressens l'envie irrépressible de lui dire : « Bon sang, qu'est–ce que tu faisais avec ces gens–là ? Ils ne te ressemblent pas. Est–ce que, moi, il me vient à l'esprit de fréquenter un bar bondé de rednecks ? Juste pour le plaisir et parce que je trouve ça excitant ? En fait, il m'a fait voir un bar de rednecks qui se trouve tout près d'ici. Je m'amuse souvent à y inviter mes amis lorsque nous passons tout près : «On va prendre un verre ici ? » Personne n'a jamais accepté cette offre gracieuse, car tout le monde sait que l'endroit est fréquenté presque exclusivement par des redneks.

Je crois qu'il essaie de me dire : « Tu vois, je ne leur ressemblais pas, pas plus que toi, tu ressembles à ces rednecks. » (Silence) Quelques mois avant sa mort, il baignait dans ce genre d'atmosphère douteuse ? Ce n'était pas un solitaire ?

— C'est exact.

— Bon, j'ai compris ce qu'il voulait dire par «atmosphère douteuse», il voulait me dire qu'il fréquentait des gens du même acabit que ces rednecks. Il s'était distancé de vous ?

— Non, et même, c'était le contraire.

— Parce qu'il…

— Par le passé ?

— Non, mais il vous fait des excuses.

— Bien…

— Il avait pris ses distances… il ajoute : « Je me suis pardonné et je souhaite que vous fassiez de même. »

— (En larmes) C'est fait.

— Il affirme que…hum…je cherche mes mots. Oh ! Oui, c'est ça ! «Il faut être deux pour danser un tango. »

— (En larmes) Il nous pardonne ? Vraiment ?

— (Long silence) Il sait bien que vous êtes encore très fragiles, toutefois, et il s'est montré très prudent dans le choix des mots, il affirme qu'il lui était arrivé de se sentir exclu ou repoussé ?

— C'est fort possible…(en pleurs) Oui, c'est arrivé.

— Il ne veut pas vous blâmer, il sait bien que vous risquez de vous torturer avec ça pendant des jours. Alors, n'allez surtout pas vous culpabiliser, mais il me dit qu'il vous est arrivé de le tenir à l'écart.

— Oui, je vois de quoi il parle.

— Il ajoute qu'il en a été très malheureux. L'ignorer revenait à jeter de l'huile sur le feu. (Silence) Sa grande indépendance de caractère était loin de vous plaire ?

— Non, je ne dirais pas ça.

— Il m'a dit que vous désapprouviez ses choix ou que vous n'aimiez pas qu'il mène une vie aussi libre et affranchie de tout… ou quelque chose comme ça… Enfin, il semble que vous étiez brouillés.

— C'est difficile à dire, je ne sais trop.

— Pourtant, il m'a dit que vos rapports étaient parfois tendus ou conflictuels, mais jamais au point que vous ne vous parliez plus.

— Oui, c'est vrai. Vous savez, nous étions très différents ; cela ne fait aucun doute.

— Oui, il vient encore de m'en parler, même qu'il n'arrête pas de me dire qu'il y avait beaucoup de tension dans l'air peu de temps avant sa mort. (Les parents de Theon ont d'abord cru qu'il parlait de l'incident avec l'homme ivre.)

— Il me dit que l'incident est survenu au cœur de la tourmente et qu'il avait servi de catalyseur à toute cette tension latente. (Silence) Il est en train d'essayer de m'expliquer quelque chose de très compliqué et il me demande de prendre tout mon temps pour bien comprendre, car mon esprit pourrait simplifier ses explications en tentant d'y mettre de l'ordre. Une fois encore, les choses sont plus compliquées qu'il n'y paraît à première vue. Il me met en garde : « Il y a plus…Il y a plus. Le sens des choses surpasse les apparences. » Ah ! Il souhaite par–dessus tout que je vous dise qu'il vous faut trouver la force de vous pardonner à vous–même, votre esprit doit se libérer de ses sentiments de culpabilité. Il vous arrive souvent de vous demander : « Quel rôle avons–nous joué dans ce drame ? Aurions–nous pu faire quelque chose pour l'empêcher de s'enlever la vie. » Vous ne devez plus ressasser le passé, laissez tomber toutes ces questions qui ne mènent à rien. Votre fils vous demande de cesser de penser ainsi. Il a été honnête, il vous a confié qu'il avait parfois le sentiment que vous le repoussiez, mais il ne pense pas que vous l'ayez jamais abandonné.

— C'est vrai.

— Il est très heureux de pouvoir enfin vous dire ce qu'il pense de tout cela. Il ne l'avait jamais fait auparavant…Je veux dire, vous parler à cœur ouvert de ce qu'il ressentait. Avez–vous un autre enfant ?

— Non.

— Avez–vous perdu un autre enfant ou quelque chose du genre ?

— Non. Bien que… Nous en parlions justement en nous rendant ici. Quatre ans avant que je ne sois enceinte de Theon, mes règles ont été en retard de trois semaines.

— Il me semble bien que vous auriez pu avoir une fille. Votre fils m'a parlé de «sa sœur», mais vous m'avez répondu que vous n'aviez qu'un enfant. Pourtant, il est revenu à la charge, il a répété qu'il avait une sœur. Bref, si votre grossesse n'avait pas été brusquement interrompue, vous auriez une fille. Parce qu'encore une fois, il n'arrête pas de me dire qu'une femme est auprès de lui là–bas. Toutefois, ce qu'il m'en dit reste flou, mais je sens bien qu'il est intime avec cette femme. Quoi qu'il en soit, il est votre seul fils, aussi n'avez–vous jamais connu le deuil d'un autre enfant. Bien. (À Erin) Votre mère est décédée depuis longtemps ?

— Oui.

— Parce qu'il me semble que vous lui avez souvent demandé d'aider votre fils. Et bien, elle vient de me dire qu'elle est auprès de lui. Ils sont très proches l'un de l'autre, même qu'ils sont très bons amis. Votre fils.... Avait–il un quelconque problème de santé ?

— Non.

— Non ? D'accord, mais je viens encore de ressentir ce malaise à la poitrine, vous savez, je vous en ai parlé tout à l'heure.

Peut–être s'agit–il d'un malaise qu'il a éprouvé avant de mourir ? J'ai l'impression de manquer d'air. (Silence) Vous avez dû prier pour lui ? Parce que votre fils vous en remercie et il vous exhorte à continuer. Ah ! Je vois... Votre fils est mort alors qu'il était adulte ? Enfin, plutôt jeune adulte. Un de vos animaux domestiques est mort, n'est–ce pas ?

— Oui.

— Un chien ?

— Non.

— Non, attendez... Il parle d'un animal domestique, mais il ne m'a pas dit de quelle espèce. Ok, je vais essayer d'y voir un peu plus clair. Il dit : « L'animal qui est mort est avec moi. » Est–ce que cet animal est mort avant lui ?

— Oui.

— Oui, c'est ça. Il m'a dit que cet animal l'a accueilli dans l'au–delà. Comme il aimait tendrement cette bête – et que l'on fait toujours confiance à ceux qu'on aime — elle a été chargée de son accueil afin qu'il se sente immédiatement en confiance. D'ailleurs, la mort de cet animal l'avait grandement chagriné.

— Oui.

— Aussi, dès qu'il l'a aperçu, il a été rassuré et il n'a pas craint de le suivre dans la Lumière. Il a tout de suite pensé que tout allait bien et qu'il n'était pas en danger. Dans les secondes qui ont suivi sa mort, il a un peu paniqué, car il ne savait pas où il était. «Où suis–je ? Qu'est–ce qui m'arrive ? Je suis dans un vortex ou quoi ? Et un vortex noir en plus ? Qu'est–ce qui se passe ? » Mais comme il avançait vers la Lumière, il a aperçu cet animal qui venait à sa rencontre. C'est à ce moment qu'il a compris, il s'est alors dit : «Je dois être mort» et il l'a suivi en toute confiance. J'ai encore du mal à saisir tout ce qu'il veut me dire. Je sais bien que je ne devrais pas faire preuve de trop d'empressement, mais j'ai envie de savoir. C'est un peu comme si j'étais toujours au bâton et que je ne réussissais pas à frapper au moins un coup de circuit. Je l'exhorte à se faire plus précis, à s'expliquer une fois pour toutes, en fait, je lui ai dit : « Allez, laisse–moi frapper un coup de circuit. » Je sens bien qu'il a beaucoup à dire, mais – et c'est le cas de le dire — il tient le gros bout du bâton, je dois attendre, je n'ai pas le choix. (À Daniel) Votre relation avec votre père était plutôt distante ?

— Je crois que nous aurions pu avoir une relation plus chaleureuse.

— Ouais, ce n'était pas que vous vous haïssiez, mais vous auriez pu avoir une meilleure relation, en tout cas, c'est ce qu'il vient tout juste de me dire. Il ajoute qu'il vous a toujours aimé. Il faut dire qu'il avait du mal à exprimer ses sentiments. Je crois qu'il veut s'adresser à votre mère, il l'appelle. Ah ! Il me dit qu'elle a du mal à marcher.

Je sais que je ne vous apprends rien que vous ne sachiez déjà, mais votre père tient à la mettre en garde. Elle doit être très prudente en marchant. Il s'agit probablement d'un problème chronique, parce qu'il m'a dit que son état le préoccupe. (Silence) Est–ce qu'on peut dire que votre fils avait une arme à portée de la main ?

— Oui.

— Il n'arrête pas de me dire : «Elle était à portée de la main. »

— J'ai l'impression que je pourrais tenir cette arme dans ma main. J'en déduis qu'il ne s'agit pas d'un fusil, mais plutôt d'un revolver. C'est comme s'il l'avait avec lui ? En savez–vous plus là–dessus ?

— Oui et non.

— Les choses ne sont pas très claires, j'ai vraiment l'impression qu'il avait une arme, mais en même temps je ne peux en être sûr. Il est justement en train de me dire que cette séance va me rendre fou ! Enfin, il me répète que les choses sont plus compliquées qu'elles en ont l'air. (Silence) Connaissez–vous un dénommé Dan ou Daniel ?

— (Daniel) C'est moi !

— Une personne qui est morte ?

— Non.

— Votre fils répète ce prénom depuis quelques instants, j'imagine qu'il doit vous appeler. Il m'a dit que vous aviez beaucoup souffert de sa mort… mais en silence. Comme la plupart des hommes vous avez parfois du mal à exprimer vos émotions. Il vous a appelé par votre prénom pour faire appel à ce qu'il y a de plus intime chez vous, pour réveiller les émotions que vous avez enfouies au plus profond de vous. Malheureusement, les hommes sont souvent mal assurés lorsqu'il s'agit d'exprimer ce qu'ils ressentent. Ah ! J'ai la curieuse impression que vous saviez qu'il avait une arme et que vous n'étiez pas d'accord. Ce détail m'apparaît être particulièrement significatif.

— Oui.

— Est–ce qu'il vous arrivait de penser que vous négligiez votre fils ?

— Non, c'était plutôt le contraire.

— Je le crois aussi, il ne veut pas que vous pensiez qu'il se sentait délaissé. Si je vous dis «Stan», vous pensez à quelqu'un ?

— Stan Wollinski ?

— Il n'est pas mort ?

— Je ne sais pas, mais c'est fort possible.

J'ai l'impression qu'il l'appelle. Est–ce qu'il se montrait parfois distant envers ses amis ?

— S'il gardait ses distances ?

— Oui.

— Oui.

— Il vient de me confier qu'il était parfois distant… Je sens… ou il me fait voir des scènes du roman de Charles Dickens, *Les Grandes Espérances*. Il éprouvait quelque penchant pour la vie d'ermite ?

— Oui, c'est vrai.

— Il me dit qu'il se sauvait du monde, qu'il préférait vivre loin des autres à cette période. En fait, vous ne l'aviez jamais connu comme ça ?

— Oui.

— Tout est blanc ou noir, me dit–il. Bien qu'il soit, par nature, très extraverti, il lui arrive de se replier sur lui–même. En somme, il peut facilement passer d'un extrême à l'autre. Il semble qu'il avait décidé de changer radicalement sa vie.

— Oui.

— Il voulait se retrouver, apprendre à se connaître. Il était en remise en question ?

— Oui, absolument.

— Et les gens de son entourage ne voyaient pas sa démarche d'un bon œil, cette idée les faisait « flipper » et ils se sont éloignés de lui.

— Ah ! Peut–être que certaines personnes qui le connaissaient bien ont pu réagir ainsi.

— Du moins, c'est ce qu'il me dit. Ses amis l'ont mis à l'écart, ils ne le comprenaient plus. Il s'est senti rejeté et cela l'a profondément blessé. Avec le recul, il pense qu'il a accordé trop d'importance à leurs réactions, il sait bien qu'il n'aurait pas dû s'en faire à ce point.

— C'est probablement vrai.

— Bref, l'attitude de ses amis l'a heurté. Quoi qu'il en soit, il insiste sur le fait qu'il était en pleine remise en question ?

— Euh, euh, cela ne fait aucun doute.

— Cette idée ne vous emballait pas, vous pensiez qu'il faisait fausse route. À vos yeux, il était son pire ennemi. J'aimerais mieux comprendre, toucher enfin le cœur de cette histoire, mais je n'y arrive pas. Il ne me donne que des miettes.

— Moi, j'ai compris.

— Voyez–vous, c'est justement ça le problème. Lorsque nous les comprenons, les âmes sont beaucoup plus à l'aise et volubiles.

— J'aimerais bien qu'il déballe enfin son sac et qu'il me dise de quoi il s'agit, pour le moment je suis obligé de reconstituer le puzzle pièce par pièce. Ah ! Ah ! Il me dit qu'il était en pleine crise de la cinquantaine !

— C'est ça ! Vous l'avez dit !

— Il m'a dit : «Je traversais un genre de crise de la cinquantaine, même si j'étais loin d'avoir cinquante ans. » Il est indéniable qu'il s'est enlevé la vie, mais paradoxalement, on ne peut pas dire qu'il s'est «suicidé».

— C'est tout à fait ça. On ne pourrait pas mieux dire.

— Je me suis dit en moi–même : « Mais comment diable a–t–il pu se tirer une balle dans la tête ? » Sur quoi, il n'a pas manqué de rétorquer : « C'était un accident, un accident, n'oublie pas.

— Oh ! George ! C'est ça ! C'est tout à fait ça !

— Vous saisissez le sens de ses paroles ?

— Oui.

— Bon, c'est bien. C'est une balle qui l'a tué ?

— Oui.

— Il me dit qu'il s'agissait d'un « coup de feu justifié ». Est–ce qu'il a tiré dans la mauvaise direction ?

— Non, je ne crois pas.

— Tenait–il l'arme ?

— Il la tenait.

— Oui, il vient de me le confirmer. Par contre, il me répète une fois encore qu'il feignait de s'en servir, qu'il « jouait » selon ses propres termes. Est–ce qu'il y avait plus d'une balle dans le barillet ?

— Oui, plusieurs.

— Alors pourquoi soutient–il qu'il n'y en avait qu'une ? Comprenez–vous ce que cela signifie ?

— Oui, je comprends.

— Bon, récapitulons. Voici ses paroles : « Il n'y en a qu'une», j'ai supposé qu'il disait «une» pour «une seule balle». Alors je vous ai posé la question et vous avez démenti l'information. Sur quoi, il a répliqué sur–le–champ : « J'ai pourtant dit qu'il n'y en avait qu'une. »

— D'accord, je vois.

— Est–ce que cela concerne son décès ?

— Oui.

— Bon, « il n'y en a qu'une» et cela concerne sa mort, hum... Je ne comprends pas du tout où il veut en venir, il devait pourtant s'en douter ! Bon, il va falloir que tu t'expliques. Pas vous, lui ! Ah ! Il tient son arme, j'en suis persuadé maintenant, il a tiré. Il m'a dit qu'il tenait une arme et qu'il n'y en a qu'une.

— Peut–être n'y en avait–il qu'une après tout... maintenant que j'y pense, c'est possible. Nous avons même discuté de cette possibilité tout à l'heure.

— Bon, ça se peut alors ?

— Oui, c'est fort possible, George.

— (À Theon) Tu tenais l'arme ? Il me dit qu'il avait placé le revolver contre sa tête.

— Oui.

— Oui, puis il a appuyé sur la détente.

— C'est ça.

— Ok (À Theon), tu me dis que tu as appuyé sur la détente ? (Réponse) «Non, je ne me suis pas suicidé. »

— Exact.

— Je ne sais plus. Était–ce une question d'angle de tir ?

— Non, la trajectoire était rectiligne.

— Oui, je sens que la balle est allée se loger directement dans sa tête.

— C'est ça.

— Et, c'est lui qui a pressé la détente ? Mais il insiste...c'est qu'il est têtu, il n'en démord pas. Quand il a une idée dans la tête, celui–là !

— Oui, il est plutôt obstiné.

— Bon, il ne s'est pas suicidé.

— C'est vrai.

— Je sens autre chose... Ah ! Il vient de me dire que le plus souvent, il luttait contre lui–même, c'était un de ses combats les plus difficiles à livrer.

— Oui, on peut aisément dire ça de lui.

— Il acquiesce. Mais il me semble aussi que vous le saviez déjà. Enfin, il vient de mettre ce sujet sur la table. Il vous parlait souvent de ça ?

— Tous les jours.

— Il ajoute qu'il était en proie à de nombreux conflits intérieurs.

— Oui.

— Je crois qu'on peut facilement affirmer qu'à plusieurs égards, il était son pire ennemi. Comprenez–vous ce qu'il veut dire par : « Je me suis enlevé la vie, mais je ne me suis pas suicidé. »

— Oui, nous comprenons ce qu'il veut dire.

— J'aimerais bien qu'il me le dise ! ... Je pourrais enfin comprendre. Poursuivons. Ses amis l'ont repoussé ou ils ne lui convenaient plus, en fin de compte il a cessé de les fréquenter pour une raison ou pour une autre ?

— Oui, c'est exact.

— Ses amis l'ont laissé tomber ?

— C'est plutôt le contraire.

— Ouais, il semble dire que la rupture s'est faite de part et d'autre. Il s'était retiré en lui–même, il s'était volontairement mis en état d'hibernation sociale. Il vivait en ermite.

— Vrai.

— Il était souvent à la maison ?

— Oui.

— Il confirme. Il poursuivait des études ?

— Non.

— Songeait–il à reprendre les études ? Il n'arrête pas de me parler d'études. Peut–être veut–il parler de ses apprentissages dans l'au–delà. Mais je crois plutôt qu'il souhaite me dire qu'il envisageait de faire des études ?

— Oui, c'est tout à fait exact.

— Si je vous parle d'uniforme, vous pensez à quelque chose ?

— Oui.

— Portait–il un uniforme ?

— Non.

— Je vois des uniformes autour de lui, pourquoi ? Voyez–vous une explication à cela ?

— Oui.

— Bon, pour le moment, disons que j'ai l'impression qu'il porte un uniforme, mais je ne vois pas du tout pourquoi. Bon, passons à autre chose pour un petit moment.

— D'accord.

— Connaissez–vous un dénommé Tad ?

— Enfin (rires), nous connaissons quelqu'un qui porte un prénom très ressemblant.

— Cette personne est décédée ?

— Oui.

— Il m'a dit qu'il portait le même prénom que le fils de Lincoln, lequel s'appelait Tad. Il pourrait tout aussi bien s'agir d'un prénom qui a la même consonance.

— Bien, il s'agit…

— Mais vous connaissez quelqu'un qui portait presque le même prénom ?

— Mon frère.

— Ah ! Parce que votre fils le connaît, il n'arrête pas de me parler d'un Tad ou Thad.

— C'est lui.

— Votre frère se prénomme Thad ?

— Oui.

— Ça s'épelle T H A D ?

— Oui.

— Oh ! Je ne connaissais pas ce prénom. Je crois que votre fils voulait juste vous dire que Thad est avec lui. Il répétait son nom, ce qui signifie qu'il est avec lui. Votre fils vous tend des roses blanches, en vous disant : « Je vous pardonne et j'espère que vous ferez de même pour moi. »

— Merci.

— Se sentait–il rejeté ou à part des autres ?

— Non, ça jamais.

— Parce qu'il a pu ne pas se sentir rejeté mais ...

— Cela a pu lui arriver, mais je ne sais pas.

— Je me demande s'il ne lui arrivait pas d'éprouver ce sentiment. Je veux dire malgré les apparences ou à tort.

— Vous voulez dire qu'il n'en parlait pas, de sorte que nous ne savions pas qu'il pouvait éprouver un tel sentiment ?

— C'est possible. J'ai l'impression de bien le connaître et pourtant je sens parfois qu'il m'échappe. Il souhaite garder certaines choses pour lui. Il ne m'aide pas, il complique tout. Écrivait–il beaucoup ? A–t–il laissé une lettre ?

— Il écrivait tout le temps.

— Oh ! J'ai cru qu'il avait laissé une lettre d'adieu parce que je le voyais écrire devant moi. Cette pensée m'a valu une réponse claire et instantanée : « Je ne me suis pas suicidé ! Je vous l'ai déjà dit ! » « Bon, d'accord, d'accord, j'ai compris. », ai–je répliqué. Ce sur quoi il a rétorqué : « C'est pourtant vrai, j'écrivais beaucoup. »

— Oui, c'est juste.

— Je le vois en train d'écrire... mais non ! Je comprends...il ne rédigeait pas une note de suicide, il écrivait. Je crois qu'il écrivait beaucoup...je vois des couleurs autour de lui. Il était très créatif, n'est–ce pas ?

— Oui.

— Ah ! Il vient de me dire qu'il n'avait pas cessé d'écrire.

— Oh ! C'est très bien.

— Il a décidé de poursuivre ce qu'il avait commencé sur terre. Il trouve que cela lui est plus facile ici, parce que dans l'au–delà la valeur des gens tient à leurs qualités (en somme à ce qu'ils sont et non pas à ce qu'ils ont), ce qui n'est pas le cas sur terre. Là–bas, on est toujours à l'école, on ne cesse jamais d'apprendre. Il pense, qu'à sa façon, il est une personne très spirituelle, c'est pourquoi il se sent beaucoup plus à l'aise dans l'au–delà que sur terre.

Vous souvenez–vous de cette chanson qui parlait de Vincent Van Gogh, elle passait à la radio il y a quelques années ? Eh bien, je l'entends en ce moment. Dans cette chanson on disait que le grand peintre n'était pas fait pour ce monde, qu'il s'y sentait étranger et malheureux. Votre fils me dit un peu la même chose, il ne tient personne responsable de son malheur, simplement il n'aimait pas la vie sur terre. (Ils acquiescent) Il a enfin trouvé le bonheur dans l'au–delà, aussi ne craignez plus pour lui, il est en paix. Il est sincèrement désolé de ce qui est arrivé, mais il n'y pouvait rien : il était au mauvais endroit au mauvais moment, c'est tout. Il a été victime des circonstances… « Cette situation était pourrie, un vrai gâchis. » C'est pourquoi, il vous demande de ne plus ressasser le passé et de vous tourner vers l'avenir, il n'y a rien que vous pouvez faire de plus. Il n'a pas voulu me révéler tous les détails du drame, cela semble n'avoir que peu d'importance à ses yeux, il souhaite plutôt que vous n'oubliiez pas ce qu'il vient de vous dire. Toutefois, il tient à préciser qu'il n'était pas lui–même au moment de cette tragédie.

— Je suis tout à fait d'accord avec lui.

— Il n'était pas dans un état … c'est comme s'il…enfin, il était en pleine dépression sans le savoir. Il était très émotif par nature, mais ce jour–là, il a «pété les plombs», il a complètement disjoncté.

— Vrai.

— Il me dit que nous sommes semblables tous les deux, par notre petit côté étrange et excentrique.

— (Rires) C'est bien vrai !

— (Rires) Merci ! Il pense que son excentricité avait un peu à voir avec la névrose. C'était peut–être l'expression de son tempérament artistique. Les personnes très créatives sont souvent soumises à des hauts et des bas. Écrivait–il des nouvelles ou quelque chose comme ça ? Oui, je sens qu'il écrivait des pièces, des romans, enfin des histoires mettant en scène des personnages. Il se donnait corps et âme à cette activité, c'est pour cela qu'il était devenu un peu ermite. Il ne faisait jamais les choses à moitié, n'est–ce pas ?

— C'est vrai.

— Sa capacité de concentration était largement au–dessus de la moyenne. Connaissez–vous un dénommé John ?

— John ? Je ne vois pas.

— Il s'agit d'une personne décédée.

— Je ne vois pas, peut–être s'agit–il d'un de ses amis.

— Il m'a parlé d'un certain John qui est avec lui, aussi j'ai pensé que…

— Oh ! John Kalienkov.

— Il s'agit d'un homme âgé, j'ai l'impression que c'est un de ses oncles ou peut–être un homme qui joue ce rôle auprès de lui.

— C'est ça.

— Votre fils n'arrête pas de me dire : « John est avec moi. »

Il a lu dans mes pensées, parce que lorsque il m'a parlé de ce John je me suis dit : « Ouais, pas très probant tout cela, tout le monde connaît un « John » qui est décédé. » Et, il a tout de suite répliqué : « Peut–être, mais j'en connais un aussi ! Il n'est pas mon vrai oncle, mais c'est tout comme. » Connaissez–vous un certain Al ou Alex ?

— Alex n'est pas mort au moins ?

— Votre fils appelle un certain Alex ou Alexander ou il s'agit d'un prénom ressemblant. Il se peut bien qu'il parle de quelqu'un qui est sur terre. Est–ce que votre fils éprouvait un quelconque problème à la gorge ?

— Non.

— Ah ! Bien sûr, j'avais oublié, il s'agit de cette sensation que j'éprouvais tout à l'heure. Je viens d'éprouver un malaise à la gorge, mais ça doit se rapporter à ce que j'ai ressenti un peu plus tôt. La vie n'était pas un jardin de roses pour lui, il voyait son existence comme un combat de tous les instants.

— Oui, c'est juste.

— Il me répète que tous les éléments étaient en place pour en faire un candidat au suicide. Il ne voyait pas la vie en rose, loin de là, mais sa grande sensibilité faisait qu'il était capable d'exprimer ses émotions.

— Exact.

— Est–ce qu'il avait des problèmes d'ordre sexuel ?

— Je dirais de la « frustration ».

— Il ne m'en a pas dit plus...mais il pourrait bien s'agir de cela. Il refoulait ses désirs ... je sens une forme de répression.

— C'est fort possible.

— Il est en train de m'expliquer que ... le désir sexuel est un peu comme l'appétit, lorsqu'on est carencé, on se sent mal. L'appétit sexuel a besoin d'être apaisé et il ne se sentait pas du tout rassasié.

— C'est vrai.

— Il s'analysait beaucoup, il n'était pas du genre à se couper de ses émotions. (Ils acquiescent) Il n'avait pas peur de se disséquer pour mieux se comprendre.

— Oui, il se connaissait bien. Il nous avait d'ailleurs expliqué la même chose.

— Il m'a dit qu'il continuait à écrire dans ce but, il cherche toujours à mieux se connaître et se comprendre, mais aujourd'hui, il est délivré des tourments qui l'accablaient. Sur terre, il était toujours confronté à des problèmes et il passait son temps à combattre ces obstacles. Maintenant, il voit les choses avec plus de recul et de clarté, il est plus équilibré. En fait, il se considère en repos.

— C'est bien.

— Il ne s'était jamais vraiment accordé beaucoup de répit lorsqu'il était sur terre.

Sa vie était menée par la peur...voilà, c'est la clé de tout ceci, cette peur a été à l'origine de sa mort ?

— Oui.

— Il m'explique que lorsqu'un jeune catholique est instruit des sept péchés capitaux, on lui dit que le péché d'orgueil est le plus grave, mais on oublie que la peur constitue la plus négative de toutes les vibrations, c'est la peur qui est à l'origine de tout ce qu'il y avait de négatif dans sa vie.

— Vrai.

— Il m'explique que la peur le submergeait au point où il avait peur d'avoir peur. La peur constituait une des principales épreuves ou entraves de sa vie. Il vient de se passer quelque chose de très intéressant. Au moment où j'ai prononcé cette dernière phrase, il m'a montré une clé et une porte ouverte en me disant : «C'est précisément cela que j'essayais de te dire depuis tout à l'heure. » La peur l'a submergé, il ne savait plus ce qu'il faisait et le drame que vous connaissez est survenu. Était–il méfiant de nature ? Enfin, se méfiait–il des autres ?

— Non...Bien, il disait parfois...

— Je ne parle pas de sa sociabilité...Mais, enfin...Disons que je le vois présentement vêtu d'un habit de clown. En apparence, il a l'air très joyeux, mais ce qu'il vit est très différent : la peur a pris possession de son être. Il me donne l'impression d'avoir été une personne très amicale. Je pense que nous nous ressemblons beaucoup de ce point de vue, la gentillesse et l'affabilité constituent un de mes mécanismes de défense contre ma grande timidité. Avait–il des tendances à la paranoïa ? (Ils font signe que oui.) Il m'a confié qu'il avait peur qu'on lui fasse du mal.

— Oh ! Que oui !

— Je crois bien que je commence à y voir un peu plus clair, il se fait de plus en plus émotif. Il me communique un véritable tourbillon d'émotions. Prenait–il des médicaments ? Non ? Bon, j'étais loin d'en être certain, mais comme il m'a dit qu'il se sentait très nerveux, j'en ai déduit que cela était possible. Bon, passons, il avait une tendance à la paranoïa, disiez–vous ?

— Oui, tout à fait.

— Ah ! C'était un des symptômes de sa peur. Ce sentiment ne le quittait plus, cette ombre menaçante accompagnait chacun de ses pas. Je comprends maintenant ce qu'il voulait dire par « quelqu'un m'a tué », il parlait de cette peur qui s'était substituée à son être, qui parasitait son âme au point de ne plus lui laisser de place. J'en reviens pourtant à cette question fondamentale : « Pourquoi ? Ou plutôt comment ? Comment en est–il arrivé à vouloir s'enlever la vie ? »

— Ah ! Et bien parce qu'il s'est passé quelque chose.

— (Soupir) C'est bien ce qui me rend fou. Il n'arrête pas de tourner autour du pot, mais il ne veut rien dire.

— (À Theon) Bon, maintenant, dis–moi de quoi il s'agit. Dis–moi pourquoi tu affirmes que tu ne t'es pas suicidé ?

— Bien !

— Projetez–vous un déménagement ?

— Oui.

— Vous craignez de l'abandonner en déménageant ? Il dit que vous ne devez pas penser ainsi, jamais il ne vous quittera, jamais. Vous vivez trop dans le passé, vous devez changer d'air.

— Nous avons quitté cette maison.

— Oh ! Alors vous songez à déménager de nouveau ?

— Bien, nous avons envisagé cette possibilité.

— Oh, je vois, il m'a parlé d'un changement de résidence, mais en fait, il souhaitait vous rassurer, vous dire que quel que soit l'endroit, il sera toujours avec vous.

— J'en suis convaincue.

— Spirituellement, il sera toujours auprès de vous. Était–il seul à la maison lors des événements ?

— Non.

— C'est curieux, je me sens seul, isolé, comprenez–vous quelque chose à ce sentiment ?

— Oui.

— Il m'a dit qu'il était seul, alors j'en ai déduit qu'il était seul à la maison. Lorsque vous m'avez répondu qu'il n'était pas seul, il a tout de suite rétorqué : « Non, j'étais seul, pas seul physiquement, mais seul mentalement. » Il était du genre à se replier sur lui–même, à s'isoler ?

— Non, enfin, il l'avait été.

— Une fois encore, je ressens une grande détresse émotive.

— Oui, je crois qu'il se sentait comme ça.

— J'ai le sentiment qu'il consultait un professionnel à ce sujet ?

— Non, mais il l'avait déjà fait. Je ne peux pas vous en dire plus que ce que je vous ai dit tout à l'heure. Il avait mis fin à sa thérapie, quelques mois avant sa mort, il avait enfin eu l'impression de voir la lumière au bout du tunnel.

— Oui, parce qu'il m'a dit que…

— Il avait tourné la page, lentement il se dérobait à ce monde de ténèbres dans lequel il vivait.

— Il m'a dit que sa vie était faite du meilleur comme du pire.

— Ah ! C'est tout à fait ça.

— Tout ceci faisait de lui un être fondamentalement déchiré. Ce qui n'enlève rien au fait qu'il est mort de façon accidentelle.

Oh, oui mon Dieu ! On ne peut pas dire plus vrai.

— C'est pour cela qu'il m'a dit que toutes les conditions étaient réunies, quoiqu'en apparence. Il avait traversé des moments très difficiles durant lesquels il aurait pu passer à l'acte… Mais voici qu'il se rétablit, qu'il commence enfin à se sentir mieux et tout à coup, vlan ! Il surprend tout le monde par un geste désespéré.

— C'est exact.

— Surtout ne me le dites pas, mais le prénom de votre fils était plutôt court. N'est–ce pas ?

— Oui.

— Oui, il compte moins de huit lettres… non attendez…moins de sept… encore moins… il me dit que c'est moins. Est–ce que je connais ce prénom ?

— Je ne crois pas.

— Il ne s'agit pas d'un prénom très courant ?

— C'est ça.

— S'agit–il d'un prénom d'origine slave ?

— Pas tout à fait, mais …

— Bon… Je vais essayer de comprendre, pour le moment je ne vois pas. Je sais une chose pourtant, il s'agit du prénom d'un personnage célèbre.

— Il vient de me fournir cet indice. Enfin, j'ai peur que cela ne m'aide pas beaucoup. Ah ! Il a compté jusqu'à six et il s'est arrêté. Son prénom compte moins de six lettres ?

— Oui.

— Il a compté jusqu'à six, puis il m'a dit : « C'est moins que six».

— Oui. Son nom a aussi une prononciation anglaise ?

— Oui.

— Parce qu'il m'a dit que je le comprendrais mieux en anglais.

— Je ne crois pas.

— Bon, est–ce que son prénom a quelque chose à voir avec une couleur ?

— Non.

— Alors pourquoi me montre–t–il des couleurs ? Je ne vois pas ce qu'il veut me dire, à moins qu'il ne souhaite me signifier qu'il porte un prénom extravagant, haut en couleurs !

— Pour ça, il a bien raison !

— Oh ! Je vois… c'est un prénom qui a une drôle de consonance… Un peu comme… celui que portait son oncle Thad.

— Oui, c'est exact.

— Compte–t–il quatre lettres ?

— Non.

— Il en a cinq ?

— Oui.

— Je croyais qu'il en comptait quatre parce qu'il m'a dit : « Mon prénom ressemble beaucoup à celui du frère de ma mère. »

— C'est vrai, mais pas tout à fait.

— Donc, il ne s'appelle pas Thad ?

— Non, mais…

— Mais il s'agit d'un prénom de cinq lettres ?

— Oui, et ces prénoms se ressemblent, ça ne fait aucun doute.

— Y a–t–il un A dans son prénom ?

— Non.

— J'essaie de comprendre pourquoi il insiste sur cette ressemblance.

— Il s'agit d'un prénom rare, je dirais même très rare.

— Oui, c'est bien ce que je disais, je ne vois pas autre chose que Thad. Vraisemblablement, je ne connais pas son prénom, je n'ai jamais entendu son prénom de ma vie. S'il s'agissait de Thaddeus, je l'aurais tout de suite su, je connais ce prénom. Ce qui est le plus déconcertant dans tout ça, c'est que j'ai réussi à trouver «Thad», prénom qui m'était, jusqu'ici, tout à fait étranger, mais je n'arrive pas à trouver le sien.

— Vous avez raison.

— Dans les instants qui ont précédé sa mort, il a eu peur de quelqu'un ? Il me raconte qu'il se sentait menacé, que quelqu'un...C'est comme s'il ne s'était pas enlevé la vie, mais que s'il ne l'avait pas fait, les autres s'en seraient chargés...

— C'est possible.

— C'est pourquoi il vient de répéter : « Quelqu'un m'a tué. »

— Oui, je crois.

— Il a appuyé sur la détente, mais c'est comme si quelqu'un d'autre l'avait fait à sa place...

— C'est ça, absolument.

— La tension et l'émotion étaient à leur comble...il avait peur, peur que quelqu'un l'emmène.

— Oui, c'est exactement ce qui est arrivé.

— C'est pour cette raison qu'il se défend avec tant d'ardeur des présomptions de suicide.

— Oui.

— Quelqu'un le menaçait ? (Ils acquiescent) Oui, je sens cette menace qui planait sur lui. Ah ! Voilà pourquoi il disait : « Je me suis enlevé la vie, mais je ne me suis pas suicidé. »

— C'est exact.

— Il avait peur qu'on l'emmène…et il ne s'agissait pas d'une mince affaire, il ne partait pas en balade.

— Oui, c'est vrai, absolument vrai.

— Cette personne pouvait l'emmener là où elle le souhaitait et les autres auraient pu le tuer.

— Oui, c'est ça.

— Tout à l'heure, il a commencé par me dire qu'il avait été assassiné.

— C'est un peu comme ça que nous voyons les choses.

— Au moment où je vous ai dit qu'il s'était enlevé la vie sans pour autant s'être suicidé, il a tout de suite ajouté : « Quelqu'un m'a tué, on m'a assassiné. » Plus rien ne concordait, je ne comprenais plus le sens de vos réponses et des interventions de votre fils, j'étais perdu et j'ai pensé, non, non, ça ne se peut pas ! Pourtant, c'est possible : quelqu'un l'a poussé à poser ce geste.

— Nous n'avions jamais osé envisager les choses sous cet angle, mais c'est fort possible.

— Une fois encore, il me répète qu'il a été assassiné, mais pas par quelqu'un…Oui, oui, pas par quelqu'un, dit–il…enfin, c'est paradoxal. Avait–il des ennuis avec la Justice ?

— C'était probable.

— Il me dit que cette histoire est liée à la justice, à la légalité. Ah, il me montre une balance, symbole de justice.

— Oui, il avait certains problèmes.

— Je sens une ambiance de justice et de légalité, quelqu'un l'a frappé ou quelque chose comme ça ou bien il sentait que quelqu'un pouvait lui faire du mal. Je crois qu'il voulait parler de ces personnes tout à l'heure. J'avais compris qu'il avait de mauvaises fréquentations, mais en fait, il voulait me dire qu'au moment du drame il était en très mauvaise compagnie.

— Oui, c'est lié.

— Oui, il le confirme. Je sens qu'il sombrait, il était complètement dans le noir, mais il n'était pas conscient de la gravité de son état. Il avait peur, comme s'il en savait trop ou que l'on pensait qu'il savait quelque chose. Il a vécu une terreur indicible pendant une courte période de temps. Quelqu'un l'avait effrayé. Il était prisonnier de cette situation, il avait peur qu'on l'attrape. L'avait–on menacé ?

— Oui, mais à un moment bien précis.

— Juste avant l'accident ?

— Oui.

— Alors ce soir–là quelqu'un l'a menacé ?

— Oui.

— Il me dit qu'il a senti une forte menace planer sur lui juste avant qu'il ne s'enlève la vie.

— Oui, c'est vrai.

— Attendez, était–il à la maison ? Et en votre compagnie ?

— Oui, nous étions avec lui à la maison.

— Il me parle encore de «la maison», mais...attendez...Je vais m'assurer qu'il me parle bien de votre maison et non pas de la sienne. Oui, il était bien chez vous et en votre compagnie. Est–ce que c'est arrivé durant la nuit ?

— Oui.

— C'est arrivé tard dans la nuit ? Il m'a dit que la nuit était tombée et qu'il était très tard. Ah, il se peut bien que quelqu'un l'ait dérangé en pleine nuit ? Enfin, je ne sais pas si je dois prendre ses paroles au pied de la lettre ou s'il s'agit d'une façon de parler.

— Oui, c'est ça qui est arrivé.

— Je sens que quelqu'un voulait le voir en pleine nuit... Je ne crois pas qu'il soit entré dans sa chambre, il s'agit plutôt d'un appel téléphonique ou quelque chose comme ça. Il n'a de cesse de me parler «d'une communication», juste avant sa mort. Mais je ne vois pas de quel type de communication il s'agit, mais il semble que cette communication a été un élément déclencheur.

— C'est juste.

— Je me sens comme s'il quelqu'un venait de m'attraper.

— Oui, sans doute, ce sentiment est assez représentatif de ce qui est arrivé.

— Je me sens en pleine paranoïa comme si je redoutais que l'on me fasse, excusez l'expression, «cracher le morceau». Et ces sentiments sont en rapport avec son passé, ajoute–t–il.

— Oui, cette situation était assez étrange

— Il semble qu'il jouait un rôle tout à fait naïf dans cette affaire. Il a agi en faisant preuve de naïveté...Ce n'est pas comme s'il avait été un trafiquant de drogue.

— Oui, c'était très naïf de sa part.

— Mais en même temps, je le sens en proie à la peur... comme s'il était toujours déprimé ou s'il vivait dans la crainte.

— Oui, vous touchez à quelque chose.

— Il ne blâme personne, mais en même temps, il tient à dire qu'il n'est pas le seul acteur de cette tragédie, il y a quelqu'un d'autre.

— Et que oui !

— Est–ce qu'il a eu peur de vous ?

— Non, pas de nous.

— Mais de quelqu'un de la famille ? D'un ami ? Ou peu importe, de quelqu'un ?

— Vous voulez dire au moment précis où cela s'est produit ?

— Oui, ...ah, il me dit qu'il se sentait menacé.

— Oui, pour ça il se sentait traqué. Il en avait perdu la raison.

— Avait–il peur pour sa santé ?

— Non.

— Il aurait dû, enfin vous voyez ce que je veux dire...ses émotions étaient...

— Oui, il l'était à ce moment. Voulez–vous dire en général ?

— Oui, en quelque sorte, mais je me référais surtout aux moments qui ont précédé sa mort.

— Il a vécu la terreur à l'état pur.

— Oui, c'est ce que je voulais dire... sa santé mentale... s'en inquiétait–il ? Était–il conscient du fait qu'il était ...disons un peu trop émotif ?

— Non, non.
— Il se sentait traqué ?
— Oh oui !
— Il savait que cette personne était là pour lui.
— Oui.
— Voulait–elle l'arracher à ce monde ?
— Oui.
— Ah, c'est pour cette raison qu'il m'a dit que, cette nuit–là, quelqu'un était venu pour lui, en fait pour « l'attraper » et il a senti que seule la mort, lui ferait échapper à ce redoutable sort.
— Oui, c'est tout à fait cela.
— Il a tout de suite su que cette personne, qui se trouvait en chair et en os devant lui, était venue pour le voir ?
— Oui.
— Donc, c'était une personne, quelqu'un en chair et en os ?
— Oui.
— Il m'a dit que quelqu'un était venu pour lui et qu'après quelques échanges verbaux, il avait compris qu'il allait l'emmener ou quelque chose comme ça.
— Nous l'avons appris après.
— Mais quelqu'un est bien venu à la maison pour le voir ?
— Oui.
— Oui, quelqu'un est venu le voir, oui…j'imagine que cette rencontre a eu lieu très tôt le matin ou très tard dans la nuit. Dans la maison ?
— Oui.
— Quelqu'un est donc entré chez vous ?
— Oui.
— Il ajoute qu'il sentait que c'était pour lui « faire cracher le morceau. » C'est possible ?
— Oui.
— Et manifestement, il voulait le tuer ?
— Je ne sais pas.

— Il avait l'impression que cette personne voulait le tuer ou en voulait à sa vie ?

— Oui, c'est ça.

— Enfin...il sentait qu'elle lui voulait du mal. J'ai l'impression qu'il l'a soudain aperçue dans sa chambre ou dans l'aire de la maison qu'il occupait. Je me sens comme si je n'avais pas dormi de la nuit et que j'avais bu pour trouver un peu de repos. Vous étiez dans la maison à ce moment ? Il me dit que vous y étiez et qu'ils sont entrés, qu'il avait l'impression qu'il s'agissait d'une invasion. Est–ce que cette personne s'est approchée de lui ? Ou bien...parce que je sens que...

— Elle était là, avec lui.

— C'est un peu comme... enfin je pense au *Dernier des Mohicans*, mais je n'arrive pas à me souvenir du personnage féminin qui a sauté d'une falaise parce qu'on la poursuivait. Je sens qu'il se trouvait en face d'un dilemme et la mort s'est présentée à lui comme une alternative : soit, il se tuait, soit, il était à sa merci.

— Oui, c'est exactement ça.

— Il s'est servi de cet épisode pour illustrer ses propos. D'ailleurs, il me semble que ... je n'arrive pas non plus à me souvenir du nom de cet Indien, mais il a tué Humpkus. Enfin, elle était persuadée que c'était à son tour d'y passer et elle a sauté. Il était dans une position semblable.

— C'est un bon exemple.

— Il avait si peur, il se disait : « Il est venu pour moi, il va m'attraper » et il a préféré se tuer. Tout cela est en rapport avec la Justice ?

— Oui.

— Oui, maintenant vous savez presque tout.

— Il avait des ennuis ? On ne voulait pas l'emprisonner ?

— Oui, c'est ça !

— Ah, c'est donc ça, il insistait pourtant sur le fait qu'il avait des problèmes, mais...

— Oui, il en avait, mais en même temps ...

— Oui, il était en face d'un gros problème, ce qui ne veut pas dire qu'il avait lui–même des problèmes, je veux dire qu'il était délinquant ou quelque chose comme ça. J'ai aperçu des barreaux qui se dressaient devant lui, je me suis dit en moi–même : « Ah ! Il pensait peut–être qu'on allait l'emprisonner. »

— C'est exactement ce qu'il croyait.

— Tout lui laissait croire qu'il irait en prison. Il sait maintenant qu'on ne l'aurait probablement pas emprisonné, mais il en était convaincu à ce moment.

— Oui.

— Des représentants de la loi sont venus le voir ?

— Oui.

— C'est ça, Il s'agissait d'une personne en uniforme, c'est pour cette raison que je voyais des uniformes autour de lui ! Ah ! Tout s'éclaire maintenant. Alors il s'agissait de policiers, avaient–ils de bons motifs pour l'arrêter ? Je sens qu'on l'accusait de quelque chose qu'il n'avait pas fait, c'est juste ?

— C'est ça.

— Ah ! (À Theon) Merci, tu m'enlèves les mots de la bouche ! Il me dit qu'il est une victime dans cette histoire, il n'a rien fait de mal.

— C'est vrai, c'est tout à fait ça.

— Quoi qu'il en soit, il se sent tout de même très embarrassé, il a un peu honte pour tout dire. C'est même pour cette raison qu'il s'est fait plutôt évasif. Toute cette histoire le plonge dans l'embarras. Il a honte, j'ai l'impression qu'ils ne l'ont pas ménagé, ils lui ont fait sentir le poids de la culpabilité. C'est juste ?

— Oui.

— Mais, il n'avait rien à voir avec tout cela, n'est–ce pas ? Je peux maintenant l'affirmer avec certitude.

— Oh ! Oui.

— Il pensait qu'il ne s'en sortirait pas.

— Ça, c'est certain.

— Est–ce qu'on le soupçonnait d'assassinat ?

— Non.

— Enfin, il s'agissait d'une accusation grave, n'est–ce pas ? Oui ...oui, ok. Bon, il s'est enlevé la vie parce qu'on l'y a poussé, parce qu'il se sentait traqué, mais... Est–ce qu'il y avait de l'argent d'impliqué dans cette histoire ?

— Non. (*Sauf qu'il ne faut pas oublier que le rôdeur forçait les serrures des voitures pour voler de l'argent.*)

— Oh ! Pourtant, il me semble qu'ils ont parlé d'argent. Il ne pouvait pas se défendre ou prouver son innocence et il a paniqué ? C'est peut–être pour cela qu'il m'a dit qu'il jouait, il n'était pas certain de le faire, mais il essayait de s'en convaincre en faisant semblant pour voir... Il était dans un état de panique effroyable.

(*L'officier de police n'avait de cesse de dire : « Il s'agit d'un acte criminel, nous allons t'emprisonner. » Theon était pourtant loin d'être un criminel, il avait plutôt été témoin d'un acte criminel posé par un cambrioleur de voiture à moitié ivre.*)

— C'est ça.

— Et c'est pourquoi on peut dire qu'il ne s'est pas suicidé.

— Oui, exactement.

— C'est ce qu'il ne voulait pas me dire tout à l'heure, toutefois, il m'a dit que vous connaissez les raisons qui l'ont poussé à poser ce geste, il vient de me dire que vous les connaissez.

— Vous venez de le dire, parce qu'il ne voulait pas aller en prison.

— Oui, il ne voulait pas voir ça... Il ne voulait plus être pris dans cette situation, cela le rendait fou. Il savait qu'il était innocent, mais eux, ils ne le savaient pas, se disait–il. Il sentait qu'il ne contrôlait plus rien, qu'il était en train de se perdre...

— Vous voulez dire au moment où il a tiré, George ? C'est ça que vous voulez dire ?

— Oui, c'est fort possible ou juste un peu avant. Enfin les choses dégénéraient, elles prenaient une tournure cauchemardesque. Enfin, c'est ce qu'il croyait.

— Oui, la peur nous mène parfois à la déraison.

— C'est précisément ce que je veux dire. Les choses prenaient une tournure terrible et son esprit s'enflammait à cette idée. Il me semble que cela avait quelque chose à voir avec son passé.

— Oui, vous avez raison de penser qu'il y a un rapport avec son passé, il y en a bien un.

— Oui, je le sens. Ces événements le replongeaient dans son passé.

— Oui.

— Avait–il peur de revivre une expérience difficile ?

— Oui, je sais de quoi vous parlez.

— Oh ! J'entends le nom d'Erin tout à coup.

— (Erin) C'est moi !

— Il vous appelle. Vous vous appelez Dan, n'est–ce pas ? (Daniel acquiesce) Il vous appelle tous les deux. Une fois encore, il souhaite vous faire savoir que tout va bien pour lui. Dorénavant, il est en sécurité, personne ne peut plus lui faire du mal. Là–bas, il ne risque pas d'avoir à faire face à la même situation et Dieu sait que cela le terrifiait. Il n'était pas du genre à tergiverser, il y allait franco.

Il aurait pu essayer de s'en sortir, mais il ne voulait pas traverser encore une fois cette épreuve, c'était viscéral chez lui, il avait envie de se sauver. Il se sentait démuni, il pensait que sa vie venait de lui échapper, on l'avait livré à la merci de quelqu'un d'autre et il ne le supportait pas. Tant de choses lui ont traversé l'esprit durant ces quelques minutes, mais il était si confus. Bref, il était incapable de penser rationnellement.

— Oui.

— Il ne voudrait surtout pas que vous pensiez que vous avez été de mauvais parents, ça, surtout pas. Il vient de me le répéter. Il a pris cette décision dans un état de panique, il est responsable de ce qui lui est arrivé… pourtant, il ajoute : « C'est eux qui m'ont fait peur. »

— C'est vrai.

— C'est comme si quelqu'un avait appuyé sur la détente à sa place. Le nom de Charlie vous dit quelque chose ?

— Non, je ne sais pas.

— Votre fils me dit qu'un certain Charlie est avec lui. Ce Charlie est ici, qu'il soit un de ses parents ou un de ses amis. Avez–vous perdu une sœur ?

— (Erin) Oui.

— Il vient de me dire qu'elle est avec lui. Il me parle aussi de votre frère Thad, il est aussi avec lui. Ah, il semble qu'il y ait une autre sœur avec lui, pas celle dont il vient de me parler, mais une autre. Manifestement, une de vos sœurs est avec lui. Bref, il n'est pas seul, plusieurs personnes l'entourent de leurs soins et de leur affection afin qu'il triomphe de cette épreuve. Il se sent en sécurité, il ne souffre plus de paranoïa, voici ce qu'il vient de me dire : « Ici personne ne me fait de mal, personne n'est là pour m'embêter ou me causer des ennuis. » Il ne se sentait pas en sécurité sur terre. Il était si...enfin, il est mort de peur. Il avait si peur qu'il ne savait plus comment se sortir de cette situation. Il commençait à devenir sérieusement paranoïaque, il croyait que plusieurs personnes lui en voulaient. La peur est comme une balle de neige qui dévale une colline, elle grossit, grossit et on ne pense jamais qu'elle va devenir aussi grosse, mais elle le devient ; c'est ce qui lui est arrivé. Il est très heureux de pouvoir enfin vous dire qu'il est libéré de cette peur et que tout va bien maintenant. Il n'a plus peur. Il n'était pas très friand de l'autorité. (Ils acquiescent) Disant cela je ne le blâme pas, c'est juste qu'il me reparle des uniformes et je me sens comme un petit garçon. Cela m'a donné l'impression qu'il craignait l'autorité et tout ce qui s'y rattache, les uniformes, la police, les agents. Avait–il déjà eu des problèmes avec la police avant ?

— Oui.

— Oui, il le confirme. Il m'a dit qu'il avait déjà eu un petit accrochage avec la police qui lui avait laissé un goût amer.

— C'est exact.

— Il voyait venir les mêmes problèmes qu'il avait déjà rencontrés, mais cette fois–ci il craignait le pire…et il ne voulait pas retraverser cette épreuve. Il croyait qu'ils ne lui laisseraient jamais de répit, que toute sa vie il aurait à se battre contre la Justice. Cette idée l'avait déjà mené au repli sur soi et à la réclusion, parce qu'il ne voyait pas d'autre moyen de rester hors d'atteinte. C'était le seul moyen de dompter, un tant soit peu, sa peur. Je ne crois pas qu'il avait un casier judiciaire, mais il se comportait comme tel. Il pensait toujours qu'on le suspectait d'un quelconque méfait. Un peu comme un type qui a déjà eu des ennuis avec la Justice et qui habite un quartier chic où tout le monde est au–dessus de tout soupçon. Ce type–là sait bien qu'au moindre ennui, on le pointera du doigt.

— Oui.

— Il m'a dit que quelque chose était arrivé et qu'il craignait avoir encore des ennuis avec la police. Est–ce qu'il lui arrivait d'abuser de l'alcool ?

— Oui, je crois que c'est la bonne formule, parfois, il buvait trop.

— Mais, on ne peut pas dire qu'il était alcoolique ?

— Il buvait trop, mais il était en train de changer ses habitudes.

— Et c'est pour cette raison qu'il avait été arrêté la première fois ? A–t–il été arrêté pour ivresse au volant ou quelque chose comme ça ?

— Oui, c'est exactement ça.

— Il avait déjà eu affaire avec la police, aussi craignait–il toujours que cela se reproduise. Il avait une peur bleue des policiers, il vivait avec l'idée qu'ils pouvaient l'arrêter sans motif pour la moindre peccadille. Bref, il éprouvait le genre de tension qu'ont connue les juifs sous le régime nazi, sauf que sa peur à lui, était totalement irrationnelle. Il avait l'impression que la police s'intéressait à son cas, qu'elle le talonnait. Permettez–moi ce commentaire, ne le prenez pas mal surtout, je ne veux surtout pas l'accuser de quoi que ce soit, toutefois son attitude envers l'autorité ne semble pas avoir tellement changé.

Certes, il ne ressent plus la peur comme avant, mais une partie de lui s'y refuse.

— Évidemment, on le serait à moins.

— En fait, il semble qu'il n'ait pas encore fait de prise de conscience sur cette question. Il pense toujours que des gens comme ceux qui l'ont arrêté, n'ont pas leur place, il n'éprouve aucune sympathie pour ce genre de personne. Il pense que toute personne qui porte un uniforme abuse forcément de son pouvoir et fait toujours preuve d'un comportement brutal. Du simple agent de police à l'agent fédéral, il n'a aucun respect pour ces représentants de la loi. Je vois des autocollants, vous savez ceux qui ornent les pare–chocs de certaines polices locales et qui arborent : «Nous sommes fiers de notre police» et je l'entends me dire : « Pourquoi devrais–je être fier de ces gens ? » Pourtant, il sait qu'il ne devrait pas penser ainsi, que ce faisant, il met tout le monde dans le même panier, mais il ne peut s'en empêcher. Pour lui, ces gens sont tout ce qu'il y a de plus méprisable. Autrement dit, il sait bien que ses sentiments ne sont pas très élevés et qu'il aura à faire un effort de compréhension, mais pour le moment, il s'y refuse encore.

— Il est resté sur ses positions, mais sa peur s'est transformée en indignation. Il se demande souvent : « Mais comment ont–ils pu me faire ça ? Pourquoi ces espèces de vauriens m'ont–ils fait ça ? » N'allez surtout pas croire qu'il est en colère tout le temps, il est heureux et tout va bien, sauf qu'il leur en veut encore. Il a bien vu dans quel état toute cette histoire vous a mis et il sait que vous n'avez pas non plus beaucoup de respect pour eux. Il s'est senti violé, totalement bafoué par le système judiciaire, tout comme vous d'ailleurs et il ne se sent pas la force de pardonner. Il sait qu'il a tort, mais, comme il le dit, au moins, il est honnête avec lui–même. Il ne peut s'empêcher de penser que «ces gens», comme il les appelle, ne méritent aucun respect. Tous ceux qu'ils arrêtent sont coupables à leurs yeux, ajoute–t–il. Ils voulaient trouver un coupable à tout prix. Ils ont nourri leurs ambitions personnelles à ses dépens et aux dépens de sa famille. Est–ce que vous connaissez un dénommé Bob ou Robert ? Il appelle ses amis ou du moins les personnes qu'il croyait ses amis, parce qu'il me dit que beaucoup d'entre eux l'avaient laissé tomber. Ils n'ont pas toujours été là pour le supporter, si je comprends bien. Il n'a passé aucun commentaire vous concernant, vous êtes ses parents et il vous aime. Il m'a dit qu'il était très heureux d'avoir quitté ce monde où chaque jour était un combat. Je sens que votre fils n'était pas un fauteur de troubles, c'était plutôt un gentil garçon qui ne dérangeait personne. Ah ! C'est très intéressant, il vient tout juste de me confier qu'il ne pouvait pas vous demander de leur accorder votre pardon, parce qu'il ne l'a pas fait lui–même.

— C'est précisément ce que je voulais savoir.

— Il me dit : « Je ne l'ai pas fait, je sais que je ne grandirai pas spirituellement si je persiste dans cette attitude, mais je ne suis pas prêt. » Ils s'en sont pris à lui avec rudesse et cela, il ne peut l'accepter. Il ajoute qu'à ses yeux, il s'agit d'un meurtre.

— Oui, ils l'ont tué.

— Oui, dit–il : « Ils m'ont tué et par le fait même, ils vous ont tués. » Ils vous ont arraché le cœur en lui faisant subir cette épreuve injuste et il répète : « Non, je ne leur ai rien pardonné encore, mais peut–être qu'un jour j'y parviendrai. » Il n'est pas encore prêt et personne ne va l'y contraindre ; les âmes sont libres de faire ce qu'elles veulent. En attendant, il est tout de même très heureux, il ressent une grande paix, il souhaite que cela vous apporte aussi la paix dont vous avez besoin. «Nous avons tous nos propres comptes à régler dans cette histoire», ajoute–t–il. Une fois encore, il vous tend des roses blanches en guise d'offrande spirituelle. Le temps est venu pour lui de nous quitter. Je crois qu'il a tout dit, il a mis beaucoup de temps à parler... mais il était si embarrassé… je comprends maintenant pourquoi il hésitait à ce point.

Il n'est pas facile de déterrer ce genre de souvenirs, il était loin d'être sûr de vouloir le faire. Pourtant, il savait que cet exercice l'aiderait à mieux comprendre ce qui est arrivé et vous apporterait le réconfort dont vous aviez tant besoin. Vous devriez vous réjouir de l'honnêteté de votre fils, c'est le genre de type qui appelle un chat, un chat et s'il dit qu'il n'est pas près d'oublier cette histoire, c'est qu'il ne l'est pas. Je le comprends et je ne le blâme pas. Certaines personnes sont vraiment des moins que rien sans un uniforme. Ces habits leur donnent l'impression d'exister. Enfin, un jour nous verrons bien à quel point elles étaient insignifiantes...Bon, passons, il vous tend des roses blanches parce qu'il doit mettre fin à notre communication. Vos parents, votre frère et votre sœur, vos grands–parents et vos amis, vous embrassent tendrement. Ils tiennent à vous rassurer en ce qui concerne Theon. Ne vous inquiétez pas, tout va bien, il s'est libéré de sa peur et il est en paix. Continuez à prier pour lui. Sachez, en attendant le jour de vos retrouvailles, qu'il est toujours avec vous. Voici qu'il s'en va et les autres le suivent.

La liberté qui règne dans l'au–delà ne cessera jamais de m'étonner, cette captation en est une éloquente illustration. Theon, par exemple, sait bien que la seule voie possible pour lui réside dans le pardon, mais il se sent incapable de le faire pour le moment. Or, il a tout son temps et il ne le fera que lorsqu'il sera prêt, Theon est libre de faire les choses à sa manière. Les Tomcheff m'ont avoué, qu'ils étaient soulagés d'apprendre que leur fils se sentait concerné – même qu'il ressentait de la colère – par le dilemme que leur posent les circonstances de son décès. Cette colère n'est pas une mauvaise chose, au contraire, elle les aidera à surmonter leur douleur. Ils ont appris que leur fils n'acceptait pas, lui non plus, ce qui lui est arrivé. C'est pourquoi, la souffrance qu'ils endurent ne leur paraît pas triviale, elle a une raison d'être, ils le savent maintenant. Les parents de Theon sont intelligents, ils savent bien que la colère constitue un acide puissant qui finit toujours par ronger le récipient qui le contient. Theon et ses parents doivent maintenant apprendre à tirer profit de cette difficile expérience. Heureusement, ils ont dorénavant conscience d'être sur le chemin de la croissance spirituelle.

Chapitre 7

LA VIOLENCE GRATUITE : COMMENT COMPRENDRE L'INCOMPRÉHENSIBLE ?

Nous vivons dans un monde où règne la violence. On n'a qu'à consulter les statistiques pour s'en convaincre : aux États–Unis, un meurtre survient toutes les onze secondes. Aujourd'hui, personne ne s'étonne plus d'un meurtre, même s'il a lieu dans notre voisinage ; la violence est devenue notre lot quotidien. Chacun vit avec cette épée de Damoclès suspendue au–dessus de sa vie et de celle des êtres qui lui sont chers. Pourtant, lorsque j'étais enfant je ne me rappelle pas qu'un seul meurtre soit survenu dans mon environnement immédiat. Plus ou moins consciemment, nos collectivités en sont venues à envisager la violence comme un mal nécessaire. Nous y sommes résignés, d'autant plus que les politiciens, les médias et les grands de ce monde, nous laissent entendre qu'elle est un des avatars du progrès et que nous n'avons d'autre choix que de l'accepter. Les nouvelles du soir nous laissent indifférents, le spectacle répété de la violence ne nous émeut plus. La guerre de Bosnie, l'explosion d'une bombe meurtrière en Israël ou le massacre de Waco, toute la violence du monde nous laisse de glace, jusqu'au jour où elle fait de nous, une autre de ses innocentes victimes.

Un meurtre ne fait rarement qu'une seule victime. Père, mère, frères, sœurs, parents et amis sont, eux aussi, les innocentes victimes de la violence. La perte d'un être cher dans ces circonstances dramatiques est l'une des pires épreuves qu'il nous soit donné de vivre sur terre. Les âmes de l'au–delà le savent, et elles sont conscientes que les blessures que provoque une telle épreuve peuvent prendre toute une vie à se cicatriser… Sans compter qu'elle laisse parfois des marques indélébiles, voire des plaies ouvertes qui ne guériront pas en une vie.

Cette menace nous terrifie, elle plane sur nous en nous rappelant constamment que nous pourrions, tout à coup, perdre le contrôle de nos existences. Comment, dès lors, envisager le meurtre d'un être cher comme autre chose qu'un effroyable coup du sort ? Comment apprendre à voir cette terrible épreuve comme une leçon spirituelle à travers laquelle il nous est permis de grandir et d'apprendre ? Pour les personnes qui ont perdu un de leurs proches lors d'un crime violent, il ne peut s'agir que d'un acte gratuit et inconsidéré . Le meurtrier n'ayant jamais considéré, ne serait–ce qu'entrevu, les conséquences de son geste. Aux yeux de l'au–delà, le meurtre demeure une question fort compliquée, qui a des implications diverses, tant pour la victime et sa famille que pour le meurtrier.

Une question me brûlait les lèvres et je l'ai posée aux âmes de l'au–delà. Pourquoi y a–t–il des meurtriers ? Pour quelles obscures raisons, certaines âmes voudraient–elles venir sur terre pour vivre dans la peau d'un meurtrier ? Et quels peuvent bien être les bénéfices à tirer d'une mort violente ? Malheureusement, elles n'ont pas voulu me donner de réponses à ces questions fondamentales. Il est certaines réponses auxquelles nous n'aurons pas accès avant notre retour dans l'au–delà. Nous devons l'accepter, en attendant, nous n'avons d'autre choix que de nous en remettre à notre foi et à la promesse qu'un jour, nous comprendrons enfin le sens des drames que nous avons rencontrés. Seulement, ce jour ne viendra pas avant que nous ayons complété les leçons auxquelles nous sommes destinés. Malheureusement, il ne s'agit là que d'une piètre consolation pour les personnes qui portent le poids d'une telle souffrance.

L'au–delà m'a pourtant appris plusieurs choses importantes en ce qui concerne la vie terrestre et l'une d'elles concerne le fait que nous avons choisi les modalités de notre existence. Ce qui suppose que nous sommes aussi libres de prendre un autre chemin que celui auquel nous sommes destinés. Autrement dit, il nous arrive de dévier de notre trajectoire — consciemment ou non — et de laisser tomber les objectifs qui justifiaient notre présence ici–bas. J'ai vu les effets de cette dérive chez de nombreuses personnes qui sont venues me consulter. La mort d'un de leurs proches les a rendues si amères, qu'elles ne se sentent plus la force de continuer leur vie sur la route qui devait pourtant les mener à une plus vaste compréhension des choses. Ce refus d'avancer les mène à la dérive, dérive par rapport à elles–mêmes et à leur propre itinéraire spirituel. Les âmes m'ont dit que le seul moyen d'éviter cet égarement consiste à aller résolument de l'avant, à poursuivre notre chemin, qui n'est rien d'autre que celui que nous avons librement choisi de parcourir. Elles ont conscience que cela paraît plus facile à dire qu'à faire, mais il faut savoir que les individus qui empruntent la mauvaise route, autrement dit ceux qui mènent une vie tournée vers la violence sont des êtres qui se sont égarés. Non seulement ils n'ont pas su trouver la route qui devait les mener à la croissance spirituelle, mais ils se sont engagés sur la mauvaise voie. Dès leur retour dans l'au–delà, les personnes qui n'ont su que semer le désarroi autour d'elles, sont tout de suite mises au courant qu'elles auront un long chemin à parcourir avant de joindre la Lumière Infinie. Elles savent, pour avoir vu les conséquences de leurs actes sur les autres, qu'elles ne méritent pas de se rapprocher de la Lumière Infinie. Ce n'est qu'après de longs et pénibles efforts de rédemption que ces âmes pourront enfin envisager de se rapprocher de la Lumière Infinie. Certes, ces actes de violence sont le fruit du hasard, mais ils sont réintégrés aux leçons que nous offre la Lumière Infinie afin de favoriser notre apprentissage. La Lumière Infinie s'ajuste constamment et change ses plans selon les situations qui se présentent. Aussi, bénéficierons–nous des apprentissages de ces dures leçons, comme des autres, une fois que nous aurons rejoint la Lumière Infinie.

Peu importent les circonstances, c'est le résultat qui compte, autrement dit : les moyens utilisés pour nous faire passer dans l'au–delà n'ont aucune importance. Une fois nos leçons terminées, nous devrons quitter cette terre pour rejoindre l'au–delà, qui n'est rien d'autre que notre seule vraie demeure.

Les âmes des personnes décédées dans des circonstances dramatiques font d'ailleurs preuve de beaucoup de magnanimité face aux événements tragiques qui les ont conduites dans l'au–delà. La sagesse de ces âmes s'explique aisément par le fait qu'elles connaissent les tenants et aboutissants du drame qu'elles ont expérimenté. Elles ont saisi le sens profond qu'il recelait et la place qu'il tenait, aussi bien dans leur propre apprentissage spirituel que dans celui de leurs proches. C'est sans doute pour cette raison qu'elles se refusent à dénoncer leur assassin (bien entendu, dans les cas où il n'a pas été démasqué). Elles sont persuadées que nous ne retirerons aucun bénéfice de la vengeance, d'autant plus que cela ne peut rien changer à ce qui est. Je pense à cette famille qui était venue me consulter, quelques mois après l'assassinat de leur fille, tuée alors qu'elle se croyait en sécurité au domicile familial. La famille souhaitait entendre le nom de l'assassin de la bouche de leur fille, d'autant plus que des soupçons pesaient sur un des membres de la famille. Bref, tous tenaient à ce que ce crime ne reste pas impuni. Leur fille refusa : « Si je vous révèle le nom de mon meurtrier, vous allez gaspiller le reste de votre vie à essayer d'obtenir justice, alors que je lui ai accordé mon pardon et que j'ai tourné la page. » Touchés par la sagesse de leur fille, les parents ont décidé de lâcher prise et de renoncer à l'esprit de vengeance qui les animait. Les âmes ont pour mission de veiller sur notre développement spirituel et elles accomplissent leur devoir avec beaucoup de vigilance. Chaque fois que nous nous écartons de notre chemin, elles essaient de nous le rappeler, comme l'illustre l'histoire de cette captation. La situation inverse peut toutefois se présenter. En effet, il arrive que les âmes acceptent de révéler le nom de leur assassin, mais seulement dans un but très précis, néanmoins, elles ne cherchent jamais à obtenir « justice » ou à se venger. J'ai eu connaissance d'une telle situation lors d'une captation que j'ai effectuée pour une femme qui avait de bonnes raisons de croire que sa fille avait été assassinée. Au moment du meurtre, elle traversait une mauvaise passe, elle était en pleine procédure de divorce et elle envisageait d'entreprendre une bataille juridique pour obtenir la garde de son enfant. Lors de la captation, la fille confirma les doutes de sa mère, son mari l'avait tuée et il avait maquillé son crime en accident. Elle souhaitait rétablir les faits parce que la vie de son enfant était en jeu dans cette histoire. L'ignorance de ce crime avait pour résultat que l'enfant était toujours sous la garde de son père alors que son itinéraire spirituel commandait plutôt qu'il vive avec sa grand–mère maternelle. Cette précieuse révélation fit que celle–ci demanda une seconde autopsie, laquelle révéla de nombreuses anomalies invalidant la thèse de l'accident. Deux ans plus tard, le mari a été reconnu coupable de meurtre. Bien entendu, je ne raconte pas cette histoire dans le but d'inciter qui que ce soit à venir me consulter dans les cas de crimes non résolus (je n'ai pas le temps de travailler sur les dossiers de la police), je souhaite simplement illustrer le fait que l'au–delà n'hésite pas à nous faire confiance lorsqu'il s'agit de servir nos intérêts, pour autant qu'ils sont nobles. Quelles que soient les informations qu'elles nous communiquent, nous sommes libres d'en faire ce que nous voulons, la tâche de changer notre itinéraire spirituel nous revient, notre vie est entre nos mains.

L'indulgence et la bienveillance des âmes auront toujours de quoi nous étonner. Pourtant, je sais bien que ce don extraordinaire leur vient d'une compréhension plus large du monde et de l'univers. Dans leur sagesse, les âmes nous exhortent à leur emboîter le pas et à les suivre sur le chemin de la compréhension et de la compassion, afin qu'un jour, nous puissions enfin comprendre pour être capables de mieux pardonner. Certaines familles semblent parfois si bouleversées par le fait que les âmes leur demandent de pardonner à leur agresseur qu'il m'est facile d'en déduire qu'elles ne le feront pas de sitôt. Quelle que soit notre position face au pardon, les âmes nous demandent toujours de prier pour leur agresseur. En nous conviant à cet exercice, elles cherchent à nous faire comprendre que personne n'échappe à sa propre conscience ; dans l'au–delà, chacun est responsable de ses actes. C'est pourquoi, tous ces combats que nous menons pour obtenir justice ne sont à leurs yeux qu'une perte de temps. Les âmes savent bien que tous nos efforts en ce sens ne changeront rien à ce qui est. Elles pensent que nous devrions plutôt nous employer à saisir le sens que recouvre cet événement dans nos vies. À défaut de pardonner, elles nous demandent de faire au moins quelques pas sur la route de la compréhension. N'allez surtout pas croire qu'elles considèrent que le geste de leur agresseur est fondé, elles le trouvent tout aussi absurde que vous, seulement elles détiennent cette capacité, en somme cette grâce, de canaliser leur énergie de façon si positive qu'elles parviennent à reconnaître le bien en tout. Malheureusement, tout le monde n'a pas cette grâce. Voir un de nos proches mourir d'une agression violente et gratuite, compte parmi les expériences terrestres les plus difficiles qu'il nous soit donné de vivre. Cette fin absurde, emporte dans son sillage tant de rêves qui ne verront jamais le jour et par le fait même, nos espoirs et notre foi en la vie. Pourtant, les âmes ne voient pas les choses ainsi, de leur point de vue, la mort n'est en rien une perte, puisqu'elle a marqué le commencement de leur nouvelle vie.

Les personnes qui connaissent une personne décédée à la suite d'un crime violent sont toujours extrêmement bouleversées à l'idée des souffrances et des tortures que leur proche a subies. J'ai eu la chance de communiquer avec certaines de ces âmes et elles m'ont dit n'avoir pas du tout souffert. Leur âme a quitté leur corps dans les quelques secondes qui ont suivi l'agression, si bien qu'elles n'ont ressenti aucune douleur physique. Cette affirmation est toujours reçue comme une véritable bénédiction chez les proches de la personne décédée. L'au–delà nous consent cette grâce ; il est la source intarissable à laquelle s'abreuve notre espoir.

J'ai rencontré Peggy et Joseph Edwards par une journée particulièrement venteuse du mois d'octobre. Je me souviens de cette journée dans ses moindres détails, probablement parce qu'il régnait une agitation peu coutumière dans l'hôtel où j'étais descendu. J'avais l'impression d'être au cirque. Le hall de l'hôtel accueillait un rassemblement de quatuors polyphoniques et il était littéralement impossible d'échapper au tintamarre de cette bruyante assemblée. Durant mon rendez–vous, j'ai jeté un œil à la fenêtre et j'y ai aperçu deux personnes (Joseph et Peggy). J'ai appris par la suite que ce couple n'était pas là par hasard, une personne avait travaillé très fort pour tenter de leur apporter un peu de réconfort. Cette personne était leur fils, Corey.

Peggy et Joseph sont de ces rares parents qui ont su conserver une grande dignité et une force exceptionnelle face à la mort violente de leur fils. Le drame qu'ils ont vécu ne les a pas aigris, ils croient que toute épreuve porte en elle une leçon qui en vaut la peine. S'ils en ont tiré d'importantes leçons, il ne faudrait pas pour autant croire que tout a été facile. Peggy et Joseph ont été tout autant victimes de cette agression aveugle et violente que leur fils. C'est pourquoi, ils ont voulu raconter leur histoire. Ils espèrent qu'elle aidera les personnes qui ont vécu un drame semblable à y voir un peu plus clair. J'espère de tout mon cœur que cela renforcera leurs convictions et leur donnera la force d'aller de l'avant. Au bas d'une des lettres qu'ils m'ont envoyées, ils ont écrit : « L'accusé a peut–être pris la vie de notre fils, mais il ne nous volera pas la nôtre ! Nous sommes décidés à ne pas nous laisser faire. » Ces quelques phrases résument parfaitement la position des âmes de l'au–delà. L'attitude de Peggy et Joseph Edwards les place au–dessus du malheur qui les a frappés, puisqu'ils sont parvenus à se libérer de leur souffrance et à progresser. Leur récit se veut autant un hommage à leur fils disparu, qu'un message d'espoir. Voici le récit de ce drame tel que l'ont raconté Peggy et Joseph.

Nous avions pris la décision d'avoir deux enfants. La naissance de nos deux garçons, Jay et Corey, comblait nos désirs ; nos enfants étaient notre priorité. J'avais pris la décision de rester à la maison pour prendre soin des enfants, ce qui fait que Joseph était l'unique pourvoyeur de la famille. Nous menions une existence tranquille tout à fait typique de la classe moyenne supérieure. Nous avions soigneusement planifié l'éducation de nos enfants et nous entendions leur inculquer certains principes moraux et religieux qui nous sont chers. Comme tous les parents noirs américains, nous souhaitions par–dessus tout que nos enfants fassent des études supérieures. Pour Jay et Corey, il ne s'agissait pas d'une option parmi tant d'autres, les études supérieures constituant, de fait, la seule et unique alternative à la misère.

Nos fils ont grandi en sagesse, nous étions fiers d'avoir des enfants aussi aimants et attentionnés. Nous leur avions appris que la violence ne servait à rien et qu'il valait mieux tourner les talons et partir devant un agresseur potentiel que d'être contraint d'utiliser la force. Malheureusement, les valeurs que nous leur avions inculquées ne les ont rendus que plus vulnérables aux yeux de ceux qui ne partageaient pas nos idéaux et qui avaient fait de la violence leur pain quotidien. Très tôt, nous nous sommes aperçus que nous n'avions que peu de prise sur le monde extérieur. Et un jour, ce que nous redoutions le plus est arrivé. On a frappé à la porte et un policier nous a annoncé que notre fils Corey, venait d'être victime d'un homicide. À l'âge de dix–neuf ans, le nom de notre fils allait joindre celui des milliers d'autres noirs américains, victimes comme lui, d'un acte de violence gratuit de la part d'un autre noir américain.

Corey était très sociable, ce trait de personnalité s'était manifesté très tôt chez lui. Il avait un talent spécial pour entrer en contact avec les gens, il était facile à vivre et jouissait d'une nature généreuse. Tout le monde était sous son charme, nos voisins, ses copains de classe, ses professeurs et même l'infirmière de l'école.

Il aimait les gens et cette affection sincère transparaissait dans tout ce qu'il entreprenait, que ce soit dans les sports ou la musique. Je me rappelle, entre autres, d'un incident survenu à l'occasion d'un spectacle d'élèves de l'école élémentaire. Corey et son amie Jessica y présentaient un duo à la clarinette. Dans les quelques instants qui précédèrent leur prestation, l'anche de la clarinette de Jessica céda, si bien que d'atroces grincements s'échappèrent de l'instrument de la fillette. Corey ne perdit pas son sang–froid et il prit sur ses épaules de réconforter sa pauvre camarade éplorée. En grandissant, notre fils est resté fidèle à lui–même. À l'école secondaire, il se montra brillant et son nom figura très souvent au tableau d'honneur. Il était très impliqué dans son milieu, il faisait partie d'une association d'intellectuels noirs et il était membre de la *National Honor Society*. Il avait beaucoup d'ambition : sur le plan personnel, il entendait se marier avec la femme de sa vie et avoir des enfants, mais il rêvait aussi de faire une brillante carrière dans l'enseignement universitaire. Bref, il avait fait siens nos idéaux et il s'appliquait à les perpétuer. Il savait que cela ne se ferait pas tout seul, il était tout à fait conscient des impératifs liés à sa condition. Il était toutefois résolu à se montrer à la hauteur de ses ambitions.

Le jour arriva où Corey dut quitter le foyer familial pour poursuivre ses études dans une université d'État de Baltimore. Il était très excité à l'idée d'entrer à l'université, toutefois son emportement était quelque peu mitigé par l'idée de quitter, pour la première fois, la douceur du nid familial. Durant sa première année d'études, il téléphonait fréquemment à la maison. Nous lui manquions terriblement et il n'avait pas peur de nous le dire. Je lui répondais invariablement que c'était déjà très courageux de sa part que d'admettre ce sentiment, mais qu'il ne devait surtout pas s'en faire, cela finirait bien par lui passer. Je remercie encore le ciel d'avoir été là pour répondre à ses appels. Il appelait sans raison précise, juste pour le plaisir de sentir notre présence. Étant d'un naturel affable, Corey n'a cependant pas tardé à se faire des amis. Cette grande qualité le rendait toutefois vulnérable aux mauvaises rencontres, nous l'avions d'ailleurs souvent mis en garde contre ce piège. Corey partageait sa chambre avec un autre étudiant et je suis persuadée qu'il était un très bon colocataire. Il n'était pas du genre à prendre toute la place, c'était plutôt le contraire, il s'arrangeait toujours pour ne pas déranger, et qui plus est, il faisait tout pour faciliter la vie des personnes de son entourage.

Le 9 avril 1995, alors qu'il poursuivait sa deuxième année d'études universitaires, Corey et trois de ses amis décidèrent de passer la soirée dans un bar de la ville. Cette idée les comblait de joie, ils étaient très excités et n'arrêtaient pas de plaisanter dans le taxi qui les amenait en ville. Dès leur arrivée, Jamal, un des amis de Corey, aperçut une de ses amies au fond du club de nuit, si bien qu'il s'empressa d'aller la saluer. Toutefois, son amie était déjà en pleine conversation avec un autre client. Lorsque Jamal arriva à ses côtés, le type en question se montra très irrité, il lança à Jamal : « Pourquoi restes–tu ici ? » Sur quoi Jamal répliqua : « Je veux juste saluer ma copine, en passant, je vais au bar. » Cette réponse, quelque peu naïve, eut le don de le mettre hors de lui. Il se tourna brusquement vers la copine de Jamal en disant : « Je vais lui faire sa fête à celui–là, dès qu'il sortira du bar, je vais lui éclater sa sale tronche de con. » Inquiète de cette menace, la copine de Jamal lui suggéra de quitter immédiatement le bar et d'emmener ses amis avec lui.

Notre fils n'était pas au courant de ce qui s'était passé, il parlait au téléphone avec sa petite copine. Il l'avait appelée pour lui demander de rester éveillée jusqu'à son retour, parce qu'il avait quelque chose d'important à lui dire. Les quatre garçons allaient enfin quitter le bar quand le type qui avait menacé Jamal s'en prit à eux. Cette altercation mineure fut vite interrompue par les videurs de l'établissement. Un des videurs reconduisit le type et ses amis jusqu'à la porte principale et il demanda à Jamal et à ses amis de quitter par la porte de côté.

Les quatre garçons s'excusèrent des problèmes qu'ils avaient causés et sur ce, ils prirent tranquillement la direction de la porte principale pour y héler un taxi. Lorsque le videur s'aperçut que les quatre garçons se dirigeaient vers la porte avant du club, il leur suggéra de descendre un peu plus bas afin d'éviter une nouvelle échauffourée. Jamal rassura le videur : « Bah ! C'est fini maintenant. » Ce furent ses dernières paroles. Quelques instants plus tard, le type du club, fou de rage, faisait feu en direction des quatre garçons, armé d'un revolver 9 mm semi–automatique. La foule se dispersa rapidement, les gens se cachaient où ils pouvaient pour tenter d'échapper à la pluie de balles. Corey prit la direction de l'allée qui longeait le club de nuit, mais les tirs en rafales ont finalement eu raison de lui.

Notre fils est mort sur les lieux. Il a été atteint par quatre balles qui se sont logées à la poitrine, au dos, à la cuisse et à une fesse. Jamal est décédé quatre jours plus tard, d'une balle à la tête. Quatre autres personnes ont été blessées lors de la fusillade, la police a retrouvé seize cartouches sur les lieux. Une des victimes est dorénavant contrainte de vivre avec une balle que les médecins n'ont pas réussi à extirper de son corps.

Le meurtrier, qui n'avait lui–même que dix–neuf ans, a été arrêté dix jours plus tard. Il a été inculpé de deux homicides au premier degré ainsi que de cinq tentatives d'homicide. Au bout d'une année, qui nous a paru interminable, parce que marquée par de nombreux retards et trois reports de procès, le suspect a finalement comparu devant le tribunal pour répondre à une accusation d'homicide au premier degré sur la personne de notre fils. Chacune des embûches qui se dressaient sur notre chemin, venait renforcer le sentiment que nous éprouvions d'être, nous aussi, les impuissantes victimes de cette histoire. Les sept jours du procès nous ont mis en face des démons que nous redoutions, non seulement nous étions confrontés à l'homme qui avait tué notre fils, mais son témoignage nous faisait revivre en détail cette nuit cauchemardesque durant laquelle deux jeunes hommes étaient morts pour rien. Heureusement, justice a été rendue et nous en remercions encore le ciel. Le prévenu a été reconnu coupable de deux homicides au premier degré, de quatre assauts et voies de fait ainsi que de port d'arme illégal. Il a écopé de deux sentences d'emprisonnement à vie sans possibilité de libération conditionnelle, assorties de vingt années pour assaut et utilisation illégale d'une arme.

Cette lourde sentence ne nous a pas libérés de notre peine, mais elle l'a quelque peu adoucie. Nous avions enfin la certitude que le meurtrier subirait les conséquences de sa funeste entreprise.

Il est presque impossible de tourner les pages d'un journal ou d'écouter le journal télévisé sans tomber sur une de ces histoires de fusillade mettant en scène des personnes innocentes qui ont eu le malheur de se trouver sur le chemin d'un dément. Cela peut arriver à n'importe qui, nous sommes bien placés pour le savoir. Nous croyons fermement que l'effritement des valeurs familiales produit un nombre croissant d'individus aux yeux desquels la vie humaine ne compte pas. À moins que nous ne prenions immédiatement des mesures concrètes pour endiguer au plus vite cette vague de fond qui touche notre société, ce problème ne fera que s'aggraver. Et bientôt, chacun d'entre nous sera (directement ou indirectement) victime de cette violence endémique et gratuite. La violence aveugle deviendra notre lot quotidien.

Le meurtre de notre fils nous a plongés dans un tel désarroi que tout ce que nous pourrions en dire ne parviendrait jamais à exprimer toute notre douleur. Chaque jour de notre vie nous rappelle constamment à la mémoire cet événement tragique, heureusement que notre foi nous a aussi appris que toute vie est éternelle. Un jour, nous avons ressenti le besoin d'entrer en contact avec notre fils et ce désir nous a conduits vers George Anderson. Apprendre que Corey est heureux dans sa nouvelle vie a été pour nous d'un immense réconfort. Sa vie dans l'au–delà est plutôt bien remplie, il a un rôle et une place bien à lui et il travaille. Nous étions très heureux qu'il puisse enfin donner le meilleur de lui–même, qu'il ait enfin une place à lui pour exercer ses talents. Il avait tant ambitionné de le faire sur terre. Lors de la captation, Corey nous a fait comprendre que nous ne devrions pas rester accrochés au passé et qu'il nous fallait aller de l'avant en attendant le jour de nos retrouvailles. Avant notre rencontre, je me sentais coupable de vivre, je n'osais plus rire ou m'amuser. Nous devons une fière chandelle à Corey qui nous a permis d'accepter qu'il nous faille aller notre chemin et poursuivre notre itinéraire spirituel en cette vie.

LA CAPTATION

— Bon, commençons. Je sens la présence d'une entité masculine... elle vient tout juste de faire son apparition dans la pièce. Elle est accompagnée d'un autre individu, ah ! Il s'agit de deux hommes de deux générations différentes. Il y a une femme avec eux.. Et, une autre encore. Quatre personnes discutent dans la pièce en ce moment, je vais bientôt en savoir plus... je dois me plier à leur manière de faire... Hum, je ne sais pas ce que cela veut dire exactement, surtout ne me dites rien, mais quelqu'un vient de dire : « Papa est là », est–ce plausible ? (Ils acquiescent) Bon, j'imagine qu'ils vont m'en dire plus d'un moment à l'autre, en attendant, passons à autre chose. Il y a une femme qui marche dans la pièce, en fait, elle tourne autour de vous deux. Il me semble donc que vous étiez tous deux très proches d'elle, vous pensez à quelqu'un ?

— Oui.

— Un homme que vous connaissiez bien les accompagne, ça vous dit quelque chose ?

— Oui.

— Un jeune homme ?

— Oui.

— Deux hommes de deux générations discutaient ensemble et tout à coup, ils ont interrompu leur conversation et ils se sont mis à marcher dans la pièce. Bon, encore une fois, je dois vous prévenir, je ne sais pas à quoi ils veulent en venir, mais je viens de saisir une bribe de leur conversation, ils parlent de quelqu'un qui a perdu un enfant, savez–vous à quoi ils font référence ?

— Oui.

— Ah ! Maintenant, je viens d'entendre dire : « Maman est là. »

— Oui.

— Bon, d'après ce que je viens d'entendre, je suppose que vous êtes son père et sa mère. C'est exact ?

— Oui.

— Qui que ce soit, il m'apparaît clairement que cette personne s'adresse à vous. Oui, j'entends : « Papa est là, maman est là. » Et vraisemblablement, elle m'indique que ces paroles s'adressent à vous. Ils parlent de la perte d'un fils, vous avez perdu un fils ?

— Oui.

— Ok, je suis en train de franchir le seuil des présentations. Votre fils parle d'un père ou d'un grand–père. Est–ce que le père d'un de vous deux est mort ?

— (Joseph) Oui.

— Bon, il parlait sans doute de lui quand il a dit : « Papa est là. » Il s'agit de votre père ou de son grand–père. Maintenant, il dit : « Père, grand–père est ici avec moi. » Il veut probablement souligner le fait qu'il s'agit de votre père et de son grand–père. Oh ! Attendez, j'entends quelqu'un parler d'une mère, est–ce que vos mères sont toujours de ce monde ? Une des deux est morte ?

— Oui.

— (À Joseph) Il s'agit de la vôtre ?

— Oui.

— (À Peggy) Vos parents sont tous les deux ici ?

— Ma mère seulement.

— Bon, d'accord. C'est que leur conversation est difficile à saisir, ils discutent tous ensemble et j'ai entendu quelqu'un dire : « Maman est avec moi. » (À Joseph) Donc, il apparaît clairement qu'il s'agit de votre mère, mais quelqu'un d'autre a parlé d'un père. Tout cela pour dire qu'il y a beaucoup de personnes ici et je viens tout juste de comprendre qu'elles se disent être vos grands–parents, je présume que vos grands–parents sont tous décédés, c'est exact ?

— Oui.

— C'est pour cette raison que j'étais un peu confus tout à l'heure. Tout le monde parlait de parents et de grands–parents sans que je sache de qui il s'agissait.

Je présume que vous êtes ici pour entrer en contact avec votre fils. Il le sait, mais il me dit qu'il ne peut pas empêcher les autres de venir vous saluer s'ils en ont envie ! (Rires) Ne vous inquiétez pas, il ne partira pas. Il dit : « Nous vivons tous dans la même communauté, alors quand les autres ont su que j'allais vous parler, ils ont, pour ainsi dire, sauté sur l'occasion. Ils veulent vous faire savoir qu'ils sont toujours auprès de vous. » Une chose encore... (À Peggy) Votre père est venu vers vous et j'ai senti que vous n'étiez pas aussi proche de lui que vous l'auriez souhaité.

— Oui.

— Votre père pense que vous lui en voulez, que vous avez certains comptes à régler avec lui. Ils viennent de m'expliquer que votre fils s'est temporairement éloigné afin de lui permettre de vous parler. Tout à l'heure, il s'est approché de vous pour vous présenter ses excuses, il croit qu'il aurait dû vous porter plus d'attention quand vous étiez enfant. Il est un peu tard pour de telles excuses, mais mieux vaut tard que jamais. Votre père se sent coupable de ne pas vous avoir donné assez d'affection et d'attention. Vous êtes d'accord ?

— Oui.

— Il m'a dit qu'il était parfois absent. Il veut vous dire qu'il vous a toujours aimée, même s'il exprimait ses sentiments de façon étrange et qu'il n'était pas souvent à la maison. Votre mère est toujours de ce monde, n'est–ce pas ? Je l'entends qui l'appelle. Il dit que la vie de votre mère n'a pas été facile, elle est partie de bien peu et elle s'en est sortie. Il souhaite lui faire savoir qu'il regrette de ne pas avoir été plus attentionné et plus affectueux envers elle. Votre mère aime encore votre père, n'est–ce pas ?

— (Elle rit) Je n'en sais rien.

— Je sens qu'il y a beaucoup d'amour dans son appel, il l'aime et à sa manière, elle l'aime aussi. Elle doit être un peu échaudée par votre père. Quoi qu'il en soit, il veut qu'elle sache qu'il reconnaît ses torts.

— D'accord.

— Votre mère sera ravie de voir qu'il a compris.

— (Rires) Oui.

— Il sait qu'il était dans l'erreur. Il ajoute à la blague que votre mère n'était peut–être pas toujours commode, mais qu'il est responsable de ce qui est arrivé. Il faut être deux pour danser un tango, mais dans le cas de vos parents, c'est votre père qui menait la danse.

— Hum, hum.

— Bon, passons à votre fils. Je sais que c'est ce que vous voulez entendre, tous les parents souhaitent que leurs enfants aillent bien, mais que voulez–vous, c'est le cas, il va bien et il est en sécurité. Je suis certain que son bien–être vous préoccupe, aussi n'ayez crainte, il va très bien. Il vient de me montrer le mot « tragique», il est mort dans des circonstances tragiques, n'est–ce pas ?

— Oui.

— Ah ! Il me montre le mot « accident». S'agit–il d'un accident ?

— (Ils font signe que non)

— Il a mis le mot accident entre guillemets, cela peut avoir plusieurs sens. De toute façon, je sens qu'il n'a pas été victime d'un accident de la route, n'est–ce pas ?

— C'est exact.

— Il me suggère que la situation ne fait pas référence à ce que l'on entend d'habitude par le mot « accident ». Sa mort a été soudaine, n'est–ce pas ?

— Oui.

— C'est pour cette raison qu'il a mis le mot accident entre guillemets, pour marquer le fait que sa mort vous a surpris. Il pourrait aussi s'agir d'un problème de santé, mais une chose m'apparaît évidente, il est mort en un éclair. (À l'au–delà) D'accord, d'accord, je préférerais que tu me rapportes leurs propos. J'ai l'impression qu'il a eu du mal à respirer, c'est possible ?

— Oui.

— Voilà pourquoi je préfère répéter ce qu'il me dit plutôt que de vous poser des questions. Nous allons procéder de cette façon : je vous répète ses paroles et je vous demande si vous comprenez. Cela concerne sa poitrine ?

— Oui.

— Je ressens un malaise à la poitrine. Il me dit : « Vous ne pouviez pas me sauver. » Vous comprenez ce qu'il veut dire ?

— Oui.

— Vous n'y pouviez rien. J'ai comme l'impression que cette question vous a torturés. Vous vous êtes demandé si vous auriez pu faire quelque chose pour lui. Votre fils vous répond que vous n'auriez rien pu faire. Votre fils va droit au but, il dit les choses telles qu'elles sont.

— Oui.

— Il m'a dit qu'il était venu vous visiter en rêve. Apparemment, vous avez rêvé de lui.

— (Peggy) Oui, ça m'est arrivé.

— Parce qu'il m'a dit que ce n'était pas la première fois que vous le revoyiez. Il vous remercie pour les choses que vous avez faites en sa mémoire.

— (Rires) Oui !

— Vous avez fait plusieurs choses en sa mémoire et il vous en remercie. Il veut que vous sachiez qu'il est au courant de ce que vous avez fait. Vous avez planté un ou des arbres en sa mémoire ?

— Oui.

— Je vois un arbre pousser en face de moi. Vous avez rendu hommage à sa mémoire en posant des gestes en son nom. Je vois un arbre en face de moi et il pousse, il tient à vous remercier pour cet arbre que vous avez planté en sa mémoire.

— Oui, oui.

— J'ai un point au cœur, est–ce possible ?

— Oui.

— J'ai l'impression que mon cœur va me lâcher. C'est plausible ?

— Oui.

— Ok, j'ai de plus en plus le sentiment qu'il a eu un problème cardiaque, mais je ne crois pas qu'il s'agissait d'une crise cardiaque, c'est exact ?

— Oui.

— J'ai l'impression de manquer d'air. (À Joseph) Il vous appelle, étiez–vous en bons termes lors des événements ?

— Non.

— Enfin, il n'arrête pas de me dire que vous n'auriez pas pu le sauver. Est–ce que vous comprenez ce qu'il veut dire par là ?

— Oui.

— Ah ! C'est bien ce que je pensais... Votre fils n'est pas content de moi. Il me dit que je suis passé à côté de ce qu'il voulait dire. Il m'explique que je n'aurais pas dû vous poser cette question concernant la qualité de votre relation, j'aurais dû me contenter de faire passer son message, à savoir que vous ne pouviez rien pour lui. Il me demande de faire attention à ce que je dis.

— (Ils rient) C'est tout à fait lui.

— Une fois encore, il répète : « Tu ne pouvais rien faire. » Ce message s'adresse tout particulièrement à vous, Joseph.

En tant que père, vous avez eu à porter un lourd sentiment de culpabilité, vous vous disiez : « J'aurais dû être là, j'aurais pu faire quelque chose. » Enfin, vous avez éprouvé ce genre de sentiment de culpabilité. Il le sait et c'est pourquoi, il souhaite que vous trouviez enfin la paix, parce que vous souffrez en silence depuis trop longtemps déjà. (À Peggy) Je ne veux pas dire que vous n'avez pas souffert, de toute façon, il sait que vous comprenez très bien le sens de ses paroles. Bon, je ne vais pas trop m'avancer, je ne voudrais surtout pas qu'il me dise encore une fois que je ne fais pas les choses correctement. Est–ce qu'il est tombé ?

— Oui.

— D'accord, depuis quelques instants, j'ai l'impression de faire une chute. Je ne comprends pas... Votre fils me montre un uniforme, est–ce que vous savez à quoi cela se rapporte ? Bien entendu, il ne portait pas d'uniforme ?

— Non.

— Je ne comprends pas où il veut en venir. Bon, je ne vais pas m'éterniser sur le sujet, il vaut mieux passer à autre chose pour l'instant. La description qu'il fait de sa mort me donne à penser qu'il a sombré dans un profond sommeil. Est–ce que c'est exact ?

— (Ils hésitent)

— Peut–être a–t–il sombré dans un profond sommeil juste avant de mourir, enfin il me dit qu'il s'est endormi. Saint Joseph vient tout juste de faire son apparition. Ce personnage saint est un symbole de mort heureuse. Votre fils a quitté ce monde dans un état de grande quiétude. Il me répète qu'il n'a pas souffert, malgré les circonstances, il n'a ressenti aucune douleur.

— C'est bien.

— Il tenait à vous le dire.

— D'accord.

— Il veut que je vous dise que ce n'est pas moi qui lui ai demandé de vous dire tout ceci, il tenait à vous rassurer, il n'a pas du tout souffert. Il est mort dans des circonstances tragiques et vous étiez persuadés qu'il avait enduré de grandes souffrances, mais il n'en est rien, il me répète depuis tout à l'heure : « Au contraire de ce que vous croyez, je n'ai pas souffert. » Est–ce que quelque chose a atteint sa poitrine ?

— Oui.

— Je sens un coup à la poitrine. Je me sens faiblir et puis tomber. Il s'est effondré… j'ai l'impression que je m'écroule et je sens un coup à la poitrine, puis plus rien.

— Oui, oui.

— Il peut s'agir d'un symbole, mais il me parle d'une arme, est–ce que c'est exact ?

— Oui.

— Sa mort est en rapport avec une arme ?

— Oui.

— Oui… j'entends un « bang », il s'agit d'une arme à feu ?

— Oui.

— Je voulais juste m'en assurer parce qu'après tout, ce son aurait pu avoir une autre cause. Pendant un instant, je me suis demandé si je devais vous poser la question et votre fils m'a répondu : « Il faut d'abord leur dire que vous avez entendu un « bang », vous demanderez ensuite de quoi il s'agit. » Bon, vraisemblablement, il a été tué par balles.

— Oui.

— Il a été touché à la poitrine ?

— Oui.

— Et à la tête ?

— Non.

— Alors qu'est–ce qui peut expliquer ces vertiges que je ressens ? A–t–il été blessé à la tête ?

— Non.

— À moins que ses blessures aient provoqué des lésions internes… j'ai l'impression que tout mon corps est malade. C'est peut–être que le sang n'affluait plus au cerveau, enfin, je me sens partir. C'est peut–être pour cela que j'ai eu l'impression de tomber… j'ai l'impression que tout mon corps est en train de s'écrouler, mes forces m'abandonnent, je me sens partir. Il a mis le mot accident entre guillemets, parce qu'il ne s'agit pas vraiment d'un accident au sens où on l'entend habituellement, pas plus qu'il est mort en raison d'un problème de santé.

— C'est exact.

— Et j'ai bien l'impression qu'il a craint que j'en déduise que sa mort avait un lien avec un quelconque problème de santé. Il se montre très prudent, il a peur de me mettre sur une fausse piste. Le problème c'est que les âmes emploient généralement le concept d'accident pour parler d'un problème de santé qui s'est présenté sans crier gare. Je vois le titre d'une émission de télévision : *Crossfire* (qui signifie : être pris entre deux feux.) A–t–il été victime d'une fusillade ?

— Oui, il l'a été.

— Oui, il m'a dit qu'il était pris entre deux feux. Il n'arrête pas de me dire : « Ce n'est pas de ma faute, j'étais pris entre deux feux. » Enfin… je suis sûr que vous le saviez déjà. Quoi qu'il en soit, il souhaite une fois encore vous rassurer, tout va bien et il est en paix. Néanmoins, il s'inquiète un peu pour vous, il sait que vous vivez avec le souvenir pénible de cet événement. En ce qui le concerne, tout va bien, à ses yeux, cette histoire fait partie du passé. Il a insisté sur le fait qu'il était en paix et en sécurité, il ajoute que la société dans laquelle il vivait n'était pas très sûre. « Ce n'était pas spécialement *Disney World*, mais ajoute–t–il, vous pouvez enfin respirer, puisque son monde est un endroit sûr empreint de calme. » Il aimerait que vous puissiez enfin retrouver une certaine tranquillité d'esprit.

J'ai franchement l'impression qu'il se trouvait au mauvais endroit au mauvais moment. Il n'avait aucune raison d'être là, même qu'il n'aurait pas dû y être, enfin c'est tout comme. Peut–être n'avait–il pas prévu de rester jusqu'à cette heure tardive ou quelque chose comme ça. C'est un peu comme s'il devait être là, mais pas à ce moment. Vous voyez, c'est un peu comme un employé qui termine ordinairement à cinq heures mais qui décide de travailler une heure de plus. Bref, il n'aurait pas dû être là quand c'est arrivé.

— Euh, euh, oui.

— Je sens, et je ne voudrais surtout pas me montrer inconvenant, mais … enfin… votre fils était un peu naïf, il n'était pas stupide, loin de là, même qu'il était plutôt sociable et débrouillard, mais il faisait peut–être un peu trop confiance aux autres.

— Oui, oui.

— En certaines occasions, il pouvait se montrer très naïf… certaines personnes malintentionnées pouvaient aisément tirer avantage de sa naïveté.

— Oui.

— J'ai de plus en plus l'impression de m'adresser à un charmant garçon, mais qui, somme toute, était plutôt naïf. Il appréciait ses qualités, mais il savait qu'un jour ou l'autre elles le desserviraient.

— Euh, euh, j'imagine.

— Votre fils admet qu'il se montrait parfois imprudent et irréfléchi. (Ils rient) Bien entendu, vous aviez dû le mettre en garde contre ses excès de confiance, mais les arbres lui cachaient la forêt. Il me dit : « Papa et maman avaient raison. » Son indépendance n'était pas toujours sa meilleure amie… enfin, il était loin d'être un mauvais garçon, mais il était du genre à fréquenter des personnes plus ou moins recommandables ?

— Oui.

— Il ne s'agissait pas de personnes foncièrement mauvaises, mais il me semble qu'elles étaient un peu louches. Je vois un arbre qui projette de l'ombre, je crois que cela signifie que ces personnes avaient un côté obscur. (Ils acquiescent) Plus précisément, j'ai l'impression qu'elles avaient tout simplement pris un mauvais chemin, il me dit qu'il s'agissait de personnes « égarées ». C'est curieux, je vois une paire de chaussures et il m'indique qu'elles sont parfaitement ajustées. Cela veut peut–être dire qu'il faisait beaucoup d'efforts pour s'intégrer et être accepté des autres. C'est exact ?

— (En pleurs) Oui.

— Je pense que ces chaussures ont une signification pour vous. Il m'a prévenu que je ne devais rien négliger, il veut que je vous parle de tout ce qu'il me montre ou de tout ce qu'il me dit. Bien qu'il cherchait toujours à se faire accepter des autres, il savait tout de même conserver son indépendance. C'était un type très « cool », comme on dit. De toute façon, il me dit qu'il ... Hum !... Il a eu le malheur d'être mêlé à une sale histoire...Il s'est montré naïf, il a péché par excès de confiance. C'est exact ?

— Oui.

— Ces personnes en savaient beaucoup plus long que lui et il pensait qu'elles étaient vraiment très « cool » , mais il lui arrivait de se sentir étranger à elles.

— Hum, hum.

— Il devait parfois se sentir exclu, sans doute en avait–on fait un souffre–douleur quand il était enfant, la pression exercée par son groupe était forte, il devait se conformer. Cela ressemble beaucoup à ce que j'ai vécu ; à l'école tout le monde se moquait de moi et surtout de mes dons, c'est pourquoi j'ai toujours voulu m'intégrer et me faire accepter des autres. Il avait vécu la même chose et il faisait tout pour s'intégrer, c'est juste ?

— Oui.

— Je dirais qu'il était très sensible, mais il n'avait pas encore trouvé le moyen de canaliser sa sensibilité dans la bonne direction. Il se sentait parfois très différent de vous. C'est exact ?

— Oui.

— Il est certain que nous avons tous nos hauts et nos bas, mais il a l'impression de vous avoir causé beaucoup d'ennuis et il tient à s'en excuser, il pense qu'il n'a pas toujours su se montrer à la hauteur de ses parents.

— Hum, hum.

— Il me dit qu'il sait bien qu'il vous arrivait d'avoir envie de tout laisser tomber. Vous pensiez : « Je ne sais vraiment plus quoi faire avec ce garçon. » (Petits rires) Et puis vous leviez les bras au ciel en signe d'abandon, vous remettiez le tout entre les mains de Dieu, après tout, vous aviez déjà fait tout ce que vous pouviez.

— C'est exact.

— Votre fils a grandi dans l'au–delà, il est devenu un homme. Avant, il n'était encore qu'un petit garçon dans un corps d'homme. Il affirme qu'il a grandi, qu'il a acquis beaucoup de maturité dans l'au–delà. Il ajoute : « Ici, rien ni personne ne nous force à faire quoi que ce soit. » Il dit que l'au–delà lui a permis de se trouver, il a pu enfin réaliser ce qu'il avait tant souhaité faire sur terre... parce qu'il lui arrivait parfois de s'égarer. Enfin, tout ceci faisait partie de ses leçons, des choses qu'il avait à apprendre. Je vois de nouveau cet arbre qui projette une ombre, est–ce qu'on peut parler de quelque chose d'illégal ?

— Oui.

— Oui, c'est quelque chose comme ça... Ah ! Oui, oui, c'est pour cette raison que j'ai vu un uniforme de police. L'uniforme symbolisait l'illégalité.

Votre fils me dit qu'il n'a pas été l'instigateur de cette histoire. C'est comme si quelqu'un avait suggéré : « Allez les gars, on le fait ». Il est question d'un groupe, d'un groupe envers lequel il entretient un fort sentiment d'appartenance. Il m'a dit qu'il avait tiré une bonne leçon de tout cela, si une situation semblable se présentait, il fuirait « dans la direction opposée », il ne resterait pas là. Il me montre la dernière scène du *Magicien d'Oz*, vous savez celle dans laquelle la bonne sorcière dit à Dorothy : « Tu dois apprendre ceci par toi–même » puisque l'épouvantail est incapable d'y penser tandis que l'homme en fer blanc est incapable de ressentir de telles émotions. Bref, elle ne devait compter que sur elle–même pour trouver la réponse. Votre fils a été confronté à une telle situation et il est fier d'avoir trouvé la réponse, sa réponse. Apparemment, vous avez prié pour lui, parce qu'il vous demande de continuer.

— Euh, oui.

— Votre fils est en train de m'expliquer qu'il n'existe pas de parents parfaits, seulement, il considère que vous avez toujours fait pour le mieux avec lui et que quelquefois il lui arrivait de vous critiquer pour rien. (À Joseph) Peu avant sa mort, vous éprouviez quelques petits problèmes de communication, n'est–ce pas ? Il m'a confié que votre relation aurait pu être meilleure, enfin, peu de temps avant sa mort.

— Oui.

— Peut–être se montrait–il parfois turbulent, voire un peu rebelle, mais je sens bien qu'il ne s'est jamais détaché de vous. (Ils acquiescent) Toutefois, il se montrait peut–être un peu ... disons distant ? Non pas qu'il refusait de vous parler ou de se confier à vous, mais il était absorbé dans ses pensées, son avenir le préoccupait, il se demandait ce qu'il ferait plus tard.

— (Joseph) Je comprends.

— Il tient à ce que vous soyez sûrs d'une chose : il vous aime et il vous a toujours aimés, même s'il a pu paraître distant ou peu intéressé quelque temps avant son décès. Ah ! Il me parle d'une dispute, est–ce qu'il y a eu une dispute ? Est–ce qu'elle concernait son groupe d'amis ?

— Oui.

— C'est ce qu'il m'a semblé. J'entends des chants d'opéra, quelqu'un chante « Pace, pace » (Paix) A–t–il essayé de régler un conflit ou d'aider quelqu'un ?

— Oui.

— Je sens qu'il avait pris le bon parti... Oui, il est dans la foule et une dispute survient, le ton monte et la violence éclate. J'ai l'impression qu'il s'est retrouvé au beau milieu d'une scène de ce type. Il me répète qu'il a été pris entre deux feux. Il semble qu'il ait essayé de régler cette querelle avant qu'elle ne dégénère.

Il a tenté de se faire le médiateur du conflit ou, à tout le moins, il a essayé de tempérer les ardeurs des protagonistes. Toutefois, la situation est rapidement devenue incontrôlable et il a été pris entre deux feux, au sens littéral de l'expression.

— Oui.

— Je vois quelque chose dont la possession est illégale, est–ce possible ?

— Oui.

— Oui, je vois quelque chose comme de la drogue ou de l'argent, enfin c'est ce que je vois devant moi.

— Non, il y avait peut–être de la drogue là où il se trouvait, mais il n'avait rien à voir là–dedans.

— Non, je ne veux pas parler de lui, mais des personnes avec qui il se trouvait.

— C'est possible.

— Je vois de l'argent et de la drogue. J'ai bien l'impression que s'il n'était pas du tout concerné par cette affaire, quelqu'un d'autre l'était ou quelqu'un s'est senti trahi ou frustré. Je ne parle pas de lui, je parle d'une personne qui l'accompagnait ou d'un inconnu. Quelque chose de pas très catholique s'est passé, enfin une activité cachée, bref, qui se déroule dans l'ombre et qui est en rapport avec la drogue ou l'argent. Enfin, il semble qu'il essaie de me dire quelque chose comme ça. Bien entendu, cela a dû se passer avant sa mort, mais les événements se mettaient en place et soudain tout a explosé. Malheureusement votre fils était là. J'ai l'impression que vous aviez peur que cela se produise, il vivait une vie un peu trop trépidante à votre goût et vous étiez inquiets. Il vient de me dire que vos paroles n'auraient rien changé, il ne vous aurait pas écoutés. Vous vous demandiez parfois s'il avait « quelque chose entre les deux oreilles », enfin, c'est ce qu'il me dit. Mais en même temps, vous saviez bien qu'il était intelligent, vous pensiez simplement qu'il était en train de s'écarter du droit chemin. Votre fils a bon cœur, c'est un très gentil garçon, je le sens bien.

— Oui, il l'est.

— Mais ce gentil garçon avait… quelque chose à cacher… mais qui n'a rien à cacher ? Je ne dis pas tout et je suis persuadé que vous faites de même, tout le monde a ses petits secrets. Il sait que vous avez été très heureux d'apprendre qu'il mène une vie épanouissante dans l'au–delà, mais il sait aussi que vous trouvez injuste qu'il n'ait pas eu la chance de s'épanouir sur terre. Sa présence vous manque terriblement.

— Oui.

— Il veut vous dire qu'il est auprès de vous spirituellement, il sait bien qu'il ne s'agit que d'une maigre compensation, mais tout de même, cela peut aussi vous aider.

— Ok.

— Il me dit à la blague, que vous le saviez déjà. Il vous arrive de vous adresser à lui à voix haute ?

— Oui, cela m'arrive.

— Avec les vacances qui s'en viennent, vous pensez encore plus à lui. Vous voyez toujours venir les fêtes de Noël et de l'Action de Grâce avec beaucoup d'appréhension, l'absence de votre fils se fait cruellement sentir lors de ces périodes de réjouissance. Votre vie n'a pas été facile, n'est–ce pas ? Vous avez travaillé dur pour arriver là, n'est–ce pas ?

— Hum, oui.

— Oui, vous avez dû trimer dur pour avoir ce que vous avez maintenant, de nombreux obstacles se sont dressés sur votre chemin… quoi que vous fassiez, vous teniez toujours à ce que tout soit parfait. Il vous remercie de nouveau pour vos prières et il vous demande de continuer. Il n'était pas très pratiquant, la religion ne lui disait pas grand–chose, mais il avait une vie spirituelle bien à lui. Je maintiens ce que je disais tout à l'heure, il a très bon cœur. À vrai dire, je vois Jésus, il vient d'apparaître derrière vous et il dit : « Que la paix soit avec vous et que la paix soit avec votre fils. » Les circonstances tragiques de son décès font que vous teniez absolument à savoir s'il se porte bien, eh bien, ne craignez rien, il est en paix. Votre fils possède deux grandes qualités, cela me paraît clair : il est doté d'une intelligence vive à laquelle s'allie une grande indépendance. Autrement dit, c'était le genre de type qui se liait facilement d'amitié et qui pouvait se dégotter un emploi en dix minutes.

— C'est tout à fait lui.

— Aussi, à part le fait qu'il soit mort dans des circonstances tragiques, vous ne vous inquiétiez pas pour lui, vous étiez déjà convaincus qu'il se débrouillerait parfaitement et qu'il s'adapterait sans problème à sa nouvelle vie. Votre fils arriverait à se tailler une place n'importe où. On l'aurait parachuté en Mongolie, qu'il n'aurait pas mis de temps à se débrouiller et à se faire accepter des autres, (Ils rient.) À votre place, je ne m'inquièterais pas non plus. Il est en train de m'expliquer que son bilan de vie est certainement l'une des expériences les plus marquantes qu'il lui a été donné de faire dans l'au–delà. Il a pu voir ses réussites et ses échecs spirituels, il a ainsi fait le bilan de ses apprentissages et de son évolution. Ce bilan de vie a été pour lui une expérience incomparable ; elle lui a fourni l'occasion de prendre du recul. Il a été, au sens littéral du terme, le *spectateur* de sa propre vie. Cette expérience lui a appris à se connaître et lui a donné la force d'aller de l'avant. (À Joseph) Votre père semble penser qu'il ne vous a pas assez accordé d'attention lorsque vous étiez enfant, c'est exact ?

— Oui.

— En fait, il veut vous dire qu'il vous a toujours aimé, même s'il n'a pas toujours su exprimer ses sentiments. On dirait que vos parents se sont rapprochés dans l'au–delà. Votre père m'a dit qu'il avait appris à respecter leurs différences… votre mère me dit à la blague que votre père a enfin grandi. Ha ! Ha ! Non pas qu'elle ait quoi que ce soit à lui reprocher, mais enfin elle… ou plutôt vos parents n'ont pas eu une vie facile. (Ils acquiescent) Ils le confirment et ils ajoutent que c'est pour cette raison qu'ils ont senti le besoin de prendre chacun leur chemin, ils voulaient tous deux améliorer leur vie. (À Joseph) Votre père semble aussi penser qu'il s'est montré trop dur envers vous, c'est exact ?

— Oui.

— Enfin, il mettait beaucoup de pression sur vos épaules, il vous faisait sentir qu'il n'y avait que deux façons de se comporter : une bonne et une mauvaise et il veillait scrupuleusement à ce que vous ne quittiez pas le droit chemin.

Il tient à s'excuser, il croit qu'il s'est parfois montré trop dur envers vous. D'un autre côté (mais je ne crois pas qu'il cherche à en prendre tout le crédit), il pense que cela a eu du bon :

« Regarde ce que tu es devenu, tu reviens de loin, de très loin. » Il est très fier de vous. Il admet qu'il était parfois un peu autoritaire et vous pensiez parfois qu'il vous écrasait du poids de son autorité.

— Euh, euh.

— J'entends le nom Al ou Alan, est–ce que ces prénoms vous disent quelque chose ?

— Il s'agit de son deuxième prénom.

— Le deuxième prénom de votre fils ?

— Oui.

— Bien, je suis heureux de vous l'entendre dire, parce que non seulement cette voix ressemble énormément à la sienne, mais j'avais l'impression qu'il me disait quelque chose à propos de son prénom. (Aux âmes) Ok, tu m'as donné ton deuxième prénom, maintenant dis–moi quel est ton prénom ? Votre fils aime bien s'amuser, n'est–ce pas ? Il ne veut pas me le dire. Du moins, il m'en donne l'impression (Ils rient) Ses yeux brillent, je sens bien qu'il s'amuse un peu à mes dépens. Il se montre cabotin pour que vous compreniez bien qu'il n'a pas changé. J'entends parler de groupe d'entraide, est–ce que vous avez joint un tel groupe ?

— Non.

— Y avez–vous pensé ?

— Vous devriez y songer. Vous avez beaucoup souffert et par–dessus le marché vous avez gardé cette douleur pour vous. Le fait d'entrer en contact avec des personnes qui ont vécu la même chose que vous, pourrait vous être salutaire. Il me dit que vous êtes réticents à vous confier, mais il vous encourage à le faire, puisque vous pourriez non seulement vous libérer de certaines émotions négatives, mais vous auriez aussi l'occasion d'échanger avec des personnes qui ont vécu la même chose que vous. Il semble que certaines personnes de votre entourage se sont quelque peu éloignées de vous… Il peut s'agir d'amis ou de parents… enfin ce n'est pas qu'elles manquent de générosité, mais il semble qu'elles ne savaient trop comment se comporter avec vous, elles étaient paralysées face à votre souffrance. Quoi qu'il en soit, vos proches parents vous ont grandement supportés dans cette épreuve.

— Hum, oui.

— Votre fils semble vouloir m'indiquer qu'il n'est pas le seul de vos enfants, est–il le cadet ou l'aîné, peut–être veut–il simplement me signifier qu'il est votre seul garçon ?

— Il est le cadet.

— Ah ! Cela a sûrement ajouté à votre douleur. Il avait des frères... Oh ! Attendez... non, plutôt un seul frère.

— Oui, c'est ça, un frère.

— Il vient tout juste de me corriger. J'ai dit « des » et il a dit « non, un. » Attendez... à présent, il me parle d'une fille. Avez–vous une fille ?

— J'ai déjà fait une fausse couche.

— Oh ! Alors, vous auriez eu une fille.

— Oui ?

— Oui, parce que votre fils m'a parlé d'une fille qui est très proche de lui, puis il a ajouté : « C'est ma sœur. » (À Peggy) Si votre grossesse s'était déroulée normalement, vous auriez eu une fille... Cette fille est avec votre fils maintenant et apparemment, ils sont devenus bons amis. Oui, bon... Alors vous avez fait une fausse couche, vous aviez l'impression qu'il s'agissait d'une fille ?

— En fait, j'ai perdu une fille et un fils.

— Ah ! Je vois, je crois que je comprends pourquoi il m'a dit : « Un et des frère(s) ». Tout à l'heure, il m'a repris, mais je comprends maintenant pourquoi il m'a dit cela. En somme, il a un frère sur terre et un autre dans l'au–delà.

— C'est exact.

— Dans ce cas–ci je dois dire que votre intervention était la bienvenue, parce que j'aurais bien pu ne pas comprendre ce qu'il voulait me dire. Enfin, l'important c'est qu'il les ait retrouvés dans l'au–delà. Il était très proche de son frère, enfin, de celui qui est toujours sur terre ?

— Oui.

— Parce qu'il l'appelle, il dit : « Je vous en prie, dites–lui que vous avez eu de mes nouvelles. » La mort de son frère l'a grandement éprouvé, mais il a souffert en silence. C'est ce que votre fils m'a dit.

— Oui, c'est exact.

— Après tout, la perte d'un enfant est peut–être très éprouvante, mais on néglige souvent de considérer la peine ressentie par les frères et les sœurs. Les gens pensent souvent que les parents sont les plus touchés et que les enfants ne ressentent pas le deuil de façon aussi cuisante. Ils se trompent ! La perte d'un frère ou d'une sœur est une expérience très difficile, autant pour les parents que pour les enfants. Enfin, tout ça pour dire que votre fils vous demande de dire à son frère : « Dites–lui que vous avez eu de mes nouvelles et que je l'aime. » Il se fiche bien de savoir si son frère croit à cette rencontre, tout ce qui compte pour lui, c'est qu'il reçoive son message. Votre fils me dit à la blague qu'il n'a pas de temps à consacrer à toutes ces histoires de « croyances ». « Après tout, qu'ils croient ou non, les gens finiront bien un jour par graduer ici ! » Bon, surtout ne me dites rien, contentez–vous de répondre à mes questions. Votre fils vient de me parler de son prénom, enfin je suppose. Il m'a dit qu'il allait me donner le début et il m'a répété son deuxième prénom, Alan, mais... Se peut–il qu'une personne qui fait figure de père soit auprès de lui ?

— (Ils hésitent)

— N'était–il pas très proche d'un de ses oncles ?

— Oui.

— Cet oncle est décédé ?

— Oui.

— Parce qu'il parle de ... Attendez... Essayons d'y voir plus clair, vous êtes ses parents biologiques, n'est–ce pas ?

— Oui.

— Bon, il m'a dit qu'il était avec un père, sur quoi je lui ai demandé : « Que veux–tu dire par là, ne suis–je pas avec tes parents biologiques ? » « Oui, a–t–il répondu, mais cette personne est comme mon second père. » J'ai bien vu que vous hésitiez quand je vous ai posé la question, mais il m'a tout de suite dit qu'il s'agissait de son oncle.

— Oui.

— Bon, il paraît évident que cet oncle est auprès de lui et qu'il est comme un père pour votre fils. Je ne sais pas s'ils se connaissaient sur terre, mais je donnerais fort à parier que oui. Entre eux le courant passait déjà bien, c'est pourquoi ils étaient très heureux de se retrouver. Ils entretiennent une relation très harmonieuse.

— Oui.

— Bon, si cette personne est son oncle, il est évident qu'il s'agit du frère de l'un d'entre vous.

— (Peggy) Il s'agit de mon beau–frère.

— Oui, parce qu'il semblait clair que vous êtes unis par un lien de parenté. Est–ce que sa femme est toujours vivante ?

— Il appelle sa femme et sa famille. Ainsi, il était le conjoint de votre sœur ?

— Oui, de ma sœur.

— Si vous pensez qu'elle est susceptible de bien accueillir ce message, dites–lui que son mari « se porte bien et qu'il est en paix. » Il tenait absolument à leur faire savoir. Il est mort jeune, je veux dire par rapport aux critères d'aujourd'hui ?

— Oui.

— Oui, parce que vous n'avez pas l'air très vieux vous–mêmes. Ainsi, votre famille a été éprouvée par deux deuils tragiques, celui de votre fils et celui de votre beau–frère.

— C'est juste.

— Avez–vous perdu un enfant à la naissance ? Saviez–vous qu'il s'agissait d'un garçon ?

— Oui, il est mort une journée après sa naissance.

— C'est ça, il est mort–né. Votre fils m'a dit que son frère était là avant lui.

— Oui.

— En fait, votre fils a affirmé que son frère était de ceux qui l'ont accueilli dans la Lumière.

Son frère faisait office d'ange gardien auprès de lui lorsqu'il était vivant. Et comme je le disais plus tôt, sa sœur et son frère sont auprès de lui. Maintenant, et surtout ne me dites rien de plus que ce que je vous demande, il m'indique que son premier prénom est plutôt court, c'est exact ?

— Oui.

— Il s'agit d'un prénom commun, n'est–ce pas ?

— Oui.

— Bien, il me montre le chiffre « huit ». Je suppose donc que son prénom compte moins de huit lettres.

— Oui.

— Maintenant il me montre le chiffre « sept », son prénom a moins de sept lettres ?

— Oui.

— Il prend son temps… Ah ! J'en suis sûr, il me montre un « six », son prénom a six lettres ?

— Non.

— Il y en a moins ? Alors, c'est qu'il doit en compter cinq. Il m'a montré un « six » et je lui ai demandé : « Est–ce en bas de six ? » Et il ne m'a pas vraiment répondu. Quand vous m'avez dit « non » à six, je me suis dit : « Bon, il compte forcément moins de six lettres, mais il m'a dit que c'était moins. » (À l'au–delà) Ok, si tu as pu me dire cela, en plus de me dire ton deuxième prénom, il n'y a pas de raison que tu ne me donnes pas ton premier prénom. Attendez, son prénom a un diminutif ?

— Oui, je l'appelais par un diminutif.

— Oui, ce n'est pas dans l'usage courant, mais c'est possible.

— Oui, quand je lui parlais, je l'appelais par un diminutif.

— C'est un peu comme si on appelait Bri quelqu'un qui s'appelle Brian. Il vous tend des roses blanches et il parle d'un anniversaire. (À Peggy) Est–ce que votre anniversaire est pour bientôt ?

— Oui.

— Bon, c'est bien ce que je croyais. Votre fils est juste en face de vous et il vous tend des roses blanches, il vous souhaite un bon anniversaire. Votre fils est le cadet de la famille ?

— C'est exact.

— Connaissait–il un dénommé David ? (Ils hésitent) J'ai l'impression qu'il y a eu pas mal de raffut lors de la soirée mortuaire et pendant ses funérailles.

— Oui, il y en a eu.

— Bon, enfin vous verrez bien, mais il peut s'agir d'un ami… pour le moment, passons. Il me montre quatre lettres, il me dit A B C D et il s'arrête. Je présume que la première lettre de son prénom vient après le D.

— Non.

— Elle vient avant ? Ah ! C'est probablement pour cette raison qu'il a dit A B C D. Il m'a demandé de m'arrêter là et il m'a entouré, ce n'est pas un D, c'est donc un A, un B ou un C. Je n'essaierai sûrement pas de deviner. Je ne suis pas déçu de vous avoir rapporté ce qu'il me disait et de vous avoir posé des questions ensuite. J'ai l'impression qu'il voulait que je sois très attentif à l'orthographe de son premier prénom. Est–ce qu'il a une orthographe différente ?

— Non, enfin pas officiellement, mais il nous arrivait de l'orthographier différemment.

— Oh ! Je crois comprendre. Tout à l'heure, alors qu'il essayait de le communiquer à mon subconscient, je me disais que son prénom devait avoir une orthographe peu commune. Je me demande s'il n'a pas tenté de me donner un indice que j'ai négligé. Il avait parfaitement conscience du fait que j'aurais du mal à trouver son prénom en raison de son orthographe particulière et il a tenté de m'avertir de ce piège. Il s'est montré très prudent. Manifestement, la première lettre de son prénom est un C. Maintenant, il me demande de me détendre afin que mon cerveau ne tire pas de conclusions trop hâtives en s'appuyant sur ce que je connais plutôt que sur ce qu'il me dit. J'ai l'impression qu'il va y revenir un peu plus tard. (À Joseph) Prenez–vous votre retraite bientôt ?

— (En riant) J'y pense.

— Votre fils vous tend des roses dorées, il dit que vous allez bientôt prendre votre retraite et il tient à vous en féliciter, même si cela ne se fait que dans un an ou deux. Il ne semble pas que vous allez vous retirer totalement de la vie active, vous travaillerez encore. Il peut s'agir de travail occasionnel ou de travail à temps partiel. Quoi qu'il en soit, vous ne vous tournerez pas les pouces. Votre fils me parle aussi d'un déménagement. Il semble que vous ayez envie d'investir dans une propriété, votre fils vous recommande de le faire. Même si ce déménagement ne semble pas être pour tout de suite, votre fils a tenu à vous en parler parce qu'il craint que vous hésitiez à quitter la maison qui l'a vu grandir. Il veut que vous vous sentiez bien à l'aise de la quitter, il n'y a pas de problème, vous ne l'abandonnerez pas.

— Euh, ok.

— Votre fils me présente un Y. Il y a un Y dans son prénom ?

— Oui.

— Attendez voir… Il s'agit de la dernière lettre de son prénom ?

— Oui.

— Il porte le prénom d'une star de cinéma ?

— Je ne crois pas.

— La seconde lettre de son prénom est une voyelle ?

— Oui.

— Surtout ne me dites rien, mais je vois l'acteur Cary Grant. Bon, il ne s'appelle sans doute pas Cary, mais y a–t–il un R dans son prénom ?

— Oui.

— Je commence à comprendre où il veut en venir. Il vient de me remontrer Cary Grant, sur quoi je lui ai dit : « Ta mère vient de me dire que tu ne portais pas un prénom d'acteur de cinéma. » Et il m'a répondu, c'est que vous ne regardez pas d'assez près, regardez bien… Il me demande de changer le A pour un O, Ah ! Je vois, il s'agit de Corey ! C'était simple comme bonjour et il me l'a transmis avec aisance. Il m'a dit de ne pas oublier cette vedette de cinéma à laquelle j'avais pensé, et c'est pour cette raison que je voulais savoir s'il portait le nom d'une star. Cette question n'a pas eu l'art de le satisfaire, il m'a tout de suite semoncé : « Mais non, vous voyez bien, il fallait leur parler de ce que vous avez vu plutôt que de leur poser une question ! » Bon, quoi qu'il en soit, votre fils s'appelle Corey et vous le surnommiez Core.

— Oui !

— C'est pour cette raison qu'il m'a parlé d'un diminutif. Le prénom qui figure au registre de l'état civil est Corey, « mais dans ma famille on me surnommait Core. »

— Oui.

— Votre fils avait un sens de l'humour pour le moins biscornu… soit dit en passant, je n'y vois aucune objection, je le dis comme je le sens.

— Euh, euh.

— Il m'a confié qu'il menait parfois sa vie à cent à l'heure et il a ajouté : « Je ne pouvais pas mourir autrement qu'avec éclat. » Votre fils sait bien que vous brûliez d'impatience de lui parler aujourd'hui et il tient à bien faire les choses. C'est pour cette raison qu'il veut que vous quittiez cette pièce avec la certitude de l'avoir bel et bien rencontré. Autrement dit, il tient à vous donner une preuve supplémentaire de sa présence ici. Ah ! Très amusant, il vous arrivait aussi de l'appeler Corey Alan ?

— Oui, Alan l'appelait Corey Alan.

— Il m'a expliqué qu'on l'appelait souvent Core, mais qu'on l'appelait parfois par ces deux prénoms, c'est pour cette raison qu'il a tenu à me donner son surnom et ses deux prénoms, il voulait vraiment que vous soyez certains qu'il était ici avec vous.

— (Ils soupirent d'émotion)

— (À Joseph) Votre fils parle de votre dos, avez–vous des problèmes au dos ?

— Pas vraiment.

— Plus bas ?

— Ça m'arrive.

— Oui, il vous demande de faire attention. Je constate que vous marchez à l'aide d'une canne, je présume que vous éprouviez déjà des problèmes aux jambes, mais il semble que vous ayez aussi des malaises au bas du dos ou aux hanches. C'est exact ?

— Oui.

— Votre fils m'a dit que vous éprouviez ces malaises depuis longtemps, mais il se peut qu'en vieillissant vous ressentiez de la douleur au niveau des hanches. Votre fils ne semble toutefois pas s'inquiéter outre mesure, il sait bien que vous avez réussi à surmonter ces problèmes jusqu'à présent et que vous y parviendrez encore. Vous projetez de partir en voyage, n'est–ce pas ? Il vous encourage à y aller et vous souhaite un très bon voyage.

— D'accord.

— Depuis sa mort, vous avez mis votre vie sur la glace ? C'est ce que votre fils me dit. Vous aviez du mal à être heureux, à reprendre vos activités, enfin, pour tout dire, vous vous sentiez coupables de vivre. Votre fils veut que vous alliez de l'avant et que vous cessiez de vous tourmenter. Il est heureux, il vit sa vie dans l'au–delà, il souhaite que vous fassiez de même sur terre. « Pourquoi ne pas faire comme moi ? » dit–il. Il est vrai qu'il n'a pas eu de mal à s'adapter à sa nouvelle vie. Vous n'avez pas le même point de vue que lui sur les choses et, malheureusement, vous portez tout le poids de cette tragédie. Il vous demande de ne jamais perdre de vue que le jour viendra où vous quitterez comme lui cette terre et que ce jour–là, il vaudrait mieux que vous ayez fait le plus d'apprentissages possibles. Vous ne pouvez pas vous contenter d'attendre le jour de vos retrouvailles, vous devez agir et aller de l'avant dans votre itinéraire spirituel. Bref, vous ne pouvez pas attendre bêtement la mort, occupez–vous, vivez votre vie, ne restez pas passifs. Je vois des palmiers autour de vous, c'est le signe que vous partirez en voyage, peut–être aux États–Unis ou alors dans un pays avoisinant. Il vous exhorte à aller de l'avant, à faire un voyage et surtout à ne plus craindre d'être heureux. Il ne vous reprochera pas votre bonheur. Ah ! Ça, surtout pas ! Il ne veut pas que vous vous enterriez vivants pour lui. C'est tout à fait inutile. Je vous ai vus, drapés d'un grand voile noir, vous pensez sans doute que vous porterez ce deuil jusqu'à la fin de vos jours... Mais votre fils vous dit qu'il n'y a aucune raison de souhaiter cela. Sa vie n'est pas finie, il est toujours vivant. Son existence physique a pris fin, mais sa vie spirituelle est loin d'être terminée. Il fallait qu'il poursuive sa vie ailleurs, vous devriez voir sa mort comme un déménagement. S'il était toujours sur terre, il aurait pu tout aussi bien déménager en Australie, au Groenland, en Afrique du Sud ou en Amérique du Sud, sans que cela vous cause tant de chagrin. Vous ne saviez pas où la vie aurait pu l'emmener, vous ne pouviez pas penser qu'il resterait toujours auprès de vous. (Physiquement, bien entendu.) Il parle de travail. Travaillait–il au moment de sa mort ou se trouvait–il à proximité de son lieu de travail ?

— Non. (George a cru qu'il travaillait, parce que Corey prenait ses études très au sérieux et qu'il les considérait comme un travail.)

— Alors pourquoi me parle–t–il de travail ? Il était dans une réunion sociale ?

— Réunion sociale ?

— Je veux dire qu'il était en compagnie de plusieurs personnes, lors du drame ?

— Oui.

— Il s'agissait d'une « réunion » de travail et de divertissement, du moins elle avait trait à ces deux dimensions. Il ne pouvait pas y avoir de pires nouvelles pour vous. Et pourtant, Dieu sait que vous aviez traversé des moments difficiles, mais cette mort, c'était pire que tout. N'importe quelle autre catastrophe vous aurait semblé bien anodine à côté de ce que vous veniez d'entendre.

— C'est exact.

— Il sait bien que vous pensez sans cesse à ce qui est arrivé et que tous les soirs, avant de vous mettre au lit, vous appelez la mort en pensée. Mais, et comme il me l'a dit : « Votre heure n'a pas encore sonné, votre place est toujours sur terre. » Il ajoute : « Un jour, la boucle sera bouclée et nous serons de nouveau ensemble. » (À Peggy) Travaillez–vous ?

— Non.

— Mais vous y songez ?

— Je fais du travail bénévole.

— D'accord, il est important que vous fassiez quelque chose pour vous tenir occupée, même s'il ne s'agit pas d'un travail rémunéré. Votre fils me dit que vous ne devez pas ressasser le passé. Or, si vous avez trop de temps libre vous risquez de tomber dans ce piège. Bref, il ne veut surtout pas vous voir souffrir à cause de cela. Il trouve que c'est une très bonne idée d'occuper ainsi votre temps en faisant du bénévolat. Il est très heureux de voir que vous avez choisi de déjouer votre souffrance en vous mettant au service des autres. Une fois encore, votre fils me demande de vous dire qu'il va bien et qu'il est heureux. Est–ce que quelqu'un a prié le Christ en son nom ?

— Nous l'avons prié tous les deux.

— Oui. J'ai vu Jésus et je le vois toujours, il est derrière lui et il dit « Que la paix soit avec vous et avec votre fils Corey », maintenant que je connais son prénom, je peux le dire ! Bref, il est évident que vous avez prié en son nom et que vous continuez à le faire. Il est en paix et en sécurité là où il est, et vous pouvez être sûrs d'une chose, là–bas, personne ne cherchera à lui faire du mal. Il ne connaîtra ni la tristesse, pas plus que le malheur ou la maladie. Il dit en plaisantant qu'il savoure des vacances éternelles, car là–bas, tout respire l'harmonie et la joie. Il ajoute en rigolant : « Nous avons oublié ce que c'est qu'un jour de pluie.

(Ils rient) Une lumière éternelle nous éclaire, nous vivons dans un monde où règne une parfaite et perpétuelle journée d'été. » Aussi, même si vous êtes persuadés que sa vie terrestre a été bêtement gaspillée parce qu'il n'a pas eu la chance d'accomplir les choses qu'il souhaitait faire, il ne faut pas vous en faire pour autant. Votre fils poursuit sa vie, une vie riche et intéressante. Elle lui procure de grandes satisfactions et il veut vraiment que vous preniez conscience du fait qu'il mène une nouvelle vie. Il dit : « C'est ma vie, il vous faut envisager les choses de mon point de vue. » C'est pourquoi, il vous demande de dormir sur vos deux oreilles cette nuit et toutes les autres qui viendront. En dehors de cette tragédie, votre vie est équilibrée ?

— Oui.

— Je suis persuadé que vous avez des hauts et des bas comme tout le monde et vous en aviez sans doute avant de perdre votre fils, mais cet événement vous a littéralement jetés par terre.

— Oui.

— Il me parle d'un animal domestique, avez–vous perdu un animal domestique ?

— Non.

— Est–ce qu'il en avait un ? Parce qu'il me parle d'un animal qui est avec lui ?

— Oh ! Mais oui. (Ils rient)

— C'était l'animal de la famille ?

— Oui (en riant) Le poisson.

— Il dit que cela peut paraître étrange, mais lorsque l'on a éprouvé de l'amour envers un être, quel qu'il soit, ce sentiment perdure dans l'au–delà, parce que l'amour ne meurt jamais. Il affectionnait ce poisson et de son côté ce poisson l'aimait aussi. Il m'a dit : « Le poisson est avec moi. ». J'ai bien l'impression que votre fils est très indépendant. Il est entouré de tous les membres de sa famille, mais il tient, malgré tout, à conserver son indépendance. Ce trait de caractère ne vous surprend pas, il a toujours été comme ça ?

— Euh, oui.

— Il me dit qu'il a une place bien à lui… Ah ! C'est amusant, je vois un petit bassin tout près de lui, son poisson s'y trouve. Vous préféreriez qu'il soit à vos côtés, mais le fait de savoir qu'il est bien, dans un endroit sûr, devrait vous rassurer.

— Euh, euh.

— (À Joseph) Je vous vois en uniforme, votre travail ne vous oblige pas à porter l'uniforme, n'est–ce pas ?

— Non.

— Cet uniforme est en train de se transformer. Il s'agit souvent d'un symbole (qui m'est personnel) pour signifier un changement de position ou une retraite. Il y a de l'argent autour de vous. Vous signez des documents financiers.

— Peut–être s'agit–il de la conclusion d'une affaire, mais j'ai plus l'impression qu'elle n'est pas encore finalisée. (À Peggy) Il se peut que vous trouviez un travail rémunéré. Il semble que vous ayez des projets en ce sens. De toute façon, vous allez être occupée pour très longtemps. Aussi, il se peut fort bien que vous décidiez de trouvez un emploi ou de changer de vie. Votre fils tient à vous faire savoir que vous avez raison. Vous devez aller de l'avant. Il ne vous fera pas de grands discours là–dessus, mais il veut absolument que vous compreniez que vous devez faire comme lui et ne plus hésiter à vivre votre vie. Vous devez faire tout ce qui est en votre pouvoir pour être heureuse à nouveau. Bien entendu, cela ne se fera pas tout seul et vous vivrez des jours difficiles, mais ce n'est pas grave. Même que, c'est plutôt normal. Il y a de ces jours où tout va mal et où l'on a envie de rester couché, mais il ne faut pas que ces sentiments vous entraînent vers le bas et vous fassent sombrer. Je ne serais pas surpris que vous décidiez de joindre un groupe d'entraide. D'autant plus, que vous allez vous y faire des amis. Vous pourrez mettre votre expérience au profit de nombreuses personnes.

— D'accord.

— Il m'a dit : « Les choses les plus simples sont souvent les plus profondes. Gardez toujours cela à l'esprit. »

— Euh, euh.

— D'accord...Il me dit que je dois le laisser partir. Il travaille très fort dans l'au–delà, mais cette tâche le ravit. Il ne s'en plaint pas. Je lui ai rappelé qu'il m'avait un peu embêté tout à l'heure avec cette histoire de prénom qu'il ne voulait pas me dire. À ce moment, je lui avais dit : « Écoute, oublie ça, ne me dis pas ton prénom, on dirait que j'essaie de le deviner, si c'est comme ça, eh bien, laisse tomber. » Ce à quoi il m'a répondu : « Non, non, vous n'avez qu'à suivre les consignes et tout ira bien. » (Ils rient.) Je me suis enfin plié à ses instructions, mais je ne comprenais toujours pas, alors il m'a soufflé : «Dites–leur que vous avez vu Cary Grant. » Et, ainsi, j'ai pu enfin comprendre ce qu'il me disait. Il est clair que vous êtes ici pour Corey, mais vos parents tenaient à vous saluer. Il vous embrasse avec tendresse, son frère se joint à lui, ainsi que tous vos parents. Il appelle aussi ses amis, je l'entends. Vos parents et votre fils vous demandent de prier pour eux. Alan Corey répète qu'il va bien et qu'il est en paix. Il vous embrasse, ainsi que son frère et sa petite amie. Vos deux autres enfants vous embrassent avec tendresse, votre fille et votre garçon. Vos trois enfants qui sont dans l'au–delà, vos parents, votre père, tous vous embrassent et vous demandent : « Priez pour nous jusqu'à ce que nous soyons de nouveau réunis. » Corey ajoute : « Sachez que tout va bien et que je suis en paix, je vais vous quitter jusqu'à ce que nous nous retrouvions. » Voilà, ils partent.

Nous avons beaucoup de mal à comprendre les crimes violents. C'est pourquoi, il est si difficile de trouver la paix à la suite d'un tel événement, et qui plus est, d'en tirer les leçons propres à nous faire grandir spirituellement. Plus souvent qu'autrement, les membres de la famille de la victime ont l'impression que le meurtrier est en train de s'immiscer dans leur vie. Insidieusement, cet être, qu'ils n'auraient voulu connaître pour rien au monde, s'est glissé au cœur de leur vie quotidienne et ne les lâche plus d'une semelle. Si bien que le meurtrier devient pour ainsi dire, un intime — du moins, un intime indésirable — de la famille. C'est dire à quel point cette personne ne quitte plus leurs pensées. Les crimes violents nous mettent en face de nos limites en ce qui a trait au pardon et de ce fait, ils sont à même de nous enseigner à pardonner. Pour être en mesure de pardonner, il faut néanmoins être prêts à faire l'effort de comprendre ce qui a pu mener l'assassin à commettre un crime aussi odieux. Cette démarche, quoique extrêmement exigeante, est envisageable. Pour comprendre et pardonner, il faut d'abord considérer le passé de l'assassin pour connaître les souffrances qu'il a, lui–même, endurées. Ce raisonnement est plus facile à mettre en pratique lorsque l'on a affaire à un parfait étranger, que lorsque le meurtrier est un de nos proches ou un membre de notre propre famille. Ici, les choses se compliquent. La perte d'un être cher par le fait d'un proche est l'une des épreuves les plus difficiles à vivre qui soit. Le meurtrier étant une personne en qui l'on a confiance et que l'on affectionne. Un tel crime est dévastateur ; il saccage la confiance que nous avions placée en autrui et il nous fait perdre foi en l'être humain. Il s'agit là d'une épreuve incroyablement difficile à surmonter, elle s'offre à nous comme un véritable défi. Beverly Jones est le genre de femme qui suscite l'envie de tous. Jolie et fort sociable, Beverly n'est pas moins dotée d'une force peu commune. Son courage lui a permis de surmonter bien des embûches. Toutefois, il est un domaine où Beverly ne fait l'envie de personne : sa fille a été assassinée. Beverly force toute mon admiration et mon respect, par la détermination et le sang–froid avec lesquels elle a su trouver des réponses aux questions qui la hantaient. Cette femme forte a pris la situation bien en main, considérant qu'il était de son devoir de mettre ses petits enfants à l'abri d'un autre drame. Son histoire nous prouve, encore une fois, qu'il n'y a pas d'épreuves dont nous ne pouvons triompher. Nous possédons tous les outils nécessaires pour y parvenir, il suffit d'aller chercher en nous–mêmes les ressources spirituelles appropriées. Dans les quelques pages qui suivent, Beverly nous raconte la lutte qu'elle a menée pour les droits de sa fille, victime d'un acte de violence insensé.

Les petites filles sont un véritable cadeau pour l'humanité. Elles naissent avec un je–ne–sais–quoi– d'angélique qui nous fait voir la beauté du monde. Kerry Lynn était mon petit miracle, une petite fille parfaite, ma fille, ma petite fille chérie. Elle pesait sept livres et onze onces (3,3 kg) à la naissance. Sept… onze, je me suis dit que ce devait être là un signe… Le signe qu'elle aurait de la chance.

Kerry est née quatorze mois après son frère Kevin. À l'âge de six mois, celui–ci a été frappé par le cancer, ses chances de survie étaient plutôt faibles. Plusieurs chirurgiens ont même refusé de l'opérer, parce qu'ils trouvaient l'intervention trop risquée. Heureusement, un chirurgien a finalement accepté de le faire. L'opération fut un franc succès, Kevin allait beaucoup mieux.

Kevin aimait beaucoup sa petite sœur, il insistait toujours pour partager ses jouets, même les plus précieux à ses yeux, avec elle.

Nous menions une vie heureuse où s'enchaînaient joyeusement les éclats de rires et les larmes des enfants. C'était une vie très confortable, guidée par la curiosité et par l'amour. Toutefois, Kevin n'avait pas gagné sa bataille contre le cancer. Pendant plusieurs mois, je fis des aller et retour à l'hôpital, jusqu'à sa mort, le 19 mai 1962, à l'âge de dix–huit mois. Le 22 mai, une journée après l'anniversaire de mes vingt et un ans, on enterrait mon fils Kevin.

Il me restait ma fille Kerry, je n'aurais jamais cru pouvoir aimer quelqu'un aussi intensément. Je ne voulais pas sombrer, aussi malgré la douleur qui m'étreignait, j'ai choisi de m'accrocher et d'avancer. Je faisais des plans pour Kerry, je rêvais pour elle d'une vie intense, remplie d'amour et exempte de combats et d'épreuves. Je ne rêvais pas qu'elle fasse de grandes choses, qu'elle aille à Paris ou à Rome ou je ne sais quoi encore. Je souhaitais simplement qu'elle réalise ses propres rêves, qu'elle mène une vie heureuse, pleine d'amitié et d'amour. Pour tout dire, je désirais ardemment qu'elle puisse vivre ce qu'elle m'avait fait vivre : qu'elle ait des enfants qui l'aiment comme elle avait su m'aimer…

L'affection que nous éprouvions l'une envers l'autre ne cessait de croître à mesure qu'elle grandissait. Nous passions tous nos temps libres ensemble. En 1967, alors qu'elle était âgée de six ans, j'ai mis au monde son frère, Trevor, un enfant plutôt silencieux, pourvu d'une nature très calme. Kerry était très différente de son frère, elle était toujours en mouvement, toujours prête à s'engager dans une nouvelle activité. C'était une fille pétillante dotée d'un sourire contagieux. Son incroyable énergie ne l'empêchait pas d'être une personne très douce et délicate. Elle prenait un réel plaisir à rendre les autres heureux. C'était une battante, qui caressait de nombreux projets et qui avait l'ambition nécessaire pour les mener à bien. Elle ne m'a jamais déçue, elle savait comment concrétiser ses rêves. Quelle belle âme que ma Kerry. Elle n'était pas seulement spéciale à mes yeux, tout le monde voyait bien qu'elle était différente. Nous étions très attachées l'une à l'autre… par un lien plus fort que la vie elle–même.

Un jour, elle a rencontré l'homme de sa vie, l'homme qu'elle souhaitait épouser. Elle l'aimait et elle voulait partager le reste de sa vie avec lui. Elle voulait se marier, avoir des enfants et une maison bien à elle. Je voulais qu'elle ne manque de rien, j'aurais voulu lui donner un peu d'argent pour l'aider, malheureusement, cela m'était impossible… mais, tout bien considéré, ne lui avais–je pas donné le plus beau des cadeaux en lui offrant tout mon amour.

Kerry s'est bien débrouillée, en peu de temps, elle avait déniché un très bon poste dans l'industrie des cosmétiques et elle avait une maison bien à elle. La jeune fille que j'avais connue, s'était épanouie. Kerry était devenue une ravissante jeune femme, élégante et pleine d'assurance. Le couple emménagea dans une grosse maison en banlieue et ma fille donna naissance à ma première petite fille, Courtney. Son travail ne l'a jamais empêchée d'être une merveilleuse maman. Ma fille me ressemblait de plus en plus, j'étais très fière d'elle, d'autant plus, qu'elle semblait si heureuse ! Quelques années après la naissance de Courtney, Kerry a fait une fausse couche, mais quelque temps plus tard, elle donna naissance à Jeffrey, le frère cadet de cinq ans de Courtney. Aux yeux des autres, ils formaient la famille parfaite, deux merveilleux enfants et une belle grande maison, que demander de plus ?

J'avais fondé ma propre entreprise et j'ambitionnais d'ouvrir un magasin de vente au détail. Je voulais que ce commerce profite à mes deux enfants. Certes, ils avaient tous deux fait des études et pouvaient parfaitement se débrouiller seuls, mais je pensais qu'ils seraient très heureux de posséder leur propre entreprise. Kerry avait choisi le nom de la boutique, *Exemplar*, comme dans « exemplaire », qui sert d'exemple. L'ouverture était prévue pour le 1er novembre 1994. Au mois de mai de la même année, ma fille est venue me voir pour m'annoncer, dans le plus grand secret, qu'elle envisageait sérieusement de quitter son mari. Ayant moi–même connu un divorce — mes enfants sont issus d'un foyer brisé — je pensais que cette solution ne devait être envisagée qu'en tout dernier lieu et je lui conseillai de reconsidérer sa décision. Mes paroles suscitèrent une très vive réaction de sa part. Elle était très vexée que je ne la comprenne pas, elle qui « croyait que j'étais pourtant bien placée pour la comprendre ». Puis, elle m'a confié que les choses allaient vraiment très, très mal. Pendant douze ans, elle lui avait laissé plusieurs chances, mais rien n'avait changé. Maintenant, c'est fini, m'a–t–elle dit. Kerry ne portait plus son alliance et Rob devait quitter la maison aux alentours du mois de janvier 1995, juste après les fêtes de Noël.

À partir de ce moment, Kerry ne fut plus la même, elle était très angoissée et son état commença à m'inquiéter sérieusement. Je savais bien que son grand sens des responsabilités faisait qu'elle avait du mal à accepter cette rupture. Elle s'était mariée en pensant que rien ne briserait son union, elle connaissait trop bien les désagréments qu'endurent les enfants de parents divorcés. Il arrive parfois que l'on donne trop de soi–même dans une relation et que l'on oublie que l'autre n'a pas fait sa part. Après tout, il faut être deux pour former un couple. Ces paroles, j'aurais dû les lui dire, j'aurais dû aussi lui dire de ne pas considérer sa rupture comme un échec. Je lui ai plutôt dit qu'elle était ma fille bien–aimée et que je la supporterais quoi qu'elle fasse.

Durant l'été qui suivit, je les ai beaucoup vus, nous avons dîné ensemble en de nombreuses occasions. J'en ai profité pour prendre des photos du mari de Kerry et des enfants, sachant bien que les occasions de les voir deviendraient moins fréquentes. Kerry travaillait à temps partiel, aussi avait–elle le temps de m'aider à faire les achats en prévision de l'ouverture du magasin. Nous avons passé de très bons moments à courir les magasins ensemble, je conserve d'excellents souvenirs de cette période. Quand vint le temps de faire les derniers travaux en vue de l'ouverture de la boutique, nous nous sommes encore plus rapprochées, nous nous entendions à merveille. C'est à cette époque que Kerry entreprit d'ouvrir un compte en banque à son nom de jeune fille et de faire des achats pour sa nouvelle maison, bref, elle entreprenait déjà de se construire une nouvelle vie. Son mari ne lui avait jamais permis de décorer la maison comme elle l'entendait, bien qu'elle travaillait et qu'elle aurait pu défrayer les coûts de certains petits caprices. Kerry était résolument tournée vers l'avenir et elle se prenait à rêver de mille choses. Nous avons passé la journée de l'Action de Grâce ensemble, nous sommes allées chez le coiffeur et nous avons couru les boutiques pour trouver un cadeau d'anniversaire pour sa belle–mère. Ce jour–là, elle m'a montré la lettre dans laquelle son mari lui promettait de quitter la maison au moment convenu et de ne pas lui faire d'ennuis en ce qui concerne la garde des enfants. Kerry rayonnait. Cette semaine–là, Kerry, Rob et les enfants se sont même rendus chez le photographe pour une photo de famille.

Au cours de la même semaine, je l'ai appelée et nous avons pris rendez–vous à la sortie de son travail. Elle était très heureuse, nous avons plaisanté, nous avons fait des plans, puis nous nous sommes quittées et elle m'a embrassée... Ce jour–là, je l'ai vue pour la dernière fois.

Aux alentours de minuit, le téléphone a sonné pour m'annoncer une nouvelle terrible, le genre de nouvelle qu'aucun parent ne voudrait entendre. C'était Rob, mon gendre : « Vous devriez venir ici. » Je lui ai demandé pourquoi et il m'a répondu : « Vous feriez mieux de venir. » Je commençais à m'énerver et je lui redemandai : « Mais pourquoi ? » « Kerry est partie » m'a t–il répondu laconiquement. Sachant qu'ils avaient des problèmes, j'ai répliqué : « Mais où est–elle partie ? » « Kerry est morte. »

Je ne me souviens pas d'avoir pris ma voiture pour me rendre jusqu'à chez elle. À vrai dire, je me rappelle seulement que mon ami m'a demandé si nous avions assez d'essence pour nous rendre. Ensuite, je me souviens d'avoir franchi le seuil de la porte et d'avoir aperçu des gens que je ne connaissais pas. J'ai tout de suite demandé à la voir, mais Rob m'a dit qu'elle était à l'hôpital. Je voulais y aller, mais il m'a tout de suite dit que je ne devrais pas. Je lui ai demandé : « Pourquoi ? » Et il m'a tout simplement dit que je ne la reconnaîtrais pas. « Pourquoi ne la reconnaîtrais–je pas ? » rétorquai–je. « Parce qu'elle est défigurée », me répondit–il. « Mais pourquoi est–elle dans cet état ? » « Elle s'est frappé la tête en tombant. »

On m'a expliqué que Kerry était morte en faisant du step, elle avait glissé et elle s'était fracassé la tête contre le sol. Or, Kerry n'avait que trente–deux ans et elle était en excellente forme. Rob me raconta qu'il était sorti quelques instants pour faire une course et qu'il l'avait trouvée morte à son retour. Puis vinrent les mensonges : elle avait soi–disant bu une bouteille de vin, elle avait fumé trop de cigarettes, il pensait qu'elle était anorexique... Il mentait, comme il respirait... Visiblement, quelque chose n'allait pas. Je suis rentrée à la maison pour quelques heures et au petit matin, je suis retournée chez ma fille. Je n'avais pas mis le pied dans la maison que mon gendre me servait déjà un avertissement : « À partir de maintenant, les choses vont changer. » J'ai fait le nécessaire pour les obsèques tout en ne manquant pas de l'interroger. Je sentais bien que quelque chose n'allait pas dans toute cette histoire.

Le dimanche suivant, Rob me téléphona pour me donner les résultats de l'autopsie. Le rapport disait que Kerry était morte d'asphyxie due à une fracture du crâne. Comment cela avait–il pu se produire ? Il y avait aussi toutes ces salades qu'il m'avait racontées l'autre soir au sujet de Kelly et de son anorexie, tout cela était si peu crédible. De fil en aiguille, j'en suis venue à suspecter mon gendre. Il avait tout fait pour précipiter sa crémation, mais étant encore sous le choc, il avait réussi à me convaincre qu'il fallait en finir au plus vite. Le matin de sa crémation, il m'a téléphoné pour me demander de dire à tout le monde que Kerry était morte d'un anévrisme, sous prétexte qu'il voulait éviter que les gens lui posent des questions. Loin de se dissiper, mes soupçons se précisaient, mais je n'en soufflai mot à personne.

Peu avant que je me mette en route pour les funérailles de Kerry, le téléphone sonna. C'était Terry, un ami de Kerry et Rob. Il était très nerveux. Il me confia qu'il était présent au moment où l'on s'apprêtait à transporter Kerry à l'hôpital. Il avait eu une drôle d'impression ce soir–là, en fait, dès qu'il avait croisé le regard de Rob, il avait senti qu'il se trouvait devant le responsable de la mort de Kerry.

Terry souhaitait que je demande une nouvelle autopsie ; il avait déjà demandé l'avis d'un médecin sur la question. Ce jour–là, j'ai appris que l'on avait, sans doute, pratiqué une autopsie de routine sur Kerry, car à moins qu'un assassinat ne soit suspecté, on ne pousse pas les investigations outre mesure. Ce matin–là, nous nous sommes mis d'accord pour demander une seconde autopsie.

J'ai eu beaucoup de mal à me décider à prendre le téléphone pour appeler le coroner. Poser ce geste, revenait à accréditer une hypothèse que j'avais peine à accepter, à savoir que mon gendre était l'assassin de ma fille. Je le connaissais bien, je savais qu'il était du genre à vouloir contrôler tout et tout le monde. C'est pourquoi il valait mieux que j'aie toutes les cartes en main avant de l'accuser de quoi que ce soit. Je craignais que Rob ne me permette plus de voir mes deux ravissants petits–enfants. Finalement, je me suis ressaisie et je me suis demandé ce que Kerry souhaiterait que je fasse ? J'ai tout de suite su que j'avais le devoir de faire toute la lumière sur sa mort. Elle aurait fait la même chose pour moi ; j'en étais persuadée. C'était loin d'être facile, mais je l'ai fait, j'ai appelé le coroner. Pourtant je ne savais pas dans quoi je m'engageais.

Le coroner avisa la police, tel que l'indique la procédure, puis le reste de ma famille fut mis au courant de ma demande. Je ne voulais surtout pas que quiconque se sente visé par ces démarches, je voulais tout simplement connaître les circonstances exactes de la mort de Kerry. Bien avant que la police eût le temps d'aviser tous les membres de la famille, la mère de Rob leva vers moi un poing rageur à travers la fenêtre du funérarium. Elle était dans tous ses états, elle ne comprenait pas pourquoi j'avais appelé le coroner. Mais le pire était à venir, moi qui croyais que tous ceux qui avait bien connu Kerry allaient m'appuyer… Je n'aurais pas pu mieux me tromper. Mon ex–mari entra dans une sainte colère, il ne comprenait pas du tout le sens de ma démarche. Comment ne pouvait–il pas comprendre que je cherchais à savoir comment une jeune femme en santé et en excellente condition physique avait pu être retrouvée morte sur le plancher de sa propre maison ? Il a pointé un index accusateur vers moi en criant : « Tu as fait ça ! » Et moi de répondre : « Oui, je l'ai fait. C'est ta fille, souviens–t'en. Tu te fous de la façon dont elle est morte ? » C'est alors que je me suis levée et que je me suis dirigée tout droit vers Rob. J'ai saisi sa manche de chemise et je l'ai relevée pour exposer les égratignures qu'il avait au bras, celles que Terry avait vues le soir de la mort de Kerry. « Ça te laisse indifférent ? » lui dis–je. C'est à ce moment que le père de Rob intervint : « S'il doit y avoir une seule accusation portée contre mon fils, vous serez aussi accusée ! » cria–t–il. Il sortit rageusement dehors pour menacer mon ami du même sort. Après ce dîner agité, les parents de Rob ne se présentèrent pas au funérarium comme prévu. Toutefois, leur fils, le frère de Rob s'y présenta, profitant de l'occasion pour parler à notre fils. Il souhaitait qu'il parvienne à me convaincre d'annuler la seconde autopsie. Rien ne pouvait m'arrêter, j'étais bien décidée à connaître la vérité et j'étais prête à en payer le prix. Les amis de Kerry m'ont été d'un grand secours durant cette période troublée, je ne sais pas ce que j'aurais fait sans eux. Malgré leur douleur, ils ont toujours été là pour m'aider. Il faut dire que Kerry ne laissait personne indifférent et qu'elle avait de nombreux amis. Elle nous a donné le courage de continuer, nous sommes devenus sa voix.

Le temps passa, nous avions décidé, Trevor et moi, d'ouvrir la boutique en mémoire de Kerry, nous ne voulions pas abandonner le rêve de Kerry. Pendant ce temps, la police menait des interrogatoires auprès des proches de Kerry. Comme personne n'avait clairement indiqué de suspect à la police — puisque nous nous attendions à ce que la police fasse son travail et trouve elle–même le coupable — ce qui devait arriver, arriva…

Deux semaines après la mort de Kelly, j'appelai l'inspecteur en charge de l'affaire pour m'enquérir de la progression de l'enquête. L'inspecteur éleva le ton et me répondit sèchement : « Ce n'est pas un meurtre. Rob n'est qu'un pauvre veuf éploré. Je ne vois aucun acte criminel dans cette histoire. Mais, puisque nous y sommes, je vais jeter un œil au rapport d'autopsie. » Je me suis vite rendu compte à qui j'avais affaire, je lui ai demandé de bien vouloir m'excuser de l'avoir dérangé et je lui ai dit de ne pas s'inquiéter, que je ne le rappellerais plus. Quel cauchemar, si j'avais eu à sombrer, c'est sûrement à ce moment que je l'aurais fait. Il n'avait même pas pris connaissance du rapport d'autopsie et qui plus est, il avait osé l'admettre avec un sans–gêne inqualifiable. Quoi qu'il en soit, il s'avéra que les résultats de l'autopsie ne seraient disponibles que dans quelques mois. L'épisode avec l'inspecteur ajouta au sentiment d'injustice que je ressentais : une fois encore, on me blâmait parce que j'essayais de découvrir la vérité concernant les circonstances de la mort de ma fille. Kerry était morte et personne ne semblait s'en soucier. Toute cette incompétence, doublée de mauvaise foi, me rendait malade, j'avais envie de crier : « Aidez–moi ! Personne ne veut donc m'aider ? Ma belle, ma tendre, ma douce et gentille fille, pleine de promesses et de rêves, est morte. Ma fille, cette âme délicate et si gentille, est morte...Vous m'entendez ? Est–ce que quelqu'un m'écoute ? Elle vous aurait écoutés, elle, si vous étiez venus la voir. Est–ce que tout le monde s'en fout ? »

J'ai décidé d'engager un détective privé, en fait, il s'agissait d'un des avocats de la famille, spécialisé en droit criminel. J'ai aussi consulté un psychiatre, décision que je n'ai pas eue à regretter ; il était excellent. Avant ces événements, je n'aurais jamais cru avoir un jour besoin des services d'un psychiatre. Je lui dois pourtant une fière chandelle ; c'est grâce à lui que j'ai pu conserver un certain équilibre. Comme je le prévoyais, on m'a interdit de voir mes petits–enfants. Je ne pouvais même pas leur parler au téléphone ou leur faire parvenir un cadeau. Rob niait tout, il refusait même d'admettre qu'il avait eu des problèmes de couple. Mon ex–mari et sa femme s'étaient ligués avec Rob, ils disaient à qui voulait bien l'entendre que j'étais un peu folle et que je paniquais pour rien. Ils ont même fait préparer des documents légaux visant à me démettre de mon droit de visite auprès de mes petits–enfants. Je ne comprenais pas la haine qui les habitait ; je souhaite d'ailleurs ne jamais la connaître. En revanche, je comprenais fort bien que j'avais deux merveilleux petits–enfants à protéger, deux adorables petits êtres que leur mère chérissait, il fallait donc que je les sauve coûte que coûte. Je voulais que leur vie soit à l'image de celle que leur mère avait envisagée pour eux. Il fallait aussi qu'ils sachent à quel point leur mère était une femme fantastique qui avait tout mis en œuvre pour qu'ils grandissent dans un climat sain et harmonieux. Peu avant Noël, je déposai une requête auprès de la cour dans le but d'obtenir le droit de voir mes petits–enfants. Malheureusement, on me refusa le droit de les voir pour Noël. L'avocat de mon gendre avait réussi à convaincre la cour que je ne manquerais pas de dire à mes petits–enfants que leur père avait assassiné leur mère. On fit valoir que je semblais considérer avec sérieux cette hypothèse. J'ai soumis une nouvelle demande en avril de l'année suivante. J'obtins enfin un droit de visite, un dimanche sur deux. Je ne pouvais pas les voir très longtemps, mais cela valait mieux que rien. Et, j'en remercie encore le ciel.

Ainsi, j'ai pu leur rendre visite pendant six mois. J'en profitais toujours pour leur rappeler combien je les aimais et à quel point ce jour était important pour moi. Je leur apportais des petits présents que leur père prenait grand soin d'examiner avant que les enfants n'y touchent. J'étais reconnaissante de ce que j'avais obtenu, mais ce n'était pas suffisant, je voulais les voir plus souvent.

Tous les mois, mon avocat m'informait des développements concernant l'autopsie. Mon enquêteur privé était maintenant convaincu de la culpabilité de Rob. Le médecin légiste qui avait pratiqué la deuxième autopsie trouvait qu'il y avait suffisamment d'inconsistance entre le récit de Rob et les blessures de Kerry pour que l'on puisse parler de mort suspecte. Le Coroner en chef demanda à la police de rouvrir l'enquête. Le dix–sept mars 1995, on découvrit un échantillon d'A.D.N. de Rob sous les ongles de Kerry. Je voyais enfin la lumière au bout du tunnel. Au début du printemps, je rencontrai l'inspecteur en charge du dossier de Kerry en compagnie de mon enquêteur privé. Nous lui remîmes une copie de ce que nous avions trouvé, en plus de lui fournir une foule de renseignements que nous jugions utiles à la poursuite de l'enquête. Il n'y donna pas suite. Plus tard, un des mes avocats le contacta pour s'enquérir de la progression de l'enquête. L'inspecteur ne se montra pas plus disposé qu'avant à poursuivre l'enquête. Il réitéra sa position au sujet du dossier de Kelly. Il ne croyait pas qu'il y avait eu crime et qui plus est, il était trop occupé à résoudre d'autres homicides pour s'attarder à cette affaire. Lassée de son incompréhension, je demandai à mon avocat de placer une demande auprès du coroner afin qu'on lui retire le dossier. Au bout de deux mois, j'obtenais enfin satisfaction : on avait assigné au dossier deux nouveaux inspecteurs. Et, ceux–là, étaient résolus à découvrir la vérité.

Ils m'ont promis que Rob serait mis en accusation pour le meurtre de ma fille, ils en étaient persuadés ; cette fois–ci, il n'y avait plus de doute. Ils m'ont donné une idée du temps que cela prendrait, sans pour autant me dire pour quand était prévue son arrestation. Un jour, un des inspecteurs me laissa un message sur mon répondeur, en fait, il me demandait de le rappeler. J'étais si nerveuse que je n'osai pas retourner son appel. Plus tard, j'appris qu'il voulait simplement demander de l'excuser pour la lenteur de l'enquête, bien qu'il ne fût pas autorisé à prendre une telle initiative. Je passais mes jours à attendre que le téléphone sonne pour m'annoncer que mon cauchemar était enfin fini. La police m'avait pourtant avertie de la difficulté de la procédure. Il pouvait s'écouler deux ans entre la réouverture du dossier et le procès proprement dit.

Cette année d'angoisse m'a fait comprendre que les droits des victimes d'actes criminels sont bien minces. Et croyez–moi, je sais de quoi je parle, ayant moi–même vécu les affres d'une relation abusive. Combien de femmes ont été dans une telle situation et combien encore ont été traitées avec aussi peu d'égards ? Combien de meurtriers sont en liberté ? Je ne pouvais pas concevoir que ma fille puisse être en danger auprès de son mari, comment aurais–je pu penser une telle chose ? À qui faire confiance, sinon à nos proches ? Je crois que toute mère à qui sa fille se confie d'une relation difficile avec son mari devrait prendre cette plainte très au sérieux. Même si vos filles vous en parlent, elles ne vous diront jamais à quel point la situation dans laquelle elles se trouvent est difficile et compliquée...Du moins, c'est ce que ma propre expérience me porte à penser maintenant.

Les femmes victimes de violence conjugale paraissent souvent ridicules aux yeux des autres qui ne comprennent pas pourquoi elles ont accepté de tels traitements. Il faut absolument que les parents apprennent à leur fille à quitter un conjoint qui la violente. En restant auprès de lui, elle participe à son propre malheur. Avertissez–les avant qu'il ne soit trop tard, le plus tôt sera le mieux, toute jeune fille devrait savoir cela. J'ai eu la chance de disposer des ressources nécessaires pour entreprendre des démarches visant à défendre la mémoire de ma fille. Ce n'est pourtant pas le cas de tout le monde. Sans l'aide de professionnels, je n'aurais sûrement pas réussi à faire ouvrir une enquête sur la mort de Kerry.

Durant tous ces longs mois d'attente, je me suis plongée dans la lecture afin d'y trouver quelque réconfort. Je suis tombée sur un livre intitulé *We Don't Die*, un ouvrage dédié à George Anderson. Fascinée, j'ai immédiatement entrepris la lecture des deux autres ouvrages qu'on lui a consacrés. La lecture de ces livres m'a convaincue : je devais absolument le rencontrer. J'ai réussi à le joindre par l'entremise de l'éditeur et nous l'avons finalement rencontré, mon fils et moi. Quelle merveilleuse rencontre ce fut ! J'ai appris comment Kerry était morte et je suis tranquille maintenant : Kerry est en paix. Toutefois, elle est bel et bien morte dans les circonstances que nous redoutions. Elle m'a dit craindre pour l'avenir de ses enfants. J'ai enfin eu la confirmation que j'attendais, je sais maintenant que mes efforts n'étaient pas vains, j'avais pris la bonne décision.

Ses rêves et son avenir lui ont peut–être été volés, mais son amour survit à travers nous. Son cœur et son esprit survivront à travers ses enfants. Ma chère et douce fille, nous t'offrons notre amour, un amour fort qui nous unit à jamais, prends–le, personne ne peut te l'enlever.

LA CAPTATION

— À partir de maintenant, quoi que je vous demande, ne répondez que par oui ou par non. Bon, voyons voir. Je sens la présence d'une femme, il y a un homme aussi et encore une autre femme. Il y a une jeune femme et deux autres personnes plus âgées. Ils sont plus vieux, d'une autre génération que la première femme. J'entends quelqu'un qui parle une langue étrangère. C'est possible ?

— Oui.

— Oui, j'ai bien entendu une autre langue. Ce n'est pas de l'anglais, ça, j'en suis sûr. Par contre, je ne saurais pas dire de quelle langue il s'agit. Une femme, une personne très proche de vous est morte, n'est–ce pas ?

— Oui.

— Elles sont deux : une jeune et une plus vieille, c'est exact ? (Elle hésite) Bon, je vais répondre à votre place, je suis certain qu'il y a une autre femme, et il semble qu'elle est d'une autre génération. Vous ne voyez peut–être pas de qui il s'agit, mais le fait est que cette personne est ici. Je sens aussi la présence d'un homme. Quelqu'un que l'on associe au père, à une image paternelle. Votre père est–il mort ?

— Oui.

— Ok, parce que cet homme affirme être votre père. Sa mère est morte, n'est–ce pas ?

— Oui.

— D'accord, vous êtes tous parents, n'est–ce pas ?

— Non. (Une amie de Beverly l'accompagnait, c'est elle qui a répondu non. Le fils de Beverly était aussi présent.)

— Est–ce que votre père connaissait ces personnes ?

— Oui.

— Il saluait tout le monde tout à l'heure. C'est pourquoi je me demandais si vous étiez tous parents. Votre fille est morte aussi ?

— Oui.

— Il m'a dit que votre fille est avec lui.

— Oui.

— (À l'amie de Beverly) Vous la connaissiez aussi, n'est–ce pas ?

— Oui.

— Elle vient de me dire à la blague : « Personne ne me reconnaît donc ? » Elle a un lien de parenté avec vous deux (en parlant de Beverly et de son fils.) Cela me paraît clair, si elle n'a pas de liens de sang avec vous (l'amie de Beverly), elle vous considère tout de même comme un membre de la famille.

Il semble que vous ne soyez pas parentes, mais c'est tout comme ?

— Oui.

— (À Beverly) Vous avez rêvé d'elle ?

— Euh, oui.

— Elle me dit que ce n'est pas la première fois que vous avez de ses nouvelles, elle est venue vous visiter en rêve. (Ou dans un état de conscience modifié, proche du rêve.) Enfin, elle est entrée en contact avec vous avant aujourd'hui. Vous avez certainement prié pour elle, car elle vous en remercie et vous demande de continuer. Elle me dit qu'elle est plus heureuse là–bas qu'elle ne l'a jamais été sur terre, la vie y est beaucoup plus sereine. Je n'en suis pas sûr, mais il me semble qu'elle avait quelques ennuis avant de mourir, c'est juste ?

— Oui.

— En tout cas, elle est plus sereine maintenant. Son père est toujours vivant ?

— Oui.

— Elle n'arrête pas de me parler de son père. Je ne sais pas si vous êtes toujours en relation avec lui, quoi qu'il en soit, elle m'en parle. (À Trevor) Vous êtes frère et sœur ?

— Elle s'est présentée à vous comme une sœur. Je ne savais pas si elle voulait parler d'un frère de sang ou d'un frère, au sens d'ami, mais il semble qu'il s'agisse des deux. Votre mère est toujours vivante ?

— Oui.

— Votre fille l'appelle. Votre père doit être accompagné de ses parents, il doit s'agir du couple qui est avec lui. Est–ce qu'ils parlaient français ? Ou peut–être qu'il s'agit d'une langue qui ressemble au français.

— Bien…

— C'est amusant, j'entends parler français et c'est ce qu'ils m'ont dit. Toutefois, il ne s'agit peut–être pas de leur langue maternelle.

— C'est possible, il se peut qu'ils aient parlé français.

— Oui, car je suis maintenant convaincu du fait que j'entends parler français. Aussi, faut–il en déduire qu'ils parlaient bel et bien français ?

— Oui.

— Votre fille me dit qu'elle est morte dans des circonstances tragiques, c'est exact ?

— Oui.

— Et, elle n'a rien à y voir, c'est ça ?

— Oui.

— Je vois un pirate, il tourne autour de vous. Des événements assez sordides ont présidé à la mort de votre fille ?

— Oui.

— Elle avait des problèmes conjugaux ?

— Oui.

— Je le dis, parce qu'elle m'a parlé de problèmes de couple. Vous n'étiez pas au courant ?

— Non.

— Je me sens comme si je gardais un secret.

— Oui.

— Elle éprouvait des problèmes de couple, mais personne ne le savait ?

— Oui.

— Connaissez–vous un dénommé Arthur ? Est–il vivant ou mort ?

— Il est vivant.

— Est–ce qu'elle le connaît ?

— Oui.

— Oh ! Je vois, elle veut savoir comment va Arthur ? Étaient–ils très proches l'un de l'autre ?

— C'est mon ami.

— Ah ! Elle n'arrête pas de me demander : « Et Arthur ? » J'ai bien l'impression qu'elle s'en informe par politesse, pour vous signifier qu'elle ne l'a pas oublié. Est–ce que le père d'Arthur est mort ?

— Oui.

— Je le dis parce qu'il y a quelqu'un ici qui prétend être le père d'Arthur. Il y a aussi un frère, est–ce qu'un de ses frères est décédé ?

— Non.

— Un beau–frère ?

— Je ne sais pas.

— J'entends une conversation, on parle de lui. Enfin, vous verrez bien, mais quelqu'un accompagne le père d'Arthur et il prétend être son frère ou son beau–frère.

— Oui, je le ferai.

— Votre fille avait des enfants ?

— Oui.

— Plus d'un à ce qu'il paraît, c'est exact ?

— Oui.

— Parce qu'elle m'a parlé « des enfants ». Elle les appelle, vous les voyez ?

— Oui.

— Est–ce qu'il y a une querelle à leur sujet ?

— Oui.

— J'ai l'impression que vous les voyez, mais que ce n'est pas évident, comme s'il s'agissait d'un privilège.

— Oui.

— Les enfants sont avec leur père, c'est exact ?

— Oui.

— Il me semble que vous ayez ... enfin, j'ai l'impression que vous avez obtenu un droit de visite ?

— Oui.

— Votre fille vous encourage à persévérer, vous devez continuer à les voir. Elle est heureuse que vous le fassiez. Une de vos grands–mères est morte ?

— Oui.

— Il y a une personne qui tourne autour de vous, elle prétend être votre grand–mère. Il semble qu'elle vous connaissait bien.

— Oui.

— On dirait que vous avez grandi à ses côtés. Elle a eu une influence déterminante sur vous. Elle vivait avec vous ou tout près de vous.

De vos deux grands–mères, c'est celle que vous connaissiez le mieux. Je dis cela, parce qu'elle m'a dit que vous aviez prié pour elle et qu'elle était en quelque sorte votre ange gardien. Cela ne devrait pas trop vous surprendre, puisque si j'ai bien compris, elle jouait déjà ce rôle auprès de vous sur terre. Connaissez–vous une dénommée Carrie ?

— Oui.

— Est–ce le diminutif de Catherine ?

— Non.

— S'agit–il de votre fille ?

— Oui.

— Son prénom s'épelle C A R R I E ?

— Non, K E R R Y.

— Oh ! Kerry.

— Oui.

— Ah ! Vous n'êtes pas de New York, vous n'avez pas l'accent new–yorkais et j'étais persuadé qu'elle me disait Carrie. C'est moi, j'ai mal prononcé son nom. Votre fille a manqué d'air avant de mourir ?

— Oui, c'est possible.

— C'est ce qu'elle m'a dit. Je me sens comme si j'étais sur le point de m'endormir, je manque d'air.

— Oui.

— Est–ce que quelqu'un a essayé de maquiller sa mort en suicide ?

— Hum…

— Elle m'a dit qu'elle ne s'était pas suicidée.

— Oui.

— Certaines personnes ont pu penser qu'il s'agissait d'un suicide, mais elle insiste sur le fait que ce n'est pas le cas.

— Oui.

— Elle a suffoqué ?

— Je crois.

— Elle m'a dit qu'elle suffoquait... J'ai tout de même l'impression que ce n'est pas tout, il y a quelque chose d'autre.

— C'est possible.

— Elle me dit qu'elle a perdu connaissance parce qu'elle manquait d'oxygène. Je me sens comme... Je sens que... enfin, je ne dis pas que c'est comme ça qu'elle est morte, mais j'ai l'impression que l'on me plaque un oreiller sur la figure.

— Oui.

— Comme si on essayait de m'étouffer... oui, je sens bien qu'il y a quelque chose d'autre. Quelque chose qui a directement à voir avec sa mort.

— Oui.

— Est–ce qu'une arme est impliquée ?

— Non.

— Je ne dis pas « arme » dans le sens habituel du terme, je ne parle pas d'une arme à feu ou d'un couteau, mais d'un objet, de quelque chose qui a causé sa mort. Autrement dit, si on l'avait étouffée avec un oreiller, cet objet serait l'arme du crime.

— Oui, je vois.

— Elle me dit qu'il y a une arme, mais pas dans le sens habituel du terme. Je sens bien que les circonstances de sa mort ne sont pas nettes. Il s'agit d'un crime ?

— Oui.

— Oui et ça me paraît très clair, cela ne fait aucun doute. Autrement dit : la police serait tout à fait d'accord, elle aurait tout de suite vu qu'il s'agissait d'une mort suspecte.

— Oui.

— Oui, elle vient de me dire la même chose. Sa mort est suspecte, un meurtre a eu lieu. Quelqu'un essaie de dissimuler les indices, de maquiller le crime et cette personne y parvient fort habilement.

— Oui.

— Est–ce que c'est arrivé à la maison ?

— Oui.

— Est–ce qu'il y avait de l'argent en jeu ?

— Hum...

— Ou quelqu'un pensait qu'il pourrait s'en procurer ?

— C'est une hypothèse envisageable.

— Cela a quelque chose à voir avec l'argent, de l'argent a été pris et je dis bien, pris et non pas volé. Enfin, depuis son décès, de l'argent a été pris.

— Eh bien !

— Vous n'êtes certainement pas au courant de ce qui est advenu de cet argent.

— C'est exact.

— Mais il s'agit d'une grosse somme. Je ne parle pas de million, mais tout de même, la somme est importante. Je sens que l'argent a été placé en lieu sûr peu de temps après sa mort.

— Bon, d'accord.

— Cette personne a habilement brouillé les pistes.

— Oui.

— Je vois Agatha Christie, elle est juste devant moi. À ce qu'il paraît, quelqu'un a essayé de commettre un crime parfait. Aucun détail n'a été laissé au hasard. Oui... Je vois ce personnage d'Agatha Christie, cette Miss Marple, la célèbre détective qui figure dans ses romans... C'est comme si vous aviez besoin des services de quelqu'un comme elle pour connaître la vérité. Y a–t–il un enquêteur sur l'affaire ?

— J'en avais engagé un.

— Oui, a–t–il trouvé quelque chose d'intéressant ? Parce que j'entends parler d'un enquêteur, on dit que son enquête a confirmé vos craintes.

— Oui.

— Mais la preuve est difficile à établir, n'est–ce pas ?

— Oui.

— C'est ce que votre fille m'a dit. Vous pouvez bien pointer du doigt le coupable, mais rien n'y fera tant que vous n'aurez pas de preuves et vous n'en avez pas. On dirait que vous êtes retournée à la case départ. Elle me dit que le tout avait été soigneusement planifié. La personne qui a commis cet acte jouit de l'appui d'une ou de plusieurs personnes. Elle n'est pas seule.

— Ok.

— Si quelqu'un se décide à parler, vous tiendrez enfin quelque chose de plus tangible.

— Oui.

— Est–ce que votre fille a été blessée à la gorge ?

— Je ne crois pas.

— C'est quand même étrange... parce que je ressens encore... enfin, je me sens comme étranglé, je ne dis pas qu'elle a été étranglée, mais je me sens comme si...

— Oui.

— Enfin, d'une façon ou d'une autre, elle a dû manquer d'air. Une fois encore, elle me parle d'argent, elle me dit que l'argent a joué un rôle dans cette histoire.

— Vraiment ? Au fond, ça ne me surprend pas.

— Vous ne saviez même pas que cette affaire impliquait une grosse somme d'argent ?

— Non.

— Il y avait beaucoup d'argent ou enfin des biens d'une grande valeur. Comme s'il s'agissait de quelque chose de secret ou de caché. On a déplacé cette chose d'un lieu à un autre.

— Hum, hum.

— Voyez–vous, il y a encore de l'argent, je vois de l'argent devant moi. Il peut tout aussi bien s'agir d'espèces sonnantes que d'un bien qui a une certaine valeur. Par exemple, il pourrait s'agir de placements immobiliers et dans ce cas, on ne peut pas parler de billets de banque, mais on peut parler d'argent, de quelque chose qui a de la valeur. Quelque chose qui a de la valeur a changé de mains. J'ai parlé d'argent, mais il ne faut pas nécessairement penser à des espèces sonnantes. Quoi qu'il en soit, quelqu'un s'est approprié une chose qui a de la valeur.

— Je vais vérifier cela.

— C'est drôle... Je vois des prés verdoyants... Peut–être que cela symbolise la propriété. Il se pourrait que l'argent ait été placé dans l'immobilier. C'est fort possible. Peut–être que cela ne facilitera pas votre enquête, mais cela peut aussi vous aider, étant donné qu'une grosse somme d'argent a été transférée ailleurs. Il me semble que cela s'est produit récemment. J'ai l'impression que l'opération a eu lieu immédiatement après sa mort. On a attendu que les choses se tassent un peu pour agir. Est–ce que l'enquête est toujours en cours ?

— Oui.

— Elle m'a dit que le dossier était toujours ouvert.

— Oui.

— On suspecte son mari, n'est–ce pas ?

— Oui.

— Mais il a un alibi ?

— Bien… Oui.

— Ah ! On peut dire, oui et non à la fois ?

— Oui, c'est exact.

— Parce qu'il n'était pas là, mais qu'il aurait pu y être.

— C'est exactement cela.

— Depuis quelques instants, je n'arrête pas de voir quelqu'un qui marche le long d'une avenue à deux voies, j'ai l'impression d'être ici et là en même temps.

— Hum, hum.

— Et, comme je suis certain qu'il ne possédait pas le don d'ubiquité… Eh bien… Est–ce qu'il a prétendu être à la maison lors du drame ? J'ai le sentiment qu'il était sorti, mais en même temps, j'ai l'impression qu'il était à la maison… Comme s'il était sorti et qu'il était rentré et qu'il était ressorti.

— Oui.

— Je vois un tourniquet, comme s'il était entré par une porte et sorti par une autre.

— Oui.

— Fréquentait–il quelqu'un d'autre ?

— Je ne suis pas au courant.

— Et maintenant ?

— Peut–être.

— Ah ! Curieux, je vois un triangle, comme s'il avait été question d'un triangle amoureux.

— Il aurait eu une liaison ?

— Oui. Lui, votre fille et une autre femme. Bref, il me semble bien qu'un triangle amoureux soit en rapport avec cette histoire. Votre fille était plutôt discrète, voire secrète, elle n'était pas du genre à vous raconter ses problèmes.

— Oui, c'est vrai.

— Elle n'était pas du genre à vous confier ses craintes et ses angoisses. Elle n'aurait pas soufflé mot de ses suspicions.

— C'est juste.

— Est–ce que vous travailliez ensemble ?

— Non, pas ensemble.

— C'est curieux, elle me parle de relations de travail. Est–ce que vous travailliez dans le même domaine ?

— Non.

— Alors, je ne comprends pas ce qu'elle veut dire par « relations de travail ».

— Enfin, elle travaillait et je gardais les enfants. (Beverly n'a pas songé au fait qu'elle s'apprêtait à ouvrir un magasin avec sa fille.)

— Il s'agit peut–être de cela, mais le fait est qu'elle insiste, elle me dit que vous avez travaillé ensemble. J'ai l'impression qu'il s'agit d'un travail de neuf à cinq. Enfin, si vous gardiez les enfants, c'est peut–être de cela qu'il s'agit... Elle parle de vous comme d'une relation de travail, elle m'a clairement dit que vous étiez en lien avec son travail. Est–ce que cela s'est produit durant la nuit ?

— Oui.

— J'ai l'impression que la nuit était tombée. Était–ce tard le soir ?

— Non.

— Alors pourquoi je ressens cette impression de tranquillité et de silence ?

— C'était en début de soirée.

— Tout me semble si tranquille. Tout est si calme, puis j'ai l'étrange impression que tout s'agite autour de moi. Il a dit qu'il n'était pas à la maison lorsque c'est arrivé, mais il semble que personne ne l'ait vu à l'extérieur de la maison ce soir–là.

— C'est exact.

— Est–ce qu'un autre homme pourrait être impliqué dans cette affaire ?

— C'est possible, tout est possible.

— Oui, il me semble qu'un autre homme est impliqué, mais je ne saurais dire quel est son rôle. Est–ce que c'est l'autre homme qui l'a blessée ou a–t–il, tout simplement, été témoin de ce qui se passait, je ne le sais pas. Est–ce que votre gendre exerçait une profession en lien avec le monde de la finance ?

— Non.

— Étiez–vous au courant de ses avoirs ? Avait–il beaucoup d'argent ou …

— Non, je n'en sais rien.

— Cette histoire concerne des valeurs. À moins que cet argent n'ait appartenu à votre fille. Avait–elle fait des placements ou quelque chose comme ça ?

— Elle n'avait pas beaucoup d'argent, ça je le sais, mais la maison lui appartenait.

— Ah ! Il se peut que ce soit le bien immobilier en question. Est–ce que la maison valait cher ?

— Oui.

— Elle me montre encore une fois des prés verdoyants, c'est un symbole qui représente la propriété immobilière. Il s'est passé quelque chose en rapport avec une propriété, il y a eu un changement de nom, un transfert de propriété. Il est certain que c'est quelque chose comme ça.

— C'est possible. Il a pu changer le titre de propriété.

— Il me semble que j'entends une querelle, une dispute au sujet de l'argent et elle a eu lieu juste avant sa mort.

— Bon.

— Leur dispute concerne l'argent et les biens immobiliers. Je me sens coincé, acculé au pied du mur. Quelqu'un s'est manifestement senti comme moi à ce moment.

— Hum, hum.

— Il s'agit peut–être d'une piste importante, avec cet indice vous pourriez peut–être enfin y voir plus clair.

— Oui.

— Est–ce que vous avez songé à engager un autre détective ?

— Non, je n'y ai pas pensé.

— C'est curieux, une femme est devant moi et je sais qu'elle mène l'enquête.

— Il s'agit seulement de mon avocate.

— Vous considérez qu'elle fait du très bon travail, enfin elle vous semble meilleure que bien des hommes.

— Hum, ça ne m'a pas du tout surprise.

— Il me semble qu'elle est très impliquée dans cette cause, elle lui tient à cœur.

— Oui.

— Mais il semble aussi que vous ayez toujours frappé un os au moment crucial, autrement dit, vos efforts n'aboutissent jamais à quelque chose de concret.

— Oui.

— Ah ! Votre fille me parle du transfert de propriété, elle me dit que s'il y a une irrégularité dans tout cela, et visiblement, c'est le cas, tout cela finira bien par se retourner contre son auteur.

— Oui.

— Je dis cela, parce que je vois un cercle et que le cercle symbolise un cycle, autrement dit, un retour des choses.

— Nous ne le souhaitons.

— Cela ne se produira peut–être pas demain matin, mais avec un peu de patience… La vérité finira par éclater au grand jour. Honnêtement, je me dois de vous dire que cette histoire ne la tourmente plus, elle a tourné la page. Pourtant, votre fille sait que ce problème vous préoccupe au plus haut point et que vous n'êtes pas près de laisser tomber.

— En effet.

— Bon, je vous le demande en toute bonne foi et pour votre bien : « Ce n'est pas l'argent qui vous intéresse dans cette histoire ? Vous cherchez plutôt à connaître la vérité, c'est bien ça ?

— Oui.

— Est–ce que vous avez l'impression que son mari a quelque chose à voir là–dedans ?

— Oui.

— Je le dis, parce qu'elle a essayé de me faire comprendre que c'était bel et bien le cas. Jusqu'à quel point ? Ça, je ne saurais le dire, mais j'ai de plus en plus l'impression qu'il sait quelque chose ou qu'il a lui–même posé ce geste. Elle ne le juge pas, mais comment dirais–je… Il a un petit air charmeur ?

— Oui.

— Il n'en était pas à son premier mensonge ?

— C'est exact.

— Sans pour autant le juger, elle m'a dit qu'il mentait constamment, il était du type « menteur pathologique ».

— Oui.

— C'est un peu comme s'il souffrait d'un trouble de la personnalité. Il éprouve toujours le besoin de raconter des histoires, d'ailleurs il sait se montrer très convaincant. Il ment, mais il ne le sait pas lui–même, il croit à ses histoires.

— Oui.

— Il a prétendu qu'il était sorti ce soir–là ?

— Oui.

— Et quelqu'un l'a vu ?

— Je ne sais pas. Il a dit qu'il était allé faire une course.

— Il peut le prouver ?

— Oui.

— Il semble pourtant que les événements ne concordent pas dans le temps. Il est revenu plus tôt qu'il ne le prétend.

— Oui.

— Il est sorti et il est revenu très vite… il en a profité pour commettre ce crime ou il y a été impliqué d'une quelconque façon. Puis, il est reparti.

— Vraiment ?

— Je vois encore ce tourniquet et je me sens à la fois dedans et dehors, enfin j'éprouve la même sensation que tout à l'heure.

— Hum, hum.

— C'est lui qui l'a trouvée morte ?

— Oui.

— Oui et c'est le hic. Comment a–t–il pu sortir de la maison, qu'a–t–il fait ?

— Hum, hum.

— Il semble qu'il ne soit pas sorti par la porte principale, comme s'il s'était enfui par une fenêtre ou une autre porte.

— Oui.

— Il avait vraiment... enfin, je ne veux pas dramatiser, mais c'est comme s'il connaissait un moyen de quitter la maison sans être vu, un genre de passage secret. Il est sorti de façon à ne pas se faire voir. Cette manœuvre ne posait aucun problème, c'était un jeu d'enfant, cela me paraît clair. Le magasin n'était pas très loin de la maison, n'est–ce pas ?

— C'est exact.

— C'est bien mon impression. Kerry a essayé de me faire comprendre que la personne qui avait fait ça n'avait pas beaucoup de temps pour agir. Une personne extérieure aurait dû se planquer et attendre le bon moment, puis passer à l'action en un éclair.

— Oui.

— Est–ce qu'il y a des traces d'entrée par effraction ?

— Non.

— Oui, et c'est là le problème, puisqu'il semble que quelqu'un soit entré dans la maison.

— Hum, hum.

— Il aurait fallu qu'il oublie de fermer la porte en partant, sinon, il y a manifestement quelque chose qui ne va pas. Est–ce qu'elle a été blessée à la tête ?

— Oui.

— Une fracture de crâne ou quelque chose comme ça ? J'ai l'impression que quelqu'un me frappe et le coup vient de derrière.

— Oui.

— Sans trop entrer dans les détails, il me semble que votre fille a reçu plusieurs coups, mais elle n'a pas vu son agresseur.

— Oui.

— Derrière la tête ?

— Oui.

— Oui, les coups sont venus de derrière. Je le dis, parce que votre fille m'a fait comprendre qu'elle n'avait pas pu voir l'assaillant.

— Hum, hum.

— Elle ne l'a pas vu, mais curieusement j'ai l'impression qu'elle le connaissait.

— Oui.

— Elle a dû connaître son identité plus tard. Est–ce que les enfants étaient à la maison ?

— Oui.

— Elle le confirme, mais ils étaient couchés ou quelque chose comme ça.

— Oui.

— Oui, parce que j'ai l'impression qu'ils sont absents. Tout avait été soigneusement orchestré, ce qui fait que personne n'a rien vu.

— C'était prémédité ?

— C'est tout comme. Peut–être qu'il n'avait pas planifié son geste depuis très longtemps, mais le fait est qu'il savait exactement quand et comment procéder.

— Hum, hum.

— Est–ce qu'ils se sont disputés ce jour–là ? Êtes–vous au courant ?

— Non, je ne crois pas.

— Il y a eu une dispute ce jour–là. Oui, votre gendre avait des problèmes financiers, enfin il se sentait pris à la gorge par une quelconque histoire d'argent.

— Enfin, ils songeaient sérieusement à se séparer ?

— Oui, il y a des problèmes au sein du couple. Il semble qu'il craignait qu'une séparation le désavantage, bref, il pensait qu'on essayait de le duper et il a réagi de cette façon. Bon, je vais vous le dire, je vois une bombe à retardement devant moi… apparemment, il est capable de garder son sang–froid et de passer à l'action le moment venu. Il est presque trop calme… d'un calme étrange.

— Parlez–vous de son attitude actuelle ?

— Non, je parle de leurs problèmes conjugaux. C'est qu'il a pris la chose avec beaucoup de sang–froid, il cachait bien son bouillonnement intérieur.

— Hum, hum.

— Oui, et pour tout dire, je vois John Barrymore, il est juste devant moi. Apparemment, ce type est un très bon acteur.

— Oui.

— Il joue à la perfection. La police le soupçonnait, n'est–ce pas ?

— Pas au début, enfin je ne crois pas.

— Mais elle le suspecte maintenant ?

— Oui.

— Oui, il s'en est très bien sorti au début, il a su trouver les mots justes, il avait l'air au–dessus de tout soupçon. Seulement, la police l'avait d'abord identifié comme un des principaux suspects. Est–il possible qu'il se soit réintroduit dans la maison autrement que par la porte principale ?

— Oui.

— Ça m'a tout l'air qu'il n'est pas rentré par où il est sorti. Y a–t–il une autre entrée située plus bas, comme une entrée de garage ou de sous–sol ? J'ai l'impression d'emprunter une entrée qui se trouve en bas de la porte principale et de là, je pénètre dans la maison très facilement. Pourtant, il aurait été plus normal de passer par la porte avant ou la porte arrière. Est–ce qu'il y a un garage attenant à la maison ?

— Oui.

— Il aurait pu entrer par là ?

— Oui, ou par la porte de derrière.

— Chose certaine, il n'a pas emprunté la même porte pour sortir et entrer dans la maison. Votre fille était en train d'écouter la télé ou quelque chose comme ça ?

— C'est possible.

— Je dis ça parce qu'elle était occupée à faire autre chose, elle était absorbée, je me sens comme ça en ce moment.

— Elle faisait peut–être de l'exercice.

— Elle ne s'est pas rendu compte qu'il était rentré du magasin, elle écoutait la télé ou elle faisait de l'exercice, mais une chose est sûre, elle était absorbée par ce qu'elle faisait et elle ne s'est pas rendu compte qu'il était revenu. Il a dû s'approcher d'elle par derrière.

— Oui.

— Elle en faisait souvent ?

— Oui.

— Est–ce qu'elle mettait de la musique ?

— Oui.

— Ah ! Voilà ! Est–ce qu'elle en faisait tous les jours ?

— Oui.

— C'était dans ses habitudes ?

— Oui.

— Ah ! Il connaissait bien ses habitudes, il est allé au magasin, puis… Il a pu prendre sa voiture, faire le tour du pâté de maisons et revenir tout de suite. Ce que je vois présentement me donne la forte impression que les choses ne sont pas ce qu'elles semblent être… Il a pris son véhicule pour se rendre au magasin ?

— Oui.

— Je dis ça parce que j'ai l'impression de tourner le coin d'une rue, d'attendre quelques instants et de revenir. En d'autres mots, j'ai l'impression qu'il est revenu à la maison à pied et qu'il a ensuite repris son véhicule là où il l'avait laissé, au coin de la rue. Aucune arme n'a été retrouvée ?

— Non.

— Ouais, c'est le problème, il s'est servi d'une arme, mais personne ne l'a trouvée. C'est probablement pour cette raison que votre fille m'a parlé d'une arme. Il a pu se servir d'un instrument contondant ?

— C'est possible.

— Elle est morte d'une blessure à la tête, on l'a frappée à la tête, ça me paraît clair.

— Oui.

— C'est ce qu'elle m'avait dit. Elle est morte de blessures à la tête, mais avait–elle aussi des blessures à la bouche ?

— Oui, elle portait des marques.

— Oui, j'ai l'impression d'avoir été frappé à cet endroit. Avait–elle des dents cassées ou quelque chose comme ça ?

— Non.

— Pourtant, je sens des blessures ici (il montre sa tête), il s'agit peut–être d'égratignures ?

— Oui.

— Je me sens comme si on m'avait frappé avec un objet quelconque et j'ai des entailles ou des égratignures.

— Je ne peux pas vous en dire plus, je n'ai pas obtenu la permission de consulter personnellement le rapport d'autopsie, mais c'est possible.

— Oui, les entailles ne sont pas très profondes, ce qui n'empêche pas que sa tête porte des marques. Votre gendre a fait jouer ses relations ?

— Relations ?

— Je veux dire qu'il a su trouver un bon avocat... Il semble que ses relations l'ont aidé à camoufler certaines choses.

— Oui.

— Il est loin d'être stupide même s'il peut parfois donner l'impression de l'être. Tout ça pour dire qu'il est probablement plus futé que vous ne le pensez. Il vaudrait peut–être mieux laisser retomber la poussière avant d'agir. D'ailleurs votre fille vous y encourage. Vous tenez fermement à faire toute la lumière sur cette histoire, cependant il ne faut rien précipiter, il vous faut attendre un peu que les choses se développent. Je crois qu'elle essaie de me faire comprendre que les arbres vous cachent la forêt, autrement dit vous avez tellement le nez collé sur les moindres détails de cette histoire que vous passez à côté de l'essentiel.

— Oui.

— Enfin, une chose reste sûre : votre fille se porte à merveille, tout va bien. Elle tient d'ailleurs à vous faire savoir qu'en ce qui la concerne, elle a tourné la page. Elle ne se tourmente pas avec cette histoire. Est–ce qu'il y a un déménagement dans une autre ville ?

— Oui, il prévoit déménager.

— Une fois encore je sens qu'il se trame quelque chose en rapport avec des propriétés immobilières et de plus d'une façon… C'est très intrigant tout ça. Enfin, il songe à changer de domicile ?

— Oui.

— C'est comme s'il voulait s'éloigner de vous ou plutôt faire en sorte que vous voyiez moins les enfants. Ainsi, il espère que vous finirez par baisser les bras. Votre fille me dit que c'est là mal vous connaître, vous ne laisserez pas tomber si facilement.

— C'est vrai.

— Il semble que la police est de plus en plus persuadée de sa culpabilité, c'est juste ?

— Oui.

— Elle ne peut rien prouver, les inspecteurs en sont convaincus, mais ils ne peuvent rien faire. C'est l'impression que j'en ai, parce qu'en fin de compte, il n'y avait pas d'autre motif de tuer votre fille.

— Hum, hum.

— Et, vous en êtes convaincue, vous savez bien que personne ne souhaitait sa mort. Votre fille n'était pas du genre à se faire des ennemis, n'est–ce pas ?

— Non.

— Il semble aussi que la tension montait entre eux, vous étiez au courant de cela ?

— Oui.

— Elle n'était pas du genre à se plaindre pour rien, n'est–ce pas ?

— Oh ! Pour ça, c'est certain.

— Est–ce qu'il avait des problèmes au travail ?

— Oui.

— Je dis ça, parce que votre fille m'a confié qu'il avait du mal à garder ses emplois. Une fois encore, je sens bien que c'était la principale source de conflits entre eux.

— Hum, hum.

— Et, je sens que c'est sur elle que reposait tout le poids de ses problèmes, elle essayait toujours d'arranger les choses, elle prenait tout sur son dos.

— Oui.

— Il foutait toujours tout en l'air, il perdait ses emplois et ... Avait–il des problèmes d'alcool ou quelque chose comme ça ?

— Non.

— C'est quand même très amusant, tout m'indiquait qu'il avait des problèmes d'alcool. C'est sans doute un symbole pour que je comprenne qu'il n'est pas très responsable. Il perdait ses emplois et la famille éprouvait des difficultés financières. Il est clair qu'il se sentait acculé au pied du mur, il se sentait floué et il voulait s'en sortir à tout prix.

— Hum, hum.

— Il avait une attitude très protectrice envers les enfants. Il les surprotégeait ?

— Oui.

— C'est comme si les événements avaient été soigneusement mis en place... Il avait un plan. Les enfants étaient couchés et dormaient paisiblement. Ils n'ont probablement rien entendu. C'est exact ?

— Pas que je sache.

— Ils n'ont rien entendu, c'est l'impression que j'en ai. Je ne sais si c'est exact, mais il semble que votre fille essaie de me dire que son mari est sorti et qu'elle est morte pendant ce temps.

En rentrant, il l'a trouvée morte. Je dirais que c'est un bon alibi, mais est–ce qu'il se tient ? Voilà la question.

— Oui.

— Il y a des failles. Mais, une fois encore, on peut dire que ce n'est pas le genre de type qui se laisse facilement démonter, il est très habile. J'ai le sentiment d'être divisé, comme tout à l'heure, comme si je pouvais penser deux choses à la fois. Je sens que j'ai commis cet acte et en même temps je suis convaincu que ce n'est pas moi, quelqu'un d'autre l'a fait. C'est comme s'il était en proie à une envie pathologique de mentir. D'un côté, il sait pertinemment qu'il a commis ce geste, mais quelque chose en lui, un genre de blocage ou de problème psychologique, fait qu'il pense qu'il s'agit de quelqu'un d'autre.

— Oui, c'est tout à fait plausible.

— C'est comme s'il avait un trouble de personnalité, cet homme a deux facettes. Il est à la fois Dr Jekyll et M. Hyde. Votre fille vient de me dire que vous avez prié pour elle et elle vous en remercie. Elle ajoute que cette histoire vous appartient, c'est votre propre combat. Elle ne veut pas s'immiscer dans cette affaire. Elle a tourné la page. Quoi que vous fassiez, elle tient à ce que vous restiez en contact avec vos petits–enfants. Votre présence est très importante, elle veut que ses enfants connaissent sa famille. Elle aimerait qu'ils puissent toujours compter sur vous en cas de problèmes, même si elle sait que son mari fera tout ce qui est en son pouvoir pour vous séparer. Ce sera un difficile combat, mais vous saurez vous montrer à la hauteur. Comme votre fille le dit : « La boucle va se boucler, c'est dans la nature des choses. » Il s'en sortira peut–être dans cette vie, mais n'ayez crainte, il ne pourra pas passer à côté quand il sera dans l'autre monde. Elle me paraît beaucoup plus préoccupée par le bien–être de ses enfants. Elle me reparle de cette histoire de biens immobiliers, vous devez fouiller cette affaire, faire le tour de ses avoirs, tant financiers, qu'immobiliers, il y a une piste intéressante. Cette femme (en parlant de l'avocate de Beverly) devra se montrer très maligne, car les indices ne sont pas à portée de la main, l'affaire est plus compliquée qu'il n'y paraît. Je vois des scènes du film *Hantise* (*Gaslight*) avec Ingrid Bergman en vedette. Tout au long du film, on sent que le mari d'Ingrid Bergman, un homme très futé, est en train de manigancer quelque chose derrière le dos de sa femme. De toute façon, votre fille vous recommande d'agir au meilleur de votre connaissance, sans trop vous tourmenter, puisque tout ira bien. Elle répète cependant sa mise en garde de tout à l'heure, elle vous recommande de laisser retomber la poussière pour le moment. Sachez vous montrer patiente, car il semble que les choses vont se régler d'elles–mêmes. Vous manquez de recul, les arbres vous cachent la forêt. Elle vous a rendu visite en rêve, vous le saviez ?

— Bien... c'est à dire que... enfin, pas vraiment.

— Il se peut que vous ne vous en souveniez pas, après tout, les rêves ne laissent souvent que peu de souvenirs. Une chose est sûre, elle m'a dit qu'elle était venue vous visiter en rêve.

— Bien, dites–lui de revenir.

— Est–ce que quelqu'un que vous connaissez va bientôt se marier ?

— Peut–être, il s'agirait du frère de mon gendre.

— On parle de mariage dans la famille de votre gendre, mais peut–être que cela concerne aussi votre gendre. Il est question d'un mariage au sens propre du terme, mais je sens qu'il pourrait aussi y avoir un mariage au sens figuré. Il pourrait s'agir d'une union ou d'une association de personnes. Il se peut fort bien que cela concerne cette histoire de biens immobiliers. De toute façon, il y a deux unions à venir, un mariage et une association. Le jour viendra où il se sentira au–dessus de tout soupçon et c'est alors qu'il commencera à agir de façon quelque peu étrange. Il attend que la poussière soit retombée avant de passer à l'action et ma foi, il semble qu'il pense que c'est pour bientôt. D'ailleurs, il a déjà commencé. Est–ce que votre fille tenait un journal intime, lui arrivait–il de consigner quelques réflexions sur le papier ?

— Oui.

— Et vous n'avez pas retrouvé son journal, c'est exact ?

— Oui.

— Elle n'arrête pas de me parler de ça. Enfin, elle m'indique que cette affaire concerne un journal intime. D'ailleurs, je vois le journal d'Anne Franck devant moi. Il me paraît évident qu'elle tenait un journal et qu'il était au courant.

— Oui.

— Eh bien, il semble que le journal de votre fille révélait des détails embarrassants concernant leur vie familiale. C'est un peu comme si la Gestapo avait découvert le journal d'Anne Franck, elle ne l'aurait certainement pas laissé en circulation. C'est plutôt intéressant… Hum, le journal de votre fille a sans doute disparu peu de temps avant sa mort. J'imagine que ce n'est pas là le fait d'un cambrioleur ! Non, ce journal constitue en soi une preuve. D'une certaine façon, il est incriminant, elle y relate des événements importants qui ont trait à cette affaire.

— Hum, hum.

— Pourtant, il semble qu'il n'était pas au courant de son contenu, mais, un jour, il a mis la main dessus. Je me demande s'il l'a trouvé avant ou après sa mort. S'il l'a trouvé avant de la tuer, cela expliquerait pourquoi j'ai eu l'impression que ce journal était perdu. Votre fille gardait son journal en lieu sûr, elle ne le laissait pas n'importe où. A–t–il tardé à appeler la police ?

— Non.

— Oui, il avait tout prévu. Il a immédiatement appelé la police sachant qu'il aurait tout son temps pour faire disparaître les objets compromettants. Je vois du feu, je présume qu'il a fait disparaître certains objets… Je ne dis pas qu'il les a brûlés, mais le fait est qu'il les a détruits. Dans ma symbolique personnelle, le feu est synonyme de destruction. Cela pourrait constituer une preuve contre lui. Il n'y avait pas de traces de cambriolage, tout était en ordre ?

— C'est exact.

— Il semble que la seule preuve, un tant soit peu tangible contre lui, réside dans la disparition de certains objets. Le couple se disputait souvent, votre fille reprochait à votre gendre le fait qu'il était incapable de garder un emploi. Toutefois, ces discussions animées n'ont jamais rien changé à ce problème. Ils avaient beaucoup de problèmes.

— Oui.

— Il semble qu'elle s'accommodait assez bien de cette situation. Pendant un certain temps, elle était même le principal pourvoyeur de la famille, c'est exact ?

— Oui.

— Il vivait à ses crochets et il ne s'en inquiétait pas, même que cela lui convenait parfaitement, seulement elle a décidé que la fête était finie. À partir de ce moment, il a dû se débrouiller tout seul.

— Oui.

— Connaissez–vous un dénommé Martin ?

— Oui.

— Il est vivant ?

— Oui.

— Il connaissait votre fille ?

— Oui, et il le connaissait aussi, c'est son cousin.

— Elle répète ce nom depuis un moment déjà. Parle–t–il français aussi ?

— Non.

— Est–ce que votre gendre et ce Martin sont amis, ils se fréquentent ?

— Oui.

— On dirait qu'elle veut me dire quelque chose à ce sujet, elle semble vouloir m'indiquer que ce Martin a quelque chose à voir dans cette histoire. Par contre, je ne saurais dire ce qu'il a fait. Peut–être n'a–t–il rien à voir dans cette affaire. Votre gendre suspecte peut–être son cousin, enfin il a dit quelque chose à son sujet. Vous devriez le garder à l'œil, enfin juste au cas où... Un jour ou l'autre cette affaire va éclater au grand jour, quelqu'un va frapper un os et ce sera chacun pour soi.

— Hum, hum.

— Est–ce que ce Martin est du genre à tremper dans des affaires louches ?

— Oui.

— Je le dis parce que je le vois dans la pénombre, comme s'il menait quelque affaire en secret. C'est un drôle de lascar... N'est–il pas un peu voyou ?

— Oui.

— Il se pourrait bien qu'il sache quelque chose. Ça ne veut pas dire qu'il était directement impliqué, mais il sait peut–être des choses que vous ne savez pas. Il se peut aussi qu'il ait joué un rôle actif dans toute cette histoire... J'ai le sentiment qu'il n'est pas demeuré passif. De toute façon, il y a quelque chose de louche là–dedans. Je sens que votre fille est en train de nous quitter, mais son dernier appel concerne encore Martin, elle me le fait voir dans la pénombre. Il s'agit d'une représentation symbolique visant à illustrer le fait qu'il mène des activités souterraines, cachées, bref, qui ne sont pas faites au grand jour. Elle ne souhaite pas porter un quelconque jugement sur lui, simplement, elle dit ce qui est. A–t–il déjà trempé dans des activités illicites ?

— Pas que je sache, mais c'est possible.

— Vous devriez jeter un œil de ce côté. Il est vrai qu'il a bien pu être impliqué dans certaines affaires plutôt louches sans se faire prendre, mais tout de même vous devriez investiguer de ce côté. Je vois un index pointé, ce symbole vous met en garde, il signifie que vous devriez garder cette personne à l'œil. J'ai eu l'impression que vous ne lui faisiez pas tellement confiance, c'est exact ?

— Il est certain que cette affaire connaîtra des développements. Par contre, ce n'est pas pour tout de suite. Il ne se passera rien pendant un bout de temps. Vous devrez vous montrer patiente. Attendez, les choses finiront bien par se mettre en place d'elles–mêmes. D'ailleurs, vous aurez vous–même cette conviction, vous sentirez qu'il vaut mieux ne pas bouger et attendre que les choses se tassent. Bon, ils viennent de me dire qu'ils vont bientôt nous quitter, du moins votre père et les autres personnes qui sont venues vous rendre visite. Votre fille aussi, mais avant de partir, elle tient à vous rappeler qu'il est capital que vous mainteniez des liens étroits avec ses enfants. Elle veut aussi que vous n'ayez aucune inquiétude à son sujet, elle va bien et elle est en lieu sûr. Bon, elle nous quitte, elle vous envoie tout son amour et vous rappelle que tout va très bien pour elle. Elle vous dit : «Console–toi, tout va bien et ici personne ne peut plus me faire de mal. » Là–bas, les âmes accèdent à une vaste compréhension du monde et des choses et comme elle vient de me le dire : « S'il est l'auteur de ce crime, il devra un jour y faire face. C'est inévitable, cela fait partie de l'ordre des choses. »

— Oui.

— Peut–être qu'il pourra s'en sortir, mais soyez sûre d'une chose, il sera mis en face de sa propre conscience. Bon, elle vous donne tout son amour, à vous trois ainsi qu'à ses enfants. Elle me dit : « Je m'en vais, mais nous nous reverrons. » Voilà ! Ils sont partis .

En avril 1997, le gendre de Beverly a été arrêté et accusé d'homicide au second degré. L'accusation s'est basée sur l'ADN retrouvé sous les ongles de Kerry. Selon toute vraisemblance, il devrait être condamné sous peu. En attendant, Beverly ne bénéficie que d'un droit de visite restreint. Elle n'a pas perdu l'espoir, et elle souhaite enfin obtenir la garde de ses petits–enfants lorsque justice sera rendue.

Chapitre 8

LA PERTE D'UN CONJOINT

Un certain mois de février, alors que j'étais en Caroline du Sud, une femme est venue me voir. Elle avait perdu son mari, un militaire de carrière qui, au cours de la séance de captation que je menai auprès de lui, me rappela étrangement mon père. Trois mois plus tard, à Cincinnati, je ressentis une fois encore, cette drôle d'impression, l'homme avec lequel j'étais entré en communication me sembla si familier que je ne pus résister à l'envie de dire à la femme qui était venue me consulter que j'avais l'impression de le connaître. « En effet, me dit–elle, vous le connaissez. Vous l'avez rencontré, il y a trois mois, en Caroline du Sud. » En général, je n'aime pas faire des captations auprès des âmes que j'ai rencontrées, il y a moins d'un an (il n'y a de défi ni pour moi ni pour les âmes de l'autre monde). Je lui ai demandé pourquoi elle était revenue me voir si rapidement, soit trois mois après la dernière captation. « Vous voyez, m'a–t–elle expliqué, j'avais seize ans lorsque j'ai épousé cet homme et cela fait maintenant cinquante–trois ans. Il a été le seul homme dans ma vie et jamais nous n'avons été séparés. Il m'est tout naturel de croire qu'il vient me visiter fréquemment. » De prime abord, cela pouvait presque sembler comique, mais cette femme croyait réellement que même la mort physique ne pouvait les séparer. Je crois que plus de gens devraient avoir des convictions d'une telle force. En fait, elle avait raison, car les âmes de l'au–delà nous répètent constamment que l'amour est ce qui subsiste sur terre après notre mort physique et que rien ne peut l'emporter.

Peu importent nos différends sur terre, nos liens spirituels sont permanents et durables. Mais pour bien comprendre toute la portée de cette idée, encore faut–il avoir développé une relation profonde avec quelqu'un. Ceux et celles qui ont perdu un être cher me disent souvent qu'ils n'ont pas nécessairement besoin de mon aide pour garder le contact avec cette personne. Ce commentaire, tout à fait juste, démontre une réelle compréhension du fonctionnement des choses de l'au–delà, en effet, l'amour est un lien que rien ne saurait rompre. Il arrive même que ce lien survive envers et contre tout, comme dans le cas des relations tumultueuses ou abusives. Cependant, l'amour est toujours le dénominateur commun, l'amour ne meurt jamais, pas plus sur terre que dans l'autre monde.

Lors des captations que j'ai faites, tant pour les époux que les épouses, j'ai trouvé intéressant d'apprendre de la part des âmes que, pour différentes raisons, il est plus difficile d'être veuf que veuve. On m'a dit que, bien que toute perte soit tragique, l'épouse est le noyau du foyer et très souvent elle cumule les fonctions de ménagère, de comptable, d'infirmière et de soutien moral. L'épouse assume donc tant de rôles auprès de son mari et de sa famille que sa mort signifie bien plus pour l'époux que la simple perte de sa compagne de vie. J'ai aussi appris, de la part des épouses de l'au–delà, que les hommes, même courageux, ont en général un plus grand besoin d'être choyés, ce dont les épouses sur terre s'occupent de façon naturelle. Pour ce qui est des veufs et des veuves ici–bas, il semble que l'on puisse tirer différentes leçons de la perte d'un époux ou d'une épouse, selon que l'on soit veuf ou veuve. Dans les captations, les âmes masculines semblent encourager leurs femmes à refaire leur vie et à être fortes. Les hommes mentionnent aussi qu'ils sont heureux d'être partis les premiers, car ils n'auraient pas été capables de subir la situation inverse. Souvent, lors de la captation, les hommes de l'au–delà admettront pour la première fois que ce sont en fait les femmes qui sont le sexe fort et qu'elles sont les plus aptes à passer à travers cette épreuve et à continuer leur chemin en cette vie.

Il est une question qui est presque immanquablement abordée lors des captations, celle du remariage. Au cours d'une séance de groupe sur le deuil, que j'ai faite à Queens, New York, l'épouse d'un des participants est venue lui livrer un message. Dans une captation, elle lui a dit qu'il était parfaitement libre de refaire sa vie et d'entrer dans sa nouvelle relation, et que s'il aimait cette femme, elle l'aimerait aussi. L'homme éclata en sanglots. Peu après, il me raconta qu'après cinq années de solitude, il avait commencé à fréquenter une amie de la famille, avant tout parce que sa présence lui faisait du bien. Leur relation devint florissante, à ce point que l'homme convoqua ses enfants afin de discuter de la possibilité de son remariage. Mais ses enfants n'acceptèrent pas sa liaison et ont depuis cessé de le voir.

Selon eux, en s'engageant dans cette nouvelle relation, il souillait la mémoire de leur mère. Il dut admettre que, parfois, il en pensait autant. Toutefois, cet homme eut l'inestimable chance de savoir ce qu'en pensait son épouse : elle l'encourageait à aller de l'avant avec sa vie et en plus, elle consentait à ce qu'il trouve la paix et la joie sur terre en compagnie de cette nouvelle femme. L'épouse ajouta que les enfants en viendraient tôt ou tard à changer d'avis et à accepter ce choix et qu'elle les y aiderait. Les captations comme celle–là me permettent de comprendre la grande portée du pouvoir de l'amour dans l'autre monde, un pouvoir supérieur à la jalousie et à l'étroitesse d'esprit. Lorsque nous passons dans l'au–delà après avoir été mariés plus d'une fois, nous faisons partie d'une communauté d'amour spirituel, et nous ne sommes plus restreints par la convention terrestre qui veut qu'une personne ne puisse aimer qu'une seule personne. Dans l'au–delà, le vrai amour est l'amour de l'âme et, libéré du physique, il n'a pas de limite. La seule façon qu'ont les âmes de nous aider à comprendre ce concept est de comparer cet amour à celui que nous éprouvons pour ceux et celles avec qui nous avons des relations profondes mais sans amour physique, comme avec nos grands amis. Il n'est pas rare non plus que des âmes qui ont eu un(e) même conjoint(e), à cause d'un remariage, deviennent amies dans l'au–delà, ayant déjà tant en commun.

La perte du conjoint est d'autant plus difficile quand cet être était aussi notre meilleur ami. Lors d'une captation pour une femme dont l'époux avait été emporté par le cancer, l'âme de l'au–delà m'a confié que bien que la vie n'était pas toujours facile, il aimait encore sa femme, même si parfois, sur la terre, il avait eu des façons bizarres de le montrer. Bien que tout ne soit pas toujours facile sur terre, les époux de l'autre monde continuent d'aimer et de protéger les êtres qui leur sont chers et tentent de les guider dans leur cheminement spirituel jusqu'à ce qu'ils soient tous enfin réunis pour toujours.

Il y a des moments où, peu importe combien les gens s'aiment sur terre, la relation échoue. Mais, aidé de la sagesse acquise par son passage dans l'au–delà, le conjoint décédé commence à mieux comprendre les problèmes du couple et est ainsi en mesure d'aider l'autre. Malgré les choses terribles qui ont été dites et faites, les âmes de l'autre monde nous aiment, elles pardonnent et elles espèrent que nous le puissions tout autant. Les sentiments d'amour profonds persistent dans l'au–delà, même dans les cas où l'infidélité ou la violence conjugale avaient détruit la relation. Plusieurs avouent que ce n'est qu'une fois dans l'au–delà qu'ils ont appris comment ils auraient pu être une meilleure épouse ou un meilleur époux. Ils disent qu'apprendre à mieux ressentir et démontrer de l'amour en toutes circonstances fait partie de leur cheminement spirituel.

Leur but est d'aider leur conjoint à se laisser aller à l'amour de nouveau et sans réserve. Parfois, ils devront d'abord les aider à pardonner afin que leur partenaire soit enfin capable de poursuivre sa route. Une des plus dures et des plus productives leçons spirituelles de la vie est d'arriver à aimer même les personnes qui nous ont fait souffrir.

Deborah Scholes a appris à ses dépens jusqu'où peut conduire la violence conjugale, physique et mentale. Malgré tout le mal qu'elle a subi avant et après la mort de son mari, John, elle demeure très philosophe dans le regard qu'elle porte sur sa vie et sur cet homme qu'elle continue d'aimer et qu'elle espère comprendre un jour. Après tout ce qui lui est arrivé, elle s'accroche encore au souvenir d'un homme capable d'être aussi gentil que brutal. Il faut beaucoup de convictions pour espérer trouver un sens à la vie et aux leçons qu'elle nous apporte, après en avoir connu le pire, mais Deborah voit encore John comme celui qu'il aurait pu être, autrement dit, elle le perçoit dans tout ce qu'il a de meilleur en lui. Je ne connais pas de meilleur exemple d'amour inconditionnel et de pardon. Deborah m'a permis d'utiliser son histoire afin d'en aider d'autres à comprendre que l'amour subsiste, même lorsqu'on lui fait la vie dure et qu'en bout de ligne, la valeur de chacun est égale à sa capacité d'aimer sans condition :

Nous ne pouvons jamais prévoir quelle sera notre réaction dans telle ou telle situation tant que nous n'y sommes pas confrontés. Il est si facile de dire : « Je ne laisserai jamais personne me faire de mal. Je partirai dès la première violence ». C'est ce que j'avais toujours pensé. On voit ces émissions de télévision sur les femmes battues et on se demande ce qui les retient de partir, mais on oublie l'effet de l'amour sur le jugement. C'est comme si notre propre souffrance ne comptait pas autant que celle de la personne qui nous blesse. Et quelque chose fait que l'on reste. Il arrive que la personne change et que la situation s'améliore, mais le plus souvent les choses s'enveniment. Dans les cas de relation amoureuse avec un homme abusif, tout ce que l'on peut faire, c'est espérer qu'il finira par s'améliorer. Il n'y a que l'espoir. Ce que j'espère ici, c'est que les gens qui me croient folle d'être restée dans cette relation abusive puissent voir les choses de mon point de vue et comprendre que j'aimais John, je l'aimais, malgré lui.

Si je devais dire ce qui m'a attiré chez lui la première fois que nous nous sommes rencontrés, je dirais que ce sont ses yeux. Ils avaient pour moi un petit quelque chose de familier : ils étaient si bleus et si beaux que lorsque j'y plongeais mon regard, c'était comme si j'apercevais mon âme. Nous travaillions tous les deux dans la même usine et c'est en 1983 que nous sommes sortis ensemble pour la première fois. Nous avons commencé à nous fréquenter alors que j'étais déjà séparée de l'homme avec qui j'avais eu deux enfants : ma fille, Amie et Chris, mon garçon. John était le genre d'homme qui plaisait à tous, on appréciait sa personnalité tendre et bon enfant, en fait, il avait un peu l'air d'un gros ours en peluche, gentil et inoffensif, les enfants et lui se sont mutuellement adoptés dès le début.

Au fur et à mesure que notre relation avançait, j'ai remarqué certains détails étranges dans le comportement de John. Au début, je ne considérais pas ces choses comme des problèmes, je me disais simplement que John était différent des autres. Lorsque nous sortions, il lui arrivait de changer d'humeur après avoir bu quelques bières et il devenait parfois même difficile à contrôler. N'ayant pas moi–même l'habitude de boire, je ne savais pas trop qu'en penser et j'ai cru que pour éviter ces pertes de contrôle, il lui suffirait de surveiller sa consommation. Mes parents avaient remarqué ces soudaines sautes d'humeur et croyaient qu'elles étaient causées par la drogue. J'ai pris la défense de John en disant que s'il consommait de la drogue, je le saurais déjà, j'étais persuadée qu'il n'aurait pas pu me le cacher. Cependant, ils avaient raison, puisque plus tard, John m'a confié qu'il avait déjà consommé du « crank » et de la marijuana. Mais cela était chose du passé, me disais–je, les moments que nous partagions étaient si beaux et si plaisants.

Alors que nous nous engagions de plus en plus dans la relation, j'ai constaté que John avait du mal à contrôler son tempérament. Quand quelque chose l'ennuyait ou le fâchait, il prenait une ou deux bières et puis tout dégringolait. Il se mit à me frapper quand il était en colère, à tel point que j'ai dû être hospitalisée à quelques reprises à cause des blessures qu'il m'avait infligées. Un jour, alors que mon ex–mari venait tout juste de déposer les enfants chez moi, John aperçut sa voiture dans le stationnement de la maison. Au même moment, quelqu'un sortait de la maison et John a cru qu'il s'agissait de mon ex–mari. Ne faisant ni une ni deux, John lui a lancé une bouteille de bière. Il ne savait pas encore que c'était moi qu'il avait vue, la bouteille s'est fracassée sur le côté de ma tête et m'a tranché l'artère temporale. Mon ex–mari m'a conduite à l'hôpital, mais John a suivi sa voiture. Une fois à l'hôpital, il a accouru vers mon ex–mari et s'est mis à le battre. On a dû appeler la police, encore une fois. Jamais je n'aurais cru qu'un jour je pourrais laisser quelqu'un me frapper, mais quand on aime un homme et qu'on est convaincu que même lui ne sait pas pourquoi ces épisodes se produisent, quelque chose fait que l'on reste et que l'on essaye de l'aider. Durant ces épisodes, il n'y avait rien d'autre à faire que d'attendre que le sommeil vienne le calmer. Il y a eu quelques incidents comme celui–là, mais autrement, John était très gentil avec moi et d'agréable compagnie.

À un certain moment, nous avons décidé de mettre nos ressources en commun et de faire des économies, ainsi j'ai inclus sa voiture dans ma police d'assurance. Mais un peu plus tard, constatant qu'il avait recommencé à boire, je lui ai dit que j'allais devoir le retirer de mon assurance. Ma décision l'a mis dans un tel état qu'il est venu saccager ma maison : il a cassé la porte d'entrée et fait des trous dans les murs. Il était en colère parce qu'il croyait qu'en lui disant de prendre sa propre assurance, j'essayais de rompre avec lui. C'est à ce moment que, n'en pouvant plus, j'ai appelé la police et je l'ai fait arrêter. Quand il est revenu à lui, il m'a dit qu'il avait peur que je le quitte et que l'assurance n'était que le premier pas dans cette direction.

Je lui ai répondu que j'essayais seulement de l'amener à être plus responsable. Cependant, aujourd'hui je me rends compte que j'avais bel et bien eu envie de me séparer de lui, car je venais d'avoir trente ans et j'en avais maintenant assez de cette vie chaotique des deux dernières années. Il m'était devenu difficile de m'occuper de moi–même et de mes enfants avec lui qui perdait les pédales une fois par mois. Je le taquinais de temps en temps en lui disant qu'il avait lui aussi son cycle menstruel : il allait bien pendant tout le mois et, soudainement, il devenait irrationnel et impossible à supporter pendant deux jours. J'avais envie d'une vie paisible avec lui, mais je ne savais jamais quand ces mauvais jours allaient revenir et tout gâcher. Je suppose que j'aurais simplement dû le quitter aux premiers signes sérieux, mais il y avait quelque chose chez lui que j'adorais et puis, je voyais le bon en lui, malgré ses sautes d'humeur mensuelles. Il avait de si belles qualités que je me disais que le problème était sans doute dû à son âge et qu'avec le temps il changerait.

Mais ce soir–là, il a été arrêté et j'ai décidé qu'il était temps que les choses changent. Le jour suivant, j'ai reçu un appel d'une conseillère de la prison. Elle m'a tout de suite demandé si je savais que John prenait des amphétamines. Je lui ai répondu que c'était faux, qu'il ne prenait pas de drogue, mais elle m'a alors demandé comment j'expliquais ses sautes d'humeur et le fait qu'il n'avait presque jamais d'argent. C'est seulement à ce moment que j'ai compris, je me suis alors sentie idiote de n'avoir pas vu clair plus tôt. Elle m'a demandé si j'aimais John, et je lui ai répondu que si, je l'aimais beaucoup, mais que je ne voulais plus de cette violence. La conseillère m'a expliqué qu'il serait transféré à l'hôpital Northwestern pour y subir une cure de désintoxication. J'ai ensuite accepté l'invitation qu'elle me faisait de la rencontrer pour parler.

À l'hôpital, une partie du travail de John consistait à réinterpréter son passé familial, car il avait grandi dans une famille qui éprouvait beaucoup de problèmes et ses relations avec ses parents avaient été difficiles. Ses parents avaient d'ailleurs été la source d'un incident lorsqu'ils mentirent à John en lui disant qu'ils m'avaient invitée à son anniversaire. Il était furieux que je n'y sois pas allée, mais il l'était encore plus quand je lui ai dit que personne ne m'avait invitée. Cette histoire l'a mis dans un tel état de colère que sa réhabilitation en a sérieusement été retardée. Cet événement a aidé les thérapeutes de l'hôpital à mieux comprendre le pourquoi et le comment des comportements de John.

À partir de ce moment, ils ont commencé à faire des liens entre les problèmes de John et la façon dont il avait été élevé et l'absence de valeurs dans sa famille. Il avait grandi dans une famille sans aucun sens moral où le mensonge et la tromperie étaient monnaie courante. Peu importent les mauvais coups que John faisait, à chaque fois son père le sortait du pétrin. Il refusait d'admettre que son fils pouvait être fautif. Un jour, alors que John avait été suspendu de l'école pour trois jours, son père avait manigancé un plan pour faire croire à sa mère qu'il était bel et bien à l'école, tandis qu'il était en fait à la maison.

Il y avait beaucoup de mensonges et de secrets dans cette maison. Plus tard, John me raconta qu'il avait un jour surpris son père en train de voler les outils dont il avait besoin parce que sa mère refusait de lui donner l'argent pour les acheter. Il me parla aussi d'un pique–nique auquel sa famille avait participé et où son père avait été tourné en ridicule. Il éprouvait une grande gêne à l'idée que les personnes qui connaissaient son père le considéraient comme un raté. Les parents de John ne lui ont jamais enseigné à être responsable de ses actes et, en plus, ils lui ont nui en le défendant même quand ils le savaient coupable.

Une nuit où il avait bu, John frappa un lampadaire et causa des dommages importants à quelques propriétés. Une fois encore, ses parents ont pris parti pour lui et l'ont aidé à se sortir du pétrin. Ils ont constamment cherché à l'excuser de ses erreurs et ne l'ont jamais obligé à prendre la responsabilité de ses actes. Ce manque de contrôle dans son éducation l'a suivi jusque dans sa vie d'adulte. John en vint à comprendre qu'il méprisait sa mère pour tout ce qu'elle lui avait fait pendant son enfance ainsi que pour avoir rabaissé son père. Je crois que les parents avaient tous deux des problèmes émotifs et qu'ils ont grandement contribué à créer le monstre qui vivait à l'intérieur de John.

En 1986, John avait déjà purgé quatre mois de prison pour avoir saccagé ma maison, et il continuait sa réhabilitation. Cette année–là, j'ai commencé à voir quelqu'un d'autre, mais nous nous sommes revus dans un groupe d'entraide pour personnes dépendantes. J'y étais allée dans le but d'apprendre à le soutenir dans sa guérison. Ce soir–là, il ne m'avait pas vue, il ne savait pas que j'étais dans la salle. Quand John a pris la parole, il a parlé de ce qui lui était arrivé, puis il a avoué avoir fait endurer de terribles choses à une personne proche de lui qui, pourtant, avait essayé de l'aider. Nous avons recommencé à nous voir, bien entendu, John m'avait promis de ne plus jamais toucher à l'alcool ou à la drogue. Peu de temps après, nous avons décidé d'emménager ensemble, il faisait tout ce qu'il pouvait pour contrôler ses accès de colère. D'ailleurs, il n'a plus jamais bu et ne s'est plus jamais drogué. Quelques mois plus tard, mes enfants et moi avons été blessés dans un grave accident de la route, et John a pris bien soin de nous. Il nous a réellement montré qu'il avait changé et qu'il voulait devenir une meilleure personne. Nous nous sommes mariés en octobre 1987.

Après notre mariage, John ne m'a plus jamais frappée. Il était tranquille, sobre et tentait vraiment de faire en sorte que les choses aillent bien, et ce fut le cas. Mais il n'arrivait toujours pas à régler son problème de tempérament une fois pour toutes. De petites choses, parfois insignifiantes, arrivaient à le déranger démesurément, à le faire rager. Cependant, les choses allaient très bien pour nous. Avec le temps, nous avions appris à limiter les dégâts, nous savions comment faire face à ces moments « d'humeur difficile ». C'est à cette période que j'ai commencé à travailler dans une entreprise de pièces d'autos usagées. Peu de temps après, John aussi est venu y travailler.

En septembre 1989, nous avons acheté l'entreprise et les choses se sont mises à aller très bien pour nous. John avait finalement trouvé un domaine dans lequel il excellait, il était un homme d'affaires formidable. Il était très fier de posséder sa propre compagnie et il avait désormais une meilleure estime de lui–même. Il réalisait des choses qu'il n'aurait jamais crues possibles et les affaires allaient bien. Pendant nos années de mariage, mes enfants se comportaient avec John comme s'il avait été leur vrai père. John les aimait beaucoup. Il les présentait toujours comme ses enfants et non pas comme ses beaux–enfants et, en effet, il était là pour eux comme un vrai père. Les enfants sont devenus très attachés à lui. Même s'ils avaient été témoins de ces moments de crise, ils n'avaient pas peur, car ils savaient que sa rage ne leur était pas destinée et qu'il ne leur ferait jamais de mal. Les parents de John n'acceptèrent jamais notre mariage et il vint un temps où ses thérapeutes lui recommandèrent de ne plus avoir de contacts avec eux, car ces derniers ne pensaient pas qu'il puisse avoir une vie à lui. Au cours des neuf années de notre mariage, ses parents n'ont jamais vu l'intérieur de notre maison.

En février 1995, John fit une mauvaise chute et se fit une double hernie discale. C'était très dur pour lui, car il était fier de ses réalisations et il savait bien qu'il aurait pu faire encore plus. Or, il en était maintenant réduit à faire de petits boulots, comme de répondre au téléphone du bureau. Malgré ses efforts, il n'arrivait plus à soulever les lourdes pièces d'auto, il n'arrivait pas à accepter le fait de ne plus pouvoir faire son travail. Aussi, décida–t–il de subir une intervention chirurgicale. Bien qu'il souffrît moins, il ne pouvait toujours pas reprendre ses activités. Et peu à peu, les problèmes, que nous croyions réglés à jamais, réapparurent. John se sentait humilié et il se mettait parfois à pleurer. Les médecins lui avaient prescrit des calmants, mais ses médicaments étaient si puissants qu'ils l'assommaient. C'est alors qu'il commença à prendre des Valiums, beaucoup de Valiums. Nous avions bien essayé de restructurer l'entreprise de façon à ce qu'il puisse travailler sans avoir à lever de pièces, mais en vain. John était trop déprimé pour travailler. Puis, en septembre de cette année–là, nous avons acheté un chalet dans les montagnes. J'espérais que cet endroit fabuleux, où il pouvait enfin relaxer, allait être la solution à nos problèmes. John se mit à y aller seul pour pêcher, et bientôt, de plus en plus souvent. Il se repliait sur lui–même. Il m'avait écartée de sa vie, je perdais mon mari. Je crois qu'il cherchait à se distancer de nous parce qu'il se voyait comme un raté et il voulait rester seul. J'ai essayé de lui laisser de l'espace, mais cette distance a fini par miner notre mariage. J'étais si seule que j'ai fait quelque chose que je n'aurais jamais pensé faire : je me suis mise à voir un autre homme.

Quand John a découvert ma relation, nous avons réussi à traverser cette épreuve de notre mieux, toutefois il était encore dépressif.

Le matin du 2 décembre 1996, je me suis levée et j'ai aidé les enfants à se préparer pour une réunion de famille. J'avais sorti la machine à coudre afin de finir un rideau pour le chalet. John est arrivé et s'est mis en colère parce que la chambre des enfants n'était pas rangée. Je lui ai dit de ne pas s'en faire et j'ai ajouté qu'ils s'en occuperaient à leur retour ce soir–là. Mais ça n'a pas suffi à le calmer, il était hors de lui, il a saisi la machine à coudre et l'a lancée sur le sol. Voyant que j'essayais de partir, il m'a attrapée par les cheveux et m'a traînée à travers la pièce. Quand il a finalement lâché prise, je me suis relevée et j'ai couru vers la porte. Mais il m'avait suivie. Il est sorti et s'est mis à crever les pneus de ma voiture. Je suis retournée à l'intérieur de la maison en espérant qu'il finirait par se calmer de lui–même. J'ai alors reçu un appel d'un ami qui avait besoin d'un document que j'avais au bureau. C'était si près que j'ai décidé d'y aller à pied. À mon retour, John était en train de changer le pneu qu'il avait crevé et, de toute évidence, il était plus tranquille. Je suis rentrée pour nettoyer les dégâts et j'ai ensuite terminé ma couture. John était maintenant calme, il m'a même complimentée pour mon rideau.

Vers une heure cet après–midi–là, John était en train d'écouter un match des Eagles de Philadelphie à la télévision. Soudain, il se leva et m'annonça qu'il devait aller récupérer un outil qu'il avait prêté à quelqu'un. Je lui ai répondu que cette personne était Jeff (l'homme avec qui j'avais eu une relation), que c'était lui qui avait l'outil en question et tout à coup son visage s'est rembruni. C'est alors qu'il se mit en tête d'aller chercher l'outil chez Jeff pour lui dire sa façon de penser. J'avais si peur qu'il nous fasse du mal à Jeff ou à moi que j'ai tout de suite appelé mon ami pour le prévenir puis, je suis allée chez lui. À mon arrivée, Jeff m'a expliqué que John était venu chercher l'outil sans dire un mot, il présumait qu'il avait repris le chemin de la maison. J'ai alors pensé qu'il était préférable que je ne rentre pas tout de suite à la maison afin de lui donner le temps de reprendre ses esprits. Mais peu de temps après, j'ai reçu un appel de mes enfants sur mon téléphone cellulaire, la réunion familiale était déjà terminée et ils étaient à la maison. Je leur ai demandé comment était John et ils m'ont répondu qu'il semblait bien. J'étais soulagée, parce que j'avais déjà essayé de l'appeler à quelques reprises, mais il ne répondait pas. Même si les enfants étaient à la maison, je ne suis pas rentrée immédiatement, préférant laisser passer encore un peu de temps. J'étais persuadée que John ne s'en prendrait jamais à eux et je croyais qu'il était dans notre intérêt à tous que je le laisse se calmer le plus possible. Malheureusement, je ne savais pas encore – je l'ai appris dans les semaines qui suivirent — qu'il avait consommé des Valiums toute la journée.

Il était environ huit heures ce soir–là quand j'ai reçu un appel de ma fille qui m'informait que John était parti à ma recherche au chalet.

L'enregistrement du système de sécurité du chalet a montré qu'il est resté là–bas environ quinze minutes avant de remettre en opération le système, ce qui veut dire qu'il est sans doute revenu à la maison vers onze heures. Je ne sais pas combien de Valiums il avait pris à ce moment–là, mais il était furieux au point de faire peur aux enfants, il hurlait et leur demandait sans cesse si j'avais téléphoné. Craignant qu'il me fasse du mal, les enfants ont menti, ils lui ont dit qu'ils ne m'avaient pas parlé et qu'ils ne savaient pas où j'étais. Il était revenu à la maison avec une bière vieille d'environ deux ans qu'il avait retrouvée dans le garage (on ne buvait plus d'alcool à la maison) et il s'était mis à vociférer contre les enfants. Un peu plus tard, il leur demanda de nouveau si j'avais appelé, il alla jusqu'à menacer mon fils : il lui avait dit que s'il mentait, la dernière chose qu'il verrait serait une balle. Les enfants étaient effrayés, c'était la première fois qu'il les menaçait. Ma fille me téléphona aussitôt qu'elle le put pour me raconter ce qui venait de se passer et il ne me fallut que quelques minutes pour revenir à la maison. Je décidai de stationner ma voiture, non pas dans le garage, mais en face de la maison, au cas où les choses tourneraient mal.

Lorsque je suis entrée dans la maison, j'ai aperçu John assis sur le sofa avec quatre canettes de bière sur la table devant lui. Il m'a tout de suite demandé où j'étais passée. Je lui ai répondu que j'avais fait une promenade en voiture. Puis il m'a dit qu'il s'était rendu au chalet un peu plus tôt et qu'il y avait remarqué le bon travail que j'avais fait avec les tablettes. Il m'était facile de voir qu'il s'était inquiété. J'étais soulagée de constater que les choses semblaient maintenant être revenues à la normale, car je ne savais pas à quoi m'attendre en revenant à la maison. Toutefois, afin de ne pas le provoquer, je n'ai rien dit au sujet des bières. Je lui ai ensuite demandé où étaient les enfants, ce à quoi il a répondu qu'ils étaient dans leurs chambres. Je me suis alors éloignée de lui, j'ai marché dans le couloir jusqu'aux chambres dans le but d'aller m'assurer que mes enfants se portaient bien. Mon fils tremblait de peur. « Allez, mets–toi au lit, maman est là et tout ira bien », lui ai–je dit. Quand John a entendu ces paroles, il s'est éjecté du sofa et il est venu me rejoindre près de la chambre. Il m'a alors dit : « Je vais te dire ce que je vais faire : je vais aller chercher un pistolet et je vais tous vous tuer et moi ensuite. » Il était complètement hors de contrôle à cause de la bière, mais aussi à cause des Valiums, comme je l'ai appris plus tard. Ses paroles m'ont terrifiée, car jamais je ne l'avais entendu dire de telles choses avant cela. Pendant qu'il se précipitait au sous–sol, j'ai dit aux enfants de s'habiller en vitesse, après quoi nous avons tenté de fuir. Mais John nous a rejoints au moment où nous approchions de la porte avant. Il s'est placé devant la porte ouverte, une arme chargée à la main. En voyant ses yeux, j'ai été certaine qu'il allait tous nous tuer et j'en ai été glacée de peur. Il a ensuite pointé l'arme sur la tête de ma fille en me disant : « Juste pour te montrer que je ne bluffe pas », puis il a ouvert la porte moustiquaire et il a fait feu. On aurait dit un coup de canon. Aussitôt après avoir tiré, il a essayé de pointer son arme sur la tête de ma fille, mais elle a réussi à le faire tomber.

J'ai cru que j'allais mourir de peur. Il s'est alors relevé et l'a frappée si fort qu'elle s'est écroulée au sol. Et c'est à ce moment que j'ai trouvé le courage d'aller vers lui, de mettre mes mains sur ses épaules en lui disant : « John, je sais que tu n'as pas vraiment envie de faire ça ! Arrête, je t'en prie ! » Sa réaction fut de pointer son arme vers le plafond et j'ai pu profiter de ce moment pour envoyer les enfants s'asseoir sur le sofa, loin d'où nous nous trouvions. Quelques secondes après, j'ai dit à John que je devais absolument aller à la toilette, alors il m'a libérée. Mais je suis rapidement passée dans notre chambre à coucher pour prendre mon arme avant d'aller m'enfermer dans la salle de bain. J'ai eu de la difficulté à charger le pistolet tellement je tremblais et, pendant un moment, il est même resté coincé. N'ayant plus de temps, j'ai mis l'arme dans ma poche sans trop savoir si elle était prête, puis, je suis sortie de la salle de bain. Lorsque je suis arrivée dans le salon, il était assis sur le sofa, près des enfants, avec sa dernière bière dans la main. Il semblait maintenant plus calme, mais je sentais bien qu'il était irrité. Je lui ai demandé où était son arme. Il m'a répondu : « Ne t'en fais pas avec ça. » Je lui ai posé la question encore une fois, mais il refusait de me le dire. Je lui ai ensuite dit qu'il valait mieux qu'il ne boive pas et il n'a pas bronché quand j'ai retiré la canette de sa main, après quoi je suis allée la vider dans l'évier de la cuisine. De retour au salon, je lui ai demandé de nous laisser partir, moi et les enfants, en lui disant que nous reparlerions de tout ça demain. Il s'est dit d'accord, mais au même moment j'ai remarqué que sa main était cachée entre les coussins du sofa, j'ai donc pensé qu'il avait peut–être toujours l'arme à la main. J'ai donné les clés aux enfants en leur disant d'aller m'attendre dans la voiture. Je commençais à me sentir mieux, car j'avais l'impression qu'il allait nous laisser partir et qu'ensuite il aurait le temps de se ressaisir.

Au moment où les enfants approchaient de la porte, il bondit, puis il cria : « Ils n'iront nulle part ! Je vais démolir la voiture et je vais les tuer ! » Les enfants se mirent à courir, mais il leur sauta dessus. Ma fille tomba dans l'escalier du sous–sol après avoir été poussée. Avec la rage dans les yeux, il se mit ensuite à marcher vers moi. J'étais complètement terrifiée. Comme un robot, j'ai sorti le pistolet de ma poche et j'ai tiré sur lui. Il s'est arrêté, stupéfait, et m'a dit : « Tu as tiré sur moi ! » Puis, il s'est écroulé. Mais il a aussitôt essayé de se relever et croyant qu'il allait m'agripper, j'ai tiré de nouveau. J'ai tiré sur mon mari. Je me suis tout de suite effondrée, prise d'un choc nerveux. Mais malgré mon état de panique, j'ai pu m'apercevoir que John n'avait pas son pistolet dans les mains. Il était peut–être allé le ranger au sous–sol pendant que j'étais dans la salle de bain. J'ai crié à ma fille d'appeler une ambulance, mais elle était trop terrifiée pour le faire. Alors, je me suis levée et je suis allée appeler la police pour qu'on envoie une ambulance. Sans me soucier de rester en ligne comme on nous le demande dans ces cas–là, j'ai raccroché et je suis retournée auprès de John.

La police a rappelé dans la minute qui a suivi et mon fils m'a passé le combiné. John était au sol et il souffrait, mais curieusement, il avait l'air de n'être pas si mal. Il ne saignait pas beaucoup. Il me disait sans cesse : « Debbie, je vais mourir. » À chaque fois je lui répondais : « Non, tu ne vas pas mourir. Ça va aller. Tu vas t'en sortir. » Je dépassais désormais le stade du choc nerveux maintenant que ce que j'avais fait m'apparaissait plus clairement. John voulait boire quelque chose, mais le policier qui était au téléphone nous dit de ne rien lui donner à boire et il nous demanda de le tourner sur le côté. Nous lui avons soutenu la tête jusqu'à l'arrivée des policiers.

Le premier policier à se présenter dans la maison était un bon ami de John. Il m'a demandé où était mon arme. Je lui ai dit qu'elle était sur la tablette au–dessus du téléphone et j'ai ajouté qu'il y avait aussi une autre arme à feu. Puis, je me suis tournée vers mon mari et je lui ai demandé : « John, tu dois me dire où se trouve ton pistolet ! » Il a répondu que l'arme était dans le coffre–fort. Et sans que je le voie, le policier est descendu au sous–sol. Je le sais parce que je l'ai vu remonter quelques minutes plus tard. Lorsque les ambulanciers sont arrivés, ils m'ont demandé d'aller attendre dans une autre pièce. John s'est sans doute éteint dans les minutes qui ont suivi, car on l'a embarqué dans l'ambulance et on a commencé les manœuvres de réanimation. À une heure vingt–trois le matin, John a été déclaré mort.

En apparence John ne saignait pas beaucoup, il souffrait de blessures internes. J'ai cru que le fait qu'il n'avait pas froid était un bon présage et que cela signifiait qu'il allait s'en sortir. J'ai fait des tas de promesses à Dieu. Par exemple, je lui ai promis que, s'il sauvait John, nous travaillerions à apporter les changements nécessaires pour que les choses aillent mieux. Malheureusement, John n'a pas survécu et les policiers ont décidé que je devais les suivre à la station pour y être interrogée. Ils voulaient tout savoir, car il leur semblait que j'avais tout simplement abattu mon mari en rentrant à la maison après une sortie. On m'a interrogée jusqu'au lendemain après–midi, j'ai expliqué et expliqué encore, si bien qu'ils connaissaient tous les détails du drame. On a laissé partir les enfants, que mes parents sont venus chercher, mais on m'a gardée pendant qu'on fouillait la maison à la recherche de la deuxième arme. Les enquêteurs trouvaient mon témoignage crédible parce qu'il concordait avec la version des faits donnée par les enfants. Les enfants avaient d'ailleurs vu des choses qui m'avaient échappé, comme le moment où John est allé ranger son pistolet au sous–sol alors que j'étais dans la salle de bain. La fouille de la maison n'a rien donné, l'arme de John n'y était pas. Le premier policier, l'ami de John, est resté seul dans la maison pendant cinq heures avant que les fouilles officielles ne commencent et je pense qu'il est bien possible que le pistolet ait disparu durant cette période. On m'a demandé la combinaison du coffre–fort, parce qu'il était fermé. J'ai répondu que nous l'avions depuis quelques semaines seulement et que puisque John ne savait pas encore très bien comment il fonctionnait, il ne le fermait pas.

La combinaison du coffre était dans un tiroir de notre chambre à coucher. Quand la police a ouvert le coffre, seule la boîte de l'arme s'y trouvait. Les policiers m'ont dit que la porte de la chambre et le coffre étaient fermés à clé, mais je leur ai précisé que ça n'avait jamais été le cas. Comme il était impossible de retrouver cette arme, le procureur ne pouvait conclure à la légitime défense.

Il devenait de plus en plus évident que quelqu'un avait sorti le pistolet de la maison. Les enfants et moi avons quand même dû passer le test du détecteur de mensonge et nous l'avons tous réussi. Le premier policier à s'être présenté à la maison cette nuit–là a échoué ce test. Le procureur était obligé de croire que John avait bel et bien utilisé une arme et que, fait inexplicable, cette arme était maintenant introuvable. Bien que les policiers fussent les seuls à la maison après mon départ, il demeurait difficile, voire impossible d'accuser qui que ce soit d'avoir fait disparaître une pièce à conviction. L'arme ne fut jamais retrouvée. Je pense qu'il est maintenant préférable de ne pas réveiller le chat qui dort. Deux semaines après la mort de John, on m'a donc totalement disculpée. Aujourd'hui, même après une longue thérapie passée à tenter de ramasser les morceaux de ma vie familiale, je dois vivre avec le fait d'avoir tué mon mari et celui d'avoir fait la première page des journaux. Nos vies ont été changées à jamais, mais au fond de moi–même je sais que John nous a aidés, de l'au–delà, à faire sortir la vérité et à m'éviter la prison. Je dois maintenant vivre avec ce souvenir difficile, celui d'avoir tué un homme auquel je ne voulais aucun mal. Je me console en me disant que cela fait partie de mon apprentissage dans cette vie. Malgré tout ce qui a pu se passer pendant nos années de vie commune, je sais que John m'aime et qu'il aime les enfants aussi, et qu'il sait que, peu importe ce qui est arrivé, je l'aime encore et je l'aimerai toujours.

LA CAPTATION

— Bien, alors d'abord, je sens une présence masculine dans la pièce, et puis une présence féminine aussi. Un autre homme, puis encore un homme. L'un des hommes semble rester un peu en retrait, il est peut–être d'une génération différente. Une femme entre et s'installe en retrait, elle aussi. Tous parlent de famille, alors je suppose qu'ils sont tous parents de près ou de loin. On parle d'un plus jeune qui est décédé. Est–ce que ça vous dit quelque chose ?

— Oui.

— Il est de la famille, oui ?

— (Elle fait d'abord signe que non, mais elle s'arrête et réfléchit.) Oui.

— J'allais dire, par les liens de l'amour, du mariage ou d'un autre type. J'ai aperçu votre visage et quelque chose m'a dit de détourner mon regard et j'ai senti une réaction émotive chez lui, alors laissons faire. Mais il dit bien qu'il a un lien de parenté avec vous, est–ce correct ?

— Non.

— Bien, alors disons pour l'instant qu'il s'agit d'un lien affectif. Il est mort jeune, n'est–ce pas ?

— Oui.

— Il dit qu'il vient vous voir en rêve. C'est vrai ?

— Oui.

— Cela signifie sans doute que ça n'est pas la première fois qu'il se manifeste. Il vous fait des visites nocturnes, cela veut dire qu'il vous visite durant votre sommeil. Je suis intrigué... Il parle souvent de « papa ». Son père est–il décédé ?

— Non.

— Alors il est probable que son père est sur terre et qu'il l'appelle. Je ne sais pas si les deux étaient proches, mais il vous demande de dire à son père que vous avez eu de ses nouvelles. Il est aussi possible qu'ils n'étaient pas proches l'un de l'autre et qu'il désire communiquer enfin avec lui. Maintenant, je ne comprends pas bien, ce jeune homme place un grand cœur en face de vous, comme ceux de la Saint Valentin. C'est peut–être un indice important. Y comprenez–vous quelque chose ?

— Oui.

— Ai–je raison de croire que vous êtes liés sentimentalement ?

— Oui.

— C'est votre époux ? (Elle acquiesce d'un signe de tête) Légalement ou sentimentalement ?

— Euh...

— C'est ça, il répète qu'il est votre époux. En fait, il vient de me préciser qu'il l'est légalement et sentimentalement. Vous n'êtes pas liés par le sang, mais par le mariage et par les sentiments. Le terme « famille » est donc approprié. Encore une fois, son père est–il sur la terre ?

— Oui.

— Lui et son père entretenaient des rapports pitoyables ?

— Oui.

— Oui, et il l'appelle de nouveau. Il aimerait probablement que les choses se soient passées différemment. Il demande son père. Je ne sais pas si vous avez gardé contact avec lui, cependant je ne crois pas que cela changerait grand–chose.

Il appelle son père et il doit y avoir une raison à cela. Peut–être veut–il l'avertir de quelque chose. Il est aussi question de « maman ». Elle est sur la terre ?

— Oui.

— C'est curieux ! Ils sont proches et ils ne le sont pas.

— Oui.

— C'est ça... Ils sont là, mais il n'y a pas de rapports entre eux. Ils sont proches sans l'être. Ils sont là seulement dans le sens qu'ils sont ses parents, mais à part cela, il n'y a pas de liens profonds. Dites–moi, votre époux était très proche de vos parents ?

— Oui.

— C'est drôle, mais je me dis que c'est peut–être bien d'eux dont il est question ici.

— Oui.

— Si je comprends bien, vos parents sont toujours vivants ?

— Oui.

— D'accord. Il appelle vos parents et il dit qu'ils sont les parents qu'il a toujours voulus, mais qu'il n'a jamais eus. Ils sont sa famille. Il est leur gendre légalement, mais leur fils sentimentalement. Il veut que vous leur disiez que vous avez eu des nouvelles de lui et qu'il les considère comme ses parents. Il tient aussi à les remercier d'avoir été si bons avec lui quand il était sur terre et de l'avoir traité et aimé comme un fils. Qu'ils croient ou non en ceci (la médiumnité) importe peu, c'est le message qui compte et non pas les croyances. Il veut seulement leur dire qu'il va bien, qu'il est en paix. Il les remercie de l'avoir accueilli chez eux à bras ouverts. Il dit qu'ils l'ont fait si naturellement qu'ils ne savent probablement pas à quel point il lui ont fait du bien. Il ajoute que les choses les plus simples sont les plus profondes. Maintenant, il parle de famille. Vous avez bien une famille ?

— Oui.

— Il veut dire des enfants, je crois.

— Oui.

— Attendez un peu... Pourquoi a–t–il dit « enfant » et ensuite « enfants » ? Vous avez des enfants ? Savez–vous ce qu'il est en train de faire ?

— Oui.

— Parce que je ne comprends pas pourquoi il dit « enfant », puis « enfants ». Avez–vous perdu un enfant ?

— Non.

— Mais vous comprenez ce qu'il veut dire.

— Oui.

— Bon, je laisse tomber. Vous avez plus d'un enfant ?

— Oui.

— Ok, il me dit qu'il y en a deux. Avez–vous deux enfants ?

— Oui.

— Vous n'aviez jamais pensé devenir veuve si jeune. Il vous sera peut–être pénible de l'entendre, mais votre mari dit qu'il préfère avoir été le premier à partir, car il n'aurait pas supporté d'être veuf. Vous priez pour lui à votre façon, oui ?

— Oui.

— Eh bien ! Il vous remercie pour ces prières et il vous demande de bien vouloir continuer. Il n'est pas très religieux, mais il semble avoir développé sa propre spiritualité.

— Oui.

— Il est bien possible que vous ayez l'impression d'avoir eu une apparition, l'impression d'avoir vu votre époux. Vous auriez juré qu'il était là... et il l'était. Sachez que leur monde est parallèle au nôtre et non pas à des millions de kilomètres d'ici, mais autour de nous. Ainsi, vous avez pu, un bref instant, voir à travers le « voile » qui nous sépare d'eux et ainsi apercevoir votre époux dans l'autre monde. Comme il le dit, un jour vous serez de nouveau réunis, c'est inéluctable. Cependant, il vous annonce que votre vie terrestre est loin d'être terminée. Vous pensez parfois à la mort, mais votre tour n'est pas venu. Il vous reste encore des choses à vivre et à accomplir sur la terre. Êtes–vous sur le point de déménager ?

— J'y songe.

— Il veut que vous sachiez qu'il est d'accord avec cette idée. Même si une partie de vous vous retient, il est normal que vous alliez de l'avant et que vous preniez votre vie en main. Il tient à ce que vous soyez heureuse. Il mentionne... Il parle d'un mariage. Aviez–vous déjà été mariée ?

— Plus d'une fois.

— Voilà pourquoi il a dit « enfant » et « enfants ». Il veut préciser qu'il en a deux, parce qu'il en parle de nouveau. Vous avez été mariée une fois avant de l'épouser ?

— Oui, les enfants sont d'un autre mariage.

— D'accord, puisqu'il parle d'un mariage, il veut sans doute dire qu'il y a eu un mariage avant lui.

Quand vous avez mentionné que vous aviez déjà été mariée, il a reparlé des enfants. Il semble qu'il soit question d'un enfant d'un autre mariage. Eh bien ! Croyez–le ou non, il est possible que vous vous remariiez une troisième fois ou que vous viviez maritalement. Pas tout de suite, mais il y aura quelque chose comme ça. Votre époux dit que c'est très bien. Il comprend que vous deviez faire une sorte de coupure avec lui afin de pouvoir mieux continuer votre vie. De toute façon, rien n'effacera jamais ce que vous avez vécu ensemble. Il parle d'une liaison sentimentale. Voyez–vous quelqu'un en ce moment ?

— Oui.

— Il en est ravi, car votre bonheur importe beaucoup pour lui. Vous avancez à petits pas, mais c'est votre rythme et c'est bien ainsi. Tous les deux, vous avez connu un bon mariage. Vous êtes des amis autant que des époux ?

— Oui.

— C'est ce qu'il affirme. Je suis certain que vous avez eu vos hauts et vos bas dans votre mariage, comme tout le monde. Mais il veut que vous sachiez qu'il n'a jamais cessé de vous aimer et qu'il vous aime toujours. Oui, vous avez sans doute eu vos hauts et vos bas.

— Oui.

— Il tient à vous dire qu'il vous a toujours aimée, et ce, même si la vie le bousculait parfois et qu'alors, il pouvait sembler plus distant. Vous n'y étiez pour rien. Alors, il avait ses moments difficiles ?

— Oui.

— Il reconnaît ne pas avoir vraiment aimé son passage sur terre. Et ça n'est ni votre faute ni celle de personne. C'est comme ça ! Il se doit d'admettre qu'il n'était simplement pas heureux ici.

— C'est ça.

— Il était tantôt proche de vous et tantôt loin de vous. Vous avez pu penser que votre mariage n'allait pas et que vous en étiez responsable, mais en réalité, c'était lui qui souffrait de son mal de vivre. Il vous demande de lui pardonner. Vers la fin, avait–il tendance à s'isoler ou à vous délaisser un peu ?

— Je crois, oui.

— Voyez–vous ce que je veux dire ? Je parle d'une attitude détachée, presque indifférente, mais pas méchante. Il était écrasé par ses soucis.

— Oui.

— Il parle de son passage comme d'un événement tragique. C'est vrai ?

— En fait, il utilise le mot « accident ». Ça a du sens ?

— Mm–hmm.

— Sa mort n'est pas le résultat de problèmes de santé.

— Non.

— C'est pour cette raison qu'il appelle cela un accident, sinon... Je me demande, a–t–il contribué à sa propre mort ?

— Oui.

— Ok, il vient de me le confirmer. S'est–il enlevé la vie ?

— Non.

— Intéressant, il a contribué à sa propre mort, mais il ne s'est pas suicidé. C'est pourquoi il parle d'accident. Il dit maintenant qu'il a poussé trop loin. Ça vous dit quelque chose ?

— Oui.

— Alors peut–être a–t–il abusé de l'alcool ou de la drogue ?

— Il avait bu ce soir–là.

— Oh, c'est probablement ça, car il dit qu'il avait consommé exagérément.

— Oui. Il avait aussi pris des pilules, mais...

— D'accord, c'est donc ce qu'il voulait dire par « consommation exagérée ». Le mélange des deux a donné des résultats désastreux. Il dit qu'il est tombé. Vous comprenez ?

— Euh...

— Il a perdu conscience ? C'est ce qu'il veut dire, comme « tombé endormi ». Pourquoi me montre–t–il un véhicule ? Y en avait–il un d'impliqué ?

— Non.

— Que peut–il bien vouloir dire alors... ? Je crois qu'il essaie de m'expliquer qu'il a eu quelque chose au cœur. Son cœur a été affecté d'une façon ou d'une autre ?

(Elle ne sait pas trop comment répondre.)

— Bien, peut–être ce mélange explosif a–t–il... Bon, je laisse ça pour l'instant. Mais il est mort à cause d'une surconsommation de certaines substances, c'est bien ça ? C'est ce qu'il affirme. Il parle aussi d'une arme.

— Oui.

— Il me semble que ça fait beaucoup de choses, je suis confus. Il me raconte qu'il a consommé de l'alcool et de la drogue ou des médicaments, puis qu'il a en quelque sorte perdu conscience. Il est aussi question d'un problème au cœur et d'un véhicule. Que veut–il dire par « véhicule » ? Ensuite, il dit qu'il y avait une arme dans cette histoire. S'agit–il du véhicule qui est responsable de sa mort ? Il est possible qu'il se soit mal exprimé. Il a d'abord dit « véhicule » et quand il a vu que je ne comprenais pas, il a tout de suite parlé d'une « arme ». J'ai entendu un coup de feu. Il est question d'une arme à feu ?

— Oui.

— C'est donc l'arme, évidemment. Voilà pourquoi il appelle cela un accident. Donc, il a contribué à sa propre mort, mais il s'agit d'un accident. Il n'était pas dans un bon état d'esprit, il était hors de contrôle, désespéré au point de ne plus savoir ce qu'il faisait.

— C'est ça, oui.

— Bizarre... Il a tiré d'un drôle d'angle ?

— Non, mais je crois comprendre.

— Qu'est–ce à dire alors ? Il a dit qu'il a tiré d'un drôle d'angle, vous avez répondu que non et il a répété qu'il avait tiré d'un drôle d'angle. Vous a–t–il menacée ou quelque chose comme ça ?

— Oui.

— C'est ce qu'il dit. S'il a tiré d'un angle bizarre, c'est probablement qu'il a d'abord essayé de vous atteindre ou...

— Il m'a menacée.

— C'est ce que je voulais dire. Il n'a sans doute pas eu l'intention de vous faire du mal, mais il vous en a fait malgré tout. Attendez un peu... Il y aurait eu un autre coup de feu. C'est possible ?

— Oui.

— Il a tiré et vous avez riposté ?

— Mm–hmm.

— En fait, vous avez tiré sur lui.

— Oui.

— Mais vous vous défendiez.

— Oui.

— Votre époux vous menaçait avec une arme et il était hors de contrôle, alors vous vous attendiez au pire.

— C'est bien ça.

— Il est d'accord avec vous. On pourra dire que vous avez abattu votre mari, certes, mais vous étiez en état de légitime défense. Il était en colère, il vous menaçait et vous étiez convaincue qu'il pouvait aller jusqu'à vous abattre. Cependant, alors que vous avez aujourd'hui l'impression d'avoir commis un meurtre, lui prétend qu'au contraire vous l'avez libéré. Il spécifie qu'il vous pardonne, il croit que vous avez besoin de ce pardon. Pour lui, cette histoire ne regarde que vous deux. Il semble qu'il soit plutôt réservé, et il tient à ce que cela reste entre vous et lui. Il veut que vous sachiez qu'au fond vous lui avez rendu service en mettant fin à ses jours. Il n'était pas heureux ici, il avait du mal à trouver son équilibre et il avait l'impression d'avoir raté sa vie. Il sentait qu'il était un grand fardeau pour vous, même si, par amour, vous avez pu percevoir les choses différemment. Vous vous êtes simplement défendue, il n'y avait ni de rage ni de haine dans votre geste. On menaçait de vous faire éclater la cervelle, vous deviez donc sauver votre peau. Il reconnaît qu'il était hors de contrôle ce soir–là et que n'importe quoi aurait pu se produire. Il avoue aussi vous avoir maltraitée. Il a été brutal envers vous ?

— Oui.

— Vous avez traversé des moments difficiles depuis ces événements ?

— Oui.

— Mais les choses vont mieux maintenant, oui ?

— Oui.

— Je dis cela parce que je vois des eaux claires devant vous. Votre époux vous demande pardon de vous avoir fait subir cette épreuve. Croyez–le ou non, de l'au–delà, il vous a aidée à sortir de l'impasse dans laquelle vous vous trouviez.

— Oui.

— Il soutient qu'il vous a aidée à remettre les morceaux de votre vie en place. Il vous aimait mal, mais il vous a toujours aimée et il vous aime toujours. C'est comme cela qu'il avait appris à aimer, dans sa famille on ne connaissait pas mieux. Cependant, il a beaucoup changé depuis son passage.

C'est pourquoi, il reconnaît maintenant ses faiblesses. J'ai l'impression de parler à un homme très sympathique.

— Oui.

— Il a bon cœur et il est sensible aussi. Même un peu trop sensible peut–être et c'est pour cela qu'il était parfois sur la défensive ou qu'il perdait le contrôle. Mais il a beaucoup travaillé sur lui–même et il a fait le ménage sur sa vie, alors il peut maintenant discuter en pleine lucidité. Il répète que tout cela est entre vous et lui. Certains se sont permis de vous juger...

— Ouais.

— ... dit–il, ils croient savoir, mais ils ne savent rien. C'est ce qu'il faut vous dire. Encore une fois, il pense que vous vivez dans l'onde de choc de l'événement. Y aurait–il aussi des problèmes de communication avec les enfants ?

— Eh bien...

— Cela pourrait être quelque chose comme des reproches. Je sens que l'on vous blâme, et ça n'est pas nécessairement verbal. Est–ce que sa famille vous fait la vie dure ?

— Euh... non.

— C'est qu'il semble parler de sa famille, elle vous causerait des problèmes. Mais peut–être est–ce moi qui comprends mal et qu'en réalité, il veut seulement dire qu'il craignait que cela ne se produise. Il dit qu'il pardonne et il espère que vous lui pardonniez aussi, car cela doit se faire dans les deux sens. Il vous doit des excuses, mais il a aussi besoin que vous lui pardonniez. Vous l'avez toujours aimé, malgré tout, et ironiquement, il vous a toujours aimée, lui aussi. Il était un peu comme un adolescent enfermé dans un corps d'homme, il perdait son sang–froid et il piquait des crises d'enfant gâté. Vous avez bien tenté de l'aider à s'aider lui–même et à se comprendre, et vous avez même un peu réussi, car il faisait des progrès. Les choses allaient bien et, tout à coup, son état s'est détérioré. Il n'arrivait pas à mettre de l'ordre dans sa vie et il ne pouvait y voir clair. Toutefois, il y est arrivé là–bas. C'est pour cette raison qu'il a le sentiment que vous lui avez rendu service, que vous l'avez libéré de ses tourments en l'envoyant dans l'autre monde. Il a pu porter un nouveau regard sur sa vie. Il a abandonné la perspective du participant pour adopter celle de l'observateur et il a ainsi pu faire le bilan de sa vie.

Maintenant, je vois le cœur immaculé de Marie au–dessus de votre tête. Est–ce que ça vous dit quelque chose ? Avez–vous prié la Sainte Vierge pour lui ?

— Oui.

— Parce qu'il y a le cœur immaculé de Marie au–dessus de votre tête et j'en déduis que vous avez prié pour votre époux. Alors, il aimerait que vous continuiez de prier la Sainte Vierge afin qu'elle veille sur lui, car bien qu'il ne soit pas très religieux, il croit que ça l'aidera à poursuivre ses leçons dans l'au–delà. Il est bien plus heureux là–bas qu'il ne l'était ici, cela ne fait aucun doute. Tout à l'heure, lorsqu'il est arrivé, il m'a dit que je le sentais tel qu'il est maintenant devenu. Il se sent bien et en paix. Pour lui, ces événements fâcheux sont de l'histoire ancienne, c'est qu'il a beaucoup progressé depuis. Alors, une épreuve difficile, oui, mais une fin heureuse, somme toute. Vous avez eu des enfants ensemble ?

— Non.

— Pourquoi donc appelle–t–il les enfants alors ? Ah oui, j'oubliais ! Vous avez des enfants d'un mariage précédent. Ils étaient comme les siens, n'est–ce pas ?

— Oui.

— Voici où je veux en venir. Dans son cœur, ils sont ses enfants et il les aime. Cependant, cette histoire risque de les suivre pendant un bon moment. Les gens porteront des jugements et les pointeront parfois du doigt, vous savez que les enfants peuvent parfois être cruels. Votre mari tient à ce que vous leur disiez qu'il est là, avec eux, comme un ange gardien, même si ça peut sembler paradoxal compte tenu des événements difficiles qu'il leur a fait vivre. Oui, vous deviez vous défendre, il le répète en toute sincérité. Vous deviez vous défendre, vous n'aviez pas le choix. Loin de moi l'intention d'être cruel, mais il semble que c'était « tuer ou être tuée ». À ce moment–là, il ne savait plus ce qu'il faisait. Il blague même en disant qu'il avait l'écume aux lèvres, comme un chien enragé. Les gens parlent de cette histoire en disant qu'ils n'auraient pas aimé être à votre place et que s'ils l'avaient été, ils auraient fait exactement la même chose que vous. Votre époux le dit encore : « Cela ne regarde que toi et moi. » Une fois de plus, il fait référence à un déménagement. Vous y pensez ?

— En effet.

— On dirait qu'il vous encourage en ce sens. Changer d'air, recommencer ailleurs, il croit que c'est une bonne chose. Devant vous, je vois la naissance d'un enfant, et c'est le symbole d'un recommencement. Il est heureux que vous ayez un nouvel ami. Vous êtes en train de refaire votre vie, mais vous êtes aussi craintive, c'est pourquoi il essaie de vous dire d'oublier vos peurs.

La Sainte Vierge apparaît derrière vous, avec compassion, elle vous dit de cesser d'avoir peur. Votre mari sait que vous pensez avoir eu tort, quelque part, mais il n'en est rien. Comme il dit, donnez–vous une chance. Soyez heureuse de nouveau et allez de l'avant avec votre vie, vous y avez droit. Ce qui s'est passé est tragique, c'est vrai, mais vous ne l'avez pas choisi. Et c'est de cette façon qu'il a participé à sa propre mort, en vous défiant de le tuer. Il y avait une partie de lui qui voulait partir et, pardonnez–moi, mais, il n'avait pas le courage de se tuer. Qui sait, peut–être les choses devaient–elles se passer ainsi, pour quelque raison. L'important pour lui, c'est que vous ne croyiez pas que vous êtes quelqu'un de mauvais ou de cruel ou une personne sans valeur, dénuée d'amour et de compassion. Au contraire, vous êtes une personne aimable et généreuse. C'est dommage, mais les gens ne se rendent pas compte que vous avez été poussée à le faire, car vous n'êtes pas ce genre de personne. Et puis, vous avez été obligée de subir le processus d'enquête judiciaire, un vrai cauchemar. On parle de tribunal. Avez–vous été jugée ?

— Non.

— Quelque chose du genre alors ?

— En fait, j'ai dû passer au Palais de Justice pour reprendre mes affaires.

— Oh, ok, cela explique pourquoi je vois un tribunal. Je vois aussi des tas de papiers et j'en déduis que les choses ont sans doute été pénibles, mais c'est classé maintenant.

— Oui.

— J'ai vu le nom « John ».

— C'est lui.

— C'est donc lui qui me raconte ces choses. Est–il possible que certaines personnes aient disparu de votre vie ?

— Oui.

— Votre époux dit que vous ne devez pas vous en faire avec cela. Beaucoup de gens ont du mal à faire face à cette situation, plusieurs vous jugeront, d'autres s'effaceront. Mais bien rares sont ceux, dit–il, qui auraient pu passer au travers de cette expérience et en ressortir comme vous l'avez fait. Euh... j'ai cru comprendre qu'il vous battait. C'est bien ça ?

— Oui.

— Oui, j'ai cette image d'un lit qui brûle. Il était abusif et paranoïaque, il suffisait d'un rien pour qu'il se mette en furie. Et il sait aujourd'hui que tous vos efforts n'étaient jamais récompensés, les choses ne s'arrangeaient jamais . Il admet que le soir de la tragédie, il était devenu fou.

Alors, il vous a fait des violences physiques aussi.

— Oui.

— Parce que je le sens sur vous, il essaie de vous étrangler ou quelque chose. Il avait un problème d'alcool, oui ?

— Oui.

— En effet, il reconnaît qu'il avait un sérieux problème d'alcool. Donc, ce soir–là, l'alcool combiné à la drogue ont donné un terrible résultat. Avez–vous éprouvé des ennuis de santé ?

— En quelque sorte.

— Physiquement ? La cause en serait émotionnelle. Il est évident qu'après avoir vécu une telle expérience, je ne vous imagine pas débordante de joie et d'énergie, mais il parle de problèmes avec votre santé. Faites attention, donnez–vous le repos dont vous avez besoin. Car, bien que cette épreuve soit passée, vous ne dormez pas ou ne vivez pas encore très sainement. Vous craignez même parfois d'être hantée à jamais par le souvenir, mais votre époux soutient que ça ne sera pas le cas. C'est pour cette raison qu'il vous faut considérer avec sérieux un déménagement, c'est une bonne idée. Il dit qu'il est heureux que vous ayez ce nouvel ami, que c'est vraiment une bonne chose. Votre époux veille sur vous, il essaie autant qu'il le peut d'influencer les choses en votre faveur. Il a le cœur à la bonne place. Je crois que lorsqu'il est arrivé dans l'au–delà et qu'il a fait le bilan de sa vie, il a compris bien des choses. On pourrait croire qu'il s'est assis là et s'est dit : « Mais quel salaud j'ai été ! », et qu'il a décidé de se reprendre du mieux qu'il pourrait. Je sens l'enfant en lui et j'ai l'impression que c'est dans la façon dont il a été élevé que se trouve l'explication de ses fautes.

— C'est bien ça.

— Il vous tend un bouquet de roses blanches, il s'agit d'une offrande de paix et d'amour. Il dit qu'il sait à quel point ce que les autres pensent et disent peut être blessant. Il ajoute : « On doit laisser ces choses entrer par une oreille et sortir par l'autre » mais cela est aussi beaucoup plus facile à dire qu'à faire. Rappelez–vous que ce qui s'est passé ne regarde que vous deux. « C'est nos affaires, dit–il, et ne te punis pas pour ce que tu as fait en état de légitime défense. Je te pardonne, je t'aime et tu m'aimes, et c'est là tout ce qui compte. » Il ajoute : « Je suis heureux que tu me pardonnes aussi ». Je vois de la glace qui se brise devant moi... voilà l'effet ! C'est pourquoi il vous encourage à vous relever et à continuer. Vous avez tout à gagner et, au fond, il n'y a plus rien qui vous retienne maintenant. Il me montre Disney World. Pensez–vous aller y faire un tour ?

— (Rires) Pas vraiment. C'était notre destination préférée.

Peut–être est–ce bien pour cette raison qu'il me le fait voir, parce que cela signifiait quelque chose pour vous deux, au–delà du simple voyage. Tout comme vous, il adorait ces moments de bonheur. Il parle d'y retourner, dans l'avenir. C'est drôle mais, quand vous y alliez, vous rechargiez vos batteries et les choses semblaient aller mieux après. C'est comme si l'enfant en lui se montrait.

— Oui, je le pense aussi.

— Cela vous fait sans doute drôle de savoir que c'est John qui s'exprime de la sorte. Et cela aura sûrement des répercussions sur votre vie actuelle et future. Sur la terre, il avait ce sentiment d'échec dont il n'arrivait pas à se débarrasser.

— Mm–hmm.

— Je pense qu'il essayait de se le cacher, mais la réalité le rattrapait toujours. Vous récitez des rosaires pour lui ?

— Oui.

— C'est que je vois les grains d'un chapelet blanc autour de votre tête, avec la Sainte Vierge tout près. Alors il semble que vous disiez des rosaires pour lui et il ne voudrait pas que vous alliez penser que vous perdez votre temps. Vos prières l'ont beaucoup aidé à se prendre en main de l'autre côté, parce que vous l'étreignez de l'amour sacré de Jésus et de Marie. Il veut que vous sachiez que vos prières atteignent leur but. Un jour, quand les enfants seront plus grands, vous pourrez leur dire qu'il les aime comme il les a toujours aimés. Si je ne savais pas déjà, je croirais qu'ils sont ses propres enfants tellement ils ont une grande place dans son cœur. De plus, il leur demande pardon d'avoir fait chavirer leur univers et de leur avoir fait peur.

— D'accord.

— Il me parle maintenant de ses parents et de leur façon de le soutenir, mais il déplore qu'il n'aient pas pris en compte votre point de vue. Il y a sans doute eu des jours où vous vous seriez mise à crier tellement vous sentiez qu'on vous attribuait les fautes. Mais il pense que si vous savez qu'il pardonne, et que vous pardonnez, vous l'aimez et il vous aime, alors tout est bien. Il aimerait que vous partiez d'ici en paix et que vous rentriez chez vous et dormiez bien. Donnez–vous une chance. C'est bien simple, sur la terre, il n'arrivait pas à se prendre en main. Les choses allaient de mal en pis et il s'arrangeait toujours pour se mettre dans un état terrible. Pour l'instant, vous voudriez qu'il sache combien vous l'aimez et à cela il répond : « Je sais que tu m'aimes. » Donc, il vous aime et il sait que vous l'aimez. Il a le sens de l'humour, oui ?

— Oh oui !

— Il me semble qu'à ses heures il pouvait être un gars très chouette.

Il me fait une blague en disant : « Il fallait bien que je vienne ici et me voie dans un film (la revue de vie) pour comprendre quel était le problème du protagoniste. » Pourquoi y a–t–il une pression à la tête ? A–t–il reçu la balle à la tête ?

— Non.

— Oh, attendez un peu... Je viens juste de comprendre quelque chose. Il a été touché à la poitrine et c'est pour cette raison que je voyais un problème du côté du cœur. Il est possible que son cœur ait été affecté par la balle qui lui a percé l'abdomen ou la poitrine. J'ai senti une pression à la tête, alors j'ai cru qu'il avait été touché à la tête, mais c'était probablement le fait d'un étourdissement. Car il était apparemment très mal en point.

— En effet.

— Vous habitez à l'extérieur de l'État de New York ?

— Oui.

— Intéressant. Il dit que vous irez vers l'ouest. Mais je ne sais pas si cela veut dire à l'ouest de l'État dans lequel vous vivez ou dans la partie ouest de cet État. De toute façon, dit–il, il y aura bientôt un nouveau départ pour vous. C'est vrai ?

— Oui.

— Cela ne m'étonnerait pas que ce changement ait lieu cette année ou l'année prochaine. Il est content que la Lumière Infinie lui donne l'occasion de faire cette mise au point avec vous, cela vous aidera à vous libérer du passé. Le drame s'est–il produit dans votre État ?

— Oui.

— Encore une fois, il insiste pour que vous disiez aux enfants que vous avez eu de ses nouvelles. Votre capacité de pardonner rapidement est une chose pour laquelle il vous a toujours admirée. Il pense que la plupart des gens en seraient incapables. Il reconnaît qu'il a eu tort d'agir comme il l'a fait, et c'est quelque chose qu'il avait du mal à faire quand il était sur terre. Spécialement lorsqu'il était dans cet effroyable état d'esprit. Bon, il m'annonce qu'il va bientôt se retirer. Y a–t–il quelque chose que vous vouliez savoir ?

— Je voulais savoir qui a pris le revolver à la maison.

— On l'a... enlevé des lieux ?

— Quelqu'un l'a pris et l'a sorti de la maison.

— C'était une arme de poing ?

— Oui. Il s'agit de l'arme avec laquelle il a tiré.

— On ne l'a jamais retrouvée. C'est drôle, il me montre un uniforme.

(Deborah croit que le soir de la mort de John, un des amis de ce dernier, un policier, a fait disparaître son arme dans le but de le disculper et de la faire accuser, elle, de meurtre.)

— Oui.

— Vous avez de bonnes raisons de croire que c'est un des policiers qui a pris le pistolet.

— Oui.

— Eh bien, dès que vous avez abordé la question, il m'a montré un uniforme et j'ai senti... Est–ce que c'était une arme de grande valeur ?

— Non, pas vraiment.

— Mais une pièce intéressante, quand même.

— Oui.

— C'est curieux, mais la clé ici est « collection ». (Elle ne comprend pas.)

— Non, non... Je me demande si la personne qui a pris le pistolet a une collection. C'est cela. Il me dit que la clé ici est la collection, mais je ne vois plus précisément. Enfin, je suppose que c'est ce qu'il veut dire, à moins que ça ne soit autre chose.

— Ok

C'est bizarre. J'attends, mais je ne reçois pas de nom. Cependant, il se peut aussi qu'il ignore le nom. Il sait peut–être seulement que l'un d'eux l'a fait disparaître. Est–ce qu'un des policiers le connaissait ?

— Oui.

— Personnellement ?

— Oui.

— Savez–vous son nom ?

— Euh...

— J'ai comme l'impression que votre époux ne veut pas cafarder. Toutefois, à propos de l'uniforme, il dit que c'était bien un policier et il ajoute : « Celui qui me connaît. » Il dit que vous savez de qui il parle, mais il se demande si cela vous dérange tant que cela.

— Je voudrais savoir.

— Alors, je vous laisse vous occuper de cela, car c'est votre vie et vos affaires, mais il me semble que votre époux vous encourage à laisser tomber. Bien sûr, c'est vous qui décidez.

(Il est rare que les âmes de l'au–delà donnent des noms en rapport avec des crimes, à moins qu'il n'y ait une raison précise pour que nous sachions.)

— Ça va, de toute manière, j'ai maintenant de bons indices.

— Je vois des chat qui dorment devant moi et j'en déduis qu'il vaut mieux ne pas réveiller le chat qui dort.

— D'accord, si c'est ce qu'il veut que je fasse.

— Oui, parce que votre mari a déjà dit que tout ça est de l'histoire ancienne maintenant.

Il demande : « Qu'est–ce que cela t'apportera au juste ? Pose–toi la question ! » Il sait que vous cherchez à vous raccrocher à son souvenir, mais il dit que vous devez savoir que l'avenir vous réserve de très belles choses. Votre époux faisait–il partie de la police? Pourquoi vois–je un uniforme?

— Il travaillait en uniforme.

— Ah, d'accord, ça explique tout. Car j'avais senti la présence de quelqu'un qui vous tendait des roses blanches et cette personne portait une sorte d'uniforme. Il dit que cet homme qui a pris le revolver était un très bon ami, mais à nouveau je vois des chats qui dorment. Il vaut mieux ne pas réveiller le chat qui dort. Vous devez faire ce que vous croyez nécessaire. Cependant, je vois un nid de guêpes, et je crois que vous ne voudriez pas déranger un nid de guêpes avec cette histoire. Surtout que les choses sont maintenant derrière vous.

— Oui, elles le sont bien.

— Vous risqueriez de faire ressurgir de vieux démons. Et puis, il répète que ça n'en vaut pas la peine. Ok, il désire que l'on ne parle plus de ce sujet. Il aime cet échange, mais ça va pour le moment. Je sens qu'il est content de s'être vidé le cœur. Il avait besoin de cette mise au point privée avec vous.

— Dites–lui seulement que tout le monde est...

— Il le sait déjà et il dit qu'il est plus près de vous tous que vous ne pouvez l'imaginer. Rappelez–vous qu'il sait que vous l'aimez et qu'il vous aime, vous et les enfants. Il vous lance un message d'amour et vous dit qu'il est tout près. Il est content que cet horrible drame se termine sur une note positive. En guise de conclusion, il vous envoie son amour. D'autres personnes se tiennent autour, mais il leur est évident que c'est John que vous aviez le plus besoin d'entendre. J'entends votre époux qui s'éloigne en disant: « N'oublie pas de dire à Earl et aux enfants que tu as eu de mes nouvelles. Aussi, souviens–toi de ne pas réveiller le chat qui dort. Va en paix, nous nous reverrons. » Et, là–dessus, ils disparaissent.

Le message le plus fort que nous recevons des âmes de l'au–delà est : « Je pardonne. » Et l'une des choses les plus difficiles pour nous sur terre est sans doute d'arriver à dire : « Je pardonne aussi. » Cela nous aide à demeurer fidèles à notre objectif d'aimer, même dans l'épreuve. Il n'est pas vrai que l'on fait nécessairement du mal à celui ou celle qu'on aime. Certains mariages sont de véritables contes de fée où les époux sont des âmes sœurs, à la fois amoureux et amis. Dans ce contexte, la perte du conjoint peut représenter une expérience terrible et peut–être même fatale si on ne met pas les choses dans une perspective d'espoir. Une bonne amie m'a un jour raconté qu'après la mort de son mari, elle s'était sentie comme la passagère d'un canoë sans rame, condamnée pour toujours à tourner en rond sans avancer.

Les âmes de l'autre monde nous apprennent principalement que « l'amour ne s'éteint jamais », la merveilleuse réunion des âmes sœurs dans l'au–delà vaut bien de patienter quelques années dans la séparation. Cette attente, cependant, n'est meublée que de nos espoirs et de nos souvenirs. Les époux et les épouses de l'au–delà sont catégoriques quand ils disent qu'il nous faut continuer notre apprentissage sur terre jusqu'à ce que nous soyons appelés à notre tour. Ils nous assurent que la récompense en vaut la peine.

Il me serait très difficile de qualifier de « veuve » une femme comme Roxie Strish. Son mari, Larry, est mort en 1995 et Roxie parle encore de lui avec l'enthousiasme d'une adolescente qui parle de son premier amour. Pour peu qu'on la connaisse, il est évident que son coeur brûle toujours pour cet homme, et ce genre de passion ne laisse personne indifférent. Malgré la peine qu'elle a ressenti à sa mort et celle que lui occasionne le fait d'être séparée de lui, Roxie demeure habitée par la pensée romantique qu'elle et lui seront un jour réunis. L'histoire de Roxie nous aide à comprendre que rien ne peut vraiment nous séparer de ceux et celles que l'on aime et que la séparation ne diminue en rien nos sentiments. Elle nous raconte ici son histoire.

Mon mari, Larry, est né le regard vers le ciel, comme s'il avait été prédestiné à voler parmi les cieux. À l'âge de quatorze ans, il entreprit de suivre des leçons de pilotage, ce fut le début d'une passionnante et éclatante carrière dans l'aviation. Il a pris part à cent soixante missions de combat aux commandes de chasseurs F4 ; il a piloté des 727 sur les lignes commerciales pendant quatorze années : il a même été au service d'un Nigérien, chef de tribu, pour qui il pilota un Lear 25 pendant quatre ans. Il a aussi piloté le Lear 24 d'une équipe de course automobile de formule Indy, il était chargé de les conduire d'un point à l'autre du circuit.

J'ai grandi tout près de la piste de course automobile d'Indianapolis. J'avais dix ans quand j'ai recueilli l'autographe de Mario Andretti et je rêvais déjà du jour où je serais moi–même pilote de course. À douze ans, j'ai commencé à courir dans la catégorie des débutants, c'était là le début de mon grand rêve de participer un jour au Indy 500. Bientôt, je participai à une compétition en Formule Ford, aux États–Unis, puis en Angleterre, et ensuite en Formule 3 et en Super Vee, de retour aux États–Unis.

Par un matin de mars 1992, des essais avaient lieu et j'ai été attirée sur la piste par la douce musique qui s'en échappait. Je venais de traverser un hiver difficile, mon père était mort, mais sur la piste de course, je me sentais bien, ce lieu avait le don de me remonter le moral. À part l'équipe elle–même, peu de gens ont accès aux puits durant les essais privés, mais en tant que pilote de la relève, j'étais la bienvenue.

Ce jour–là, il y avait un nouveau visage dans les parages, et il allait changer ma vie pour toujours.

Mario et Michel Andretti faisaient des essais et Larry avait piloté l'avion transportant quelques–uns des membres de l'équipe en ville. Bronzé et beau garçon, il était doté d'un sourire contagieux, il m'a immédiatement plu. Je me suis présentée et le contact s'est fait très naturellement entre nous. Le beau bronzé de quarante–quatre ans m'avait conquise. Quelques heures seulement après notre rencontre, Larry s'envolait de nouveau, mais notre histoire avait déjà commencé.

Larry revint à Indy au mois de mai, et là, au milieu de milliers de personnes et sans l'avoir cherché, nous nous sommes trouvés. Nous avons passé la journée parmi la foule, mais c'était comme s'il n'y avait eu que nous deux. Il me semblait que nous étions de grands amis qui se retrouvaient après avoir été séparés pendant un moment. Nous nous sommes blottis l'un contre l'autre comme si nous avions toujours partagé un même espace. Ce jour de mai, nous sommes tombés amoureux.

À cause de son travail, Larry devait souvent s'absenter, mais nous passions des heures au téléphone. À la mi–mai, nous sommes sortis ensemble pour la première fois à l'extérieur de la piste et, juste après le repas, il m'a demandée en mariage.

Cependant, puisqu'il s'agissait de notre première vraie sortie ensemble et compte tenu du fait que nous avions bu quelques verres, je répondis seulement : « Peut–être. » J'ai ajouté que s'il était sérieux, il n'avait qu'à me le redemander quand nous serions sobres. Alors, le vingt–huit mai, seulement douze jours plus tard, il me fit sa grande demande une seconde fois. Et cette fois, ma réponse fut un « oui » très clair.

Il s'en fallut de peu pour que nous nous mariions ce même jour, mais Larry eut une meilleure idée. Il suggéra que nous le fassions en octobre, ce qui aurait coincidé avec le quarante–quatrième anniversaire de mariage de mes parents, « continuons la tradition », avait–il dit. « De cette façon Rox, avait–il ajouté, ta mère sera moins triste ce jour–là. » Il était d'une nature profondément romantique et attentionnée.

Mis à part les voyages d'affaire, Larry et moi étions inséparables. Nous accomplissions l'impossible pour nous voir. Afin que nous puissions être ensemble, il me procurait des billets sur les vols commerciaux ou, lorsque le patron n'était pas dans les environs, il me prenait avec lui dans le Lear. Il m'a même donné l'occasion d'apprendre quelques rudiments de pilotage. La puissance du Lear m'a littéralement clouée à mon siège, j'avais l'impression de tenir un tigre par la queue. Il était difficile de deviner qui de nous deux avait le plus de plaisir: j'étais très excitée de piloter pour la première fois, mais Larry l'était tout autant de voir mon entrain. Nous avions gardé l'appartement de Larry à Chicago ainsi que ma petite maison mobile à Speedway, dans l'Indiana. Aussitôt que son horaire nous le permettait, nous retournions à Indy pour y sentir le pouls de cette petite ville qui nous plaisait tant.

Larry m'a toujours soutenue dans ma carrière de coureur, il a même essayé de me dénicher une commandite. Toutefois, à un certain moment, l'inimaginable est arrivé: j'ai compris que je n'avais plus suffisamment le cœur à la course automobile.

Ce par quoi je m'étais définie depuis vingt ans avait perdu de son importance. Pour rien au monde je ne voulais risquer de perdre une seconde de bonheur avec Larry. Aussi, ai–je mis abruptement fin à ma carrière de pilote de course.

Nous nous sommes mariés le 17 octobre 1992, entourés de nos « familles » d'aviation et de course, à la piste de Laguna Seca, à Monterey. C'était le jour de la dernière course Indy de la saison. Mario Andretti m'avait accompagnée dans l'allée pendant qu'on faisait jouer la chanson d'amour que Larry avait composée pour moi. Ce fut le plus beau jour de ma vie. Cet anniversaire fut notre trésor le plus précieux. Tous les deux ensemble, avec la famille ou entourés de nos amis, Larry et moi formions un tout indivisible. Il nous devint de plus en plus pénible d'être séparés, même l'espace d'un vol d'affaire d'un jour. Larry ne le savait pas, mais à chaque fois qu'il décollait sans moi, je fondais en sanglot.

Il ne semblait y avoir qu'une solution à notre problème, alors j'ai posé à Larry la question qu'il espérait entendre: « Combien de temps nous faudrait–il pour voler en équipe ? » Il m'a répondu avec un large sourire : « Trois ans... peut–être moins. » Dans ma naïveté, je croyais qu'il me suffirait de suivre un cour de copilote à l'école de jets Lear. Larry m'a toutefois expliqué que je devais partir au bas de l'échelle, il me fallait d'abord obtenir un brevet pour piloter de petits appareils. Dès le premier jour, il m'a encouragée, il me disait que j'y arriverais. Mes leçons de pilotage commencèrent immédiatement et j'obtins mon brevet de pilote privé en avril 1993.

En mai de cette année–là, Larry m'a surprise, il souhaitait savoir comment je réagirais s'il démissionnait de son poste. Je savais bien que voler était sa vie et qu'il aimait le circuit Indy et son Lear, mais pour tout dire, je crois qu'il m'aimait plus que tout cela. C'est ainsi qu'il quitta son travail pour se consacrer à la réalisation de nos objectifs ; il ne s'agissait pas d'un sacrifice, il y consentait de son plein gré. Certaines personnes de notre entourage croyaient qu'il s'agissait là d'un geste très risqué, mais nous étions persuadés que c'était la bonne chose à faire. Nous allions donc vivre de nos cartes de crédit, de notre rêve et de notre amour passionné l'un pour l'autre. Nous avions choisi le profil militaire, un programme de vol très intensif qui s'avéra si efficace que dès décembre 1993, j'avais atteint les niveaux dont j'avais besoin. Il ne nous restait plus qu'à trouver le boulot de nos rêves.

Nous avons entamé la nouvelle année remplis d'espoir. Notre recherche d'emploi ne fut pas facile. C'est que larry avait vingt–trois mille heures de vol, alors que je n'en avais que trois cents. Cependant, nous ne nous laissions pas abattre. Nous avons même essayé de créer notre propre emploi en tentant de convaincre des compagnies de la nécessité d'utiliser un appareil, mais nos efforts sont restés sans succès. Nous avons continué comme cela, d'espoirs en déceptions, puis 1994 ne fut plus bientôt qu'un souvenir.

Au début de l'année suivante, nous regardions une étonnante émission de télévision dans laquelle un médium reconnu apportait du réconfort à des gens qui avaient perdu un être cher.

Il leur transmettait des mots d'amour et de réconfort de la part de ceux qui étaient de « l'autre côté ». Nous avons tous les deux été très touchés. J'ai pris en note le nom de cet homme et le titre de l'un de ses livres. J'ai ensuite rangé le bout de papier en me disant que si jamais quelque chose arrivait à Larry, je trouverais cet homme.

Nos recherches d'emploi continuaient et, parallèlement, nous avions des discussions philosophiques qui devenaient de plus en plus profondes. Nous parlions de la vie et de la mort, de dons d'organes, et même de cendres répandues aux quatre vents. Nous nous sommes fait la promesse que, si l'un de nous devait partir avant l'autre, il ferait tout en son pouvoir pour faire savoir à l'autre qu'il était toujours là. Nos dettes de cartes de crédit continuaient à prendre de l'ampleur, tout comme notre attachement l'un pour l'autre. Larry affichait un optimisme éclatant et il faisait en sorte que je ne me sente pas responsable de notre situation. Ensemble nous nous sentions invincibles.

Vers la fin du mois de mai 1995, après dix–sept mois de recherches, nous avons enfin trouvé l'emploi dont nous avions besoin. Nous avons été engagés pour piloter un Sabre 80, le jet d'un homme d'affaire de la Virginie de l'Ouest. Cet avion, nous l'avions vite surnommé « Flipper », parce qu'il ressemblait à un énorme dauphin. Nous avons suivi les cours de l'école de sécurité des vols commerciaux, en juin, et nous avons réussi les tests de qualification qui allaient faire de nous des commandants sur les appareils Sabres. Le 4 juillet, Larry, Fred (notre chat) et moi avons déménagé d'Indy à Huntington, en Virginie de l'Ouest. À travers les nombreux vols que nous faisions déjà, nous organisions peu à peu la vie dans notre jolie maison située sur une colline. La vie n'avait jamais été aussi belle.

Dix–sept jours après notre déménagement, à environ quatre heures cinquante–cinq le matin, j'ai été brutalement réveillée. J'ai trouvé Larry sur le plancher de la salle de bain, il était inconscient et ne respirait plus. Pendant une quarantaine de minutes j'ai pratiqué des manœuvres de réanimation sur lui, jusqu'à ce que les ambulanciers trouvent enfin notre maison. À quarante–sept ans, mon époux, la lumière, l'amour et la joie de mon univers, avait eu une violente crise cardiaque. Il n'a pas survécu.

En faisant don de ses organes, Larry a fait la différence dans la vie d'une centaine de personnes. Les médecins m'ont assuré qu'il n'y avait rien que j'aurais pu faire pour lui sauver la vie, ils m'ont expliqué que même si cela s'était produit à l'hôpital, le résultat aurait probablement été semblable. Son examen médical d'avril, pourtant rigoureux, n'avait pas détecté que ses artères coronaires étaient sérieusement obstruées. Les médecins étaient d'avis que même si le problème avait été détecté en avril, il n'aurait pas vécu beaucoup plus longtemps. Peut–être une opération au cœur lui aurait–elle donné une chance de quelques mois ou années, mais sa vie n'aurait plus été la même. Sa carrière de pilote aurait pris fin et, bien qu'il aurait sans doute tenté de me le cacher, il en aurait énormément souffert.

Ces commentaires ne m'apportaient que peu de réconfort et plus rien n'avait de sens pour moi. J'étais terrassée par la surprise et prostrée de douleur et de chagrin. Bien qu'à aucun moment je n'ai demandé à Dieu pourquoi Il avait emporté Larry, je ne comprenais pas pourquoi Il ne m'avait pas rappelée à lui, moi aussi. Je lui étais reconnaissante pour chaque précieuse seconde de bonheur avec Larry, mais j'ai supplié Dieu de me laisser rejoindre mon époux, de me réunir à lui. Cette séparation m'était insupportable.

Dès les premiers jours qui ont suivi sa mort, j'eus des raisons de croire que Larry faisait tout en son pouvoir pour tenir sa promesse de me laisser sentir qu'il était tout près. Je voulais réellement y croire, mais je me demandais si ça n'était pas plutôt ma peine qui était en train de me rendre folle. Par égard pour sa famille, les funérailles ont eu lieu en Pennsylvanie, elles ont été suivies d'un service commémoratif à Indy. La U.S. Air Force m'a remis un drapeau américain et trois cartouches vides, symbolisant « devoir, honneur et patrie ». (Un peu plus tard, ils m'ont remis une plaque en l'honneur de Larry.) Comme il l'avait demandé, il a été incinéré. J'avais bien l'intention de disperser ses cendres, je savais quand, où et comment cela se ferait. J'espérais qu'une fois toutes les volontés de Larry accomplies j'allais être à mon tour rappelée à Dieu, et le plus vite possible.

Je suis retournée en Virginie de l'Ouest, incapable d'entrevoir l'avenir. Je ne mangeais pas et quand j'arrivais à dormir, c'était sans me reposer. Je pleurais presque sans arrêt et je parlais à Lar tout haut, en sanglotant. Je voulais qu'il soit là, près de moi, et qu'il m'aime toujours. Je craignais qu'il ne prenne de l'avance sur moi au paradis et qu'il soit devenu hors de portée lorsque j'y entrerais à mon tour. Je l'ai supplié de m'attendre.

Mes pensées se sont bientôt concentrées sur ce bout de papier sur lequel j'avais pris en note le nom de l'homme de la télévision, mais je n'arrivais pas à me souvenir de l'endroit où je l'avais rangé. Et puis, soudainement, comme poussée, j'ouvris une des boîtes du déménagement qui n'avait pas encore été déballée, à la recherche de cette note. Je l'ai tout de suite trouvée. Il s'agissait de George Anderson et le titre du livre était : « Nous ne mourons pas ». J'étais si fébrile que je me sentais incapable de survivre à l'attente du rendez–vous, mais j'ai réussi. Et la captation m'a encouragée à écrire mon histoire, celle d'une survivante et de son amour qui transcende tout. Peut–être ce récit arrivera–t–il à donner espoir à un autre cœur brisé et à lui montrer que l'amour ne meurt pas quand nous mourons.

Certains seront tentés de dire que nous aurions dû savoir que c'était trop beau pour durer, mais Larry et moi considérions qu'un amour si parfait, qu'un lien si profond ne pourrait et ne saurait être rompu, même par la mort. Je serai toujours reconnaissante à Dieu d'avoir béni ma route et à George Anderson d'avoir bien voulu partager son précieux don avec moi. Quiconque a vécu, aimé, ri et pleuré avec Larry et moi sait bien que notre amour l'un pour l'autre est sans fin.

LA CAPTATION

— Est–ce qu'il y a eu de la mortalité dans votre entourage récemment ?

— Oui.

— Oui, parce que saint Antoine se tient debout derrière vous, vêtu de noir, il a posé ses mains sur vos épaules. Quelqu'un est mort récemment. Quelqu'un est parti. Ça n'a rien à voir avec la religion, c'est pour moi un symbole. Mmm... oui, à part votre père, un autre homme près de vous est décédé il y a peu de temps ?

— Oui.

— Parce que quelqu'un se tient derrière vous. C'est un autre homme, certainement un jeune homme aussi, non ?

— Oui.

— Aviez–vous des rapports amoureux ?

— Ah oui.

— C'est qu'il y a vraisemblablement une sorte de cœur en face de vous, du genre de ceux que l'on offre à la Saint Valentin. Alors vous deviez entretenir des rapports amoureux, être mariés !

— Oui.

— Je veux dire que vous entreteniez des rapports amoureux, mais que vous étiez également mariés, comme il m'a dit. Vous savez, quand vous êtes mari et femme, mais que vous êtes aussi de vrais amis.

— Les meilleurs au monde.

— Il dit : « Nous sommes mari et femme, mais nous sommes aussi des amis. » Vous savez, c'est malheureux mais vous ne perdez pas seulement votre mari, mais aussi un très bon ami. Euh, sans vouloir être dur, je crois comprendre que sa mort vous a en quelque sorte foutue par terre.

— (Elle pleure... sa réponse est presque imperceptible) Oui.

— C'est sûrement la façon la plus juste de le dire. Il me demande de vous dire qu'il est vraiment désolé que son temps soit venu ou, enfin, qu'il soit parti, d'une façon ou d'une autre. Il dit que c'est comme s'il vous avait secouée terriblement. Vous ne savez plus où vous allez ni d'où vous venez.

— C'est vrai..

— Sa mort vous a un peu effrayée et...

— Je ne dirais pas « effrayée »...

— Bien, je veux dire « effrayée » au sens de ne pas arriver à croire que cela ait pu se produire. Vous voyez, dans ce sens–là. Car, après tout, il était jeune, n'est–ce pas ?

— Oui.

— Surtout si l'on considère l'espérance de vie d'aujourd'hui. Vous avez des enfants ?

— Non.

— En avait–il ?

— Non.

— Pourquoi parle–t–il d'enfants ? Y avait–il des enfants dont il était proche dans sa famille ?

— Non. (Remarquez que George ne se laisse pas influencer. À un certain moment, beaucoup plus tard, cette attitude prendra tout son sens.)

— Aucune nièce, neveu, ou qui que ce soit ?

— En fait, il en avait plusieurs, oui.

— Je suivrai cette piste alors, parce qu'il s'adresse à des enfants et il n'en démord pas. Il doit donc appeler ses nièces, ses neveux ou quelque chose dans le genre.

— Votre mari est donc mort d'une manière tragique ? Par rapport à son âge, j'imagine ?

— C'est tragique pour moi.

— Et par rapport à son âge, ça l'est aussi.... Il savait qu'il allait mourir ?

— S'il le savait, c'était un secret bien gardé.

— Oui, parce qu'il dit qu'il n'est pas effrayé par la mort. Alors quand le temps est venu, il est sans doute parti très vite.

— Très vite.

— C'est peut–être pourquoi il pensait de cette façon. Avait–il des ennuis de santé ?

— Non.

— Il n'avait rien du tout à la poitrine ?

— Eh bien, c'est ce qui l'a emporté.

— Ah, j'allais justement dire de ne rien ajouter, qu'il a dû être emporté par un problème de santé. Avait–il des problèmes de santé ? Vous avez répondu que non. Il dit : « Et mes douleurs à la poitrine, alors ? ». A–t–il eu une crise cardiaque ?

— Oui.

— C'est ça, il dit qu'il est mort d'une crise cardiaque. Je trouve que c'est difficile à croire, comme vous avez dû trouver aussi, car j'ai l'impression de parler à quelqu'un de jeune et de bien portant.

— Il l'était... du moins, c'est ce que je croyais.

— C'est curieux pourtant, il ne se sentait peut–être pas très bien quelques jours avant sa mort, ce qui fait qu'il a peut–être bien cru que quelque chose n'allait pas, mais il aurait décidé de ne pas trop y porter attention ou de remettre l'investigation du problème à plus tard.

— Il n'était pas effrayé, n'est–ce pas ?

— Non. C'est qu'il me dit que... Il a l'air d'être le genre de gars plutôt réaliste, du genre à se dire que si le temps est venu, eh ! Bien ! Le temps est venu.

— C'est exactement...

— Il dit : « Si mon heure n'était pas venue, je ne serais pas parti. » Il dit qu'aussi difficile à accepter que cela puisse être pour vous, il semble que le temps de laisser aller était arrivé. Son heure avait sonné. Était–il toujours pressé ?

— Non.

— C'est curieux, il dit qu'il s'était dépêché de finir son travail, mais je crois...

— Je crois qu'il ne parle pas de...

— De travail ?

— Oui, je crois qu'il veut dire...

— Mais vous voyez, le travail ne veut pas nécessairement dire un boulot de neuf à cinq. Il veut peut–être dire sa tâche spirituelle, il était peut–être pressé de terminer cela, sachant au fond de lui–même qu'il était sur le chemin du départ.

— Pouvez–vous me dire son nom ?

— Pas maintenant, mais ne me dites rien, nous venons tout juste de commencer. Il nous reste un bon moment encore. Il vient tout juste d'arriver. Euh, en fait, il est là depuis le début. Il a été retenu par votre père et vos grands–parents. Mais il dit qu'il est bien là. C'est drôle, votre père n'arrêtait pas de parler de la perte d'un fils, mais je me rends compte qu'il s'agit de son beau–fils. Vous savez, ça vient de me frapper, comme c'est idiot, je n'avais pas fait attention. C'est pourquoi j'insistais tant sur la relation fraternelle. Je me demandais si votre père avait perdu un frère et pourquoi il faisait référence à quelqu'un en tant que fils. Mais ça m'est venu tout d'un coup, il s'agit de son beau–fils. Aviez–vous peur qu'il meure seul ? Car il ne cesse de répéter qu'il n'est pas mort seul. Il est peut–être mort seul dans le sens physique, cependant, spirituellement, il n'est pas mort seul. C'est que vous sentez que vous n'avez pas eu le temps de lui dire adieu. Mais, comme il dit : « Nous serions–nous dit adieu, de toute manière ? » Il dit qu'il ne pense pas. Il ajoute ceci : « Je ne suis pas venu ici pour te dire adieu, je suis ici pour te dire bonjour. Pour te dire que je suis toujours avec toi. » C'est que vous semblez avoir un lien très positif et plein d'amour. Il dit aussi...

— Le plus grand amour.

— Il dit aussi : « Je ne te dirai jamais adieu. Je ne t'ai pas abandonnée. D'une manière physique, oui, mais spirituellement, pas du tout ! Et un jour, nous serons réunis à nouveau. » Rêvez–vous de lui ?

— Pas assez souvent.

— Il affirme qu'il vient vous visiter en rêve. Il est possible que vous ayez rêvé de lui quelques fois, mais que vous ne vous en souveniez pas. Il dit qu'il vous visite bien en rêve et que ce n'est ni la première fois ni la dernière que vous le voyez. Il y a aussi eu d'autres occasions où il vous a fait signe. Vous savez, comme quand vous étiez en train de penser à lui et au même moment une chanson qui vous le rappelle passe à la radio.

(À cette remarque, Roxie se met à sangloter)

— Oui.

— En tournant la tête j'aurais pu jurer qu'il se trouvait là, debout.

— Il vous a évidemment donné des preuves qu'il...

— Oui, oui !

— Il est certainement proche de vous, mise à part cette séance de captation. Avait–il une obstruction dans la région du cœur ?

— Oui.

— C'est que j'ai une sensation d'obstruction près du cœur qui persiste.

— Oui, dans toute la région du cœur.

— Mais, encore une fois, il croyait vraiment qu'il était en bonne santé, pas vrai ?

— Oui.

— Oui, eh bien, il le pensait probablement. Était–il du genre à vivre et laisser vivre ?

— Oui, c'est ça.

— Je veux dire qu'il n'est pas du genre à pousser les choses à l'extrême. Par

contre, il croit que si votre heure est venue, il n'y a rien à faire, votre heure est venue. Je ne peux pas dire que je...

— C'était bien lui.

— Je dois dire que je suis un peu d'accord avec lui. Il a raison. Vous savez, vous pouvez avoir un cœur en parfaite santé et périr dans un accident de la route. C'est donc dire qu'il n'est pas sans compassion face à ce que vous traversez, mais il reste fidèle à lui–même. Il est simplement en train de vous dire : « N'est–ce pas ainsi que je suis ? »

— Oui. (Elle laisse échapper quelques sanglots)

— Vous savez, comment vous dire... Il dit que s'il faut partir, il faut partir. En revanche, il est vrai que ses artères étaient obstruées. C'est certainement une valve qui s'est bloquée ou quelque chose dans le genre. C'est que je sens que j'ai des dépôts de gras dans les artères. Oui, il avait probablement des douleurs à la poitrine, le souffle court. Il se sentait peut–être un peu lourd, mais c'est quand même un jeune homme. C'est difficile à imaginer, à croire. Vous ne pouvez pas croire que vous êtes sur le point d'avoir un sérieux blocage coronarien. On pense qu'il s'agit simplement d'une mauvaise journée. C'est probablement pour cela qu'il a dit que tout allait mieux maintenant et qu'il vous faut recommencer à être heureuse. Il y a une chose qu'il tient absolument à vous dire : il ne souhaite pas du tout que vous vous laissiez enterrer vivante.

— Je sais.

— S'il était là, il souhaiterait que vous continuiez à vivre. Eh bien, je dois lui donner ça, il ne parle pas pour ne rien dire.

C'est qu'il dit les choses telles qu'il les sent. Il dit aussi qu'il n'a pas l'intention de vous parler de tout et de rien ou de vous dire toutes sortes de choses pour vous charmer. « Je vais dire les choses telles qu'elles sont, dit–il. Oui, je sais que tu passes un moment difficile et je sais que je te manque, mais sache que je suis tout près.

Tu me parles tout haut et c'est bien. Tu dois croire que je suis toujours bien là. »

— Je sens tout le temps sa présence.

— Il continue : « Je suis plus près de toi que tu ne le penses. Cependant, je ne veux pas que tu te laisses mourir. Tu dois poursuivre ta vie. La joie que tu m'as apportée, tu peux aussi la faire partager à d'autres autour de toi, et la vivre toi–même de nouveau. » Pensiez–vous avoir des enfants ?

— Non.

— Lui, il en voulait ?

— Non.

— C'est curieux qu'il ne cesse de ramener ce sujet. Il doit travailler avec des enfants là–bas, enfin je ne sais trop, mais le fait est qu'il parle souvent d'enfants. Il y en a sûrement là où il se trouve.

— Je voudrais dire quelque chose si vous permettez.

— Oh ! Attendez, non. Mais euh, il a effectivement des enfants, mais ce ne sont pas les siens. Il s'occupe d'enfants, mais il n'en est pas le père. Vous formiez un couple assez intéressant, pas vrai ?

— Oh oui !

— Parce qu'il répète sans cesse que vous aviez des rapports intéressants. Et...

— Dites lui, L... Désolée, j'allais dire...

— En effet, il ne faut rien dire. Ne vous en faites pas. Je ne fais pas attention. Je me concentre sur l'écoute. Vos rapports étaient–ils très platoniques ?

— Euh, dans quel sens ?

— Eh bien, vous aviez des rapports du genre de ceux qui existent entre frère et sœur, mais vous étiez aussi passablement démonstratifs l'un pour l'autre.

— Nous étions tout l'un pour l'autre.

— Oui, c'est ça. C'est pourquoi vos rapports sont si intéressants. Je dois avouer qu'il s'agit vraiment d'un amour véritable.

— Tout à fait !

— Je le vois toujours en train de vous mettre un gros cœur de la Saint Valentin devant les yeux. Il vous tend aussi un bouquet de roses rouges pour vous souhaiter une joyeuse Saint Valentin. Il dit aussi qu'il sera certainement avec vous pour cette occasion. Il n'était certainement pas du genre à passer à côté de ces occasions. Il veut vous rappeler qu'il ne vous a pas oubliée. Vous ne dormez pas très bien ?

— C'est vrai.

— « Tu es une loque, dit–il. Pardonne–moi, mais je vais te le dire franchement, tu es dans un état pitoyable. » Vous ne savez plus d'où vous venez ni dans quelle direction vous allez. Si Dieu vous rendait visite pour vous dire que vous alliez mourir, vous seriez ravie, en fait, le plus tôt serait le mieux pour vous.

— Effectivement, oui.

— Et il ajoute : « Mais il faut que tu continues ta vie. Tu partiras quand le moment sera venu. » C'est son credo. Il dit que si vous étiez censée être là–haut, vous y seriez déjà. Vous devez continuer. Il est comme les gens de New York, il dit franchement les choses, telles qu'elles sont.

— Il dit les choses comme il les pense.

— Le nom de Larry vous dit quelque chose ?

— Oui, c'est lui !

— Est–ce bien lui ? J'ai cru l'entendre dire « Harry ». J'ai bien fait d'écouter ! J'allais justement dire qu'il disait « Harry » et il a répété : « Non, c'est Larry. » Son véritable nom est–il Lawrence ?

— Oui.

— Oui, son vrai nom de naissance doit être Lawrence, je suppose.

— C'est vrai.

— Mais les gens le connaissent sous le nom de Larry... ou sous le nom de

La...

— Euh... je ne connais pas « La », mais...

— Eh bien peut–être que vous ne l'appeliez pas ainsi. Peut–être bien que quelqu'un d'autre l'appelait ainsi. Il préfère qu'on l'appelle Larry, à ce qu'il me semble.

— Certainement.

— Était–il pilote ?

— Oui !

— C'est que j'ai des images de lui en avion.

— Oui !

— Je ne voudrais pas paraître bizarre, mais c'est comme si je le voyais passer au–dessus de votre tête en avion.

— Génial !

— Il dit justement que vous êtes son copilote.

— Oui !

— Êtes–vous aussi pilote ?

— Oui.

— Euh, je veux dire, savez–vous piloter, êtes–vous qualifiée ? Ou bien, vous savez...

— J'étais son copilote.

— Ah, je comprends maintenant ! Il semblait plaisanter en disant que vous étiez son copilote. Je croyais qu'il le disait juste d'une manière affectueuse, son copilote dans la vie. C'est donc beaucoup plus significatif que je ne le croyais.

Il dit que vous êtes son copilote et qu'il est toujours avec vous. Mais vous êtes aussi pilote, n'est–ce pas ?

— Oui.

— Eh bien oui, il dit que lorsque vous êtes en vol, il est votre copilote spirituel. Il vous accompagne. Alors, il va sans dire que cet homme est votre ange gardien.

— Oui.

— Je ne vous apprends rien que vous ne sachiez déjà vous–même. Je ne fais que le confirmer. Il dit qu'il veille sur vous et qu'il est votre ange gardien. Il a dû avoir toute une crise cardiaque, n'est–ce pas ? Je veux dire, il n'a pas souffert.

— J'espère que non.

— Non, il m'a dit qu'il n'avait pas souffert. Croyez–moi, il n'a rien vu venir. Il n'a pas eu le temps. Tout s'est bloqué si soudainement que ça s'est passé en un instant, paf !

— C'est ce qu'on m'a raconté.

— C'est comme s'il avait explosé, un peu comme une explosion volcanique, comme une pression qui s'accumule et puis pouf ! Vous n'avez pas à sentir que vous l'avez laissé tomber à la fin, car lui ne cesse de répéter que ce n'est pas de votre faute. Vous n'y étiez pas ! Parce qu'il dit que...

— Mais, j'étais juste... à côté.

— « C'est que tu n'y pouvais rien, dit–il. Tu es là, mais tu ne l'es pas vraiment. »

— (Presque inaudible) Je n'étais pas réveillée.

— « Tu n'aurais rien pu y faire de toute façon, dit–il. Il ne faut pas que tu penses que tu m'as laissé tomber. » Et il ajoute qu'il a eu une mort heureuse pas seulement parce qu'il est mort subitement, mais aussi parce que vous étiez là, même si vous ne vous rendiez pas compte de ce qui se passait. Est–il mort dans son sommeil ?

— Non.

— Vous dormiez ?

— Oui, j'étais endormie.

— Ah, d'accord, c'est pour cela qu'il mentionne le sommeil. Je croyais qu'il me disait qu'il était mort dans son sommeil. Mais encore une fois, saint Joseph apparaît, ce qui est signe d'une mort joyeuse. Je dois dire, comme le soutient votre mari, qu'il est plus près de vous que vous ne pouvez l'imaginer. Oui, vous avez besoin de sa présence physique... parce que vous êtes vivante et il n'y a rien de plus satisfaisant pour vous qu'une présence physique. Il dit : « Oui, je sais que tu as besoin de ça. Toutefois, tout ce que je peux faire, c'est de t'assurer que je suis près de toi. » Mais il répète que vous n'auriez pas pu le sauver. Pourtant vous vous dites : « Si j'avais été éveillée, j'aurais pu aller chercher de l'aide.

J'aurais pu le sauver. » En fait, si son heure n'était pas venue, il ne serait pas parti. Il s'en serait sorti et aurait continué à vivre. Ce qu'il y a de remarquable avec votre mari, c'est qu'il n'a jamais voulu être un poids pour lui–même ni pour qui que ce soit. C'est pourquoi cette mort subite a été d'autant plus heureuse pour lui. Votre digestion vous a–t–elle causé des problèmes dernièrement ? De toute façon, si c'est le cas, il s'agit d'une réaction nerveuse. Il sait que... vous ne serez plus la même pour un certain temps. Cependant, il sait que vous avez simplement besoin d'être assurée du fait qu'il est tout près. C'est pourquoi il est heureux que la Lumière Infinie lui donne l'occasion d'être entendu dans une captation... afin qu'il puisse vous dire : « Eh oui, je suis plus près de toi que tu ne l'imagines. »

— Est–ce que j'aurai jamais la chance de lui poser une question, serait–ce possible ?

— D'accord. Vous pourriez peut–être lui poser maintenant. Oui, étant donné que la plus grande partie de ce qui devait être transmis l'a été. Je resterai neutre.

— Ce que je désire vraiment savoir, Larry, c'est... quand mon tour viendra...

— Vous voulez savoir s'il sera là ?

— Serons–nous réunis pour l'éternité ?

— Il vous a déjà dit... « À la prochaine rencontre. »

— Ce sera pour toujours ? Nous ne serons jamais plus séparés ?

— Euh, comme il le dit si bien : « Nous avons été ensemble bien des fois auparavant. Qu'est–ce qui te fait croire que cette fois–ci est une occasion unique ou même qu'il n'y a qu'une vie ? »

— Je ne veux plus jamais être séparée de lui.

— Il ajoute que lorsque vous mourrez, il vous attendra de l'autre côté. « C'est ce que tu dois anticiper avec enthousiasme au moment de ta mort, dit–il, nous serons ensemble. » Cependant vous devez vivre votre vie. C'est plus facile à dire qu'à faire, il le sait bien. Il dit d'ailleurs : « Je suis ici et tu es là–bas. Tu vis les conséquences de ma mort. Tu es la survivante. Tu es dans la dimension la plus souffrante à cause de la perte. Mais tu dois traverser cette épreuve. Tu dois toujours te dire que je suis là avec toi, et c'est la vérité. » Rappelez–vous qu'il ne s'est pas détaché de vous. Songez–vous à déménager ?

— Non, euh...

— Il veut juste que vous sachiez qu'il trouverait normal que vous décidiez de le faire un jour. Il dit cela simplement au cas où vous craindriez de l'abandonner.

— C'est déjà fait, depuis peu.

— Ah, vous êtes déjà partie ? Il y a peu de temps ? C'est qu'il parlait d'un déménagement et il approuvait.

— Je sais ce qu'il veut dire.

— Ok, l'important, c'est que vous compreniez. Je croyais qu'il me disait ça pour l'avenir. C'est donc qu'il me le disait par rapport à maintenant. Donc, il sait que vous avez une nouvelle résidence et ça va. Il souhaite que vous preniez vos propres décisions et que vous fassiez vos propres choix.

Il souhaite que vous soyez heureuse et que vous poursuiviez votre chemin à votre façon. Il a mené une vie plutôt dangereuse. Je ne l'entends pas dans un mauvais sens. C'était simplement un aventurier. Il n'avait pas peur des défis, ni de se lancer à l'aventure ou des trucs dans le genre. Il semble évident que vous avez beaucoup volé ensemble.

— Beaucoup, en effet.

— Comprenez bien, je vous vois toujours en vol dans une direction quelconque. Même dans les limites de votre propre État. Visiblement, vous voyagez aussi bien dans votre région. Ses parents sont–ils toujours parmi nous ?

— Oui.

— Il les appelle constamment. Si vous les croyez capables de comprendre la situation, il aimerait leur faire savoir qu'il va bien. Il ne se préoccupe pas de savoir s'ils croient en ces séances. « On s'en fout, dit–il, un jour eux aussi mourront et ils se rendront bien compte que j'avais raison, comme d'habitude de toute façon. » (Il ricane.) Alors, c'est sans importance.

— Je leur ferai le message.

— Il m'explique qu'il souhaite simplement qu'ils sachent qu'il va bien et qu'il est en paix. Ce sont des parents en deuil. Sa mort a été un choc tout autant pour eux que pour vous. Ils ne s'attendaient pas à ce qu'une crise cardiaque si violente emporte leur fils subitement. Il désire donc s'adresser à ses parents. Avait–il des frères et sœurs ? Certainement, il ne cesse de parler de sa famille.

— Oui.

— Il appelle donc ceux et celles qui lui sont chers et qui sont encore parmi nous. Visiblement, il y a ses grands–parents qui sont décédés, ils sont avec lui, dans l'au–delà.

— En effet.

— Cependant, de même qu'il était le plus grand bonheur de votre vie, vous l'étiez aussi pour lui et vous l'êtes toujours. Vivez–vous de plus en plus en solitaire ?

(Pas de réponse... Mais, certainement, elle s'est un peu refermée.)

— En fait, il souhaite bien sûr que vous poursuiviez votre chemin dans la vie, mais ça doit venir de vous. Mais attention, cela n'implique pas que vous alliez danser jusqu'à quatre heures du matin. Vous n'avez pas à vous remarier si vous ne le souhaitez pas...

— JAMAIS JE NE FERAI ÇA ! .

— Mais il veut que vous soyez heu... Eh bien, c'est curieux, il vient juste de dire : « Ne jamais dire jamais. » Il veut simplement vous dire qu'il veut votre bonheur. Peu importe ce que vous décidiez de faire... si un jour vous rencontrez quelqu'un d'autre, il veut que vous soyez heureuse. Suivez tout simplement votre chemin, mais ne vous laissez pas dépérir. Si vous souhaitez demeurer célibataire toute votre vie, c'est votre choix et votre droit. Cependant, il veut que vous ayez une vie bien à vous. Car il faut vous rappeler que chaque jour vécu est un jour en moins entre vous et le fil d'arrivée. Et lorsque vous serez arrivée au bout, vous passerez de l'autre côté et vous serez avec lui.

Toutefois, il ajoute : « J'ai vérifié dans les registres qu'il y a ici et tu n'es pas censée être parmi nous, pas encore. »

— Ah bon, et c'est pour bientôt ?

— Vous aimeriez apprendre que votre tour est l'an prochain. Mais, il vous demande de le croire, il dit qu'il en est la preuve. Il ajoute que vous n'avez pas à chercher la mort, car elle viendra en temps voulu.

— Avez vous parlé de « fil d'arrivée » ou est–ce lui ?

— Pardon ?

— Vous avez parlé d'un fil d'arrivée ?

— C'était lui, je ne fais qu'écouter ce qu'il dit.

— L'expression est appropriée.

— Oui, vous voyez, il arrive qu'il dise des choses que je répète ensuite sans qu'elles aient de signification pour moi. Il sait que ces choses signifient beaucoup plus pour vous que pour moi. Car je ne suis que l'instrument de l'échange. Je ne fais que vous transmettre ce qu'il dit. Mais c'est bien ce qu'il dit. Il répète que vous devez poursuivre votre chemin. Un jour, vous serez de nouveau réunis. Entre temps, il est avec vous spirituellement. Je crois d'ailleurs que vous le savez déjà. Je ne fais que le confirmer.

— C'est bon de l'entendre.

— Avait–il des problèmes de pression artérielle ?

— Pas que je sache.

— C'est bizarre, il n'avait pas de...

— Non.

— Il semble qu'il y avait une augmentation de sa pression artérielle. Bien sûr, cela aurait pu causer sa mort. Mais pour être franc avec vous, il semblait être en très bonne...

— Il venait tout juste de passer un examen médical complet.

— Oui, il semblait être en grande forme physique. C'est ça, si je le rencontrais... il me semblerait être en pleine forme. Eh bien, comme il dit, on ne sait jamais ! Il y avait cependant une augmentation de la pression dans les artères coronaires et elle devait être due à des dépôts ou quelque chose du genre, parce que c'était bien là. Avait–il un certain manque de communication avec sa famille ?

— Peut–être bien avant que je n'entre dans sa vie.

— Je vois, c'est qu'il y a comme une petite tension qui semble vouloir prendre de l'ampleur. Vous savez, il y avait peut–être une petite carence dans sa famille, et je ne veux rien insinuer par cela. Je veux dire, un léger manque de communication. Les choses sont évidemment devenues plus harmonieuses par la suite. D'ailleurs, je crois que, de toute façon, il est heureux que les choses soient devenues ainsi.

Il y a un anniversaire qui s'en vient ? En juin ?

— Euh, c'est avant le mois de juin.

— Oui, c'est ça, il a dit : « D'ici juin » au moment où vous avez hésité. Eh bien, vous ne serez évidemment pas assise en face de moi à ce moment, voilà pourquoi il doit le dire maintenant. Il vous souhaite bon anniversaire. C'est donc probablement au mois de mai. Il dit que c'est d'ici le mois de juin, c'est donc un peu avant. Alors il vous souhaite un joyeux anniversaire. Le mois de janvier est presque terminé et il veut simplement que vous sachiez qu'il n'a pas oublié. Et souvenez–vous de lui le jour de la Saint Valentin parce que...

— Je m'en souviendrai.

— Vous vous sentirez sûrement seule. Aussi, il dit qu'il vous envoie ses vœux pour la Saint Valentin aujourd'hui. Qu'est–ce que j'allais dire... ? Ah oui, il vous souhaite aussi un joyeux anniversaire de mariage. C'est plus tard dans l'année, non ?

— Oui, c'est exact.

— Je sens que c'est quelque part après septembre.

— Oui.

— C'est donc probablement en automne. Des gens souhaitent joyeux anniversaire à quelqu'un. Il dit que c'est bien plus tard dans l'année. J'ai vu le mois de septembre. Je me suis senti poussé. C'est donc probablement au mois de novembre ou dans ces eaux–là, mais...

— Entre le mois de septembre et de novembre.

— Ah, c'est donc en octobre. Il indique les limites du mois, je comprends. Il a fait signe que c'était passé septembre et ensuite, il a semblé s'arrêter sur le mois de novembre. J'ai donc cru qu'il parlait de ce mois. De toute façon, il vous souhaite un joyeux anniversaire.

— Joyeux anniversaire à toi aussi.

— Il dit qu'il sera tout près. Encore une fois, il veut... Il sait que vous allez avoir de bons et de mauvais moments, comme c'est déjà le cas, et il veut que vous pensiez à aujourd'hui lors de ces moments difficiles. Il veut que cette communication soit un peu comme une grosse dose d'amour qui vous rassurera sur sa présence et qui vous permettra de continuer. C'est que, comme il dit : « Il faut que tu te rendes au fil d'arrivée. Il le faut. Il faut se rendre au fil d'arrivée. Si nous sommes réunis de nouveau, la boucle sera bouclée, et nous nous serons accomplis. Ça ne fait rien si, en ce moment, tu ne comprends pas très bien de quoi il s'agit. Il faut s'accomplir et poursuivre notre chemin. » Vous avez été ennuyée par des maux de tête dernièrement ?

— Oui.

— Vous êtes tendue, ce sont les circonstances. Ce sont les émotions. Il me dit que vous n'êtes pas en mauvaise santé, mais que, honnêtement, vous vous en foutez éperdument de toute façon. Il vous taquine. Cependant, il précise que si vous n'êtes pas en mauvaise santé, vous n'êtes pas pour autant en harmonie avec vous–même. Évidemment, c'est dû à cette tragédie. Encore une fois, c'est pour cette raison que votre père disait, tout comme Larry, qu'il est possible pour vous d'être plus heureuse. La vie pourrait devenir plus rose pour vous.

Il faut que vous vous ressaisissiez et que vous repreniez votre chemin. Car vous meniez une vie merveilleuse ensemble.

— Oui, c'est vrai.

— Je veux dire, vous voyagiez beaucoup. C'est probablement pourquoi il ne voulait pas être retenu par un rôle traditionnel dans la famille.

— Voilà.

— C'est ainsi qu'il appréciait davantage la vie. Vous aviez une relation empreinte d'amitié. Vous voyagiez ensemble. Vous visitiez des endroits ensemble et vous meniez certainement une vie très active.

— En effet.

— Une vie pleine de réalisations. Là où la plupart des gens ne font que se lever le matin, aller travailler, revenir à la maison et payer les comptes... bien sûr vous faisiez tout cela aussi, mais vous faisiez beaucoup plus encore. Il vous fallait payer les comptes aussi, mais vous meniez une vie pleine d'aventures. Aimait–il les montagnes ?

— Il aimait tout.

— Il me montre tous les moments qu'il a passés à survoler les montagnes, les paysages. Il était quelqu'un de très spirituel à sa façon.

— Oui.

— Il aimait les merveilles de la nature. Avez–vous aussi perdu un animal domestique ?

— Oui.

— Était–ce un chien ?

— En effet. (Ils avaient eu plusieurs chiens, mais elle savait que je parlais de son petit Rascal.)

— C'est qu'il ne cesse de parler de... Il est mort ?

— Oui.

— Il ne cesse de dire que le chien est là avec lui.

(Elle pleure un peu.)

— Est–il mort avant lui ?

— Oui. (En pleurant.)

— Il dit que le chien l'a guidé vers la lumière avec ses jappements. Vous savez, c'est lui qui l'a accueilli le premier. Avez–vous perdu plus d'un animal ?

— Oui.

— Ce sont eux, les enfants dont il parlait. Maintenant tout prend son sens. En fait, il me donnait bien du fil à retordre, car je croyais qu'il parlait d'enfants au sens propre, mais c'est là qu'il a parlé de l'animal qui est mort le dernier, ce chien, mort juste avant lui, qui l'a accueilli à son arrivée dans l'au–delà. C'est là qu'il a répété que les enfants étaient là avec lui et qu'il m'a demandé de vous dire qu'il y en avait plus d'un. Apparemment quand il veut parler des animaux, il dit que les enfants sont là avec lui.

Ce sont tous les animaux dont vous avez partagé la compagnie dont il parle comme s'ils étaient des enfants. Ils le sont certainement. Le dernier était cependant très proche de vous deux. Vous aviez le cœur en miettes quand il est mort parce que c'était un peu comme de perdre un enfant. Il dit que c'est ce chien qui l'a accueilli le premier dans la Lumière. Il plaisante en disant qu'il savait que l'endroit allait être agréable. En plus, le chien était là pour lui souhaiter la bienvenue. Vous lui avez rendu hommage après sa mort, pas vrai ?

— Oui.

— C'est ça, il vous remercie beaucoup pour le monument. S'agissait–il d'un avion ?

— Oui ?

— On a inscrit son nom sur une plaque ou je ne sais trop.

— Oui, c'est bien ça.

— Maintenant il se met à parler de l'avion. C'est un hommage à ce qu'il savait faire de mieux. Un hommage au pilotage, je crois.

— Voulez–vous que je vous explique ?

— Non, ne dites rien, l'important c'est que vous compreniez. De cette façon, il peut me donner plus de détails. A–t–il été question d'offrir des bourses d'étude ou quelque chose comme ça ?

— Non.

— Mais il y a bien eu des échanges d'argent à l'occasion de la cérémonie, pas vrai ?

— Oui, en effet. (Des dons sont allés à l'organisme MIVA du père Phil ainsi qu'au Ministère des sports motorisés.)

— Oui, c'est probablement pourquoi je vois des échanges financiers. Cependant, d'autres personnes en ont aussi bénéficié, pas vrai ?

— Oui.

— C'est probablement de là que me vient l'idée d'une bourse. Il ne s'agit pas de ça, mais les gens bénéficient également de ces échanges financiers. Avez–vous baptisé un avion ?

— Non. (Elle n'a pas répondu correctement, car elle a appelé leur avion « Flipper ».)

— Il parle du nom qui est inscrit sur l'avion. Dans tous les cas, cela a certainement à voir avec un avion et il tient à vous remercier pour la commémoration. Laissez–moi poursuivre avec cette idée. Il me semble y avoir une foule importante à l'enterrement.

— Oui.

— Visiblement, plusieurs personnes avaient une haute estime pour lui et l'aimaient beaucoup. Il n'y a aucun doute là–dessus. Il dit aussi qu'il est heureux que vous ayez eu du soutien. Car le tout le monde a été estomaqué, tout autant que vous, par sa mort.

— Oui. (On l'entend à peine)

— Êtes–vous venue en avion ?

— Non.

— Ah bon ! C'est qu'il dit avoir volé avec vous. Donc, si vous avez pris Delta Airlines, il vous accompagnait... ou était–ce U.S. Air, ou peu importe quelle compagnie. En tout cas, il soutient qu'il était avec vous. En fait, il dit aussi que voler vous rend nerveuse... quand vous n'êtes pas aux commandes ?

— (Elle rit) En effet.

— « Oui, dit–il, c'est amusant ! Tu aimes bien voler, mais seulement lorsque tu es aux commandes. En fait, tu te sens plus en confiance dans le siège du commandant que lorsque c'est quelqu'un d'autre qui pilote. »

— C'est vrai.

— Il continue : « Tu ne devrais pas. Tu sais bien que... »

— Tu es pareil, Larry.

— Vous savez, il adore voler. Et il dit qu'il était avec vous en esprit à bord de l'avion, parce qu'il savait que vous alliez venir. Il savait que c'était le moment de vous tendre la main. Il savait que... Depuis qu'il est mort, il a fait en sorte que vous tombiez sur moi. Il fallait une coïncidence pour que, d'une manière ou d'une autre, vous entendiez parler de moi ou que vous me voyiez à la télé. C'était sa façon de... Même sans cette rencontre, vous auriez quand même su qu'il était quelque part d'autre. Vous auriez au moins su qu'il était près de vous. Avait–il un frère dont il était proche ? Ou un beau–frère ?

— Euh, peut–être bien qu'il avait un frère.

— Oui, c'est curieux. Il appelle quelqu'un, un frère peut–être. À moins qu'il ne s'agisse d'un très bon ami, qu'il considérait comme un frère.

— Oui, je comprends.

— Alors apparemment, il avait un frère dont il était très proche... un ami. Quand je parle d'un frère, je veux dire qu'il le considère comme son frère. Je ne capte pas de nom, mais j'ai une impression de lui. C'est donc que Larry l'appelle. « Assure–toi de lui dire que tu as eu des nouvelles de moi », dit–il. Prendrez–vous des vacances ?

— Est–ce qu'il s'agit du voyage actuel ? (Elle allait passer du temps dans la famille de Larry en Pennsylvanie avant de rentrer à la maison.)

— Eh bien, je crois qu'il parle de vacances plus longues que celles–ci. C'est dans l'avenir, car il dit que vous aurez l'occasion de prendre des vacances. Il dit que vous allez bientôt en avoir besoin, et toute seule.

Vous savez, même si c'est dans votre coin. Une marche en montagne ou un truc du genre. Des choses pas compliquées et agréables quoi ! Toutefois, c'est… Vous vous êtes fréquentés un bon moment avant de vous marier, pas vrai ?

— Non.

— Étiez–vous mariés devant la loi ?

— Oui.

— Oui, c'est ce qu'il dit. C'est curieux par contre, je ne sais pas s'il fait référence à une vie antérieure, mais c'est comme si vous vous connaissiez auparavant.

— C'est le sentiment que nous avions.

— Vous savez, lorsque vous vous êtes rencontrés dans cette vie, ça a tout de suite collé entre vous. Même si vous vous êtes fréquentés pendant peu de temps avant de vous marier, c'est comme si vous aviez déjà un long passé ensemble. Vous alliez vous marier, c'était écrit dans le ciel. Cependant, tout cela aurait pu exister dans une vie antérieure ou même avant votre venue sur terre. D'ailleurs, il poursuit sa croissance spirituelle au ralenti afin que l'attente lui paraisse moins longue de là–haut et que vous puissiez grandir ensemble.

— C'est bien, c'est ce que je lui demande sans cesse !

— « Nous continuerons ensemble », dit–il. C'est probablement pourquoi il vous explique tout cela. Il veut que vous sachiez qu'il va vous attendre.

— Je n'arrête pas de le lui demander.

— Il va rester à un certain niveau. Un niveau qu'il sait que vous atteindrez aussi. De cette façon, il pourra vous rencontrer. « Nous pourrons nous retrouver et travailler ensemble, dit–il. Le temps n'existe pas ici. C'est ce qui fait que tes soixante prochaines années de vie me paraîtront cinq minutes. C'est très différent. L'attente ne me semblera pas longue, même si elle peut l'être pour toi. »

— Oui, mais qu'arrivera–t–il si je suis vieille et qu'il est toujours jeune ?

— Votre corps sera vieux, mais pas votre cœur. Souvenez–vous que votre corps physique, qui restera sur terre et sera enseveli, vieillira, mais pas vous. Je vais avoir quarante–quatre ans cette année et lorsque je me regarde dans la glace, je me sens comme si j'avais vingt–cinq ans, et pourtant, c'est bien un homme de quarante–trois ans que je vois. Alors, vous voyez (il rit). Il ne s'agit que d'un état d'esprit. On pourrait dire que le corps physique n'est que le costume que l'on porte dans cette dimension. Larry dit, que quoiqu'il arrive, il sera au rendez–vous. Peu importe ce qui arrive, il sait qu'il vous manquera toujours. Il en sera toujours ainsi. Il n'essaiera pas de vous convaincre du contraire. Ça ne changera pas. Vous penserez toujours à lui. Vous vous souviendrez des bons moments.

Vous avez été ensemble durant trop peu de temps à votre avis et...

— Oui, c'est vrai.

— Mais il dit que peu de temps vaut mieux que rien.

— Oh oui !

— Cependant, il vous manquera toujours, mais il vous faut terminer la mission de votre vie ici–bas. Car vous êtes une âme individuelle avec une mission individuelle, tout comme il l'était. Vos vies se sont croisées. Par contre, l'un d'entre vous a terminé sa tâche plus tôt et a forcément dû continuer son chemin ailleurs. Malgré tout, un jour, vous aussi compléterez votre tâche et passerez à la prochaine étape.

— Dites–moi ce que je dois faire !

— Ce que vous faites, simplement. Vous n'avez qu'à continuer votre vie. Comme il dit, tout a déjà été mis en scène, vous n'avez qu'à jouer votre rôle. Ne souhaitez pas la mort. Ne pensez pas qu'il serait mieux de vous enlever la vie. Poursuivez votre cheminement. Il dit : « Tu dois arriver ici en atteignant le fil d'arrivée. Ça arrivera quand le temps sera venu. » C'est donc dire qu'il vous encourage à continuer votre chemin. Il ne pratiquait pas de religion, mais la spiritualité a une importance certaine pour lui. Il vous demande d'ailleurs de continuer à prier pour lui, rappelez–vous qu'il est auprès de vous à tout moment. Vous avez eu des maux de dos dernièrement ?

— Oui, c'est vrai.

— Il dit que vous devez faire attention à votre dos lors de vos activités physiques ou sportives. De toute façon, le stress est responsable d'une bonne partie de ces maux. Vous ne dormez pas bien... vous êtes simplement... vous êtes dans un état pitoyable. C'est le désordre qui règne en vous. Il dit qu'il y a des jours où vous pensez que vous êtes cinglée et que vous avez perdu la tête.

— Oui, c'est vrai. (Elle rit.)

— Eh bien, il dit : « Tu es cinglée ! » Non, il blague. (Rire) Il dit : « Bien sûr que tu es cinglée, comment aurais–je pu tomber amoureux de toi si tu ne l'avais pas été ? »

— C'est vrai.

— Eh bien, il était cinglé, lui aussi.

— Aucun doute !

— C'est lui qui le dit. Si le chapeau vous fait, il faut le porter, n'est–ce pas ? Alors, il était cinglé et vous aussi. En fait, vous étiez comme des enfants, des adolescents passant un moment du tonnerre ensemble.

— Oui, exactement.

— Et il dit que ce souvenir est là pour vous soutenir jusqu'à ce que vous soyez de nouveau réunis. Je crois que c'est sur ces mots qu'il va se retirer, car je sens sa présence s'estomper doucement. Les âmes ne peuvent se rattacher à mon esprit que pour un certain temps.

— J'aimerais tellement que tu ne partes pas, Larry.

— Eh bien, il n'est pas en train de vous quitter. Il va simplement se détacher de moi afin de laisser mon cerveau se reposer, mais il ne vous quitte en aucun cas. « Mais ça fait une heure que je t'explique, dit–il, je ne m'en vais nulle part ! Le fait que je ne parle plus à cet homme, que je coupe la communication avec son esprit ne veut pas dire que je m'en vais. »

— Pouvez–vous lui demander, George, avant de couper, comment puis–je savoir que c'est bien lui qui est là et que je ne suis pas folle ?

— Eh bien, il dit, et avec raison, qu'il faut simplement vous laisser aller à ressentir sa présence. Il vous faut aussi prendre conscience que parfois, les messages les plus profonds viendront lorsque vous vous y attendrez le moins. « Poursuis simplement ton chemin et sois heureuse, dit–il. Tu désires me savoir heureux à tes côtés et il m'importe de ressentir la même chose. Sache que nous nous retrouverons. » Et cela, il peut vous le garantir. On peut dire qu'il est honnête, franc et que vous pouvez lui faire confiance.

— Tout à fait !

— S'il le dit, c'est donc certain. Il dit que vous serez réunis de nouveau. Il vous dit de tenir bon, vous vous retrouverez un jour. Il ajoute : « Accomplis ton destin dans le bonheur, va jusqu'au fil d'arrivée et viens me rejoindre de l'autre côté. »

— Je t'aime, Larry.

— Il conclut maintenant en disant qu'il vous aime aussi et en vous offrant son amour. Il dit : « Et tente de t'accrocher et d'être heureuse jusqu'à ce que nous soyons réunis de nouveau. » C'est ainsi qu'il repart en compagnie de votre père, de vos grands–parents et des autres membres de sa famille. Encore une fois, il s'adresse à sa famille. Ce qui est le plus important de comprendre, c'est que vous étiez certainement l'élément spécial de sa vie, l'élément insolite, et vous l'êtes toujours. « Rappelle–toi que je suis toujours avec toi, je suis encore ton époux et ton ami. » C'est sur ces mots qu'il nous quitte et les autres le suivent, Voilà, ils sont partis.

Chapitre 9

LE DEUIL : ACCEPTER ET SURMONTER LA SOUFFRANCE

Nous vivons dans une société qui exige de nous une promptitude déconcertante. Un monde qui nous rappelle constamment que nous sommes en retard, que nous aurions dû faire hier ce qui est dû pour aujourd'hui. Il suffit pour s'en convaincre d'être attentif au vocabulaire des publicitaires : « vite » et « rapide », ces deux mots jouissent d'une popularité sans pareille depuis quelques années. Quels que soient nos besoins ou nos problèmes, nous souhaitons toujours les combler et les régler de façon « rapide » et « facile ». De toute façon, nous sommes convaincus d'avance qu'il s'agit de la seule façon logique de procéder. Nous tenons à ces idées, mais un jour ou l'autre nous finissons par découvrir qu'elles ne sont pas toujours aussi efficaces que nous aurions voulu le croire… Et voilà que la vie nous confronte à la perte d'un être cher. Le deuil nous oblige à la réflexion : comprendre le deuil, profondément et dans toutes ses implications, demande du temps et de la patience. La guérison est un processus lent, parfois toute une vie ne suffit pas à apaiser nos blessures. Comprendre et accepter la perte d'un être cher ne se fait pas en un jour, c'est un « travail » quotidien, qui s'effectue lentement. D'autant plus, que le véritable sens de cet événement, en d'autres termes, la place qu'il tient dans notre apprentissage spirituel, ne nous sera accessible que lorsque nous aurons franchi, à notre tour, les portes de l'au–delà.

Je ne me considère pas comme un expert en matière de deuil, loin de moi cette idée. Toutefois, mes dons m'ont permis d'entrevoir la paix et l'espoir que portent en elles les âmes de l'au–delà, ce qui fait que j'appréhende la mort d'une façon différente. Il faut dire que je m'en remets toujours au message d'espoir que nous livrent les âmes. Ces messages, elles nous les transmettent dans le but de nous faire comprendre que notre souffrance a un sens. Ainsi, il nous sera plus facile de composer avec notre propre mort comme avec celle de nos proches. Et en cette matière, les âmes sont les seules et uniques expertes. En ce qui me concerne, leurs messages m'ont toujours été d'un grand secours.

Les âmes de l'au–delà ont accès à une compréhension de la vie qui va bien au–delà de la nôtre ; leurs conseils m'ont toujours apporté beaucoup d'espoir et de réconfort. Ce qui ne veut pas dire que je sois, pour autant, à l'abri de la douleur et de la tristesse que fait naître la perte d'un être cher. En fait, il m'arrive même d'être passablement secoué par ce que j'entends. D'un point de vue émotionnel, je suis alors complètement vidé et je sens monter en moi des états dépressifs. Mes dons me confrontent à tant de détresse et de tragédies qu'il m'arrive de ne plus le supporter. Il ne faut pas oublier que j'ai eu aussi mon lot de souffrance et de tristesse et que ces expériences douloureuses ont parfois ébranlé mes convictions. Personne n'est à l'abri de la détresse… La perte d'un être cher n'est jamais facile. Toutefois, la fréquentation des âmes m'a appris qu'il faut prendre les choses telles qu'elles sont, avec tout le bien et tout le mal que cela suppose ; rien n'est jamais tout noir ou tout blanc. Ainsi, les personnes qui réussissent à surmonter leur chagrin et à aller de l'avant à la suite du décès d'un être cher deviennent à leur tour des « spécialistes » en la matière, étant donné qu'elles ont su en tirer une leçon spirituelle d'une grande valeur.

Il ne faudrait surtout pas s'y tromper : il n'existe aucune recette pour surmonter la douleur qui nous étreint à la perte d'un de nos proches. Seuls le temps et la réflexion sont capables de mener une personne en deuil sur le chemin de l'acceptation et de la compréhension. Toutefois, mes dons peuvent favoriser la mise en place du processus de guérison chez les personnes affligées en leur donnant l'assurance que leurs proches sont heureux et en paix. Cette seule information suffit bien souvent à nous réconcilier quelque peu avec la perte d'un être cher. Prenez, par exemple, ces personnes qui m'ont reproché d'avoir démontré un calme déconcertant à la mort de mon père. Elles ne comprenaient tout simplement pas que je le voyais heureux et fringant alors qu'elles gardaient le souvenir d'un homme brisé et malade. J'ai été confronté à tant de tragédies personnelles que, si ce n'était de la grâce des âmes de l'au–delà, je serais certainement devenu fou. Ce qui ne veut pas dire que la présence physique des êtres chers que j'ai perdus ne me manque jamais... Elle me manque ! Le fait de savoir que la mort n'est pas synonyme de fin et que les êtres que nous aimons vivent toujours dans l'au–delà, ne nous soustrait malheureusement pas à la douleur de la séparation physique.

La communication que j'entretiens depuis des années avec les âmes de l'au–delà m'a fait comprendre qu'il n'existait pas de solution toute faite lorsqu'il s'agit d'aider une personne à surmonter son deuil. Pas plus que l'on ne peut prédire combien de temps il lui faudra pour se remettre sur pied. La guérison est un processus parfois laborieux qui conduit à faire un pas en arrière pour deux pas en avant. Il n'y a pas de solution miracle, pourtant il y a bien un ou deux remèdes, mais il faut se montrer patient : seuls le temps et l'acquisition d'une meilleure compréhension du monde et des choses hâtent la guérison. J'ai aussi appris que la haine, l'amertume et l'apitoiement sont des sentiments tout à fait naturels, puisqu'ils naissent de la souffrance morale. Toutefois, si nous n'y prenons pas garde et que nous les laissons grandir en nous, ils finissent pas nous détruire. Ces sentiments nous empêchent de poursuivre notre cheminement spirituel en cette vie ; les âmes le savent bien et c'est pour cette raison qu'elles tiennent à nous mettre en garde contre cette attitude qui mène à la stagnation. Pourtant, et comme je le laissais entendre un peu plus haut : il y autant de façons de réagir à un deuil qu'il y a de personnes. Tandis que certaines personnes adoptent une attitude pragmatique en tentant d'apprivoiser leur peine au fil des jours, d'autres seront complètement anéanties et perdront le goût de vivre. La souffrance a deux facettes, elle nous touche à la fois moralement et physiquement, c'est pourquoi l'apaisement de la souffrance est un processus lent et complexe qui commande une guérison à la fois physique, mentale et spirituelle. Les personnes en deuil ont besoin que leur souffrance soit respectée, aussi ne doit–on rien brusquer, chacun guérit ses blessures à son propre rythme. Cela peut prendre des semaines, des mois, voire des années, peu importe le temps... Pourvu que nous ne nous laissions pas abattre, il faut aller de l'avant, tel est le message des âmes de l'au–delà.

Si mes dons permettent aux personnes en deuil d'entrer en contact avec leurs proches disparus et d'apprendre de ce contact des choses qu'elles ne soupçonnaient même pas, il ne faut pas oublier que j'ai aussi beaucoup appris de ces rencontres. Les nombreuses captations que j'ai réalisées auprès de familles touchées par la perte d'un être cher, m'ont donné l'occasion de faire un apprentissage pratique concernant le deuil et les processus de guérison. Ainsi, j'ai pu constater que la plupart des femmes réagissent très fortement dans les premiers temps, mais au bout d'un certain temps, elles trouvent la paix en acquérant la certitude toute intime que l'autre vivra toujours dans leur cœur. De plus, elles parlent plus volontiers de ce qu'elles vivent et cela les aide grandement à surmonter leur peine. Les hommes se montrent plus stoïques dans les premiers jours, ils sont le « roc au cœur de la tempête », ils consolent tout le monde sans jamais laisser transparaître aucune émotion. Pourtant et au fil du temps, leur peine finit par faire surface et il leur arrive plus souvent qu'à leur tour de sombrer dans la dépression. Certains verront dans leur travail une planche de salut, mais il faut voir qu'ils tentent le plus souvent de s'abrutir dans le travail, d'autres, chercheront dans l'alcool un moyen d'oublier. Laissés à eux–mêmes, ces hommes se retranchent souvent dans un silence obstiné, teinté d'agressivité mal dirigée, il s'ensuit tout un lot de problèmes dont la maladie physique et mentale.

Sachez d'abord que le fait de pleurer constitue la réaction la plus naturelle et la plus appropriée face à la souffrance. Les âmes de l'au–delà confirment ce que la plupart d'entre nous sommes enclins à penser : pleurer purifie l'âme. Pleurer, mais aussi ne pas avoir peur de parler de la personne disparue. Le fait de pouvoir en parler librement, ne serait–ce que pour relater les bons moments que nous avons passés en sa compagnie, peut nous être d'un grand secours. Trop de gens se refusent à voir les choses en face, et qui plus est, ils n'osent plus prononcer le nom de la personne disparue. Ces personnes ignorent que les âmes adorent que l'on parle d'elles, mieux encore que l'on s'adresse à elles à haute voix. Lorsque nous nous adressons à elles directement, nous leur faisons savoir que nous sommes conscients de leur présence. Et, surtout n'oubliez jamais qu'il n'y a aucune honte à pleurer, même pour un homme… Cela ne nous rend que plus humains. J'ai vu beaucoup de femmes pleurer à chaudes larmes… à côté de maris qui luttaient de toutes leurs forces pour ne pas craquer. Les âmes savent bien qu'une telle attitude est néfaste. D'ailleurs, il leur arrive souvent de se concentrer sur une personne afin qu'elle exprime sa peine et qu'elle se laisse enfin aller en pleurant un bon coup. Elles souhaitent lui faire comprendre la vertu libératrice des larmes. Les larmes sont la première étape sur le chemin de la guérison.

Une fois retombé le brouhaha de la cérémonie, les familles se retrouvent seules, cette solitude les confronte au deuil de façon abrupte. Cette étape est cruciale, car c'est à ce moment qu'elles adoptent l'attitude qui sera la leur pour faire face au vide et à la souffrance qu'elles vivent. Or, les âmes m'ont confié qu'il arrivait trop souvent que les familles se divisent plutôt que de s'unir face à l'adversité. Chacun reste enfermé dans sa propre douleur et se sent incapable de supporter la douleur des autres… pas plus d'ailleurs que la sienne. Parallèlement à cela, la famille se concentre sur le défunt, tout devient secondaire et les membres de la famille en viennent à se négliger mutuellement. Les parents négligent leurs enfants, les maris, leurs femmes et vice–versa. Peu à peu l'amertume et le ressentiment se mêlent à la douleur pour créer une véritable bombe qui implose au cœur de la famille. Heureusement, ce n'est pas le cas de toutes les familles ; chaque personne et chaque famille ont leur propre façon de faire face au deuil.

Il existe aussi des familles que le deuil et la souffrance rapprochent, cependant que de nombreuses autres se divisent et éclatent. Il arrive fréquemment que les femmes soient à l'origine de cet éclatement, elles prennent leurs distances ou choisissent carrément le divorce. Cette règle du « chacun pour soi » inquiète toujours les âmes de l'au–delà. Elles se dressent parfois avec vigueur contre ce processus insidieux qui s'installe dans leur famille. Toutefois, elles savent bien qu'elles n'y peuvent pas grand–chose – à part les quelques conseils qu'elles ont la chance de prodiguer lors des captations — nous avons chacun notre propre chemin à parcourir et notre façon de réagir à un deuil en fait partie. Pourtant, elles connaissent les vertus du temps… le temps a souvent raison de bien des blessures.

J'ai constaté que les personnes qui me demandent une captation sont rarement accompagnées de leurs frères et de leurs sœurs lors de la séance. Bien entendu, il est parfois possible de mettre cette absence sur le compte de l'incrédulité, mais dans bien des cas les personnes se refusent à partager leur peine, elles ne veulent pas briser le mur de l'isolement derrière lequel elles se sont retranchées. J'encourage toujours les gens à convier les membres de leur famille aux captations, ne serait–ce que pour pouvoir rediscuter ensemble de ce qu'ils y ont appris. Heureusement, chez la plupart des individus la captation s'offre aussi comme un moyen privilégié de reprendre contact avec des émotions qu'ils réprimaient depuis longtemps. Je m'amuse souvent à épier les réactions des enfants des familles pour lesquelles j'effectue une captation Ces enfants sont toujours très passifs, ils écoutent et ils attendent, ils n'ouvrent pas la bouche comme s'ils savaient que leurs commentaires ou leurs réactions n'ont que peu d'importance aux yeux des membres de la famille. Ces enfants sentent bien que leurs parents ne sont pas sensibles à leur peine. Leur père et leur mère sont beaucoup trop absorbés par leur propre douleur pour leur porter attention. Quant aux autres membres de la famille et aux amis, ils semblent croire que ces tragédies n'affectent pas autant les enfants. En fait, ils sont convaincus qu'un enfant est incapable de comprendre la mort. Toutefois, lorsque l'on prend le temps d'observer un peu ces enfants, on découvre sans peine que ce deuil les affecte tout autant. Parlez avec eux, ne soyez pas avares de votre temps et vous verrez qu'ils sont tout autant blessés et troublés par le deuil qu'un adulte. Cela en vaut la peine, croyez–moi.

Voir sa sœur ou son frère mourir en bas âge, alors qu'on est soi–même encore enfant, constitue une expérience traumatisante. Confronté à la mort, l'enfant perd une bonne partie de son innocence. Les enfants, jusqu'à ce qu'ils deviennent de jeunes adultes se croient immortels et la mort d'un membre de la famille les met brusquement en face d'une réalité qui leur était étrangère. Cet événement nous rappelle que rien n'est éternel en ce bas monde… Pourtant, la majorité des enfants se montrent tout à fait capables de comprendre la mort et d'y faire face, seulement faut–il encore prendre le temps de leur expliquer de quoi il s'agit. Les âmes de l'au–delà remplissent cette tâche, elles font ce que nous devrions faire quotidiennement, elles n'hésitent pas à parler ouvertement de la mort aux enfants. Durant les captations, les enfants de l'au–delà n'ignorent jamais leurs frères et sœurs, ils s'adressent à eux avec une cordialité et une simplicité qui ne manquent jamais de les toucher. Elles disent les choses comme elles sont, sans artifice. Je me souviens d'une anecdote savoureuse à ce propos. Lors d'une captation, un frère en a profité pour dire à sa sœur qu'il lui donnait sa chambre et il a même ajouté qu'il l'aiderait à réussir son examen de mathématiques de fin d'année.

Très amusant n'est–ce pas ? Ces messages sont d'une telle fraîcheur qu'il ne sert à rien d'y ajouter quoi que ce soit pour que l'on comprenne immédiatement que la vie dans l'au–delà n'est pas quelque chose d'effrayant ou d'inconcevable. Par leur simplicité, les âmes de l'au–delà font comprendre aux enfants que la mort, ou plutôt la vie dans l'au–delà, est quelque chose de tout à fait naturel. Les enfants décédés en bas âge se préoccupent du bien–être de leurs frères et sœurs, cela ne fait aucun doute.

Si j'insiste tant sur cette question, c'est que je souhaite ardemment que l'on cesse de minimiser les répercussions d'un deuil dans la vie des enfants. Prenez exemple sur les âmes et parlez ouvertement de la mort avec eux. Vous craignez d'éclater en sanglots ? Dites–vous bien que vos enfants pleurent aussi... Seulement voilà, la plupart d'entre eux cachent bien leur peine. N'oubliez pas non plus que les enfants ont la grâce de recevoir la visite des âmes, grâce qui échappe à la majorité des adultes. Il arrive trop souvent que les enfants ne sont pas conscients de ces visites parce qu'ils ne savent pas qu'une telle chose est possible. Demandez à vos enfants s'ils ont rêvé de leur frère ou de leur sœur décédée, cette question deviendra un excellent préambule à une discussion sur la mort et sur ses implications. Les enfants n'aiment pas qu'on les ignore et en ce sens, ils sont bien tous pareils — tant ceux de l'au–delà que les enfants d'ici — ils ont besoin d'attention et ils ont beaucoup de mal à vivre dans l'ombre de leur frère ou de leur sœur décédé(e). Si les enfants qui assistent aux captations ne se montrent généralement pas très enthousiastes, il ne faudrait pas pour autant en conclure qu'ils y sont insensibles. Il suffit de les voir après la séance pour constater qu'ils n'ont pas raté un mot de ce qui s'y est dit. Le fait d'avoir pu communiquer avec leur frère ou leur sœur décédé(e), les remplit de joie et de fierté.

La perte d'un enfant est à l'origine de nombreux problèmes familiaux en ce qu'elle déstabilise les liens qui unissaient auparavant chacun des membres de la famille entre eux : mari et femme, parents et enfants et frères et sœurs, tous les rapports familiaux en sont profondément bouleversés. D'ailleurs, les statistiques le prouvent bien : 50 % des couples divorcent dans les deux années qui suivent la mort d'un de leurs enfants et 70 % ont divorcé au bout de six ans. Ces statistiques, bien que désolantes, ne me surprennent pas. Combien d'hommes m'ont confié ne plus pouvoir vivre aux côtés d'une femme dont le visage leur rappelle constamment que leur vie ne sera plus jamais la même. Il arrive souvent que la souffrance soit à l'origine de maux bien plus graves. Les gens qui souffrent ont souvent tendance à sombrer dans la colère et le ressentiment. Toutefois les femmes sont moins enclines à ce type de réactions. Bien souvent les reproches et l'autocritique finissent par envahir le quotidien des familles qui finissent par éclater sous le poids de ces sentiments négatifs. Ainsi, les époux se replient dans leur souffrance ; la charge qu'ils portent est déjà si lourde qu'ils ne veulent pas avoir à endurer celle des autres. Ils se retranchent dans l'indifférence et le silence. Le couple finit par se briser par manque d'intimité ; les conjoints deviennent des étrangers l'un pour l'autre.

Il n'est pas facile de rester unis dans la souffrance, cela requiert une attention de tous les instants. Les âmes de l'au–delà connaissent bien cette difficulté. C'est pourquoi elles essaient toujours de faire comprendre à leur famille qu'il est de la plus haute importance de maintenir des liens familiaux de qualité.

N'oublions pas que les enfants font souvent les frais de la perte de leur sœur ou de leur frère. Trop souvent, les parents en deuil les délaissent, trop absorbés qu'ils sont par leur chagrin, mais l'inverse peut aussi se produire. Dans ce cas, les enfants deviennent victimes de la surprotection de parents qui redoutent, plus que tout au monde, la répétition du cauchemar qu'ils ont vécu. Mon amie Connie a eu l'honnêteté d'admettre qu'elle était si submergée par le chagrin qu'elle en avait délaissé sa fille. Jusqu'au jour où elle est tombée par hasard sur une page de son journal où elle racontait qu'elle se sentait seule et abandonnée. Ces quelques phrases lui ont enfin ouvert les yeux : elle avait négligé sa fille, elle l'avait laissée toute seule avec sa peine. Je peux aussi vous parler de cette femme du Michigan qui a perdu son fils en 1993 et qui ne peut plus respirer sans savoir où se trouve sa fille à chaque instant. Les enfants de l'au–delà voient les agissements de leurs parents et ils ne se gênent pas pour les rappeler gentiment à l'ordre. Qu'ils négligent leurs enfants ou qu'ils les couvent trop, ces parents font de leurs enfants « survivants » les innocentes victimes du drame qu'ils vivent. N'oubliez pas qu'ils ont besoin d'amour et d'attention tout autant qu'avant.

Personne ne parle plus éloquemment de la façon de composer avec la perte d'un être cher que les âmes de l'au–delà. C'est avec une admirable simplicité qu'elles aident directement les personnes aimées en leur faisant comprendre que la mort n'est que le moyen d'accéder à une fin magnifique. Ces âmes parlent de leur monde et du nôtre avec tant de confiance, qu'il est impossible de douter du fait qu'elles sont heureuses et en paix. Ce qu'elles nous disent de leur monde nous aide à nous percevoir différemment, ainsi qu'à comprendre la raison pour laquelle nous devons poursuivre notre chemin en cette vie. Rien de ce que je pourrais dire ou faire ne saurait avoir le même impact que le message d'espoir et de sagesse que nous livrent ces âmes. Car, mieux que quiconque, elles savent nous épauler dans cette tâche difficile qui consiste à recoller les morceaux à la suite d'un décès. J'ai vu le puissant effet de leur message sur la vie des personnes qu'elles avaient aimées, au point où la vie de ces personnes en a été profondément transformée. Les âmes connaissent bien le monde qu'elles ont quitté.

La vie a placé sur ma route des personnes exceptionnelles que je me sens privilégié de connaître. Connie Carey est une de celles–là. Son courage et sa détermination devant l'adversité m'ont fait comprendre qu'il est possible de grandir spirituellement à travers les épreuves que nous traversons. Connie est une femme attachante qui fait preuve d'une volonté si forte qu'il ne fait pas de doute qu'elle parviendrait à intimider un général s'il se plaçait en travers de sa route. Connie a su trouver une façon bien à elle de surmonter sa douleur à la suite du décès de sa fille. Elle a choisi de s'ouvrir aux autres et de mettre son franc–parler au service des mères qui, comme elle, ont perdu un enfant. J'ai demandé à Connie si elle aurait pu croire qu'elle deviendrait un exemple de courage et de ténacité pour les autres, elle m'a répondu : « Je croyais plutôt que j'allais être une maman comme les autres, une mère aimante qui s'occupe bien de ses enfants et qui veille sur eux jusqu'à ce qu'ils soient adultes. Mais, ouf ! Les choses ne se sont pas passées comme ça ! » Voilà qui illustre parfaitement comment la vie s'y prend parfois pour nous mettre dans les situations dont nous avons besoin pour accomplir ce à quoi nous sommes destinés.

Il vaut mieux essayer de comprendre et d'accepter ces bouleversements que de s'obstiner à les refuser ; notre croissance spirituelle en dépend. La première étape vers cette acceptation consiste à comprendre que la perte d'un proche est un événement perturbateur à l'origine de grands changements dans notre vie. Rien ne sert de combattre, il faut l'accepter. Encore une fois, il n'existe pas de recette miracle, tous les moyens sont bons à condition qu'ils nous mènent en avant. Connie m'a dit un jour : « Le jour où ma fille aurait dû fêter ses vingt et un an, je me suis rendue au cimetière pour y fumer une cigarette et y boire une bière à sa santé. Je ne fume pas et je n'ai pas non plus l'habitude de boire de la bière, mais j'avais envie de poser ces gestes de façon symbolique. Je célébrais le début de sa vie adulte. » Connie a trouvé une façon de se mettre symboliquement en liaison avec sa fille, ce geste profondément humain recouvrait une signification importante : il mettait en évidence le fait que mère et fille ne sont pas séparées et que la vie continue malgré tout. L'attitude de Connie durant la captation est à ce propos révélatrice : elle s'est adressée à sa fille comme on le fait avec une bonne copine que l'on n'a pas vue depuis quelques années. Connie a compris et accepté la mort de sa fille ; elle est maintenant sereine. Elle nous raconte son histoire dans les quelques pages qui suivent.

Michele était ma première fille, je n'ai eu qu'un fils avant elle. C'était une jeune fille exubérante et décontractée qui attirait la sympathie de tous. Très ouverte d'esprit, elle croyait que toute personne était digne d'attention et de respect, quelles que fussent sa couleur, sa religion ou sa culture. Michele aimait beaucoup son frère, de vingt et un mois son aîné et elle était très proche de sa sœur, qui était de deux ans sa cadette. Son frère, Shawn étant d'un tempérament plus timide et moins fonceur, il arrivait souvent que Michele le défende. Si quelqu'un voulait s'en prendre à Shawn, il était clair qu'il rencontrait Michele sur son chemin. Colleen et Michele étaient très proches l'une de l'autre, elles partageaient la même chambre et passaient des nuits entières à discuter de leurs problèmes, de leurs angoisses et de leurs rêves. Nous étions heureux, nous riions et nous savions nous amuser. Je pouvais compter sur Michele, elle était toujours là pour m'aider. Michele était une sportive, elle jouait au soccer et au volley–ball, faisait du ski, de la danse, du patin et elle avait raflé plusieurs distinctions en gymnastique. Je n'aurais pas pu être plus fière de ma fille. À l'âge de seize ans, elle avait déjà fait plusieurs défilés de mode pour des boutiques locales. Le physique de Michele la prédisposait à être mannequin. Elle mesurait 1 mètre 76, elle avait de longs cheveux blonds qui tombaient en boucles et d'adorables yeux bleus. Elle était devenue la coqueluche des garçons de l'épicerie Wegman's où elle travaillait à mi–temps. Bref, tout allait bien.

À l'automne de 1993, Michele entamait sa dernière année d'études avant d'entrer à l'université. Cette idée la rendait folle de joie, si bien qu'elle avait déjà soumis sa candidature à plusieurs universités de son choix. Le 19 septembre, à deux heures de l'après–midi, elle est partie en voiture avec une bande d'amis pour faire une excursion. À trois heures sept, le conducteur de la voiture heurta un arbre de plein fouet à la vitesse de 120 km/ heure.

Michele fut grièvement blessée, les quatre autres occupants de la voiture souffraient de blessures moins sévères. Elle mourut quatre jours plus tard, le 23 septembre 1993 d'une hémorragie cérébrale.

Le sol venait de se dérober sous nos pieds. Je ne pouvais pas m'empêcher de penser qu'il s'agissait d'une punition... J'avais dû commettre une erreur, j'étais persuadée que je n'avais pas su me montrer à la hauteur en tant que mère. Quant à mon mari, il ne cessait de se torturer en se répétant qu'il aurait pu l'empêcher de partir avec eux. Ah ! Si seulement j'avais été à la maison ce jour–là... Cette idée ne le lâchait plus. Pendant des années, j'ai nourri une haine sans mesure envers le conducteur de la voiture. Il déniait toute responsabilité. Malheureusement, il arrive trop souvent que les droits des accusés priment sur ceux des victimes et c'est précisément ce qui s'est passé. Tous les rêves que j'avais faits pour elle s'évanouissaient. On m'avait ravi le bonheur d'assister à sa graduation, de la voir devenir une adulte et de voir un jour ses enfants. J'étais dévorée par un sentiment de rage qui ne trouvait pas d'exutoire. J'étais minée, j'avais perdu le goût de vivre. Tous les après–midi, au moment où ma fille Colleen rentrait de l'école, je me disais qu'il faudrait que je lui parle, mais je ne m'y résolvais jamais et elle partait s'enfermer dans sa chambre. Quant à mon fils, il était de moins en moins à la maison et je me disais que cela valait mieux ainsi. Je n'avais rien à leur donner, je surnageais à peine, comment aurais–je pu faire ? J'avais honte de moi, je pensais que j'étais en train de tout gâcher. Mes parents et mes frères et sœurs se sentant impuissants devant tant de détresse, choisirent de rester à l'écart. Ma foi commença à en subir les contrecoups. On avait beau me dire que ma fille était heureuse, cela ne suffisait pas à apaiser mon tourment, j'étais au cœur d'une tempête.

Je ne parvenais pas à me ressaisir, mais en même temps je ne m'effondrais pas, j'étais dans un drôle d'état. C'est à ce moment que j'entrepris des recherches sur la mort et l'au–delà. Je voulais obtenir une confirmation du fait que Michele n'avait pas disparu avec la mort. Je lisais tout ce qui me tombait sous la main, j'assistais à des séminaires. Toutes ces démarches m'ont non seulement permis de reprendre contact avec moi–même, mais aussi avec Michele. C'est ainsi que j'ai eu la chance d'entrer en contact avec ma fille par l'intermédiaire de George Anderson. Ce jour–là, j'ai appris que la vie de ma fille n'avait pas pris fin en ce sombre jour de septembre. Maintenant je le sais, je le sens au plus profond de mon cœur : Michele n'a pas disparu, elle poursuit sa vie ailleurs, dans un monde qui n'est pas si loin du nôtre. Je sais aussi qu'elle comprend ma souffrance et ma rage. Je suppose que ces sentiments finiront par se dissiper au fil du temps et à mesure que je comprendrai mieux de quoi il en retourne.

J'ai voulu me donner les moyens de surmonter ma peine en offrant mon temps et mon énergie pour une cause qui me tient à cœur. C'est pourquoi, je m'occupe bénévolement du parrainage de George Anderson pour la ville de Syracuse dans l'État de New York. C'est ma façon d'aider les gens à traverser ce que j'ai moi–même vécu.

Ces rencontres m'ont beaucoup apporté, j'ai pu retrouver l'espoir au cœur de la souffrance. J'ai souvent l'impression que Michele m'aide à trouver les mots qu'il faut pour apaiser la souffrance des personnes en deuil. (Et d'une façon toute particulière lorsqu'il s'agit de mères) Tous les jours, je sens sa présence, elle est toujours prête à me porter secours dans la mesure de ses moyens. Bien entendu, je ne reverrai pas Michele jusqu'à ce que nous nous retrouvions dans l'au–delà, mais mes connaissances font que j'ai maintenant la certitude qu'elle est toujours vivante et qu'elle est heureuse et en paix. Il lui arrive même de nous donner des indices tangibles de sa présence auprès de nous. Par l'entremise du rêve, elle a rendu visite à notre fille Colleen une bonne centaine de fois pour lui donner des nouvelles de sa vie dans l'au–delà.

Depuis la mort de Michele nous sommes entrés directement en contact avec elle à plusieurs reprises. Toute la famille a assisté aux captations, je voulais que tout le monde puisse partager le plaisir de l'entendre. En octobre 1997, alors que George était de retour à Syracuse, j'en ai profité pour lui demander une rencontre privée. Je voulais parler à ma fille de « femme à femme ». Je souhaitais l'entretenir de sa vie et de la mienne. Fidèle à elle–même, Michele n'a pas hésité une seconde à m'aider à y voir plus clair dans ma vie. Voici la transcription de cette captation que George a bien voulu effectuer pour ma fille et moi.

LA CAPTATION

— Commençons. Il y a deux personnes dans la pièce, mais je ne sais pas encore qui elles sont. Deux hommes et une femme. Vous avez perdu une fille, n'est–ce pas ?

— Oui.

— Je voulais dire que vous en avez perdu deux.

— Non.

— Je les entends parler d'une seconde fille, comprenez–vous pourquoi ?

— (Elle hésite)

— Est–ce qu'un membre de votre famille a perdu une fille ? Pour sûr, quelqu'un insiste, il répète qu'il y a deux filles qui sont mortes ou à tout le moins, deux jeunes femmes.

— Ah !

— Oui, en fait, j'aurais dû parler de deux jeunes femmes, il doit s'agir de la fille de quelqu'un d'autre que vous connaissez. Quoi qu'il en soit, il y a deux jeunes femmes.

— D'accord.

— Il s'agit de votre fille et l'autre est la fille d'une de vos connaissances, est–ce que vous pensez à quelqu'un ?

— Oui.

— Une femme m'a dit qu'elle était morte très jeune, c'est pourquoi j'ai pensé qu'il pouvait s'agir d'une autre de vos filles, mais visiblement ce n'est pas le cas. Elle fait partie de votre famille, c'est possible ?

— Oui.

— C'est ça, parce qu'elle insiste sur le lien de parenté qui vous unit. Elle me parle de ses parents, à présent. Ils sont toujours vivants, n'est–ce pas ?

— D'accord, elle ne m'a toujours pas dit quel est le lien de parenté qui vous unit. Elle me parle de « cousins » maintenant. Elle est morte jeune, n'est–ce pas ?

— Elle me dit qu'elle est souvent avec votre fille. Est–elle morte avant elle ?

— Oui.

— Ah ! J'entends quelqu'un dire : « Papa est là ». Votre père est mort, n'est–ce pas ?

— Oui.

— Il doit s'agir de l'homme qui accompagne les deux jeunes femmes. J'entends quelqu'un répéter le prénom « Patty », est–ce que vous connaissez une personne de ce prénom ?

— Oui.

— Je sens quelqu'un qui me tourne autour en répétant : « Patty, Patty, Patty » Est–ce que la cousine dont je parlais à l'instant se nomme Patty ?

— Oui.

— Bon, c'est bien elle. Votre fille et Patty sont à peu près du même âge ?

— Enfin, à peu près.

— Je voulais dire qu'elles appartiennent à la même génération. Elle me donne l'impression d'être très proche de votre fille, il semble qu'elles soient devenues de très bonnes copines.

— Maintenant, elle appelle ses parents, elle voudrait leur faire savoir que tout va bien. Enfin, s'ils sont prêts à accueillir le fait qu'elle puisse leur donner de ses nouvelles...Hum, elle les appelle encore. Bon, ne me dites pas de quoi il s'agit, mais je vois un gros « M » devant moi. Cela a certainement un sens, est–ce que vous connaissez quelqu'un qui signait son nom avec juste un « M » ou qui mettait l'accent sur le « M » lorsqu'il l'écrivait ?

— Oui.

— Je vois toujours ce fameux « M », il est juste sous mes yeux, comme si quelqu'un essayait de signer son nom devant moi en mettant l'accent sur le « M ». Peut–être s'agit–il là d'une manière moins formelle d'écrire son nom. Quoi qu'il en soit, l'accent est mis sur le « M ». Le « M » dans la signature de votre fille était–il plus grand que les autres lettres ?

— Oui.

— Ah ! Maintenant je vois le mot « code » devant moi, elle m'a montré ce « M », détail que je ne connais pas à son sujet, en guise de preuve de sa présence. Votre fille vous remercie pour ce qui a été fait en sa mémoire, vous avez fait quelque chose ?

— Oui.

— Depuis peu ? Je veux dire, depuis les deux dernières années ?

— Oui.

— On parle d'une sœur, avez–vous une autre fille ?

— Oui.

— Hum, c'est ça, votre fille la félicite. A–t–elle reçu de bonnes nouvelles récemment ?

— (Elle hésite) Ça se pourrait.

— A–t–elle un emploi ?

— Oui.

— Oui, parce que cette nouvelle touche le travail. Il semble qu'elle ait reçu ou qu'elle aille recevoir de bonnes nouvelles. Je vois aussi le mot « carrière », je présume donc qu'il s'agit de quelque chose en lien avec son travail. Votre fille me dit que vous avez terriblement souffert à la suite de son décès. Bien entendu, la souffrance est une affaire personnelle et intime et chacun vit le deuil à sa façon. Elle comprend cela et elle compatit à votre douleur, mais en même temps, elle souhaite que vous puissiez un jour en arriver à surmonter votre chagrin. Elle ne vous juge pas, elle compatit avec vous… Elle pense simplement qu'il faut dire les choses telles qu'elles sont.

— Hum, ouais.

— Elle est comme ça, elle ne prend pas de détours. Elle croit que vous conserverez toujours une grande blessure en vous. Elle dit : « Ce n'est pas si grave, tout ira bien à condition que tu restes vigilante, que tu ne laisses pas cette souffrance te démolir. » Elle aimerait que vous preniez le temps d'y penser. Elle ajoute : « S'il y a quelque chose de positif dans cette histoire, c'est que tu ne devrais plus craindre quoi que ce soit. Après tout, que pourrait–il donc t'arriver de pire que cette épreuve ? » Et elle poursuit. Ah ! C'est bizarre, elle raconte quelque chose au sujet de la prise de parole. Je vois… Elle dit que cette épreuve vous a permis de vous affirmer, de prendre la parole.

— Hum, hum.

— Vous êtes moins craintive et plus résolue. Bien sûr, cela ne changera sans doute rien à votre douleur, mais il semble que cet événement tragique ait été à l'origine de beaucoup de bonnes choses. Peut–être que vous n'y aviez pas songé, mais comme votre fille l'affirme : « Les événements négatifs ont aussi une facette positive, rien n'est jamais tout noir ou tout blanc. » Ah ! Elle parle d'un anniversaire à présent. Est–elle morte à cette même période de l'année ?

— Oui.

— Mais un peu avant aujourd'hui, n'est–ce pas ?

— Oui.

— J'ai dit ça, parce qu'elle a dit : « C'est passé mais ça ne fait pas très longtemps. » Avez–vous rêvé d'elle récemment ?

— Oui.

— Oui, elle m'a dit qu'elle vous avait rendu visite, il n'y a pas très longtemps, plus précisément aux alentours de la date de son décès. Elle est tout à fait consciente du fait que cette journée est particulièrement éprouvante pour vous. Elle m'a dit qu'elle était venue vous voir en rêve. Cette rencontre était d'une grande intensité, vous aviez l'impression qu'elle était là, à vos côtés. Elle a trouvé une belle image pour traduire ce que vous viviez. Elle m'a dit qu'il fallait apprendre à voir les choses sous un autre jour. Ainsi, il faut que vous vous disiez qu'elle vit dans un pays lointain. Si tel était le cas, vous ne la verriez pas très souvent et bien c'est un peu comme ça. Elle sait bien que vous avez peur de la solitude, que vous craignez de vous retrouver toute seule. C'est juste ?

— Hum, oui.

— Il n'y a là, rien de répréhensible. Hum...J'ai l'impression qu'elle me parle d'un frère. Ou bien il s'agit de son propre frère ou bien elle veut m'indiquer qu'elle est très proche de quelqu'un. A–t–elle un frère ?

— Oui.

— D'accord, mais pourquoi me dit–elle : « Il y en a trois » ? Vous avez trois enfants ?

— Oui.

— C'est bien, je voulais juste m'en assurer. Elle appelle son frère... Il semble qu'il aille recevoir quelque récompense ou honneur. Je ressens une impression de distance, est–il loin ?

— Non, mais il est marié.

— Oh ! Peut–être que c'était juste une image pour me faire comprendre qu'il a quitté le foyer familial. Mais il se peut qu'elle ait choisi ce moyen pour me parler de votre solitude. Je sentais une distance entre vous et vos enfants... Non pas que vous soyez froide ou distante, mais plutôt que vos enfants volent maintenant de leurs propres ailes.

— C'est exact.

— On parle de mariage. Vous êtes mariée ?

— Oui.

— On parle aussi de retraite. Est–ce que votre mari songe à la retraite ?

— Oui.

— Votre fille me fait voir des roses dorées et elle vous offre ses meilleurs vœux.

— Elle m'a laissé entendre que son père travaillerait toujours après sa retraite, il ne sera pas oisif, en tout cas. Elle me montre encore ce gros « M », elle doit vouloir me dire quelque chose d'important. Ah ! Elle me dit « M » comme dans Michele. Il s'agit bien de son prénom, n'est–ce pas ?

— Oui.

— Mais, je ne comprends pas pourquoi elle me dit M Shelly ? Savez–vous de quoi il s'agit ?

— Oui, elle dit Shelly. (C'était son surnom)

— Oh ! Je vois, seulement Shelly n'est pas le diminutif de Michele. Elle me parle de votre travail. Vous travaillez, n'est–ce pas ?

— Oui.

— Parce qu'elle m'a dit que votre travail jouait un rôle thérapeutique dans votre vie. À ses yeux cela vaut largement n'importe quelle thérapie. Vous ne travaillez pas pour l'argent, mais bien pour le bien–être que ces activités vous apportent. Elle ajoute que vous êtes bien entourée, vous travaillez avec des personnes très aimables.

— Oui.

— Elle se réjouit de ce que les personnes qui travaillent avec vous, y compris celles qui sont en position d'autorité, aient toujours compati à votre douleur. Elle ajoute que cette attitude est d'autant plus louable qu'elles l'ont fait du plus profond du cœur, dans un élan de générosité. Elles se sont montrées très compréhensives et elles ont grandement compati à votre douleur. Or, il faut bien dire les choses telles qu'elles sont, vous ne semblez pas l'avoir remarqué. Aussi tient–elle à les remercier pour leur bonté. Elle ajoute que ces personnes comprennent toujours ce que vous ressentez. Elle blague en disant : elles savent ce que vous ressentez, elles le sentent comme la majorité des gens sentent instinctivement que quelqu'un est de mauvaise humeur ! Elle me dit que vous avez aussi souffert en silence. Je vois un coffre verrouillé en face de moi, ce qui signifie que vous avez refoulé votre souffrance au fond de vous. C'est votre façon de réagir au deuil, chacun y fait face à sa manière. Votre fille me demande de vous dire que le temps de vos retrouvailles viendra un jour. D'ailleurs, vous le savez. Imaginez qu'elle habite en Nouvelle–Zélande, vous n'auriez pas peur de ne plus la revoir. Simplement, il faudrait que vous attendiez d'avoir économisé la somme nécessaire pour vous rendre là–bas. Vous vivriez dans l'espoir de la revoir, sans pour autant que cela paralyse votre vie. Elle aimerait que vous puissiez adopter cette attitude. Vous la retrouverez un jour, mais en attendant, il vous faut aller de l'avant. Je vois une vague qui déferle sur vous. Apparemment, vous avez été submergée par la douleur récemment.

— Hum, oui.

— J'ai l'impression que depuis quelque temps, vous avez eu beaucoup de chagrin. C'est comme si une vague de tristesse s'était soudainement abattue sur vous. Vous alliez mieux et tout à coup, vlan ! Le désespoir vous a envahie. C'est assez curieux... J'ai aussi l'impression que c'est arrivé à un moment où vous sentiez qu'elle était très proche de vous.

— Oui.

— Vous avez rêvé d'elle à plusieurs reprises. On parle d'un arbre, avez–vous planté un arbre en sa mémoire ?

— Oui.

— Oui, elle en parlait tout à l'heure, probablement qu'elle pensait à cet arbre lorsqu'elle a dit que vous aviez posé des gestes en sa mémoire. Je vois un arbre en face de moi, il pousse et le nom de votre fille y figure. Votre fille a parlé d'anniversaire. Est–ce que vous savez à quoi elle pense ?

— Oui.

— Je ne voudrais surtout pas interférer dans la communication. Je vais tout simplement vous dire ce qui se passe. Bon, elle m'a parlé d'anniversaire, puis elle vous a tendu un bouquet de roses blanches et roses en disant : « Anniversaire ». Je ne sais donc pas si elle parle du sien ou du vôtre.

— Il s'agit du mien.

D'accord, j'ai l'impression que la couleur des roses signifie quelque chose pour vous. Elle sait que vous comprendrez de quoi il s'agit. Est–ce que votre anniversaire est pour bientôt ?

— Oui.

— Je vois trois femmes autour de vous, enfin je devrais dire des religieuses, du moins à ce qu'il me semble. Ah ! Je vois sainte Rita, patronne des parents en deuil. Elle est accompagnée de sainte Elizabeth Seton, cette dernière a perdu un enfant durant sa vie. Elles se sont toutes les deux avancées vers vous. La troisième est en retrait, je ne sais pas de qui il s'agit. Par contre, j'ai reconnu sainte Élizabeth Seton et sainte Rita. Votre fille me dit que vous avez prié pour elle et elle vous en remercie. Vous avez une façon très personnelle de prier, n'est–ce pas ?

— Hum, hum.

— Je vois de nouveau ce coffre scellé. Il représente le silence que vous maintenez au sujet de la mort de votre fille. Vous gardez beaucoup de choses en vous. Je ne veux pas dire de le crier sur les toits et de faire tout un tapage avec ça. Mais exprimez–vous, vous avez le droit d'en parler. J'entends parler de chapelets, vous avez récité des chapelets en sa mémoire ?

— Oui.

— Mais vous avez aussi prié pour vous ? C'est ce qu'elle me montre.

— Hum, hum.

— Enfin, c'est ce qu'elle me montre. Votre fille et vous n'êtes pas très religieuses... mais vous accordez de l'importance à la spiritualité. Vous n'adhérez pas à une religion.

Je vois Notre–Dame de Lourdes, elle est auprès de vous. Je vois aussi des grains de chapelet. Votre fille me dit que vous avez récité des rosaires pour elle. Vous l'avez fait en son nom d'une façon toute personnelle. En fait, elle veut vous dire que vos prières ne sont pas restées lettre morte. Votre fille était toujours pressée, elle n'était pas du genre à traîner de la patte ?

— Oui.

— C'est comme si elle avait su qu'elle n'en avait pas pour très longtemps. D'une certaine façon, elle avait pris conscience du fait qu'elle était en train de compléter ses derniers apprentissages. Elle n'est pas la première à me le dire, dès que notre travail est complété nous quittons cette terre pour l'au–delà. Elle a aussi dit qu'elle était morte accidentellement, c'est exact ?

— Oui.

— En somme, c'était pour elle le seul moyen de quitter notre dimension. Le fait qu'elle soit toujours pressée, qu'elle veuille toujours tout faire à la fois, constituait en soi le signe que son séjour sur terre était à son terme. Un peu comme quelqu'un qui veut finir tout son travail et mettre tout en ordre avant de partir. Elle avait encore accéléré le rythme peu avant son décès, elle vivait à toute allure. Vous devriez vous réjouir qu'elle soit parvenue à finir son travail en un si court laps de temps. Autrement dit, elle aimerait que vous puissiez voir les choses de son point de vue. Elle a sa vie, comme vous avez la vôtre. Simplement sa vie ne pouvait plus se poursuivre sur terre, elle devait quitter et sur–le–champ. Ce scénario est aussi valable pour vous, lorsque vous aurez fini vos apprentissages, vous partirez aussi pour l'autre monde. Bien entendu, vous souhaitez partir le plus vite possible, mais en ce qui vous concerne, ce n'est pas pour demain. Elle est en train de m'expliquer que vous comprendrez enfin la véritable signification des épreuves de votre vie, à l'occasion de votre bilan de vie. À partir de ce moment, vous éprouverez un sentiment d'accomplissement, semblable à celui que ressent le coureur au fil d'arrivée. Vous comprendrez enfin que votre vie n'a pas été vaine et vous ressentirez un incomparable sentiment de plénitude. Et, je peux dire que vous n'avez rien à craindre, votre fille n'est pas en train de vous vendre quoi que ce soit ! Vous pouvez lui faire confiance, elle sait de quoi elle parle. Tiens, on me parle du dos de votre mari, a–t–il des problèmes de dos ? Elle m'a dit : « Dites à papa de surveiller son dos. » Je crois qu'il ne s'agit pas d'un problème récent, n'est–ce pas ?

— C'est exact.

— Du moins, c'est l'impression qu'elle m'en a donnée. Je ne vous apprends rien en vous disant cela. Il semble qu'il est confronté à ce problème depuis un bout de temps. Elle m'a aussi fait comprendre que votre mari était du genre à souffrir en silence et depuis son départ, il a énormément de chagrin, mais il n'en parle pas. Il se peut bien que toute sa peine et son angoisse s'extériorisent par des troubles physiques. Je sens une pression dans le dos. A–t–il mal au bas du dos ?

— Oui.

— Il a déjà été blessé à cet endroit ? (Elle acquiesce d'un signe de tête.) Il semble qu'il s'agisse d'une blessure qui a mal guéri. De toute façon, vous n'y pouvez rien. J'ai tout de même le vif sentiment qu'il s'agit des séquelles d'une blessure et il doit apprendre à vivre avec ce problème. J'entends parler d'un frère, plus précisément, on parle de votre relation avec votre frère. Avez–vous un frère ?

— Oui.

— Est–ce que vous êtes en bons termes avec lui ?

— Hum…

— Votre père vient de me dire que ça n'allait pas fort entre vous deux, mais ce n'est pas nouveau, n'est–ce pas ?

— Effectivement.

— Votre père me dit que vous ne vous êtes jamais très bien entendus. Il ne s'agit pas d'une excuse, mais plutôt d'un fait. C'est comme ça et pour être honnête, il est peu probable que les choses changent. Ironiquement, il semble que vous vous ressembliez énormément tous les deux. Je vois des cornes qui s'entrechoquent, c'est un de mes symboles personnels, il signifie que deux personnes très têtues qui se ressemblent beaucoup, s'affrontent. Vous avez essayé d'arranger les choses, n'est–ce pas ?

— Hum, hum.

— Votre père m'a dit qu'il savait que vous avez fait des efforts. Malheureusement, ils n'ont pas été récompensés. Je vois quelqu'un qui lance une éponge. Autrement dit, votre frère a baissé les bras, il a jeté l'éponge, il est persuadé que vous ne parviendrez jamais à vous entendre. Ah ! C'est très intéressant, je vous vois entourée de lumière verte. Se pourrait–il qu'il vous jalouse ?

— Hum...

— C'est ce qui explique votre mésentente. On m'a dit qu'il vous jalousait... vous avez eu souvent envie de lui répondre qu'il n'a qu'à prendre votre place et qu'il verra bien... Il est envieux, il croit que tout a été plus facile pour vous. Votre père m'a dit qu'il avait effectivement eu une vie difficile, mais qu'il était en grande partie responsable de ses problèmes. Il était son pire ennemi, ce n'est pas une critique, a–t–il ajouté, c'est un constat. Je vois le visage de sainte Thérèse, elle vous apporte la grâce d'accepter les choses telles qu'elles sont. Vraisemblablement, il s'agit de la troisième « religieuse », celle qui était restée à l'écart tout à l'heure. Elle vous fait aussi grâce de la foi, de la force et de la ténacité. Ah ! C'est intéressant... vous lui avez déjà voué une dévotion ?

— Oui.

— Oui, je comprends maintenant pourquoi elle se tenait à l'écart des trois autres. C'était un moyen de signifier que vous lui vouiez une grande dévotion. D'autant plus, qu'elle était toujours à vos côtés. Elle est votre ange gardien. Hum... Vous en avez un peu marre d'elle, n'est–ce pas ?

— Hum, hum.

— Enfin, c'est ce qu'elle m'a dit. Bien entendu, pas en ces termes...C'est moi qui ai interprété ! (Elle rit) Elle m'a donné l'impression que vous êtes en colère contre elle. Elle sait que vous n'attendez plus rien d'elle. Pourtant, elle ne vous a pas abandonnée et elle tient à vous le faire savoir. Elle a toutefois ajouté qu'il s'agissait d'une affaire personnelle entre elle et vous. Personne ne doit s'en mêler. Même Dieu n'y pourrait rien, chacun doit faire son propre apprentissage spirituel. Elle sait que vous comprendrez ce qu'elle veut dire. C'est d'ailleurs pour cette même raison que vos prières n'ont pas obtenu la réponse que vous espériez. Elle vient tout juste de me dire qu'elle entend toutes les prières qui lui sont adressées, ce n'est pas le problème. Seulement, elle ne peut pas toujours les exaucer, puisque ce faisant, elle interférerait dans le cours de votre destinée. Vous lui avez adressé des prières pour votre fille ?

— Oui.

— Sainte Thérèse me l'a dit et votre fille vient tout juste d'ajouter qu'elle a reçu vos prières. Sainte Thérèse me dit : « Je n'ai pas pu répondre à vos prières sur terre, mais je les ai exaucées dans l'au–delà. » Vous êtes toujours bien disposée à son égard, mais il vous arrive de lui en vouloir. Heureusement, sainte Thérèse ne s'en formalise pas. (Ils rient) Elle comprend, elle sait que vous avez traversé des moments difficiles. Elle tient à vous donner son point de vue sur la question afin que vous compreniez pourquoi elle n'a pas exaucé vos prières. Voici ce qu'elle en dit : « Si j'avais pu exaucer vos prières, je n'aurais pas hésité à le faire. » Peut–être devriez–vous reconsidérer vos positions. Des trois femmes qui sont venues vous visiter, elle est celle qui m'apparaît être le plus fortement liée à vous. Votre dévotion à sainte Thérèse était toute récente, n'est–ce pas ?

— Hum, hum.

— Vous avez pensé qu'elle vous abandonnait…Or, elle ne vous a pas abandonnée et elle est venue pour vous faire comprendre qu'elle est toujours auprès de vous. Votre fille m'a confié que vous souffrez d'insomnie.

— Oui, c'est bien vrai.

— Une fois encore… Votre fille a plutôt le sens de l'humour, elle dit : « Quoi de neuf ? » Elle sait bien qu'elle ne vous apprend rien que vous ne sachiez déjà. Michele aimerait que vous cessiez de ressasser le passé. Elle m'a dit que vous n'arrêtiez pas de repenser à sa mort, vous n'avancez plus, vous revenez toujours à la case départ. Cette attitude est à l'origine d'immenses frustrations. Je ne sais pas ce que cela signifie exactement, mais votre fille m'a dit : «Tu n'aurais pas pu me sauver. »

Vous n'avez rien à voir avec sa mort. Vous ne pouvez vous empêcher de penser que vous auriez dû être là, que vous auriez pu faire quelque chose. Vous n'avez pas manqué à votre devoir, pourtant vous vous sentez responsable de ce qui est arrivé. Elle me dit que vous avez tort de penser ainsi, ce n'est pas vrai. Elle dit : « Je pourrais te le répéter des milliers de fois, seulement tant que tu ne l'accepteras pas toi–même, je parlerai dans le vide. Je ne peux pas te changer, c'est à toi de le faire. » Elle a ajouté que cela ne vous soustraira pas miraculeusement à la douleur, ces sentiments ne s'évanouiront pas instantanément, seulement il ne faut pas que vous vous laissiez abattre. Elle sait aussi qu'il vous est arrivé de souhaiter la mort. (Elle rit nerveusement.) Vous irez la rejoindre un jour, mais elle ajoute que vous ne devez rien précipiter. Vous avez des choses à faire en attendant, il vous reste plusieurs choses à accomplir. Vous la retrouverez quand le temps sera venu, ne craignez rien. Bien entendu, il vous arrive d'être totalement découragée, votre fille le sait et elle pense à vous dans ces moments. Pensez plutôt que chaque jour est un jour de moins et tout ira mieux. Elle m'a confié qu'il vous arrivait d'avoir envie de vous jeter par la fenêtre, mais il vous faut continuer pour toucher enfin le fil d'arrivée. Votre avenir s'annonce bien, elle a vu que vous avez encore beaucoup de choses à accomplir. Vous avez beaucoup à faire, même si tout vous apparaît vain en ce moment. Il me semble que de vos enfants, c'est avec Michele que vous vous entendiez le mieux, c'est exact ?

— Oui.

— Elle m'a dit que vous étiez très bonnes copines. Non pas que vous négligiez vos autres enfants, mais de fait, vous vous entendiez à merveille, comme deux copines. C'est pour cette raison que vous avez eu tant de peine… Elle ajoute qu'il n'y a en soi rien de mal à avoir un ou une préféré(e), bien sûr, cela lui aurait fait quelque chose d'être à la place de ses frères et sœurs, mais pas au point de la traumatiser ou de lui causer des souffrances irréparables. Au moment de sa mort, vous commenciez vraiment à vous rapprocher, une amitié sincère était en train de se développer entre vous. Elle ne veut pas que cela cesse, elle vous considère toujours comme son amie. Après tout, même sur terre, elle se serait probablement éloignée de vous physiquement. Elle aurait épousé un homme, fondé une famille et il y aurait eu de fortes chances qu'elle déménage loin du lieu de sa naissance. Rien n'est perdu, dit–elle, puisqu'un jour, vous serez réunies de nouveau. Votre fille me dit que les discussions animées et les débats ne vous font pas peur, même que vous y prenez plaisir ?

— (Rires) Oui.

— Votre fille m'a dit : « Ne l'affrontez pas ! N'entamez pas une discussion avec elle, dites–lui simplement qu'elle aime les échanges musclés. N'en dites pas plus, si non vous n'avez pas fini, vous y passerez la nuit ! » Elle me dit qu'il vous arrivait souvent de relancer la discussion au moment précis où vous sentiez que votre fille était sur le point de trouver un terrain d'entente ! Michele me dit, à la blague, que c'est pourtant elle qui avait raison !

Tout ça pour dire que vous finirez bien par comprendre ce qu'elle vous dit aujourd'hui… Vous êtes sur la même longueur d'onde toutes les deux, vous finissez toujours par vous comprendre. Vous pensez que sa mort est injuste et elle le sait. Vous pensez qu'elle n'a pas eu la chance de faire tout ce qu'elle souhaitait et cette idée vous attriste au plus haut point. Mais, et elle insiste encore une fois : sa vie n'est pas finie. Certes, elle n'existe plus au plan physique, son existence corporelle a pris fin avec son séjour sur terre. Comme elle le dit : pourquoi aurais–je un corps ? Elle n'en a pas besoin. Ce n'est pas son corps que vous aimiez, mais elle et il se trouve qu'elle est toujours vivante. La vie dans l'au–delà ne requiert pas de support physique. Elle dit : « Tu sais bien que je dis vrai, tu m'as vue dans tes rêves et tu as souvent senti ma présence. » Vous auriez juré qu'elle était à côté de vous, tellement vous aviez l'impression que vous la verriez en vous retournant. Elle vous a donné des signes de sa présence au moment où vous ne vous y attendiez pas. Tout bonnement, vous pensiez à elle et quelques minutes plus tard la radio passait une de ses chansons préférées. Elle a placé sur votre chemin de nombreux signes de sa présence et pourtant il vous arrive de ne pas les voir ou d'en demander trop... Les arbres vous cachent la forêt. Ces signes que vous attendez viennent toujours lorsque vous ne vous y attendez pas. Vous voyez toujours venir les périodes de réjouissance et les vacances avec crainte, n'est–ce pas ?

— Oui.

— Elle me dit qu'une fois encore, vous appréhendez les vacances qui s'en viennent. Vous êtes souvent maussade à l'approche des périodes de réjouissance. Votre fille dit : « Essaie d'être moins grognon cette année. » Elle a bien vu que vous aviez déjà essayé, mais persistez, vous avez le droit de vous amuser et d'être heureuse. Elle ne le prendra pas mal, vous ne lui manquez pas de respect. Vous pouvez vous réjouir, elle ne pensera pas que vous l'en aimez moins. Essayez. Ah ! C'est intéressant. On me dit que vous déménagerez. Vous ne cesserez pas pour autant de travailler, vous aurez un emploi à mi–temps. Il vaut mieux que vous travailliez, même s'il ne s'agit que d'un travail à mi–temps, cela vous occupe l'esprit, fuyez l'oisiveté. Vous êtes de plus en plus impliquée auprès des parents en deuil, n'est–ce pas ?

— Hum, oui.

— Votre fille m'a dit qu'elle a beaucoup d'admiration pour ce que vous faites. D'autant plus que cela vous permet de prendre du recul par rapport à vous–même. Il arrive parfois que... enfin, je pense à une des répliques de *Un Tramway nommé désir* qui dit que la bonté des étrangers nous est parfois d'un grand secours. Vous faites maintenant ce travail en dehors d'une association, vous travaillez seule ?

— Oui.

— Vous avez choisi de travailler seule et non pas dans le cadre d'un groupe de soutien aux personnes en deuil. Vous rencontrez des personnes pour échanger vos expériences respectives. Je vous vois en train d'écrire, j'ai bien l'impression que vous allez vous mettre à l'écriture, pour votre propre amusement ou encore dans un but thérapeutique. Le déménagement qui s'annonce ne perturbera pas vos activités, vous les poursuivrez dans votre nouveau lieu de résidence. Le deuil de votre fille restera à jamais gravé dans votre mémoire… c'est indéniable, mais il vous propulsera vers l'avant, vous entreprendrez une foule de choses nouvelles. Votre fille vous rappelle que le deuil ne peut pas avoir que de mauvais côtés, ne l'oubliez pas. On parle aussi d'un dénommé Michael. Le connaissez–vous ?

— Oui.

— Il marche dans la pièce, je ne sais pas qui il est, il ne m'a rien dit. En autant que vous le connaissiez... Il veut simplement vous faire savoir qu'il est avec Michele. Un dénommé Robert est aussi présent.

— Oui.

— C'est un parent de votre mari. C'est comme s'ils voulaient tout simplement vous faire connaître leur présence, rien de plus. Une certaine Julie les accompagne.

— Oui.

— Ah ! J'entends aussi parler d'un Walter.

— Oui.

— Il arpente la pièce. Il semble que ces personnes soient décédées depuis un bon moment déjà.

— Hum, hum.

— Michele a rencontré plusieurs de ses ascendants dans l'au–delà. Ces personnes tenaient à vous faire savoir que vous n'êtes pas seule. Ainsi, vous savez maintenant qu'elles sont là et qu'elles ne vous ont pas abandonnée. Pensez à elles la prochaine fois que vous vous sentirez seule et abandonnée. Elles ont quitté la terre depuis un bon bout de temps, mais elles n'ont pas pour autant oublié toute la difficulté que présentent les émotions humaines. Les âmes sont sensibles, mais elles ne ressentent plus d'émotions négatives comme la peine et la souffrance morale. Elles n'éprouvent que des sentiments liés à l'amour, tandis que sur terre, nous sommes en proie à des émotions contradictoires. Walter m'a dit à ce propos : « Sur terre, on a parfois l'impression d'être au beau milieu de champs de bataille. » De telles émotions sont difficiles à vivre. Il est vêtu d'un uniforme, ce qui me donne à penser qu'il a dû en porter un durant sa vie, il semble aussi qu'il soit d'une autre génération.

— Oui.

— Sainte Thérèse ajoute : « Oui, certains jours, nous avons l'impression que nous sommes engagés dans une lutte sans fin. » Et nous sommes persuadés que nous ne trouverons jamais le repos… du moins, pas sur terre. Même si vous viviez jusqu'à quatre–vingt–dix ans, vous ne pourriez pas trouver le repos. La paix à laquelle nous aspirons tous se trouve dans l'au–delà. En attendant, il ne fait aucun doute que votre douleur s'apaisera un jour et vous serez enfin capable de poursuivre votre chemin malgré la peine. Toutefois, votre fille se joint à sainte Thérèse pour vous dire que la terre n'est pas un lieu de repos et qu'il vous faut l'accepter.

Il est vrai que certaines journées sont plus difficiles à vivre que d'autres, mais il ne faut jamais perdre de vue que tout passe et que demain est un autre jour. Vous êtes en deuil et vous souffrez, cela, il vous faut l'accepter, mais ne laissez pas le deuil vous envahir. Pourquoi, votre fille me parle–t–elle d'animaux domestiques ? Avez–vous perdu un animal domestique ?

— Hum, bien… oui.

— Elle aime les animaux ?

— Oui.

— Oui, elle me dit qu'elle jouit de la compagnie de plusieurs animaux. Il est possible que des animaux qu'elle a connus sur terre soient maintenant avec elle. Bref, elle me dit qu'elle a de nombreux animaux. Elle me montre des animaux en peluche, est–ce qu'elle les collectionnait ?

— Oui.

— Parce que je ne pouvais m'empêcher de ressentir... Enfin, je crois que vous comprendrez. Donc, je l'ai senti, je l'ai vu, elle était là, devant moi entourée d'animaux en peluche. Elle m'a dit : « Dis–lui ce que tu vois. » Elle devait en avoir beaucoup... Il me semble que cette collection a énormément d'importance à ses yeux.

— Oui.

— Vous n'avez rien changé dans sa chambre ?

— Hum...

— Elle m'a dit qu'elle l'a visitée un jour et qu'elle était semblable à la chambre qu'elle avait quittée. Est–ce que quelqu'un vous a conseillé de changer la décoration, de ne pas la laisser telle qu'elle était le jour de la mort de votre fille ?

— Oui.

— Parce que votre fille pense que cette personne devrait s'occuper de ses affaires. Vous souhaitez ne pas toucher à sa chambre ? Soit, il n'y a là rien de répréhensible, votre fille n'y voit aucun mal, faites comme bon vous semble. Elle ajoute que vous pourrez aménager une pièce de votre nouvelle demeure pour elle, si le cœur vous en dit. Elle vous conseille de vous fier à ce que vous ressentez et non pas à ce que les autres en pensent. Peut–être vous sentirez–vous un jour prête à jeter les objets qui lui ont appartenu, mais en attendant, il ne faut rien brusquer, vous n'en êtes pas encore là. Si sa chambre vous plaît, pourquoi pas ? D'autant plus que la présence de ces objets vous réconforte.

— Oui.

— Votre fille n'accuse personne, mais elle croit fermement que les autres n'ont pas à se mêler de ce que vous faites. Faites–le et dites aux autres que c'est votre fille qui vous a demandé d'agir ainsi.

— (Elle rit) D'accord.

— Dites–leur, merci pour le conseil, mais je vais faire les choses comme je l'entends. Bon, une fois encore, elle me parle d'animaux. Il semble qu'elle travaille avec des animaux dans l'au–delà. Oui, à présent elle me les montre.

J'avais du mal à les voir tout à l'heure. C'est qu'elle est toujours entourée d'un halo de lumière dorée. Elle se montrait toujours très juste et très honnête envers les autres, n'est–ce pas ?

— Oui.

— Bon, dans ce cas c'est bien elle que je vois. Voyez–vous, je ne peux pas savoir quand les âmes m'apparaissent sous les traits qu'elles avaient sur terre et quand elles se montrent sous leur aspect spirituel. Votre fille était une personne juste et honnête. Ses cheveux étaient blonds... Je vois une jeune femme aux cheveux blonds.

— Oui.

— C'est amusant, vous n'êtes pourtant pas blonde. Enfin, elle avait presque l'air translucide tellement elle était inondée de lumière. Elle a les cheveux d'un blond très clair. Votre fille est une très bonne personne. Est–ce que vous avez déposé à ses côtés un de ses petits animaux en peluche ? On a placé quelque chose à ses côtés, n'est–ce pas ?

— Oui !

— Oh ! C'est ce qu'elle voulait me dire. Elle me répétait pourtant que j'avais négligé quelque chose d'important et je ne comprenais pas de quoi elle parlait. Elle m'a alors demandé de jeter un œil aux animaux en peluche qu'elle tenait et elle m'a demandé de vous dire que c'est vous qui les lui aviez donnés. Elle a ajouté que vous les aviez déposés à ses côtés. Elle tenait à ce que je vous parle de ces animaux, puisqu'en soi, ils constituent une preuve que vous lui avez parlé aujourd'hui. Votre fille me dit qu'elle va bientôt me laisser partir. Elle vous embrasse tendrement. Oh, attendez un instant... c'est étrange. Elle me montre une image de sainte Thérèse. C'est comme si cette image avait été mise de côté ou quelque chose comme ça. Est–ce exact ?

— Oui.

— Voyez–vous, votre fille m'a demandé de vous parler de cette image, mais comme vous avez hésité à répondre, elle m'a dit que si j'ajoutais que vous aviez rangé cette image, vous comprendriez sûrement de quoi elle parle. Elle aimerait que vous la remettiez dans sa chambre. C'est là qu'elle doit être. (Connie nous a dit qu'elle avait rangé l'image de sainte Thérèse dans un tiroir, parce que cette dernière n'avait pas répondu à ses prières.) Elle aimerait que vous la déposiez à côté de la chandelle. Il y a une chandelle dans sa chambre, n'est–ce pas ?

— Oui.

— Oui, parce qu'elle m'a dit de la déposer à côté de la chandelle allumée. Vous laissez toujours une chandelle allumée dans sa chambre, tout à côté d'une de ses photos ? Je vois son visage à travers un cadre.

— Oui.

— Elle vous demande de placer l'image de sainte Thérèse à cet endroit. Ainsi, lorsque vous irez vous recueillir dans sa chambre, vous vous rappellerez que l'au–delà entend toujours vos prières.

Michele m'a dit que vous devez enterrer la hache de guerre avec sainte Thérèse ! Il faut que vous compreniez qu'elle ne peut pas toujours acquiescer à vos demandes. C'était le destin de votre fille, il n'y a rien à faire contre ça, c'est ainsi et personne n'y peut rien. Votre fille blague encore, elle me dit que le fait de ne pas avoir répondu à vos prières ne fait pas de sainte Thérèse une garce … comme vous le pensez.

— (Rires) Bon, d'accord !

— Elle me demande de la laisser partir. Elle vous embrasse tendrement et les autres se joignent à elle. Je l'entends aussi qui appelle son frère et sa sœur, de même que son père, elle dit : « N'oubliez pas de lui dire que vous avez eu de mes nouvelles. » Elle ne voudrait surtout pas que vous croyiez qu'elle a oublié son père. Elle croit qu'il est très important que vous retourniez vers sainte Thérèse, demandez–lui de vous accorder la grâce de retrouver la foi et d'avoir la force et le courage de continuer. Elle est en mesure de vous consentir ces grâces. Elle ajoute : « Lorsque tu franchiras enfin le fil d'arrivée tu seras heureuse d'avoir, pour une fois, suivi mes conseils. » J'ai bien l'impression qu'il vous arrivait souvent de vous taquiner, vous vous relanciez la balle constamment.

— Oui.

— Un peu comme dans une pièce comique... mais vous le faisiez toujours avec beaucoup d'affection. Bon, elle s'en va et les autres aussi. « Nous nous reverrons. » Voilà, ils sont partis.

Nous n'avons aucun moyen de connaître notre réaction face à la mort d'un proche avant d'y être nous–mêmes confrontés. Il arrive souvent que les gens soient étonnés de leurs propres réactions, ils se croyaient plus forts, mais quand vient le temps de reprendre leur vie en main, ils réalisent que le décès d'un proche est un événement beaucoup plus bouleversant qu'ils ne l'auraient cru. Face à la mort d'un proche il n'y a d'autres choix que de se laisser sombrer ou de nager, il n'y a pas de demi–mesure. J'ai eu la chance de travailler avec le Dr Risa Levenson Gold, psychiatre à Cold Spring Harbor dans l'État de New York et laissez–moi vous dire que j'ai vu de près les ravages, tant physiques que psychologiques, que le deuil provoque chez certaines personnes. Aucune captation, si intense soit–elle, ne peut venir à bout d'une telle détresse. Avant d'entrer en contact avec leurs proches de l'au–delà, les personnes éprouvées doivent d'abord avoir fait un bout de chemin. Sans un minimum de sérénité, toute communication avec un proche disparu, reste vaine. De même, pour tirer le maximum d'une captation encore faut–il être assez réceptif pour comprendre ce que les âmes ont à nous dire. Lorsque la douleur est trop vive, la captation prend des allures de séance de torture. Aveuglées par la peine et le désespoir, les personnes qui y assistent ne peuvent s'empêcher de ressasser d'amers souvenirs plutôt que de se concentrer sur le message de leur proche. Les âmes ne cherchent pas à déterrer nos souvenirs douloureux, au contraire, elles souhaitent nous aider à accepter et à comprendre la mort.

Aussi, ne viennent–elles pas à nous dans l'intention de nous laisser croire que rien n'est arrivé, elles ne nous offrent pas un mirage, elles veulent nous parler de leur nouvelle vie. C'est pourquoi, les gens qui se présentent aux séances de captation doivent être assez réceptifs pour comprendre que leurs proches poursuivent leur vie dans un autre monde, celui de la Lumière Infinie.

J'arrive à connaître les sentiments des personnes qui assistent aux séances de captation en observant l'attitude des âmes à leur égard. Par exemple, elles concentrent toujours leur attention sur le ou les membres de la famille qui ont le plus de mal à accepter leur décès. Il faut dire que les âmes sont particulièrement habiles lorsqu'il s'agit de se faire entendre. Elles savent comment s'y prendre pour toucher leurs proches droit au cœur et leur faire comprendre leur message. Elles connaissent si bien leur cœur que seule la personne concernée saisira le sens de leurs paroles. En cas d'ambiguïté quant à l'interprétation d'une partie du message, les familles pourront toujours discuter du sens de ce qu'elles ont entendu et cette difficulté s'offrira comme une occasion de partager enfin leurs émotions. Il y a quelques années déjà, lors d'un séjour en Caroline du Sud, j'ai effectué une captation pour la famille Spencer auprès de leur fils Josh décédé dans un accident de ski. La famille ne comprenait pas pourquoi, Josh avait consacré beaucoup de temps à sa mère et peu à son frère dont il était très proche. C'était pourtant simple : Josh savait que sa mère regrettait terriblement de ne pas avoir été plus proche de lui, il avait compris qu'elle avait besoin de se faire pardonner son absence. Josh a su mettre le doigt sur un gros problème, une faille que la famille aurait probablement ignorée s'il n'avait pas insisté. Les captations permettent aux familles de voir leur deuil comme un événement qui touche la famille entière. Ainsi, les membres de la famille entrevoient la possibilité de s'unir pour vaincre leur souffrance plutôt que de s'isoler et de se taire. Malgré tout, il arrive aussi que le message des âmes ne puisse rien changer à ce qui est, tellement la situation s'est dégradée. Ce qui, par ailleurs, n'empêche pas les âmes de nous comprendre et d'essayer de nous apporter quelque consolation.

Ce fut le cas pour Dianne Melville de Minneapolis. En 1995, à l'âge de seize ans, la fille de Dianne, Debbie, est morte subitement d'une crise cardiaque durant un de ses cours de ballet. La mort d'un enfant ou d'un adolescent constitue en soi un événement tragique pour les parents et Dianne n'y fait pas exception : la mort de sa fille l'a secouée au plus haut point. D'autant plus que le décès de Debbie avait perturbé toute la vie de sa famille, même qu'elle sentait que son fils lui échappait de plus en plus. Lors de la captation, qui eut lieu en présence du père (l'ex–mari de Dianne) et du fils, Debbie a mis en lumière le fait que son frère vivait dans l'angoisse de perdre son fils. Cette crainte empoisonnait ses relations avec sa mère. Debbie n'a pourtant pas insisté sur la question, elle s'est contentée de soulever le problème. Toutefois, lors de la captation qui eut lieu en présence de sa mère, Debbie s'est montrée plus loquace. Elle tenait à rassurer sa mère et à lui dire qu'elle ne ménageait pas ses efforts pour aider sa famille à retrouver l'harmonie. Elle n'a pas caché à Dianne que la route à parcourir était parsemée d'embûches. Tant que son frère ne ferait pas l'effort de comprendre et d'accepter la mort, ajouta–t–elle, ses démarches risquaient de n'avoir aucun écho.

En attendant, il devait vaincre ses peurs et pour cela il n'y avait pas de recettes, il était le seul à en détenir la clé. Difficile leçon que cette querelle, pour une mère et son fils qui ne se comprennent plus.

Tout ce que je sais concernant le deuil et ses conséquences sur la vie des familles, je le tiens des âmes de l'au–delà. En effet, les captations permettent aux âmes de parler ouvertement aux membres de leur famille de problèmes qu'elles n'auraient jamais osé aborder auparavant. Leur message se révèle d'une redoutable efficacité lorsqu'il s'agit de susciter l'ouverture et le dialogue dans les familles éplorées et divisées par le deuil. N'attendez pas de miracles, les âmes ne se livrent pas à de tels coups d'éclat. Elles souhaitent simplement nous aider et nous faire comprendre que la perte d'un être cher constitue une leçon spirituelle. Autrement dit, il s'agit d'une des nombreuses épreuves que certains d'entre nous aurons à traverser pour grandir spirituellement. Ce qui ne veut pas dire que les familles en deuil devraient rester passives et endurer silencieusement leur triste sort. Bien au contraire, les âmes nous incitent à demander de l'aide afin que nous puissions sortir de notre détresse et aller de l'avant. « Trouvez votre propre chemin. » Tel est le souhait que les âmes de l'au–delà nous adressent.

Shelley Tatebaulm, fondatrice du *Center of Grief, Loss and Life Transition* situé à Poughkeepsie dans l'État de New York, conseillère diplômée spécialisée en matière de deuil connaît aussi les problèmes liés à la perte d'un être cher pour les avoir elle–même expérimentés. Cette femme dynamique a choisi de dédier sa vie aux autres en aidant les personnes en deuil à comprendre et à accepter la mort et le vide que celle–ci engendre. Riche de ses expériences et d'une longue réflexion, elle conseille adroitement les personnes éprouvées par un deuil en leur faisant comprendre qu'il n'y a que la seule façon d'aborder sa douleur est d'y faire face.

Shelley Tatelbaum : « George possède un don merveilleux, l'espoir et l'amour qu'il apporte aux personnes en deuil est en soi une bénédiction, mais il ne faudrait pas pour autant croire qu'une captation peut remplacer une thérapie. Les personnes en deuil on besoin de réapprendre à vivre sans la présence de l'être qu'elles aimaient. Elles doivent aussi apprendre à faire face aux vacances et aux anniversaires, bref, à tous ces moments qui font monter en elles le souvenir de jours heureux auprès de la personne disparue. Bref, elles ont besoin de passer par toutes les étapes du deuil, ce qui veut aussi dire souffrir, afin qu'un jour, elles puissent enfin voir la lumière au bout du tunnel. Il faut dire que l'on ne surmonte jamais totalement un deuil et c'est bien normal, personne ne souhaite oublier la personne aimée. Toutefois, les personnes en deuil doivent avoir le courage d'affronter leur chagrin afin de grandir et d'avancer. Croyez–moi, il est possible de dépasser sa douleur, voire de la transformer en un cadeau du destin propre à nous faire grandir.

La mort nous pousse hors de l'état de douce somnolence qui marque parfois notre quotidien. Toutefois, le deuil peut aussi être un terrain propice à la dépression et à l'éclosion d'un profond sentiment de vide existentiel. La mort d'un proche remet en question le sens de notre existence. Bref, elle nous plonge dans une crise existentielle. C'est pourquoi, le fait d'avoir la foi peut considérablement nous aider à traverser ces moments de doute. La foi nous donne le courage de continuer malgré la souffrance qui nous étreint. La tristesse aussi a du bon, elle nous pousse à reconsidérer nos priorités et à mettre de l'ordre dans nos valeurs, de sorte que nous en arrivions à trouver un nouveau sens à notre vie sur le chemin de la croissance spirituelle. Ainsi, devenons–nous plus forts, mais aussi plus sensibles et plus compatissants envers les autres. On se doit d'envisager le deuil comme un lent processus et non pas comme un événement bien délimité dans le temps. La patience est de rigueur en matière de deuil. Je ne sais toujours pas d'où George tient ses dons exceptionnels et comment ils s'expliquent, mais je sais que le fait de croire en la possibilité d'une vie après la mort joue un rôle important dans la guérison des personnes en deuil.

L'idée que l'au–delà existe est en soi un réconfort. Le fait de savoir que cette vie nous mène vers une autre vie dans l'au–delà nous apporte l'espoir et nous permet d'aller de l'avant plutôt que de ressasser sans cesse ces deux questions : « Pourquoi est–il (elle) parti(e) et où est–il (elle) ? » Cette idée nous pousse à reconsidérer nos convictions au moment où la mort vient tout juste de les ébranler.

Il ne faut pas penser à vivre son deuil, mais à vivre sa vie en tenant compte de cette nouvelle donne. Je suis persuadée que c'est le plus beau cadeau que l'on puisse faire à ceux qui sont partis. Après tout, comment penser que le lien qui nous unit à eux puisse se perpétuer sur la base de notre souffrance. Lorsque l'on y réfléchit un peu, on se rend vite compte qu'il est insensé de mesurer l'amour qu'on leur porte à l'aune de la douleur que l'on éprouve. Le message que nous livre George va dans cette direction ; les âmes souhaitent que nous allions de l'avant et que nous vivions pleinement notre vie. Nos blessures constituent un terrain sur lequel il nous est possible de cultiver la force nécessaire pour mieux apprécier la vie et comprendre les autres. »

Les thérapies s'adressant aux personnes en deuil. Quelles soient individuelles ou de groupe, ces thérapies s'avèrent parfois indispensables lorsque certains conflits liés au deuil éclatent. Toute personne qui fait face à la mort d'un proche aurait intérêt à en suivre une, ne serait–ce que pour identifier d'éventuels problèmes et pour voir les choses d'un autre angle. Peu importe la douleur qui nous étreint, il y a toujours de l'espoir. Les âmes de l'au–delà m'ont assuré que rien n'est jamais perdu ; la voie de la compréhension et de l'acceptation n'est pas une porte close. D'autant plus que les personnes prêtes à leur porter secours ne manquent pas, et ce, tant ici, que dans l'au–delà. N'oubliez pas ceux que vous aimez, ils sont là, à portée de la main, prêts à vous aider.

Chapitre 10

LES ANIMAUX DE LA TERRE ET DE L'AU–DELÀ

Oubliez tout ce que vous avez appris à l'école catholique ou lors de vos classes d'enseignement religieux : les animaux vont au « paradis » ou plutôt dans l'au–delà. La question a déjà été largement débattue, c'est pourquoi je ne m'attarderai pas, à recenser ici, les arguments en faveur de cette thèse et ceux qui s'y opposent. Tout ce que je sais, je le tiens de mon expérience. J'ai vu tant d'animaux domestiques durant les captations que je ne peux que me rendre à l'évidence : il y a bel et bien des animaux dans l'au–delà.

Les animaux de l'autre monde détiennent un rôle de toute première importance. Comme je l'ai déjà souligné dans un chapitre précédent, ils aident les âmes tourmentées et anxieuses à trouver la paix et à s'acclimater à leur nouvelle vie. Les animaux ne jugent pas, ils aiment inconditionnellement. Aussi, viennent–ils à la rencontre des personnes qui, pour une raison ou pour une autre, se sentent tendues ou menacées. Les âmes qui ont éprouvé des difficultés relationnelles sur terre se lient plus facilement aux animaux ; leur seule présence les réconforte et les apaise. J'ai appris à ma grande satisfaction qu'un hôpital du nord de l'État de New York avait mis en place un programme de réhabilitation pour les criminels atteints de maladie mentale dans lequel les animaux tiennent un rôle central. Les malades en réhabilitation sont chargés de prendre soin d'animaux de plusieurs espèces qui vivent dans une sorte de zoo miniature. Ce programme a mis en lumière les liens étroits qui se nouent entre les animaux et les humains. Les animaux ne jugent pas, ils se lient rapidement avec la personne qui prend soin d'eux et les aime. Cette relation est très saine, puisque l'animal vient vers le malade avec spontanéité, il ne voit pas en lui le dangereux criminel que nous voyons. Ainsi, la personne en difficulté a enfin l'occasion de se sentir responsable d'un être qu'elle aime d'un amour réciproque, et dans certains cas, cette relation constitue une véritable révolution dans sa vie.

J'ai été ravi d'apprendre que ce type de thérapie (spirituelle) existait aussi sur terre. Les animaux de ces thérapies nouvelles jouent exactement le même rôle que dans l'au–delà. Les âmes ne tarissent pas d'éloges à propos des animaux qui les ont accueillies, dans certains cas, elles choisissent même de rester auprès du nouvel arrivant pour toujours.

Lors des captations, j'ai été à même de constater que les animaux domestiques viennent souvent à la rencontre de leur ancien(ne) maître ou maîtresse ou des personnes qu'ils ont côtoyées de près. Cela n'a rien de très surprenant, après tout, bon nombre de gens font plus confiance à leurs animaux domestiques qu'à leurs frères humains. Les gens sont toujours plus prompts à suivre un animal qu'ils ont bien connu, dans la Lumière Infinie, qu'un parent éloigné qu'ils connaissent à peine. Dianne Arcangel, connaît bien les cas d'apparition au seuil de la mort pour les avoir étudiés, elle est d'ailleurs une pionnière en cette matière. Elle m'a confié qu'il était fréquent que des animaux domestiques apparaissent aux malades qui sont au bord de l'agonie afin de les rassurer et de faciliter leur passage dans l'au–delà. De même, les personnes qui n'ont jamais ressenti le besoin d'avoir un animal domestique — et particulièrement celles qui sont mortes par suicide – m'ont dit que le fait de suivre un chaton ou un chiot dans la Lumière Infinie les avaient rassurées : elles savaient que l'animal qui les accompagnait ne les jugerait pas.

Les animaux font souvent plus pour nous que nous ne serions portés à le croire. D'ailleurs, il n'est pas rare que l'animal domestique de la famille meure dans les quelques jours qui précèdent le décès d'un enfant. J'avais toujours cru qu'il s'agissait d'une simple coïncidence jusqu'à ce que je m'y arrête et que je m'aperçoive que cette situation se reproduisait trop souvent pour que ce soit le cas. Prenez, par exemple, le cas de Martha Weir. Maggie, le Berger allemand de la famille est morte subitement deux jours avant que James, son fils de quatorze ans soit mortellement happé par un camion alors qu'il se promenait à bicyclette. Durant la captation que j'ai menée auprès de lui, James m'a confié que sa chienne Maggie, voyant qu'il n'en avait plus pour très longtemps, avait choisi de partir avant lui afin d'être là pour l'accueillir.

Plusieurs personnes viennent me consulter dans le but d'avoir des nouvelles de leurs animaux domestiques. Elaine Stillwell, une de mes bonnes amies et la fondatrice des *Compassionate Friends* de Long Island, est venue me consulter en 1989 à la suite de la mort de ses deux enfants dans un accident de la route. Depuis, nous sommes toujours restés en contact, récemment elle a cru bon de me demander une autre captation. Durant cette seconde captation, Peggy et Denis ont parlé de leur chien, Max. Plus exactement, ils ont dit à Elaine qu'ils se préparaient pour l'arrivée de Max. Ils savaient bien que cette nouvelle causerait du chagrin à Elaine et à son mari, Joe, mais ils voulaient tout de même leur dire qu'ils l'attendaient et qu'ils prendraient grand soin de lui.

Je ne m'explique toujours pas pourquoi tant de personnes ont du mal à accepter le fait que les animaux aillent dans l'au–delà. Je ne vois là pourtant aucun problème. Pourquoi faudrait–il que les animaux que j'ai aimés ne soient pas présents pour m'accueillir dans l'au–delà au même titre que mes parents et mes ami(e)s ?

Les âmes m'ont d'ailleurs confié que toutes les personnes et les animaux que nous avons aimés viendraient à notre rencontre. Ces animaux que nous aimons ne sont rien de moins que des membres de notre famille. (Et qui plus est, on se sent parfois plus proche d'eux que de certains humains. Chose sûre, ils nous causent souvent moins de problèmes !) J'ai vu des personnes s'effondrer de douleur lorsque leur animal domestique s'est présenté à elles lors d'une captation... La présence de leur père et de leur mère ne les avait pas secouées à ce point. De toute façon, je suis persuadé que si vous avez un animal de compagnie, vous comprendrez aisément mes propos. Quelques amis à moi ont vu mon chat, Boo–Boo, dans ma maison. Je sens sa présence, il est très souvent à mes côtés et plus souvent encore, lorsque je suis tendu ou que j'ai des tracas. Les animaux de l'au–delà, tout comme ceux qui partagent notre vie terrestre, sont capables de sentir nos émotions. Ils viennent toujours pour nous réconforter au moment où nous en avons besoin.

Une parabole (exempte de la Bible moderne) témoigne de l'importance que Jésus accorde aux animaux. Dans cette parabole, Jésus rencontre des villageois qui maltraitent un chat et il leur dit : « Tout ce que vous faites à la plus petite des créatures de mon père, vous le faites à lui. » On m'a rappelé cette parabole lors d'une captation que j'ai menée pour une habitante de Los Angeles qui voulait avoir des nouvelles de ses animaux domestiques. La plupart des gens trouvent qu'une telle demande est plutôt farfelue, pour ma part, je considère qu'il s'agit là d'un désir tout à fait légitime. Cette captation eut de quoi m'étonner, puisque Jésus fit soudainement son apparition en répétant cette fameuse phrase : « Tout ce que vous faites aux plus petits des animaux de la terre, vous le faites à votre Père céleste. » Tout ce que je souhaite, c'est que ces paroles de Jésus aident les gens à comprendre que les animaux sont un des plus beaux cadeaux que nous offre la Lumière Infinie sur terre. Leur amour est pur et absolu, comme celui qui nous attend dans l'au–delà.

Les âmes de l'au–delà savent s'y prendre lorsqu'il s'agit de toucher le cœur des membres de leur famille et de se faire comprendre ; cela, je le sais déjà depuis belle lurette. J'ai toutefois remarqué que les animaux faisaient preuve d'habiletés tout aussi étonnantes : ils sont capables de s'immiscer dans mes pensées et de me souffler les paroles qu'il faut pour toucher le cœur et l'esprit des personnes qu'ils ont aimées. Je pars toujours de ce principe lors des captations, je prends pour acquis que les gens aiment leurs animaux et que ces derniers leur rendent bien. Autrement dit, je suis persuadé du fait que les animaux sont encore très attachés aux personnes qu'ils ont connues sur terre. Toutefois, certains d'entre eux semblent craindre que je ne les prenne pas au sérieux et ils essaient de me duper en se faisant passer pour des humains, histoire que je leur accorde de l'attention. Ainsi, il arrive que je ne sache pas que je m'adresse à un animal, du moins jusqu'à ce qu'il consente à me le dire. Les animaux veulent que je leur accorde du temps et ils s'assurent ainsi que je ne coupe pas court à la communication en disant : « Votre animal de compagnie vous salue, voilà, c'est tout. » Pourtant, plusieurs personnes viennent me voir dans l'intention d'entrer en contact avec leurs animaux de compagnie et je dois dire que ces captations sont aussi riches en émotions que celles que je mène auprès des humains.

Geri Hashimoto est une amie selon mon cœur, puisque c'est une amoureuse des chats. Il faut soi–même aimer les chats pour comprendre le lien puissant qui nous unit à eux. La captation que j'ai effectuée pour Geri nous montre bien que les chats nous ressemblent plus que nous le croyons. Dans les quelques lignes qui suivent, Geri nous raconte son histoire.

J'ai tenté de rencontrer George pendant plus de quatre ans et lorsque j'ai finalement réussi à le joindre, je venais tout juste de perdre « ma fille », je veux parler de ma chatte Annie âgée de vingt–deux ans. Le décès d'Annie n'était pas un événement anodin dans ma vie. Je sais bien que la mort d'un chat ne représente pas grand–chose aux yeux de la majorité des gens, seulement pour moi, Annie, était plus qu'un simple chat. J'ai pris soin d'elle, depuis son premier jour jusqu'à son dernier souffle. Aussi, étions–nous unies par des liens très spéciaux, des liens beaucoup plus forts que ceux qui se nouent ordinairement entre un maître et son animal de compagnie. Et pourtant, j'ai eu beaucoup de chats dans ma vie, mais je n'ai jamais été aussi proche d'un animal que d'Annie. En fait, j'ai déjà éprouvé une sensation à peu près comparable avec un seul autre de mes chats. J'étais si triste lorsque je l'ai perdue que je me prenais à vouloir la suivre dans la mort. Encore aujourd'hui, j'ai du mal à parler froidement du chagrin que j'éprouve. J'ai voulu raconter mon histoire afin que l'on sache que les animaux détiennent la capacité d'entrer en contact avec les humains lorsque le besoin s'en fait sentir.

Lors de la captation, mon père s'est présenté le premier. J'ai d'abord cru que j'allais m'évanouir tellement j'étais secouée. Un long frisson a parcouru ma nuque et j'ai été prise de vertiges. Il faut dire que je n'avais jamais entretenu de très bonnes relations avec mon père. Enfin, peut–être était–ce la peur ou le choc, je ne saurais trop dire ce qui m'a pris. Quoi qu'il en soit, mon père a toujours détesté mes chats, il pensait que je leur accordais trop d'attention. Autant dire qu'il pensait que je le délaissais à cause de mes chats. En fait, il avait raison. Il détestait tout spécialement Annie. Dans les quelques mois qui suivirent la mort de mon père, Annie tomba malade, elle souffrait d'un carcinome épithélial qui s'était logé au cou. J'étais persuadée que cette maladie ne pouvait venir que de lui ; de là–haut, mon père avait tout machiné pour m'enlever Annie. J'y croyais dur comme fer et personne ne pouvait me convaincre du contraire. Je savais bien qu'il n'aurait pas hésité à le faire de son vivant. Bien entendu, je souhaitais que la captation me donne l'occasion d'avoir des nouvelles de mes parents et amis disparus, mais je voulais d'abord et avant tout parler à ma chatte Annie. Peu m'importaient les autres, tant que je n'aurais pas de nouvelles d'Annie, je ne serais pas tranquille, d'autant plus que je craignais que mon père lui ait fait subir quelques mauvais traitements de son cru.

Lorsque je me suis présentée à la captation de groupe, j'ai tout de suite pensé que tout était perdu. Je me disais que tous ces gens venus pour entendre leurs proches requéraient beaucoup plus d'attention de la part des âmes que moi. Après tout, je voulais obtenir des nouvelles d'un chat et cela me semblait tout à coup futile en comparaison du drame que vivaient ces gens. Pourtant, ma chatte a fini par se présenter à George. Elle a d'abord dit qu'elle était ma fille, j'imagine qu'elle a décidé de se présenter sous cette identité, parce qu'elle sentait bien que j'éprouvais l'intense besoin de lui parler. Tout cela pour dire que, ce soir–là, j'ai appris que les animaux vont, eux aussi, dans l'au–delà. En somme, rien n'altère les liens qui nous unissaient à eux sur terre. Sans parler du réconfort que j'éprouve à l'idée qu'elle sera là pour m'accueillir lorsque viendra mon heure.

LA CAPTATION
(Extrait d'une captation de groupe qui concerne Geri.)

— Bon, voyons voir. Hum, il pourrait s'agir d'un garçon ou d'une fille. J'entends le nom Geri. Est–ce que quelqu'un voit qui c'est ?

— C'est mon nom.

— Bon, d'accord. Quelqu'un vient de dire : « Appelez Geri, dites–lui que papa est ici. » Bon, apparemment, votre père est ici. C'est pour cette raison qu'il vous a appelée par votre nom. Ah ! Votre père parle maintenant de « maman », est–ce que votre mère est morte ?

— Oui.

— Bien, votre père me dit que votre mère est avec lui. Votre père me parle d'un enfant décédé, est–ce que vous savez de qui il parle ?

— Oui.

— Votre enfant ?

— Oui.

— Bon, parce que votre père n'a de cesse de répéter que l'enfant est avec lui. Il me dit : « Perte d'un enfant », c'est donc de votre enfant qu'il parle. Attendez une minute, il parle de deux… avez–vous perdu plus d'un enfant ? Avez–vous fait une fausse couche ? Est–ce qu'un autre enfant est mort dans la famille ?

— Hum, je ne sais pas.

— Je ne le sais pas non plus. On me demande d'insister…Votre père me reparle de deux enfants, je présume donc qu'il y en a deux.

— Je devrais pourtant savoir de qui il s'agit…(Geri ne pensait pas à son chat Kat.)

— Bon, d'accord, il ne me tuera pas pour ça, non mais sans blague, il dit : « Je sais de quoi je parle ! » (Tout le monde rit) Enfin, il m'a dit que vous aviez perdu un enfant et puis, il me l'a dit une autre fois. Mais il n'a pas tant insisté sur ces événements que sur la douleur qu'ils vous causent. Votre père me parle aussi d'un frère. Avez–vous perdu un de vos frères ou un de vos beaux–frères ?

— Il (le père) avait un frère. (Elle n'a pas pensé à son beau–frère.)

— Ah ! Attendez un instant. Il me parle encore de la perte d'un enfant, en fait de deux enfants, un garçon et une fille.

— Oui. (Geri est maintenant persuadée qu'il parle de ses deux chats.)

— Est–ce que cela a du sens ?

— En ce qui me concerne, oui.

— D'accord, parce qu'il aurait pu parler de son frère. Bon, voyons maintenant ce qu'il veut nous dire. Oh ! Il me reparle de ces deux enfants, un de sexe féminin et l'autre de sexe masculin. Voilà qu'il me parle d'un fils. Il semble que deux membres de votre famille sont morts, un de chaque sexe. Il me parle encore de ce fils. Avez–vous perdu un fils ? Chose sûre, vous avez perdu une fille et quelqu'un a perdu un garçon.

— Oui... oui, je vois. (Geri ne savait que répondre, pourtant elle avait l'impression qu'il était en train de parler d'Annie, elle aimait Annie comme sa fille.)

— Il a dit : « Un de chaque sexe » Votre fille est ici, aussi devait–il parler de votre fille et de cette autre personne qui l'accompagne. J'ai l'impression qu'il s'agit d'un cousin, se pourrait–il qu'il soit un des cousins de votre fille ?

— Bien...

— Ou il s'agit du fils de quelqu'un et ce fils était comme un cousin pour votre fille. Tout ceci n'a en somme que peu d'importance. Votre fille est ici. Votre père me dit que vous y verrez sans doute un peu plus clair tout à l'heure, vous comprendrez pourquoi il a affirmé que vous aviez connu deux deuils. Deux enfants.... Je n'en sais pas plus...Tout ce que je sais, c'est que votre fille est ici. Elle est en compagnie de vos parents. Attendez une seconde...Votre fille me parle d'un autre grand–père, mais je ne sais pas si elle parle de votre propre grand–père ou de votre beau–père.

— Oui, mon beau–père est parti.

— Votre beau–père est mort, c'est bien ça ?

— Oui.

— Parce que votre fille... enfin, votre beau–père doit être avec elle. Elle me parle d'un autre grand–père qui est avec elle.

— Pas mon grand–père ?

— Non, non, elle m'a parlé de son grand–père. Hum... je ne sais pas trop par quel bout commencer. On dirait que... Connaissez–vous un certain Lee ou Leah ?

— Lee ? C'est mon père.

— Oh ! Parce que j'entends ce prénom, votre père cherche à vous donner une confirmation du fait qu'il est ici. Votre fille est morte jeune, cela me paraît clair. Je sens qu'elle a connu une fin tragique. C'est exact ?

— Hum...

— J'ai cru sentir cela à la façon dont elle en parle. (Aux âmes) Est–ce que vous aviez des problèmes de santé ou essayez–vous de me faire comprendre autre chose ? (À Geri)

Enfin, il semble qu'elle soit morte à la suite d'un problème de santé ?

— Oui.

— C'est ce qu'elle vient de me dire. Elle a dû lutter, mais elle savait aussi qu'elle allait en mourir, m'a–t–elle dit. Je présume qu'elle était gravement malade ?

— Oui.

— Bon, il se peut qu'il s'agisse d'un symbole, aussi soyez très attentive à mes paroles. J'ai l'impression qu'elle essaie de me faire comprendre qu'elle est morte d'une maladie grave qui ressemble à un cancer ?

— Elle avait un cancer.

— C'est bien ce que je croyais. Avant de continuer, je voudrais pourtant m'assurer qu'elle n'essaie pas de me dire autre chose. Bon, elle était atteinte d'un cancer ou d'une maladie qui s'y apparente ? Parce qu'elle m'a dit qu'elle était morte d'une « maladie grave qui ressemble à un cancer. »

— Oui.

— Cette maladie affecte le sang ?

— Je ne sais pas.

— D'accord. Je sens aussi une tension à la tête. Peut–être que la maladie a d'abord affecté le sang et qu'elle s'est étendue à la tête. Enfin, c'est bien possible. Elle m'a dit qu'elle avait une maladie du sang et qu'elle ressentait une forte pression à la tête.

— Il s'agissait de son cou.

— Elle avait un genre de tumeur en tout cas et soudainement elle s'est développée et elle a atteint sa tête. Elle n'arrête pas de me dire qu'elle parle maintenant. Est–ce que la maladie a affecté sa voix ?

— Oui.

— Je n'ai plus de mal à parler maintenant « c'est pourquoi je parle tant ».

— Oui, je comprends.

— Apparemment, cette tumeur a provoqué des problèmes auditifs ?

— Oui.

— Elle devait ressentir une forte pression aux oreilles.

— Oui, oui.

— Je sens une pression derrière mes oreilles.

— Oui.

— Puis vous accourez vers moi. J'ai l'impression que quelque chose obstrue mon oreille droite, ce qui bloque par le fait même mon audition. Elle dit qu'elle entend bien à présent. Pour tout dire, je sens une masse là derrière. (Il montre sa nuque.) Oui, c'est bien un genre de cancer, mais j'ai aussi l'impression qu'il s'agit d'un cancer inhabituel, enfin d'une maladie rare.

— Oui.

— C'est probablement pour cette raison qu'elle m'a dit que sa maladie « ressemblait à un cancer ». Elle voulait m'indiquer qu'elle était atteinte d'une forme de cancer plutôt rare. Elle n'a de cesse de me dire : « Tu n'aurais jamais cru que cela finirait par m'emmener ici ? » Et, j'ai pensé « bien sûr que non. » C'est intéressant, en fait, il semble que le tout a commencé par une petite bosse plutôt anodine, sauf que tout à coup elle a grossi, elle est devenue énorme.

— Oui.

— Je l'entends qui appelle papa et la famille. (Geri disait souvent que son mari était le père d'Annie.) Elle vous remercie d'avoir pris soin d'elle lorsqu'elle était malade. Je vois le film *Term of Endearment*, elle me dit que certaines scènes se rapportent à son histoire. Elle m'a aussi parlé d'une opération, je présume qu'on l'a opérée ?

— Oui.

— Il semble que l'opération n'ait rien changé à son état. Néanmoins, elle vous remercie d'avoir tout mis en œuvre pour assurer son bien–être.

— Oui. (Les médecins n'ont pu enlever la tumeur qui s'était logée sur ses cordes vocales, il n'y avait rien à faire.)

— Je ne voudrais surtout pas ressasser le passé pour rien, mais il semble que vous ayez un moment cru qu'elle était guérie. Or, ça n'était pas le cas. (Elle rit. Geri lui a fait suivre un traitement de médecine holistique avant de se mettre en route pour la Floride, de sorte que le chat se portait très bien durant le voyage entre Las Vegas et la Floride.) Je vois saint Jude, il est derrière vous. Il symbolise le désespoir que vous avez ressenti lorsque vous vous êtes rendu compte qu'elle allait vous quitter. Vous étiez rassurée et vous aviez confiance que tout irait bien, sauf que, tout à coup, son état s'est dégradé.

— Oui.

— Elle m'a dit qu'elle était tombée dans le coma. Elle avait perdu connaissance à tout le moins.

— Oui. (Geri l'a endormie pour l'empêcher de souffrir.)

— Je vois saint Joseph, il est le symbole d'une mort heureuse. Son passage dans l'au–delà s'est fait de façon paisible. Elle tient à vous rassurer, elle n'a pas du tout souffert. Il semble que vous redoutiez qu'elle ait peur. Vous craigniez tant qu'elle soit terrorisée, du moins c'est l'impression que j'ai, que vous ne vouliez rien entendre à ce sujet. Pourtant, elle me dit qu'elle n'a pas eu peur, même qu'on l'attendait, quelqu'un l'a accueillie. Elle insiste aussi sur le fait que vous étiez avec elle, c'est exact ?

— Oui.

— Elle blague. Elle me dit que vous n'osiez même plus aller aux toilettes tellement vous ne vouliez plus la quitter. Vous aviez peur qu'elle meure toute seule.

— C'est juste.

— Elle m'a dit que vous avez été à ses côtés tout le temps. Elle ajoute à la blague qu'elle connaît bien votre petit côté perfectionniste. Si vous n'aviez pas été là au moment de sa mort, vous auriez été incapable de vous le pardonner.

— Oui.

— Bien entendu, elle vous aurait attendue. Elle m'a demandé de vous rassurer à ce sujet : « Merci pour les choses qui ont été faites en ma mémoire. »

— Oui. (Quelques semaines plus tard, Geri a tapissé un mur de photographies d'Annie. Elle a aussi rédigé deux poèmes en sa mémoire, qu'elle a soigneusement calligraphiés.)

— Apparemment, vous avez posé des gestes en sa mémoire. Hum... Je ne voudrais surtout pas que vous pensiez que je blague... enfin, votre fille doit avoir le sens de l'humour parce qu'elle m'a dit : « Dans le cas de ma mère, c'est comme un petite croquette. » Vous êtes comme une morte vivante ; depuis qu'elle est partie, vous ne vivez plus.

— C'est exact.

— Mais comme votre fille le dit, il faut vous concentrer sur vous à présent. Elle va bien et elle est en paix, vous n'avez plus à vous en faire pour elle. Cette seule pensée devrait vous rassurer. Elle est en paix. Elle dit : « Je suis avec mes grands–parents. » Elle me parle une fois encore de votre père, je présume qu'il est mort avant elle ?

— Oui.

— Je le dis parce qu'elle affirme que Lee était là pour l'accueillir dans la Lumière.

— Vraiment !

— Il est l'une des premières personnes qu'elle a rencontrées à son arrivée. Aussi... votre père regrette de ne pas avoir été plus proche de vous. Il a raison ?

— Oh ! Oui !

— Il m'a confié que c'était pour cette raison qu'il tenait tant à accueillir votre fille dans la Lumière. Il pense qu'il a une dette envers vous.

— C'est vrai.

— Et, il ajoute que ce geste faisait partie de sa rédemption. Mais, n'allez surtout pas croire qu'il emploie ce mot dans un sens catholique.

— Oui.

— Il s'agissait tout simplement d'un pas vers la réconciliation.

— Oui, je comprends bien.

— Votre père m'a dit qu'il s'était très mal comporté envers elle, il se traite même « d'enfoiré ».

— Oui, il l'était. (Tout le monde rit)

— Enfin, remerciez le ciel, il n'est plus comme ça ! Le moins que l'on puisse dire c'est que votre père appelle un chat, un chat !

— C'est tout à fait ça ! D'ailleurs, il n'arrêtait pas de me répéter cette phrase de son vivant !

— Il s'est mal comporté envers elle et il devait essayer d'arranger les choses pour son bilan de vie. Il me dit que votre perte est son gain, car votre fille et lui sont très proches maintenant.

— Vraiment !

— Votre père m'a confié qu'il ne savait pas comment exprimer ses sentiments. Cela lui était totalement étranger. Il était perdu, aussi perdu que je le serais si j'allais sur la lune.

— C'est vrai.

— Mais il ajoute que votre fille l'a grandement aidé à exprimer ses sentiments. Il a pu voir que vous avez enduré un vrai calvaire lorsqu'elle est morte. Votre mère et votre père semblent avoir trouvé un terrain d'entente.

— Oh ! Mais, c'est formidable !

— Apparemment, votre père a beaucoup changé.

— Oh ! Mon Dieu ! Oui !

— Il tient aussi à présenter des excuses pour les abus qu'il vous a fait subir.

— Oui.

— Je présume qu'il a abusé de vous, et ce, tant physiquement qu'émotionnellement ?

— Oui.

— Il me dit que les blessures émotionnelles ne guérissent jamais tout à fait. Il pense qu'il a entaché votre jeunesse. À la mort de votre fille, vous avez pensé que cela devait être de votre faute, vous pensiez que vous aviez fait quelque chose pour mériter ce sort.

— Oui.

— Et, ce n'est pas vrai. Comme votre fille le dit, il vaut mieux ne pas ressasser tout ça. Mais elle peut bien vous le répéter cent fois, tant que vous ne déciderez pas de changer les choses, il ne se passera rien. Pourquoi votre fille me dit « la plus jeune », est–elle la cadette ?

— Elle était la plus jeune.

— Désolé, désolé, désolé, c'est bien vrai qu'elle a dit « la plus jeune » et non pas la cadette. (Aux âmes) Ok, ok, pas de problème, calmez–vous un peu ! Elle me dit qu'elle est venue vous visiter en rêve, c'est exact ?

— Je l'ai vue dans un de mes rêves.

— Oui, les âmes viennent nous voir durant notre sommeil. Il se peut fort bien que vous ne vous souveniez pas de tous vos rêves. Elle me parle d'un déménagement. Est–ce que vous y songez ?

— Oh ! Encore ? (Geri venait de déménager trois fois en trois ans.)

— C'est que je voulais que vous sachiez qu'il n'y a pas de problème. Vous ne devez surtout pas vous sentir coupable de faire des changements dans votre vie. Il faut que vous alliez de l'avant dans votre vie. Elle vous l'a dit et d'ailleurs, vous n'avez pas le choix. Votre père me parle de mauvais caractère, parle–t–il de lui ?

— Je ne sais pas, il se peut qu'il parle de moi.

— Parce qu'il m'a juste parlé de « mauvais caractère », mais j'ai tout de suite pensé à un homme qui s'aperçoit soudain qu'il n'était pas aussi aimable qu'il voulait bien le croire.

— Bien…

— Peut–être parlait–il de vous. Enfin, vous tenez bien de quelqu'un… Peut–être bien que ce trait de personnalité vous vient de lui. Croyez–le ou non, votre père vous tend des roses blanches en gage de paix et d'offrande spirituelle.

— Vraiment !

— Il dit qu'il souhaite que vous lui pardonniez. Votre mère semble très proche.

— De moi ?

— Oui.

— Oui, elle l'était.

— Elle était l'âme et le cœur de la famille, elle a rencontré pas mal de difficultés dans sa vie, n'est–ce pas ?

— Oui.

— Votre mère vous dit : « Je suis là et je t'envoie tout mon amour. » Elle ajoute : « Il est évident que c'est celui qui a le plus besoin de te parler qui doit le faire. »

— Vrai.

— Ainsi, votre père est venu spécialement pour vous parler. « Ne crois pas que c'est parce que je ne veux pas te parler, mais ton père en avait plus besoin que moi. » Et elle ajoute : « C'est pour cette raison que je ne me suis pas manifestée tout de suite. »

— Oui.

— Et comme me dit votre fille, il n'y a plus de problème maintenant, elle est en sécurité auprès de votre père. Votre fille me parle d'un animal domestique. Avez–vous perdu un animal de compagnie ?

— Oui.

— Avant elle ?

— Oui. (Elle parle de Kat.)

— Elle m'a dit qu'un animal domestique l'a accueillie dans la Lumière. D'ailleurs, il est ici. C'était l'animal de la famille. En perdant cet animal, vous avez senti que vous perdiez les derniers liens qui vous rattachaient à votre fille. Elle me dit que cet animal est auprès d'elle. Cette question vous préoccupait, elle voulait simplement vous rassurer, enfin je crois. Elle vous demande de continuer à prier pour elle. Elle va très bien et elle me dit qu'elle est comme avant. Son corps était malade, mais son esprit se portait bien. Et cessez de vous tourmenter au sujet de cette histoire. Votre père m'a confié que vous avez perdu confiance en vous, vous ne vous appréciez pas à votre juste valeur. D'une certaine façon, vous étiez convaincue que vous aviez mérité cela, or, ce n'est pas le cas. Votre fille vous demande de chasser au plus vite ces pensées, vous avez de la valeur et vous avez certaines choses à faire sur terre. Hum...Votre fille semble être une personne très spirituelle, chose sûre, elle était sûrement très éveillée pour son âge, parce qu'elle m'a dit qu'elle ne voyait pas pourquoi cette épreuve vous ferait sombrer après tout ce que vous avez traversé par le passé. Votre fille ajoute que vous vous retrouverez un jour, mais encore faut–il que vous arriviez au fil d'arrivée. Chaque jour est un jour de moins. En attendant, il faut que vous alliez de l'avant et que vous entrepreniez de nouvelles activités. Bien entendu, elle vous manque énormément, mais vous savez qu'elle va bien et cela devrait vous aider à avancer pas à pas. Elle vous enjoint à rentrer chez vous et à dormir sur vos deux oreilles pour une fois. Comme elle le dit, il vous faut vous débarrasser du passé, votre esprit doit se libérer de toutes les mauvaises choses que votre père a semées dans votre esprit. Vous n'en reviendrez pas du résultat, cela vous transformera. Vous n'y parviendrez pas en un jour, bien entendu. Nous parlons ici d'un endoctrinement qui a duré de nombreuses années. Il vous faut y aller à petits pas, mais il faut tout de même que vous commenciez à le briser. Comme elle vous le dit, il faudra vous y attaquer couche par couche avant de vous en libérer. Si vous ne faites que l'écouter sans agir, vous ne saurez jamais si elle avait raison. Une fois encore, elle vous envoie tout son amour, à vous et à son père, sans oublier toute sa famille. Sachez qu'elle est en paix et que tout ira bien jusqu'à ce que vous soyez de nouveau réunies. Voilà, ils sont partis.

Les animaux, tant ceux de la terre que ceux de l'au–delà, font preuve d'un amour et d'une capacité de pardonner hors du commun. Aussi, la cruauté envers les animaux constitue–t–elle aux yeux de la Lumière Infinie une offense beaucoup plus grave que celle commise à l'égard des humains, du moins c'est ce que les âmes m'ont confié. Face à la cruauté humaine, les animaux sont sans défense et ils n'ont souvent d'autres choix que d'endurer leur sort et de souffrir en silence. Toutefois, la confiance et l'amour avec lesquels ils vont vers les humains leur jouent de vilains tours. Un animal domestique que l'on a battu mettra du temps avant de se méfier de son bourreau. Toutefois, lorsqu'ils perdent confiance, c'est pour longtemps. Je le sais pour l'avoir constaté chez ma chatte Winks. Les gens du refuge pour animaux chez qui je l'ai trouvée m'ont dit que bien des personnes avant moi avaient tenté de l'amadouer, mais sans succès, Winks gardait des séquelles des mauvais traitements qu'on lui avait fait subir. Elle ne savait que mordre et émettre des chuintements menaçants.

Dès son arrivée à la maison, elle s'est mise à ronronner et à se frotter la tête contre ma main, mais quelques secondes plus tard, elle me mordit et alla se réfugier sous le lit. Il y a déjà dix ans de cela, et pourtant son comportement n'a presque pas changé… par contre, le mien envers elle, a changé.

Prenez grand soin de vos animaux de compagnie. Ils ne s'en porteront que mieux et vous aussi… N'oubliez pas que vous aurez à faire face à vos actes lors de votre bilan de vie. Parmi tous les êtres de cette terre, ils sont certainement les plus proches de Dieu.

Chapitre II

LE LONG CHEMIN DU DEUIL, UN ITINÉRAIRE PARSEMÉ DE LEÇONS

LA ROUTE QUI SE PROFILE DEVANT NOUS

u cours de ma carrière de médium, je n'ai jamais remarqué une ardeur spirituelle aussi intense que celle que je perçois depuis quelques années autour de nous. Le goût pour la spiritualité est en train de se développer au moment même où notre culture se désagrège, et peut–être n'est–ce pas là un hasard. Je crois que nous sommes en train de nous débarrasser de cette arrogance qui nous enfermait dans ce vieil axiome qui veut « qu'on ne vit qu'une fois et qu'ainsi il faut tout de suite prendre tout ce qu'il y a à prendre. » Si les gens craignaient, il y a peu de temps encore, l'éventualité d'une vie après la mort, c'est principalement parce qu'ils avaient peur d'avoir à répondre, dans une autre vie, des faits et gestes qu'ils avaient posés dans celle–ci. En revanche, j'ai l'impression que de plus en plus de gens aujourd'hui espèrent trouver dans une autre vie une compensation pour les déceptions et les tragédies qu'ils ont subies au cours de leur existence présente. Et ces gens ont raison de croire cela. C'est en tout cas ce que les âmes de l'au–delà s'accordent à nous dire.

Alors qu'est–ce qui nous attend au juste le long de cette route qui se déroule devant nous ? J'imagine que cela dépend de celui à qui on posera la question. Pendant les captations, les âmes me disent que la vie, ici–bas, devient plus spirituelle, et que de plus en plus de gens sont attentifs à ces signes subtils que nous envoie la Lumière Infinie ; des signes infimes, peut–être, mais qui se manifestent souvent juste sous nos yeux. Ce sera un papillon, que l'on apercevra en décembre, ou encore un étranger que l'on rencontrera dans la file, au supermarché, et qui, par le simple fait de nous demander ce qui ne va pas, nous empêchera d'en finir avec la vie au moment même où le deuil et les souffrances semblaient devenus trop lourds à porter (car oui, de telles choses arrivent dans la vie).

Lors des captations comme dans la vie de tous les jours, nous sommes entourés par des êtres – les âmes et la Lumière Infinie – qui nous soutiennent tout au long de notre parcours spirituel. Cela fait partie de *leur propre* développement spirituel, dans l'au–delà. Or les âmes, qui connaissent nos souffrances, nous promettent des choses merveilleuses, à nous qui vivons encore sur terre. Elles me disent, par exemple, que nous sommes sur le point de trouver une cure au cancer, et que le remède au SIDA est là, tout près, sous nos yeux. Mais elles nous préviennent aussi, annonçant que si certains d'entre nous se réjouiront de ce que leurs proches auront été épargnés, d'autres souffriront et se sentiront amers parce que le remède sera arrivé trop tard pour sauver l'un des leurs. Pourtant, lorsqu'on leur demande la raison de cette injustice, les esprits répondent qu'il y a une raison à tout dans l'univers, et que chaque chose sera expliquée en son temps.

Il m'est aussi difficile de terminer ce livre qu'il me l'est de finir une captation, lorsque je suis auprès de gens qui sont aux prises avec la souffrance. Je sais que le fait d'entendre parler d'un être cher peut apaiser un peu la douleur provoquée par la perte physique de cet être. Mais malheureusement ce sentiment est éphémère, et il faut retourner ensuite à la réalité du quotidien. Les personnes endeuillées doivent vivre, souffrir et attendre ce jour où elles pourront retrouver enfin leurs êtres chers qui sont disparus. Mais tant que nous sommes encore sur terre, les esprits de l'au–delà continuent de nous prodiguer leurs bons conseils. En effet, les disparus annoncent souvent aux membres de leur famille que ceux–ci, en dépit des tragédies et des souffrances qu'ils ont à endurer, doivent continuer leur chemin sur terre, de manière à pouvoir compter sur une expérience la plus riche possible. Les âmes savent qu'elles seront réunies un jour avec les membres de leur famille, et c'est pour cette raison peut–être qu'elles n'éprouvent pas de la même façon que nous les douleurs de la séparation. Or, elles nous comprennent ; elles compatissent à nos souffrances et veulent nous aider à les supporter. Mais ce n'est pas en les nourrissant à la petite cuillère ou en les portant tout au long de leur parcours que les âmes assistent leurs proches. Les âmes, depuis leur position privilégiée dans l'au–delà, agiront plutôt comme conseillères, en orientant leurs proches, en leur indiquant la bonne direction. Le plus souvent, les âmes de l'au–delà se comportent à l'égard des membres de leurs familles comme des espèces d'« anges gardiens ». Parfois elles me disent, un peu à la blague, que nous leur rendons la tâche bien difficile en nous laissant submerger par le deuil, au point de ne plus pouvoir avancer. Les âmes nous rappellent que, s'il est vrai qu'elles sont toujours là pour nous aider, c'est à nous de marcher sur *notre propre* chemin, qui en temps et lieu nous mènera jusqu'à elles. Les âmes veulent nous aider à entrevoir cette paix merveilleuse qui nous attend, que nous connaîtrons lorsque notre tour sera venu de quitter la terre.

LES SEMENCES DE L'ESPOIR

Les âmes de l'au–delà sont de meilleures enseignantes que nous serions portés à le croire. Et par ailleurs, elles ne s'enorgueillissent pas des semences d'espoir qu'elles ont discrètement plantées dans nos cœurs. Pourtant, c'est souvent dans les moments où nous éprouvons le besoin de comprendre que les réponses nous apparaissent. Aussi faut–il savoir reconnaître là, plutôt que des coïncidences, l'œuvre de ces âmes qui nous aiment tant et qui se consacrent à marcher en silence et paisiblement à nos côtés, jusqu'à la fin de nos vies.

Colleen Carey, la fille de Connie Carey (dont il a été question dans ce livre) a perdu sa sœur à un âge où les choses bougeaient très vite autour d'elle et où elle ne s'est pas sentie capable de composer avec une aussi tragique disparition.

Or, comme elle l'avait fait de son vivant, sa sœur disparue, depuis sa position privilégiée dans l'au–delà, a beaucoup aidé Colleen à comprendre et à accepter ce bouleversement. Colleen m'a fait parvenir ce témoignage poignant, qui nous rappelle toute l'importance et la puissance de l'espoir.

« Lorsque ma sœur Michèle est décédée, je me suis sentie complètement désespérée. Qu'aurais–je pu espérer, d'ailleurs, ayant perdu le seul être qui me comprenait vraiment – ma sœur – ma meilleure amie ? Tandis que le temps passait et que je cherchais des façons de composer avec cette terrible sensation de vide, j'ai eu de temps à autre des rêves extrêmement réalistes, où Michèle me dévoilait son monde, afin, je pense, que je puisse me sentir plus heureuse dans le mien. Au cours des cinq dernières années, Michèle est souvent venue me rendre visite en songe, mais il y eut un rêve en particulier qui revêt jusqu'à ce jour une importance toute spéciale pour moi. Dans ce rêve, Michèle me tenait par la main tandis que nous marchions à travers de grands champs herbus, très vastes et très reculés. J'avais l'impression que nous nous baladions depuis des heures ainsi lorsque nous nous arrêtâmes au bord d'un très joli ruisseau, où coulait une eau cristalline. Je me souviens d'avoir eu peur, à ce moment, de me mouiller les pieds ; mais ma sœur me prit par la main, encore, et elle m'aida à traverser. Nous arrivâmes au pied d'un escalier en colimaçon, tout doré, et nous en montâmes les degrés. Lorsque nous atteignîmes enfin le palier, il y avait là une superbe fenêtre en verre, de l'autre côté de laquelle se trouvait une cascade éblouissante. Michèle se glissa par la fenêtre et commença à patauger dans l'eau ; la cascade ruisselait doucement sur ses cheveux et le long de ses épaules. Mais quand j'essayai de la suivre, je ne parvins pas, moi, à me glisser par la fenêtre et cela me frustra beaucoup. Quand je regardai ma sœur, elle me dit : « Tu ne peux pas venir ici ; c'est mon monde. » Aujourd'hui, je crois du fond du cœur que Michèle m'a fait voir le paradis, et que c'est là, à ce moment–là, que l'espoir a pu renaître en moi. »

À leur façon, les âmes nous laissent entrapercevoir de temps à autre toute la grâce et toute la paix de leur monde, et cela même si elles ne le font pas d'une façon aussi marquée que la sœur de Colleen. Elles se manifesteront peut–être sous la forme d'un éclat de rire, survenu au beau milieu d'une période de détresse, ou d'une sensation de paix qui nous emplit soudain, alors que nous nous sentions étouffés par le désespoir. Les âmes tiennent à ce que nous sachions qu'il y a une place dans leur monde pour nous. Mais elles nous disent que nous devons d'abord poursuivre notre existence terrestre sans succomber au désespoir, jusqu'à ce jour heureux où nous serons enfin réunis à elles. Autrefois, je disais aux gens qu'il n'existait pas de remède au deuil, mais les âmes de l'au–delà m'ont détrompé depuis. Le remède au deuil, c'est de continuer notre existence présente le plus courageusement possible pour que nous puissions, à la fin, être réunis à ceux de nos proches qui sont disparus avant nous. Car c'est à ce moment–là seulement que s'évanouiront toutes les souffrances induites par le deuil. C'est un moment que les âmes, tout autant que nous, attendent avec impatience. Et ce moment, il viendra pour chacun d'entre nous, en son temps. Ainsi, notre existence présente nous est échue en partie pour que nous apprenions à composer avec la perte de nos êtres chers. Cet apprentissage est nécessaire : seuls le temps et la compréhension pourront apaiser nos souffrances.

Nous devons comprendre que la tragédie n'est pas un châtiment, et que nous ne sommes qu'une infime partie d'une immense univers. Les âmes me disent que l'au–delà se trouve dans une dimension parallèle à la nôtre. Aussi devient–il possible, en de rares occasions et pour quelques secondes seulement, de jeter un coup d'œil au travers de ce voile des dimensions. C'est par de brefs aperçus de ce genre que nos êtres chers, depuis l'au–delà, nous aident à comprendre qu'ils sont bien plus proches de nous que nous ne saurions nous l'imaginer et que des jours plus heureux nous attendent. Mais d'ici là, ils nous demandent de les voir tels qu'ils sont, bien vivants et vivant dans un autre monde.

Comme je l'ai mentionné au début de ce livre, le service que je rends aux gens, en réalisant des captations qui les mettent en contact avec leurs proches disparus, n'est qu'un pis–aller. En effet, rien ne saurait compenser la perte physique d'un être cher. Mais ce pis–aller nous apprend néanmoins que rien ne disparaît à tout jamais. Parfois, le simple fait de savoir que l'au–delà est un endroit que nous pouvons reconnaître – parce que nos êtres chers s'y trouvent – peut signifier la différence entre l'espoir et le désespoir. Oui, les captations ont une fin, mais la vie, elle, continue, avec ou sans notre consentement. Ce que nos êtres chers tiennent tant à nous enseigner, c'est que si nous avons envie parfois de baisser les bras et de laisser le poids de notre deuil nous écraser, chacun d'entre nous peut aussi apprendre à porter ce deuil et à continuer sa route avec lui. Le choix nous revient.

Le fait de travailler auprès des âmes de l'au–delà et de leurs proches a complètement changé ma vie. En effet, je dois tant de choses à ces âmes et aux encouragements qu'elles prodiguent ! Mais je dois beaucoup aussi à leurs proches, qui malgré leur deuil me font voir à chaque jour combien les liens de l'amour peuvent être forts. Si forts en fait que, même après que nous ayons jeté un pont entre le temps et l'espace, entre les années écoulées et la frontière dimensionnelle qui nous séparent de nos proches, ces liens demeurent toujours aussi vifs et vibrants. Il y a tant de choses que nous tenons pour acquises, ici–bas, alors que chaque journée nous offre des occasions de nourrir notre âme et de croître spirituellement. Cela aussi, les âmes essaient de nous l'enseigner, et c'est d'ailleurs parce qu'il nous reste du chemin à faire que nous sommes encore ici. J'essaie de ne rien oublier des choses que les âmes me disent pendant les captations. Aussi, c'est par ces bonnes gens qui viennent, par mon intermédiaire, écouter les paroles réconfortantes de proches, que j'apprends chaque jour un peu plus sur la nature humaine et sur le potentiel qu'il y a en chaque être humain : oui, nous sommes tous capables d'accomplir de grandes choses.

Si nous sommes encore sur terre, c'est parce que nous avons tous, ici–bas, un travail à faire et des choses à apprendre. C'est donc sur notre propre sort que nous devrions pleurer, nous qui avons encore tant de choses à accomplir, tant de leçons à comprendre, tant d'expériences à vivre avant de passer ce portail au–delà duquel les larmes n'existent plus. Mais au lieu de cela, bon nombre d'entre nous souffrent pour des personnes qui ont terminé leur besogne sur terre et qui se sont débarrassées de leur fardeau. Les âmes de l'au–delà, nos proches disparus ont été récompensés pour le temps qu'ils ont passé sur terre, et cela, que leur vie terrestre ait été longue et affligeante ou courte et troublante. Leur discours vise donc à nous encourager. Depuis l'au–delà, les âmes veulent absolument nous faire comprendre qu'il est essentiel que nous tenions le coup jusqu'à la fin. Et elles nous disent que les récompenses qui nous attendent dans l'autre monde sont d'une beauté telle que nous ne saurions même pas nous les imaginer. Les âmes veulent que nous entrevoyions cette beauté, de manière à ce que notre fardeau devienne un peu plus léger.

Les gens me demandent parfois des nouvelles de la Dame Lilas. À ce que je sache, elle n'est pas revenue me rendre visite depuis les jours de mon enfance. Mais j'ai bien l'impression qu'elle est encore tout près de moi et qu'elle se manifeste de toutes sortes de façons. Pour moi, elle représente l'espérance de grandes choses à venir, une fois que mon existence sur terre sera révolue. Si elles ont le pouvoir de nous faire beaucoup de bien, les âmes de l'au–delà ne peuvent pas pour autant changer nos vies à notre place. Et aussi bien qu'il était impossible de réparer Humpty Dumpty, toutes les âmes de l'au–delà réunies ne pourraient pas escamoter les obstacles que j'ai à franchir et les expériences que je dois vivre sur terre, afin de préparer mon âme à l'au–delà. En revanche, il y a certaines choses que les âmes de l'au–delà ont le pouvoir de m'enseigner. Et j'ai le pouvoir, moi, d'aider les autres à comprendre que ces âmes de nos proches disparus sont toujours proches de nous – même lorsqu'elles ne se manifestent pas. Je sais que, lorsque mon heure sera venue, la Dame Lilas reviendra auprès de moi, comme une vieille amie, tout comme les autres personnes que j'aurai aimées lors de mon bref passage sur terre. En attendant, j'espère que ces êtres apprécient ce que j'essaie d'accomplir ici–bas.

Le chemin qui mène à la Lumière Infinie est long et tortueux ; il est jonché d'obstacles, mais balisé aussi d'endroits où l'on peut se reposer et réfléchir. Et comme c'est le cas pour n'importe quelle autre route, ce chemin–ci est tantôt plat et dégagé, tantôt raboteux et obstrué. Parfois aussi on empruntera une route secondaire, et on aura l'impression de perdre du temps. Mais à la fin, on comprendra que tous ces détours font partie du même grand chemin, et qu'ils menaient tous à la même destination. Si l'on est attentif, on pourra apercevoir ici sur terre, tout au long de notre itinéraire spirituel, une étincelle de cette lumière – la Lumière Infinie – qui représente tout ce qu'il y a de beau et de grand dans notre univers et qui rend toutes choses possibles. Souvenez–vous que vous n'êtes pas seuls et que vos êtres chers ne vous ont jamais vraiment quittés. La vie nous épuise, parfois, mais nous continuons à cheminer. Le deuil nous fait tomber, mais nous reprenons la route. Et chaque jour la Lumière Infinie nous donne un avant–goût des choses merveilleuses à venir. Ainsi, nous devons continuer, persévérer. Nous devons marcher vers la Lumière dans la paix, dans l'amour et – ce qui est plus important encore – dans l'espoir.

À propos des auteurs

La renommée de George Anderson a traversé les frontières, il est considéré comme le plus grand médium de son époque. George se veut le porteur du message d'amour et d'espoir qu'il a reçu au cours d'une vie consacrée à cet extraordinaire don qui est le sien.

En ces temps qui connaissent un engouement sans pareil pour la spiritualité et tout ce qui concerne l'au–delà, George demeure incontestablement une des figures de proue de la communication médiumnique. Cela fait maintenant plus de vingt–cinq ans qu'il a choisi de mettre ses dons au service des familles en deuil qui souhaitent entrer en contact avec leurs proches. Ses extraordinaires habiletés et son application lui ont permis d'acquérir une excellente réputation qui rayonne aux quatre coins du monde. Son don est si remarquable que bon nombre de personnes œuvrant dans le domaine scientifique ou médical l'ont remarqué. Ces gens considèrent la méthode de George Anderson comme un procédé de communication authentique et efficace avec les âmes de l'au–delà.

Dans ce livre, George Anderson bouscule les idées reçues en ce qui a trait à la médiumnité, en plus de répondre aux questions qui lui sont le plus souvent posées. George partage aussi avec nous ses plus récentes lectures, émouvantes et inspirantes. Les textes dont il nous parle ont le pouvoir de nous rassurer et de nous éclairer sur notre existence, notre spiritualité et nos rapports ininterrompus avec nos proches qui sont physiquement disparus.

George Anderson œuvre aux États–Unis où il organise des séminaires et des conférences, en plus de donner des consultations privées. Ses services sont par ailleurs sollicités aux quatre coins du globe, notamment en Europe, en Asie et en Afrique du Sud. Plusieurs autorités et membres de communautés religieuses reconnaissent les dons extraordinaires de George Anderson, dont monseigneur Thomas Hartman ainsi que les sœurs de la communauté des *School Sisters of Notre Dame*. George est aussi le seul médium qui soit encore invité en Hollande par les membres de la famille d'Anne Frank qui vivent encore. Il est intervenu à de nombreuses reprises dans les journaux et à la télévision, en plus d'avoir été le sujet ou l'inspiration de plusieurs ouvrages. Il signe ici son premier livre.

Andrew Barone est le directeur des *George Anderson Grief Support Programs* (Programmes d'aide aux personnes endeuillées) et cofondateur de la *Foundation for Hope* (Fondation pour l'espoir), un organisme qui a pour mission, aux quatre coins des États–Unis et à travers le monde entier, de consoler et de réconforter des personnes affligées par un deuil. Ancien pianiste classique, il a choisi depuis, de consacrer ses aptitudes et son expérience aux autres, non seulement pour les aider à mieux comprendre le passage de la mort et le sentiment de perte qu'il entraîne, mais aussi à faire la promotion de la médiumnité en tant que thérapie valable et efficace dans ce type de circonstance.